부록

THE NAPOLEONIC WARS

나폴레옹 세계사

옮긴이의 말

"모든 나라는 평화를 원한다. 단 자기들의 구미에 맞는 평화를."

– 재키 피셔(영국 해군 제독, 1841~1920)

"근대 세계를 만들어낸 것은 프랑스 혁명이 아니라 프랑스 혁명전쟁이다."

– T. C. W. 블래닝, 《프랑스 혁명전쟁의 기원》

"워털루에서 나폴레옹은 항복했지. (…) 책장 속의 역사는 항상 되풀이되는 거야."

– 아바, 〈워털루〉

1792년 4월 프랑스 입법의회의 대對오스트리아 선전포고로 시작된 프랑스 혁명전쟁은 1802년 후반에 10개월간의 짤막한 휴지를 거친 뒤 1803년 나폴레옹 전쟁으로 이름을 바꿔 1815년 워털루에서 나폴레옹이 궁극적으로 패배할 때까지 20년이 훌쩍 넘게 이어졌다. 통틀어서 나폴레옹 전쟁이라고 불리는 이 장기 무력 분쟁은 20세기 두 차례 세계대전이 일어나기 전까지 유럽사에서 가장 대규모이자 고강도 전쟁이었다. 톨스토이의 《전쟁과 평화》로 길이 기억될 보로디노 전투에는 30만 명이 넘는 병사들이 참가했고, 열두 시간의 싸움으로 프랑스군은 3만 5천 명 이상, 러시아군은 4만 명 이상이 죽거나 다쳤다. 100여 년 뒤 제1차 세계대전에서 전투 개시 첫날에 5만 8천 명의 사상자를 낸 솜 전투만이 이 파국적인 규모에 버금갈 정도다. 한편 나폴레옹 전쟁은 '무장한 국민'이라는 관념을 제시한 현대 총력전의 시초이기도 하다. 산업적 규모의 살육과 더불어 총력전이 본격적으로 수행된 제1차 세계대전이 나폴레옹 전쟁으로부터 '대전쟁'이라는 명칭을 물려받은 것은 당연한 일이다.

압도적인 규모와 범위의 이 전쟁을 설명하려면 물론 여기에 이름을 부여한 인물을 이해하는 작업이 필수다. 그러나 '말을 탄 세계정신'만이 이 전쟁의 시작과 끝을 온전히 설명할 수 있는 것은 아니다. 나폴레옹 개인의 천재성과 야심이 나폴레옹 전쟁의 경로를 그리는 데 한 역할을 무시할 수는 없지만, 나폴레옹 전쟁은 이미 18세기 유럽 국가 체제의 불안정성과 지정학적 요인 안에 그 씨앗을 품고 있었다. 따라서 이 책 《나폴레옹 세계사》의 관점대로 나폴레옹 개인의 중심성을 뼈대로 삼으면서도 18세기 유럽의 국제 질서라는 맥락과 그 전 지구적 파급효과로 시선을 넓힐 필요가 있다.

18세기 유럽은 끊임없이 세력 균형을 추구하면서, 다시 말해 어느 한 나라가 대륙에서 패권 국가로 부상하는 사태를 저지하면서, 저마다 영토적·상업적·제국적 이해관계를 공격적으로 추구하는 치열한 경쟁의 장이었다. 그러므로 1787년 네덜란드 위기나 1790년 누트카 협만 위기, 3차에 걸친 폴란드 분할 과정 등은 혁명전쟁이 아니더라도 이미 언제든 유럽 각축전이 불붙을 가능성을 예고하고 있었던 셈이다.

이 같은 일촉즉발의 국제 정세 속에서 프랑스 혁명 정부는 처음에는 정권의 생존과 혁명의 수호라는 방어적 관점에서 전쟁에 나섰다. 그러나 막상 다른 유럽 국가들이 각자의 이익을 따지며 엇박자를 내고 사방으로 퍼져나가는 혁명군의 행진을 막지 못하자 혁명전쟁은 라인란트 점령, 이탈리아 정복과 동방 진출과 같은 팽창주의적 색채를 띠게 되었고, 전쟁의 목표도 '자연 국경선'의 확장, 국가 안보와 전략적 이해관계의 추구와 같은 더 전통적인 목표들로 돌아갔다. 나폴레옹은 다른 요소들은 차치하고라도 앞선 혁명 정부의 전쟁을 상속받았다는 점에서 분명히 '혁명의 자식'이었다.

처음에 프랑스-프로이센-오스트리아의 대결이 유럽 전면전의 불씨를 일으켰다면 프랑스의 저지대 지방 점령은 그 지역을 자국 안보의 핵심으로 여기는 영국과의 대립을, 또 지중해로의 팽창은 흑해 방면으로 남하하던 러시아와의 대립을 불러왔다. 유럽 대륙 양단에 자리한 두 강국인 영국, 러시아와 프랑스 간 대립으로 전쟁은 말 그대로 세계대전으로 비화했다. 이제 유럽 전역은 물론 아메리카와 카리브해, 인도, 아프리카, 아시아 곳곳에 뻗어 있는 유럽 제국들의 식민지와 속령, 유럽 제국들과 이해관계가 얽힌 오스만 제국과 근동 지역, 이란과 중앙아시아 지역 전부가 전쟁의 무대가 되었다. 심지어 유럽 벽지 중의 벽지인 아이슬란드조차도 나폴레옹 전쟁의 여파를

피해갈 수 없었다.

　나폴레옹은 이전 정부의 정책을 더 적극적이고 공세적으로 추진하면서 유럽에서는 프랑스의 헤게모니 수립을, 해외에서는 영국과 대적할 만한 식민 제국의 재건을 꿈꿨다. 전자를 대육군이라는 가공할 군사력으로 달성한 나폴레옹은 대불동맹의 자금줄 역할을 하던 영국(최종적으로 무려 6500만 파운드의 전비를 감당했다)을 다른 수단으로, 즉 경제 전쟁으로 굴복시키고자 했다. 바로 대륙 봉쇄 체제다. 대륙 봉쇄 체제는 해운과 무역에 기반을 둔 영국 경제의 생명선을 끊기 위한 것이었다. 하지만 프랑스 해군이 해상 봉쇄를 실시할 능력이 없었기 때문에 이 시스템은 영국의 해안선을 봉쇄하는 것이 아니라 반대로 영국의 무역을 상대로 유럽의 항구들을 걸어 잠그는 '자체 봉쇄'라는 다소 기이한 형태를 띠었다. 그리고 이 대륙 봉쇄를 더 강력하게 실시하기 위한 시도가 포르투갈 침공과 나폴레옹의 '자책골'과도 같은 에스파냐 찬탈, 그리고 결정적으로 1812년 러시아 원정을 불러왔다. 또한 이 경제 전쟁의 불똥이 대서양 너머로까지 튀면서 심각한 무역 차질을 빚은 중립국 미국은 1812년에 이전 식민 모국과 제2라운드의 대결을 치르게 된다.

　나폴레옹 전쟁을 치르며 영국은 인도 지배를 공고히 했고, "희망봉부터 혼곶까지" 자국에 도전할 만한 세력을 일소하며 세계적 강국으로 확고히 자리매김했다. 북방에서 전개된 전쟁으로 노르웨이와 핀란드의 지위가 바뀌면서 스칸디나비아 국가의 재정렬이 이루어졌다. 미국은 1776년에 시작한 과정을 1812년 전쟁으로 마무리하면서 서반구에서 진정한 탈식민 강국으로 부상했다. 본국이 나폴레옹 전쟁의 격랑에 휘말리면서 에스파냐 아메리카 제국도 해체의 길을 밟았다. 나폴레옹이 탄생시킨 라인 연방이 독일 연방으로 확대, 변형되면서 독일 통일의 첫단추가 끼워졌다. 오스만 제국은 유럽의 세력 다툼에 엮이는 사이 이집트와 발칸반도 등 속주에 대한 지배력이 한층 약해졌다. 이집트는 사실상 반독립국이 되었고 19세기는 물론 20세기 들어서까지도 발칸 지역을 종종 유혈로 얼룩지게 할 독립 운동의 기나긴 흐름도 이때 시작되었다. 유럽 외교의 중심 의제에 '동방문제'가 대두된 것이다. 나폴레옹 전쟁의 파급효과는 이란과 중앙아시아에까지 미쳤고 이로써 19세기 내내 전개될 영국-러시아 세력 다툼인 '그레이트 게임'의 무대가 갖춰졌다. 나폴레옹 전쟁이 세계지도만 다시 그린 것은 아니다. 지정학적 유산들 외에도 중앙 권력의 강화, 징집제, 민족의식의 고취 등 나폴레옹 전쟁의 정치적·사회적 유산 역시 광범위하고 오래 지속되었다. 그리고 그 유산 중에 어떤 것들은 우리 곁에 말 그대로 여전히 남아 있다. 아바의 '불후의 명곡' 〈워털루〉에서 보듯이 말이다.

소위 벽돌책을 번역하는 작업은 꾸준한 속도로 매일 몇 페이지씩 달려가는 마라톤이다. 이번 장거리 경주에서 가장 힘든 구간은 배배 꼬인 18세기 화법을 구사하는 제퍼슨의 문장도, 여덟 줄이 넘어가도록 마침표를 찍지 않는 그 시대 특유의 만연체도 아니었다. 그보다는 부제가 말해주듯 핀란드, 터키, 인도, 조지아 등등 세계 각지에서 수시로 튀어나오는 생소한 지명과 인명 표기였다. 하지만 프랑스어에 문외한인 역자에겐 영 해괴해 보이는 철자의 프랑스어 인명이 나올 때면 파리 체류 시절 "프랑스어란 참말이지 악마가 만든 언어"

라고 투덜거렸던 모차르트를 떠올리며 묘한 위안을 얻기도 했다.

　　나는 그동안 주로 역사책을 번역하면서 역자 후기에 주석도 빠트리지 않고 읽어줄 것을 당부하곤 했다. 본문만 이미 1천 쪽이 넘어가는 책을 헤쳐 나갈 독자에게 무리한 주문 같긴 하지만 이번에도 주석까지 읽어달라는 잔소리를 하고 가야겠다. "악마는 디테일에 숨어 있다"와 같은 진부한 소리를 하려는 것이 아니다. 좋은 역사서라면 독자가 읽어나가는 와중에 저자는 어째서 이런 주장을 펼치는가, 무엇을 근거로 이런 논제를 이끌어내는가 의문이 드는 대목과 마주치기 마련이다. 이런 의문에 대한 온전한 답변은 아니지만 그 실마리를 찾을 수 있는 것이 바로 주석에 적힌 설명과 전거다. 역사서는 주석을 통해서 저자의 논지가 구성되는 과정을 되짚어갈 수 있는 텍스트다. 게다가 역사서에 대한 무슨 거창한 독법을 제시하는 차원이 아니더라도 이 책의 16장 184번 주석(1269~1270쪽)처럼 나폴레옹 전쟁의 희비극을 엿볼 수 있는 일화는 역자와 편집자만 읽고 넘어가기엔 너무 아깝다.

　　2015년은 빈 회의와 나폴레옹 전쟁 종식 200주년이었고 2021년은 나폴레옹 타계 200주년이다 보니 최근 몇 년 사이에 외국에서는 나폴레옹과 나폴레옹 전쟁 관련 도서가 쏟아져 나왔다. 나로서는 내용이 도무지 짐작이 가지 않지만 정원과 자연의 관점에서 나폴레옹의 생애를 다룬 전기가 나왔을 정도다. 반면 국내에는 나폴레옹 전기몇 종과 이집트 원정, 나폴레옹 전쟁의 중요 전투들을 군사사의 관점에서 다룬 책 서너 권만이 나와 있을 뿐이며 나폴레옹 전쟁의 배경과 진행 과정, 유산까지 종합적으로 다룬 책은 소개되지 않은 듯하다.

이 책을 통해 최신 연구 성과를 바탕으로 한 본격적인 나폴레옹 전쟁사를 국내에 번역, 소개할 수 있게 되어 번역가로서 매우 뿌듯하다. 의미 있는 역사서의 번역 작업을 맡겨준 도서출판 책과함께에 감사드린다.

최파일

주

서문

1. Henry Dundas to Richard Wellesley, October 31, 1799, in "Contents of Mr. Dundas's Letters to the Marquis Wellesley ... Governor-General of India, 1798-1800," NLS, MS.1062, 53.

2. Charles J. Esdaile, *Napoleon's Wars: An International History, 1803-1815* (New York: Viking, 2008), xiv-xv.

3. 저명한 어느 영국 역사가는 "오랫동안 세심하게 연구하고 숙고한 끝에 [1794-1801년] 서인도제도 전역, 윈드워드제도와 리워드제도 원정에서만 영국 육군과 해군에 최소 10만 명의 병력 손실이 있었으며 그중 약 절반은 사망자이고, 나머지 절반은 영구적인 복무 부적격자가 되었다는 결론에 도달했다"라고 평가했다. John William Fortescue, *A History of the British Army* (London: Macmillan, 1906), IV, part I, 565.

4. Owen Connelly, *The French Revolution and Napoleonic Era* (Orlando, FL: Harcourt, 2000), 361.

1장 혁명적 서곡

1. 1792년 2월 17일 예산안 연설, *The Speeches of the Right Honourable William Pitt in the House of Commons* (London: Longman, Hurst, Rees and Orne, 1806), II:36.

2. 대서양 혁명에 관한 고전적 저술은 Robert R. Palmer, *The Age of the Democratic Revolution: A Political History of Europe and America, 1760-1800*, 2 vols. (Princeton, NJ: Princeton University Press, 1959-1964); Jacques Léon

Godechot, *La Grande Nation: L'expansion révolutionnaire de la France dans le monde de 1789 à 1799* (Paris: Aubier, 1956)을 보라. Pierre Serna, "Introduction —L'Europe une idée nouvelle à la fin du XVIIIe siècle?" in "Dire et Faire l'Europe à la fin du XVIIIe siècle," ed. Pierre Serna, special issue, *La Révolution française* 2011, no. 4 (2011)(http://lrf.revues.org/252에서 볼 수 있음)도 보라.

3. Jeremy Adelman, "An Age of Imperial Revolutions," *American Historical Review* 113 (2008): 319–40; David Ermitage and Sanjay Subrahmanyam, eds., *The Age of Revolutions in Global Context, c. 1760-1840* (New York: Palgrave Macmillan, 2010); Alan Forrest and Matthias Middell, eds., *The Routledge Companion to the French Revolution in World History* (London: Routledge, 2016); Wim Klooster, *Revolutions in the Atlantic World: A Comparative History* (New York: New York University Press, 2009); Christopher Bayly, "The 'Revolutionary Age' in the Wider World, c. 1790-1830," in *War, Empire, and Slavery, 1770-1830*, ed. Richard Bessel, Nicholas Guyatt, and Jane Rendall (Basingstoke: Palgrave Macmillan, 2010), 21–43을 보라.

4. Bailey Stone, *The Genesis of the French Revolution: A Global-Historical Interpretation* (Cambridge: Cambridge University Press, 1994); Christopher Bayly, *The Birth of the Modern World, 1780-1914: Global Connections and Comparisons* (Malden, MA: Wiley-Blackwell, 2004); Lynn Hunt, "The French Revolution in Global Context," in *The Age of Revolutions in Global Context, c. 1760-1840*, ed. David Ermitage and Sanjay Subrahmanyam (New York: Palgrave Macmillan, 2010), 20–36을 보라.

5. The Trans-Atlantic Slave Trade Database, https://www.slavevoyages.org/assessment/estimates (accessed July 30, 2019).

6. Philippe Haudrére, *La compagnie francaise des Indes au XVIIIe siècle 1719-1795* (Paris: Librairie de l'Inde, 1989), 4:1, 215.

7. Richard Drayton, "The Globalization of France: Provincial Cities and French Expansion, c. 1500-1800," *History of European Ideas* 34 (2008): 424–30; Paul Butel, "France, the Antilles, and Europe in the Seventeenth and Eighteenth Centuries," in *The Rise of Merchant Empires: Long Distance Trade in the Early Modern World, 1350-1750*, ed. James D. Tracy (Cambridge: Cambridge University Press, 1993), 153–73.

8. Louis Dermigny, "Circuits de l'argent et milieux d'affaires au XVIII siècle," *Revue historique* 212 (1954): 239–78; Louis Dermigny, "La France à la fin de l'ancien régime: Une carte monétaire," *Annales: Économies, sociétés, civilizations* 10, no. 4 (December 1955): 480–93; Stanley J. Stein and Barbara H. Stein, Silver, Trade, and War: Spain and America in the Making of Early Modern Europe (Baltimore: John Hopkins University Press, 2000), 52–53, 130–31, 143; Carlos Marichal,

Bankruptcy of Empire: Mexican Silver and the Wars Between Spain, Britain, and France, 1760-1810 (New York: Cambridge University Press, 2007)을 보라.

9. Stanley J. Stein and Barbara H. Stein, *Apogee of Empire: Spain and New Spain in the Age of Charles III, 1759-1789* (Baltimore: John Hopkins University Press, 2003), 305-37; Guillaume Daudin, *Commerce et prospérité: La France au XVIIIe siècle* (Paris: Presses l'université Paris-Sorbonne, 2005), 235-37.

10. 근래의 논의는 Charles Walton, "The Fall from Eden: The Free Trade Origins of the French Revolution," in *The French Revolution in Global Perspective*, ed. Suzanne Desan, Lynn Hunt, William Max Nelson (Ithaca, NY: Cornell University Press, 2013), 44-56을 보라. Marie Donaghay, "The Ghosts of Ruined Ships: The Commercial Treaty of 1786 and the Lessons of the Past," *CRE* 10 (1981): 111-18도 보라.

11. Jules Conan, *La dernière compagnie française des Indes*, 1715-75 (Paris: Marcel Rivière, 1942)를 보라.

12. Marc Vigié and Muriel Vigié, *L'herbe à nicot: Amateurs de tabac, Fermiers généraux et contrebandiers sous l'Ancien Régime* (Paris: Fayard, 1989); Jacob Price, *France and the Chesapeake: A History of the French Tobacco Monopoly, 1764-1791, and of Its Relationship to the British and American Tobacco Trades*, 2 vols. (Ann Arbor: University of Michigan Press, 1973); Edward Depitre, *La toile peinte en France au XVIIe et au XVIIIe siècles: Industrie, commerce, prohibitions* (Paris: M. Rivière, 1912)를 보라.

13. Gary B. McCollim, *Louis XIV's Assault on Privilege: Nicolas Desmaretz and the Tax on Wealth* (Rochester, NY: University of Rochester Press, 2012), 14-49.

14. Michael Kwass, "The First War on Drugs: Tobacco Trafficking, Criminality, and the Fiscal State in Eighteenth-Century France," in *The Hidden History of Crime, Corruption, and States*, ed. Renate Bridenthal (Oxford: Berghahn Books, 2013), 76-97.

15. Jean Nicolas, *La rébellion française: Mouvements populaires et conscience sociale, 1661-89* (Paris: Seuil, 2002); Michael Kwass, "The Global Underground: Smuggling, Rebellion, and the Origins of the French Revolution," in *The French Revolution in Global Perspective*, ed. Suzanne Desan, Lynn Hunt, and William Max Nelson (Ithaca, NY: Cornell University Press, 2013), 22를 보라.

16. 더 상세한 내용은 Joël Félix, "The Economy," in *Old Regime France, 1648-88*, ed. William Doyle (Oxford: Oxford University Press, 2001), 33-35; Michael Kwass, *Privilege and the Politics of Taxation in Eighteenth-Century France: Liberté, Égalité, Fiscalité* (Cambridge: Canbridge University Press, 2000)를 보라.

17. Jan deVries, *The Economy of Europe in an Age of Crisis*, 1600-50 (Cambridge: Cambridge University Press, 1976), 203; Richard Dale, *The First Crash: Lessons*

from the South Sea Bubble (Princeton, NJ: Princeton University Press, 2004), 56.

18. Frank W. Brecher, *Losing a Continent: France's North American Policy, 1753-63* (Westport, CT: Greenwood, 1998), 44-50.

19. 간략한 논의는 Félix, "The Economy," 31-39를 보라.

20. Michel Morineau, "Budgets de l'État et gestion des finances royales en France au dix-huitième siècle," in *Revue historique* 536 (1980): 289-36; Félix, "The Economy," 36-41; Claude H. Van Tyne, "French Aid Before the Alliance of 1778," *American Historical Review* 31 (1925): 20-40; James C. Riley, "French Finances, 1727-1768," *Journal of Modern History* 59, no. 2 (June 1987): 209-43.

21. Guillaume Daudin, "Profitability of Slave and Long Distance Trading in Context: The Case of Eighteenth-Century France," *Journal of Economic History* 61, no. 1 (2004): 144-71.

22. François R. Velde and David R. Weir, "The Financial Market and Government Debt Policy in France, 1746-1793," *Journal of Economic History* 52, no. 1 (1992): 1-39.

23. George V. Taylor, "The Paris Bourse on the Eve of the Revolution, 1781-1789," *American Historical Review* 67, no. 4 (1962): 951-77.

24. J. Russell Major, *From Renaissance Monarchy to Absolute Monarchy: French Kings, Nobles, and Estates* (Baltimore: Johns Hopkins University Press, 1994); Donna Bohanan, *Crown and Nobility in Early Modern France* (New York: Palgrave, 2001); Julian Swann, *Provincial Power and Absolute Monarchy: The Estates General of Burgundy, 1661-90* (Cambridge: Cambridge University Press, 2003), 230-99. 자세한 내용은 see John J. Hurt, *Louis XIV and the Parlements: The Assertion of Royal Authority* (Manchester: Manchester University Press, 2004)를 보라.

25. Julian Swann, *Politics and the Parlement of Paris Under Louis XV, 1754-74* (Cambridge: Cambridge University Press, 1995), 1-26, 45-86.

26. 상세한 내용은 John MacManners, *Church and Society in Eighteenth-Century France* (Oxford: Clarendon Press, 1998); Dale K. Van Key, *The Religious Origins of the French Revolution: From Calvin to the Civil Constitution, 1560-91* (New Haven, CT: Yale University Press, 1996); Timothy Tackett, *Religion, Revolution, and Regional Culture in Eighteenth-Century France: The Ecclesiastical Oath of 1791* (Princeton, NJ: Princeton University Press, 1986); Guy Chaussinand-Nogaret, *The French Nobility in the Eighteenth Century: From Feudalism to Enlightenment* (Cambridge: Cambridge University Press, 1995); Jay M. Smith, *The French Nobility in the Eighteenth Century: Reassessments and New Approaches* (University Park: Pennsylvania State University Press, 2006)를 보라.

27. William Doyle, *Origins of the French Revolution* (New York: Oxford University Press, 1980), 21.

28. George Rudé, *Revolutionary Europe, 1783-15* (New York: Harper Torchbooks, 1966), 74.

29. Jean-Jacques Rousseau, *The Social Contract* (New York: Hafner, 1947), 31.

30. 뛰어난 논의는 Part Three, "The Products of the Press," in *Revolution in Print: The Press in France, 1775-1800*, ed. Robert Darnton and Daniel Roche (Berkeley: University of California Press, 1989), 141-90을 보라.

31. 미국 혁명이 프랑스 혁명에 미친 장·단기적 영향에 관해서는 David Andress, "Atlantic Entanglements: Comparing the French and American Revolutions," in *The Routledge Companion to the French Revolution in World History*, ed Alan Forrest and Matthias Middell (London: Routledge, 2016), 159-74를 보라.

32. 좋은 논의는 Lynn Hunt, *Inventing Human Rights: A History*(London: W. W. Norton, 2007), 15-34를 보라.

33. 간략한 논의는 John Hardman, *French Politics, 1774-89: From the Accession of Louis XVI to the Fall of the Bastille* (London: Longman, 1995)를 보라. 프랑스 왕가 자체에 관한 간략한 설명이 필요하다. 1774년에 즉위한 루이 16세는 총명하고 인정이 많고 너그러운 사람이었지만 정치적 혼란을 억제하는 데 애를 먹었는데 당대 프랑스의 현실은 그보다 더 의지가 굳고 에너지가 넘치는 군주를 요구했다. 국왕에게 강한 영향력을 행사한 마리 앙투아네트 왕비는 아름답고 생기 발랄한 여인으로, 오스트리아 출신이라는 점이 그녀를 향한 당대인들의 태도를 형성하는 데 중요한 요인으로 작용하게 된다. 프랑스와 오스트리아는 1756년부터 동맹 관계이긴 했지만 적대관계의 역사가 길었고, 어린 오스트리아 대공녀가 프랑스 왕위 후계자와 결혼했을 때 프랑스 대중의 반응은 호의적이지 않았다. 정치 소책자 작가들에 의해 과장된 그녀의 호사스러운 생활양식과 성적 행각에 관한 근거 없는 소문은 왕비에 관해 매우 부정적인 인상을 조성했고 프랑스 대중한테서 군주정의 위신을 더욱 해쳤다. 상세한 내용은 John Hardman, *The Life of Louis XVI* (New Haven, CT: Yale University Press, 2016); Antonia Fraser, *Marie Antoinette: The Journey* (New York: Doubleday, 2001)을 보라.

34. 상세한 내용은 Donald Greer, *The Incidence of the Emigration During the french Revolution* (Cambridge, MA: Harvard University Press, 1951)을 보라.

35. Timothy Tacket, *When the King Took Flight* (Cambridge, MA: Harvard University Press, 2003)을 보라.

36. "Réflexions du Prince Kaunitz sur les prétendus dangers de contagion, dont la nouvelle constitution française menace tous les autres États souverains de l'Europe," November 1791, in Alfred Ritter von Vivenot, ed., *Quellen zur Geschichte der deutschen Kaiserpolitik Österreichs während der französischen Revolution 1790-1801* (Vienna: Wilhelm Braumüller, 1879), I:285-86;

Charles de Larivière, *Catherine la Grande d'après sa correspondance: Catherine II et la révolution française d'après de nouveaux documents* (Paris: H. Le Soudier, 1895), 363.

37. *Padua Circular*, July 5, 1791, http://chnm.gmu.edu/revolution/d/420에서 볼 수 있다.

38. 1791년 8월 27일, 오스트리아-프로이센 선언, in Vivenot, ed., *Quellen zur Geschites*, I:233-43, 255.

39. Paul W. Schroeder, *The Transformation of European Politics, 1763-48* (New York: Oxford University Press, 1994), 87-91. 전쟁의 원인에 대한 더 심도 깊은 시각은 Timothy C. W. Blanning, *The Origins of the French Revolutionary Wars* (London: Longman, 1986); John Harold Clapham, *The Cause of the War of 1792* (Cambridge: Cambridge University Press, 1899)를 보라.

40. 상세한 내용은 Linda Frey and Marsha Frey, "The Reign of Charlatans Is Over": The French Revolutionary Attack on Diplomatic Practice," *Journal of Modern History* 65 (1993): 706-44; Marc Bouloiseau, "L'organisation de l'Europe selon Brissot et les Girondins, à la fin de 1792," *Annales Historiques de la Révolution Française* 57 (1985): 290-94; Sylvia Neely, "The Uses of Power: Lafayette and Brissot in 1792," *Proceedings of the Western Society for French History* 34 (2006): 99-114를 보라.

41. 자크-피에르 브리소의 1791년 12월 16일자 연설, in Alphonse de Lamartine, *Histoire des Girondins* (Paris: Furne, 1847), II:58. Hippolyte Adolphe Taine, *The French Revolution* (New York: Henry Holt, 1881), II:101; Antonino de Francesco, "The American Origins of the French Revolutionary War," in *Republics at War, 1776-40: Revolutions, Conflicts, Geopolitics in Europe and the Atlantic World*, ed. Pierre Serna, Antonino de Francesco, and Judith A. Miller (New York: Palgrave Macmillan, 2013), 27-45도 보라.

42. *Le Patriote Français*, no. 857, December 15, 1791, 689. 이 간행물의 디지털 판본은 http://gallica.bnf.fr/ark:/12148/cb32834106z/date에서 보라.

43. Jacques-Pierre Brissot, *Second discours de J. P. Brissot, député, sur la nécessite de faire la guerre aux princes allemands, prononcé à la société dans le séance du vendredi 30 December 1791* (Paris: Sociéte des Amis de la Constitution, 1791), http://books.google.com/books?id=EUtZAAAAcAAJ.

44. *Procès-Verbal de l'Assemblée nationale* (Paris: L'imprimerie nationale, 1792), VII:336. 이 선언이 나온 맥락에 관한 탁월한 논의는 William Doyle, *The Oxford History of the French Revolution* (Oxford: Oxford University Press, 1990), 159-84; Timothy C. W. Blanning, *The Origins of the French Revolutionary Wars* (Harlow: Longman, 1986): 97-99; John Hardman, "The Real and Imagined Conspiracies of Louis XVI," in *Conspiracy in the French Revolution*, ed. Peter

Robert Campbell, Thomas E. Kaiser, and Marisa Linton (New York: Palgrave, 2007), 63-84를 보라.

45. Peter Paret, "Napoleon and the Revolution in War," in *Makers of Modern Strategy: From Machiavelli to the Nuclear Age*, ed. Peter Paret (Princeton, NJ: Princeton University Press, 1986), 124.

46. Howard Rosen, "The Système Gribeauval: A Study of Technological Development and Institutional Change in Eighteenth Century France," Ph.D. dissertation, University of Chicago, 1981; Jonathan Abel, *Guibert: Father of Napoleon's Grande Armée* (Norman: University of Oklahoma Press, 2016)을 보라.

47. Karl von Clausewitz, *On War*, ed. and trans. Michael Howard and Peter Paret (Princeton, NJ: Princeton University Press, 1976), 592, 609-10.

48. Annie Crépin, "The Army of the Republic: New Warfare and a New Army," in *Republics at War: Revolutions, Conflicts, Geopolitics in Europe and the Atlantic World*, ed. Pierre Serna, Antonino de Francesco, and Judith A. Miller (New York: Palgrave Macmillan, 2013), 131-48.

49. Stephen M. Walt, *Revolution and War* (Ithaca, NY: Cornell University Press, 1997), 46-100에 인용된 연설들을 보라.

2장 18세기 국제질서

1. 간결하고 식견이 돋보이는 개관은 Jeremy Black, *European International Relations, 1648-1815* (New York: Palgrave, 2002)를 보라.

2. Stuart J. Kaufman, Richard Little, and William C. Wohlforth, *The Balance of Power in World History* (Basingstoke: Palgrave Macmillan, 2007).

3. 1700년과 1789년 사이에 유럽 열강이 관여한 대형 분쟁이 열여섯 차례나 있었고, 유럽 열강이 대륙에서 전쟁을 벌이지 않았던 평화의 기간은 33년에 그쳤다.

4. George Liska, *Quest for Equilibrium: America and the Balance of Power on land and Sea* (Baltimore: John Hopkins University Press, 1977), 56.

5. Timothy C. W. Blanning, *The Origins of the French Revolutionary Wars* (London: Longman, 1986), 37.

6. 그동안 여러 학자들이 유럽 국가들을 분류해보려고 했다. 혁명기에 관한 중대한 저작에서 R. R. 파머는 삼중 분류체계를 적용한다. 첫째는 러시아, 오스트리아, 오스만튀르크가 지배하는 동부 지대이며, 둘째는 이탈리아와 독일 군소국, 스위스로 구성된 중부 지대, 셋째는 유럽 북부와 서부를 둘러싼 지대로, 스웨덴, 덴마크, 프로이센, 네덜란드, 영국, 프랑스, 에스파냐, 포르투갈을 비롯해 발생 단계의 민족국가들로 이루어져 있다. *The Age of the Democratic Revolution, vol. 1, The Challenge* (Princeton, NJ: Princeton University Press, 1959), 27-54를 보라.

반면에 프랑스 역사가 롤랑 무니에와 에른스트 라브루스는 유럽 국가들을 서부(영국, 네덜란드, 프랑스), 남부(에스파냐, 포르투갈, 이탈리아), 동부(러시아, 폴란드, 오스만튀르크), 중부(스위스, 신성로마제국, 오스트리아, 프로이센), 북부(덴마크, 노르웨이, 스웨덴)의 다섯 집단으로 구분했다. *Le VXIIIe siècle; révolution intellectulle technique et politique (1715-15)* (Paris: Presses universitaires de France, 1953).

7. 7년전쟁(1756-63) 동안 프로이센은 유럽 역사상 최대의 동맹 세력—오스트리아, 프랑스, 러시아, 스웨덴, 신성로마제국 내 대다수의 독일 국가들—에 맞서 싸우고 멀쩡히 살아남았다.

8. 자세한 내용은 Christopher M. Clark, *Iron Kingdom: The Rise and Downfall of Prussia, 1600-47* (Cambridge, MA: Belknap Press of Harvard University Press, 2006), ch. 9; Willy Real, *Von Potsdam nach Basel; Studien zur Geschichte der Beziehungen Preussens zu den europäischen Mächten vom Regierungsantritt Friedrich Wilhelms II. bis zum Abschluss des Friedens von Basel, 1786-95* (Basel: Helbing & Lichtenhahn, 1958)를 보라.

9. 간략한 연구는 Charles W. Ingrao, *The Habsburg Monarchy, 1618-15* (Cambridge: Cambridge University Press, 2000), 105-77을 보라.

10. Ernst Wangermann, "Preussen und die revolutionären Bewegungen in Ungarn und den österreichischen Niederlanden zur Zeit der französischen Revolution," in *Preussen und die revolutionäre Herausforderung seit 1789*, ed. Otto Büsch and Monika Neugebauer-Wölk (Berlin: Walter de Gruyter, 1991), 22-85.

11. "[보르도의] 상업과 재부, 위용에 관해서는 읽고 들은 바가 많은데 그곳은 그러한 내 예상마저 크게 뛰어넘었다"고 영국 여행가 아서 영은 적었다. *Travels in France During the years 1787, 1788 and 1789* (Cambridge: Cambridge University Press, 1929), 58.

12. 에스파냐가 18세기 후반에 직면한 도전들에 관해서는 Stanley J. Stein and Barbara H. Stein, *Apogee of Empire : Spain and New Spain in the Age of Charles III, 1759-89* (Baltimore, MD: Johns Hopkins University Press, 2003)를 보라.

13. 18세기 프랑스에 관한 훌륭한 개설서로는 Colin Jones, *The Great Nation: France from Louis XV to Napoleon* (New York: Penguin books, 2003)이 있다.

14. James S. Pritchard, *In Search of Empire: The French in the Americas, 1670-30* (Cambridge: Cambridge University Press, 2004).

15. Orville Theodore Murphy, *The Diplomatic Retreat of France and Public Opinion on the Eve of the French Revolution, 1783-89* (Washington, DC: Catholic University of America Press, 1998). 간결하고 통찰력 돋보이는 논의는 Jeremy Black, *France from Louis XIV to Napoleon: The Fate of Great Empire* (London: University College London Press, 1999), 128-48; Hamish M. Scott, *The Birth of a Great Power System, 1740-15* (London: Pearson Longman, 2006), 143-236

을 보라.

16. Henri Legohérel, *Les trésoriers généraux de la Marine, 1517-88* (Paris: Éditions Cujas, 1965), 350-55.

17. "영제국" 개념에 관한 흥미로운 논의는 Eliga H. Gould, "The Empire That Britain Kept," in *The Oxford Handbook of the American Revolution*, ed. Edward G. Gray and Jane Kamensky (Oxford: Oxford University Press, 2013), 465-82를 보라.

18. 탁월한 개관은 P. J. Marshall, ed., *Oxford History of the British Empire*, vol. 2, *The Eighteenth Century* (Oxford: Oxford University Press, 1998)를 보라. 석탄의 역할에 관한 수정주의적 견해는 Gregory Clark and David Jacks, "Coal and the Industrial Revolution, 1700-1869," *European Review of Economic History* II (2007): 39-72를 보라. 이 연구에 관심을 돌리게 해준 마이클 레지어 교수에게 감사드린다.

19. Nicholas Riasanovsky and Mark D. Steinberg, *A History of Russia* (Oxford: Oxford University Press, 2011), 262-63, 305-6.

20. John A. Garraty and Peter Gay, *The Columbia History of the World* (New York: Harper & Row, 1972), 785.

21. 신성로마제국과 그 제도에 관한 개관은 Peter H. Wilson, *The Holy Roman Empire, 1495-1806* (New York: St. Martin's Press, 1999); John Gagliardo, *Reich and Nation: The Holy Roman Empire as Idea and Reality, 1763-1806* (Bloomington: Indiana University Press, 1980)을 보라.

22. Voltaire, *Essai sur l'histoire generale et sur les moeurs et l'esprit des nations*, ed. M. Beuchot (Paris: Lefèvre, 1829), II:238.

23. 자세한 내용은 Peter Wilson, *Heart of Europe: A History of the Holy Roman Empire* (Cambridge, MA: Belknap Press of Harvard University Press, 2016)을 보라.

24. 예를 들어 프랑스 군대에는 스위스 병사들이 상당수 존재했고 그 수는 18세기 오랜 기간 동안 1만 명에서 2만 명 사이를 오르내렸다. 1790년대에는 약 1만 명의 스위스 병력이 에스파냐 군대에서 복무했다. 영국군의 깃발 아래 복무하는 스위스 용병 부대도 있었다. René Chartrand, *Louis XV's Army: Foreign Troops* (Oxford: Osprey, 1998); Renée Chartrand, *Spanish Army of the Napoleonic Wars, vol. 1, 1793-1808* (Oxford: Osprey, 1998); René Chartrand, *Émigré and Foreign Troops in British Service, vol. 2, 1803-15* (Oxford: Osprey, 2000); John MaCormack, *One Million Mercenaries: Swiss Soldiers in the Armies of the World* (London: Leo Cooper, 1993), 125-61을 보라.

25. Jeremy Black, *Britain as a Military Power, 1688-15* (London: Routledge, 1999), 221.

26. Theda Skocpol, *States and Social Revolutions: A Comparative Analysis of France, Russia, and China* (Cambridge: Cambridge University Press, 1979), 60-61.

27. 통찰이 돋보이는 논의는 Virginia H. Aksan, *Ottoman Wars, 1700-70: An Empire Besieged* (New York: Pearson, 2007); Stanford J. Shaw, *History of the Ottoman Empire and Modern Turkey* (Cambridge: Cambridge University Press, 1976), I:217-76; Brian Davies, *Empire and Military Revolution in Eastern Europe: Russia's Turkish Wars in the Eighteenth Century* (London: Continuum, 2011), 특히 180-84를 보라. 7년 전쟁에서 오스만튀르크의 역할은 Virginia H. Aksan, "The Ottoman Absence from the Battlefield of the Seven Years' War," in *The Seven Years' War: Global Views*, ed. Mark Danley and Patrick Speelman (Leiden: Brill, 2012), 165-90을 보라.

28. Isabel de Madariaga, "The Secret Austro-Russian Treaty of 1781," *Slavonic and East European Review* 38, no. 90 (1959): 114-45. 비밀조약은 요제프 2세와 예카테리나가 손수 쓴 편지를 주고받은 결과였다. *Joseph II und Katharina von Russland*, ed. Alfred Ritter von Arneth (Vienna: W. Braumuller, 1869).

29. Alan F. Fisher, *The Russian Annexation of the Crimea, 1772-83* (Cambridge: Cambridge University Press, 1970).

30. Hugh Ragsdale, "Evaluating the Traditions of Russian Aggression: Catherine II and the Greek Project," *Slavonic and East European Review* 66, no. 1 (1988): 91-117.

31. 이 전쟁에서 오스트리아의 개입에 관해서는 Matthew Z. Mayer, "Joseph II and the Campaign of 1788 Against the Ottoman Turks," MA thesis, McGill University, 1997; Matthew Z. Mayer, "The Price for Austria's Security: Part I. Joseph II, the Russian Alliance, and the Ottoman War, 1787-1789," *International History Review* 26, no. 2 (2004): 257-99; Michael Hochedlinger, *Austria's Wars of Emergence: War, State ad Society in the Habsburg Monarchy, 1683-97* (London: Longman, 2003)를 보라.

32. 자세한 내용은 Aksan, *Ottoman Wars 1700-1870*, 129-79, esp. 147-50을 보라.

33. 결국 러시아-오스트리아-오스만 전쟁으로 이어진 야시와 시스토바(지스토비) 조약 협상에 관한 흥미로운 논의는 *Câbi Târihi—Târihi Sultân Selim-i Sâlis ve Mahmûd-i Sânî—Tahlîl ve Tenkidli Metin I*, ed. Mehmet Ali Beyan (Ankara: Türk Tarih Kurumu, 2003), 28-31을 보라.

34. Munro Price, "The Dutch Affairs and the Fall of the Ancien Régime, 1787-1787," in *Historical Journal* 38, no. 4 (1995): 875-905; Orville T. Murphy, *The Diplomatic Retreat of France and Public Opinion on the Eve of the French Revolution* (Washington, DC: Catholic University of America Press, 1998), 459-72.

35. Robert Nisbet Bain, *The Pupils of Peter the Great: A History of the Russian Court and Empire* (Wesminster: A. Constable, 1897), 6.

36. 러시아의 동기는 Herbert H. Kaplan, *The First Partition of Poland* (New York:

Columbia University Press, 1962); Robert E. Jones, "Runaway Peasants and Russian Motives for the Partitions of Poland," in *Imperial Russian Foreign Policy*, ed. Hugh Ragsdale and V. Ponomarev (Cambridge: Cambridge University Press, 1993), 103-18을 보라. 러시아의 국내 정세와 그것이 폴란드 제2차 분할에서 한 역할에 관한 논의는 Jerzy Lojek, "Catherine's Armed Intervention in Poland: Origins of the Political Decisions at the Russian Court in 1791-1792," *Canadian-American Slavic Studies* 4 (1970): 570-93를 보라.

37. 러시아는 약 130만 명의 주민과 더불어 드비나강과 드네프르 강변의 벨라루스와 라트비아계 리투아니아를 얻었다. 오스트리아는 총 260만 명이 거주하는 갈리치아주를 얻었다. 프로이센은 그단스크(단치히)와 토룬(토른)을 제외하고 이른 바 왕령 또는 폴란드계 서프로이센을 얻었다.

38. 예카테리나는 "귀Gu"(프레더릭-기욤[프리드리히 빌헬름의 프랑스식 이름이다]이라는 이름에서 따서)라는 별명으로 부른 프로이센 국왕을 "멍청한 놈"으로 멸시했고 "제Ge"라는 별명과 "직물 장수"로 통한 영국 국왕 조지 3세에 대한 경멸도 만만치 않았다. 1787년 네덜란드 공화국 사안에서 협력한 뒤로 두 군주는 러시아 여제의 눈에 "제귀"라는 하나의 조롱의 대상으로 합쳐졌다. Blanning, *The Origins of the French Revolutionary Wars*, 59.

39. 오스만 측 사료와 더불어 훌륭한 논의는 Kemal Beydilli, *1790 Osmali-Prusya ittifâki* (Istanbul: İstanbul Üniversitesi Yanyinlari, 1984)를 보라.

40. 자세한 내용은 Jerzy Kowecki, ed., *Sejm czteroletni i jego tradycje* (Warsaw: Państwowe Wydawnictwo Naukowe, 1991); Jerzy Kowecki and Bogusław Leśnodorski, *Konstytucja 3 maja 1791, statut Zgromadzenia Przyjaciół Konstytucji* (Warsaw: Państwowe Wydawnictwo Naukowe, 1981)를 보라.

41. 자세한 내용은 Robert H. Lord, *The Second Partition of Poland: A Study in Diplomatic History* (Cambridge MA: Harvard University Press, 1915); Adam Zamoyski, *The Last King of Poland* (London: Jonathan Cape, 1992), Jerzy T. Lukowski, *The Partitions of Poland, 1772, 1793, 1795* (Harlow: Longman Higher Education, 1998); Norman Davies, *God's Playground: A History of Poland* (New York: Columbia University Press, 1982), I:409-12, 511-46을 보라.

42. 위대한 오스트리아 외교관이자 반反프로이센 동맹의 설계자인 카우니츠-리트베르크 공 벤첼 안톤은 자신의 영향력이 줄어들고 대신 새로운 황제 치하에서 급속히 영향력을 얻어가던 안톤 폰 슈필만 남작과 카를 요한 필리프 코벤츨 백작에게 밀려나는 것을 지켜봤다. 1792년 카우니츠는 오스트리아 재상 자리에서 스스로 물러났다.

43. 러시아는 민스크와 지토미르, 카미에니에츠를 비롯해 벨라루스와 볼히니아의 광대한 지역을 획득했고 프로이센은 제1차 분할 때 얻은 것보다 거의 두 배나 되는 지역을 얻었다. 제2차 폴란드 분할의 자세한 내용은 Robert Howard

Lord, *The Second Partition: A Study in Diplomatic History* (Cambridge: Harvard University Press, 1915); Jerzy Lukowski, *The Partitions of Poland: 1772, 1793, 1795* (London: Longman, 1999)를 보라.

44. Nathaniel Jarret, "Britain and the Polish Question," 2015년 2월에 열린 혁명기에 관한 연례 협회에서 발표된 논문. 논문 전문을 보내준 저자에게 감사드린다.

45. 다른 유럽 국가들의 존재감도 상당했다. 러시아는 알래스카로 서서히 팽창하고 있었던 한편, 덴마크는 그린란드와 카리브 해역의 덴마크령 서인도제도(상크트 토마스, 상크트얀, 생크루아)를 지배했다. 네덜란드는 가이아나의 식민지(베르비서, 에세키보, 데메라라, 포메론, 수리남)와 퀴라소, 신트외스타시우스와 여타 속령을 지배했다. 스웨덴은 생바르텔레미섬을 지배했다.

46. 자세한 내용은 Warren L. Cook, *Floodtide of Empire: Spain and the Pacific Northwest, 1548-19* (New Haven, CT: Yale University Press, 1973); F. W. Howay, "The Spanish Settlement at Nootka," *Washington Historical Quarterly* VIII, no. 3 (1917): 163-71을 보라.

47. O. W. Frost, *Bering: The Russian Discovery of America* (New Haven, CT: Yale University Press, 2003). 해협은 세몬 데즈뇨프가 1648년에 처음 발견했다. 러시아 항해가들이 아메리카 해안을 처음 방문한 것은 1732년으로, 이 때 측지학자 미하일 그보제프가 (프린스오브웨일스곶에 가까운) 볼샤야 제믈랴에 도달했다.

48. 간략한 논의는 A. Sokol, "Russian Expansion and Exploration in the Pacific," *American Slavic and East European Review* II, no. 2 (1952): 85-105; Theodore S. Farrelly, "Early Russian Contact with Alaska," *Pacific Affairs* 7, no. 2 (1934): 193-97; N. Nozikov, *Russian Voyages Round the World* (London: Hutchinson, 1945)를 보라. 18세기 러시아 모피무역의 발전에 관해서는 Raisa Makarova, *Russians on the Pacific, 1743-1799*, trans. and ed. Richard Pierce and Alton Donnelly (Kingston, ONL Limestone Press, 1975)를 보라.

49. "The English in Kamchatka, 1779," *Geographical Journal* 84, no. 5 (1934): 417-19.

50. 러시아가 자국 세력권으로 간주하는 곳에 세 열강의 침범을 견제하고자 빌링스는 "북아메리카 해안 바람 그늘 쪽, 사람들이 잘 찾지 않고 알려지지 않은 섬"에 각별히 주의를 기울이고, 새로 접촉하는 부족들이 러시아의 영향권에 들어오도록 최선을 다하라는 지시를 받았다. 원정대는 전반적인 원정 목적을 기밀로 해야 했고, 빌링스가 받은 지침은 "어떤 구실로도 누구에게도 이 사업의 목적이나 작전 내용을 발설해서는 안 된다"고 적시했다. 빌링스의 원정은 악천후와 유럽의 변화무쌍한 정세 탓에 출발이 지연되었다. 원정대는 1790년에 마침내 알류샨 열도에 도달했고 그 지역에 2년간 머물렀다. 자세한 내용은 "Instructions from Catherine II and the Admiralty College to Captain Lieutenant Joseph Billings for His Expedition to Northern Russia and the North Pacific Ocean," in Basil Dmytryshyn, ed., *Russian Penetration of the North Pacific Ocean, 1700-97*

(Oregon: Oregon Historical Society Press, 1988), II:269-90을 보라.

51. 뛰어난 논의는 Glynn Barratt, *Russia in Pacific Waters, 1715-25* (Vancouver: University of British Columbia Press, 1981), 76-96를 보라.

52. "A Memorandum from Count Alexander Vorontsov and Count Alexander Bezborodko Concerning Russia's Rights to the Islands and Coasts of North America Which Were Discovered by Russian Seafarers," in Dmytryshyn, ed., *Russian Penetration of the North Pacific Ocean*, II:321-24.

53. 예를 들어 그들은 예카테리나가 세인트일라이어스산부터 허드슨만 연안까지 북아메리카 지역에 러시아의 주권을 선언할 작정이라고 보고했다. Cook, *Floodtide of Empire*, 115-17; Herbert Ingram Priestley, *José de Gálvez: Visitor-General of New Spain (1765-71)* (Berkeley: University of California Press, 1916), 300을 보라.

54. 누트카 협만 위기에 관해 가장 철저하고 균형 잡힌 설명은 Christian de Parrel, "Pitt et L'Espagne," *Revue d'histoire diplomatique* 64 (1950): 58-98과 William Ray Manning, "The Nootka Sound Controversy," *Annual Report of the American Historical Association for the Year 1904* (Washington, DC: AHA, 1905)이다. Lennox Mills, "The Real Significance of the Nootka Sound Incident," *Canadian Historical Review* 6 (1925): 110-22는 "영국과 에스파냐 간 타협 불가능한 식민 주권 원칙들"을 중심으로 한 흥미로운 해석을 내놓는다. John M. Norris, "Policy of the British Cabinet in the Nootka Crisis," *English Historical Review 70* (1955): 562-80은 경제적 이해관계에 더 초점을 맞춘다.

55. Samuel Flagg Bemis, *A Diplomatic History of the United States* (New York: Holt, Rinehart and Winston, 1965), 89.

56. Francois Crouzet, *La guerre économique franco-anglaise au XVIIIe siècle* (Paris: Fayard, 2008).

57. 자세한 내용은 Paul Butel, *L'Economie française au XVIIIe siècle* (Paris: SEDES, 1993)을 보라.

58. Guillaume de Lamardelle, "Eloge du Comte d'Ennery et réforme judiciaire à Saint-Domingue," April 2, 1788, Frédéric Régent, "Revolutions in France, Revolutions in the Caribbean," in *The Routledge Companion to the French Revolution in World History*, ed. Alan Forrest and Matthias Middell (London: Routledge, 2016), 61에서 인용.

59. Paul Butel, *Histoire des Antilles françaises* (Paris: Perrin, 2007), 184; James Pritchard, I*n Search of Empire: The French in the Americas, 1670-30* (Cambridge: Cambridge University Press, 2004), 424. 이에 비해 미국 전역에는 70만 명의 노예가 있었다.

60. 1789년에 이르러 노예 한 명으로부터 나오는 연수입은 200리브르를 넘었다. 프랑스인 1인당 연수입 196.98리브르와 잉글랜드인 1인당 연수입 157.25리브르

와 비교하라. 자세한 내용은 Vertus Saint-Louis, *Mer et liberté Haïti (1492-94)* (port-au-Prince: Bibliothèque nationale d'Haiti, 2008)를 보라.

61. Laurent Dubois, *Avengers of the New World: The Story of the Haitian Revolution* (Cambridge, MA: Harvard University Press, 2004).

62. Régent, "Revolutions in France, Revolutions in the Caribbean," 63-69. Also see the introduction and ch. 1 in François Blancpain, *La colonie française de Saint-Domingue: De l'esclavage à l'indépendance* (Paris: Karthala, 2004).

63. *Courier de Provence*, August 20-21, 1789.

64. Yves Bénot, "The Chain of Slave Insurrections in the Caribbean, 1789-1791," in *The Abolitions of Slavery: From Léger Félicité Sonthonax to Victor Schoelcher, 1793, 1794, 1848*, ed. Marcel Dorigny (Paris: Éditions UNESCO, 1995), 147-54.

65. 1791년 8월 노예 봉기를 개시하기 위해 반란 지도자 부크망 뒤티가 부아 카 이망에서 거행했다는 의례에 관한 흥미로운 논의는 David Geggus, "The Bois Caiman Ceremony," in *Haitian Revolutionary Studies* (Bloomington: Indiana University Press, 2002), 81-92를 보라.

66. Jeremy D. Popkin, *A Concise History of the Haitian Revolution* (Oxford: Blackwell, 2012), 30-46.

67. Frédéric Régent, "From Individual to Collective Emancipation: War and the Republic in the Caribbean During the French Revolution," in *Republics at War, 1776-40: Revolutions, Conflicts, Geopolitics in Europe and the Atlantic World*, ed. Pierre Serna, Antonino de Francesco, and Judith A. Miller (New York: Palgrave Macmillan, 2013), 165, 167.

68. David Geggus, "Jamaica and the Saint Domingue Slave Revolt, 1791-1793," *The Americas* 38 (October 1981): 223.

69. 훌륭한 논의는 Laurent Dubois, *A Colony of Citizens: Revolution and Slave Emancipation in the French Caribbean, 1787-1804* (Chapel Hill: University of North Carolina Press, 2004)를 보라.

3장 1차 대불동맹전쟁, 1792-1797

1. Jonathan A. Abel, *Guibert: Father of Napoleon's Grande Armée* (Norman: University of Oklahoma Press, 2016), 특히 156-93을 보라.

2. *Décret de la Convention nationale, du 19 novembre 1792, l'an Ier de la république françoise: Par lequel la Convention déclare qu'elle accordera fraternité & secours à tous les peuples qui voudront recouvrer leur liberté* (Rennes: Imprimerie Nationale du Département d'Ille et Vilaine, 1792); Albert Goodwin, *The Friends of Liberty: The English Democratic Movement in the Age of the French Revolution* (London: Hutchinson, 1979), 236-51.

3. Albert Mathiez, *La révolution et les étrangers: cosmopolitisme et défense nationale* (Paris: La Renaissance du Livre, 1918), 84.

4. Marita Gilli, ed., *Un révolutionnaire allemand, Georg Forster (1754–94)* (Paris: Éditions du CTHS, 2005), 440.

5. *The War Speeches of William Pitt the Younger*, ed. R. Coupland (Oxford: Clarendon Press, 1915), 244에 실린 1799년 6월 7일자 연설을 보라. "그들은 자유의 이름으로, 자신들의 생각과 의견에 맞지 않는 어떤 정부 모델도 수용하지 않을 것"이라고 영국 총리 윌리엄 피트는 단언했다. "그리고 모든 사람들은 군대의 포구砲口를 통해 프랑스의 체제가 세계 곳곳에 전파됨을 알아야만 한다." 1793년, 12월 1일자 연설, *The War Speeches*, 37. *Parliamentary Register or History of the Proceedings and Debates of the Houses of Lords and Commons* (London: Wilson, 1800), X:319–24에 실린 1800년 2월 3일 하원 토론도 보라.

6. 1790년 5월 22일 토론, *Archives Parlementaires de 1787 à 1860* (Paris: Paul Dupont, 1883), XV:662. Hamish Scott, "Diplomacy," in *The Oxford Handbook of the Ancien Régime*, ed. William Doyle (Oxford: Oxford University Press, 2012), 50도 보라.

7. Edmund Burke, *The Works of the Right Honorable Edmund Burke* (London: Rivington, 1801), VIII:204.

8. 하지만 1793년 3월에 프랑스는 바젤 주교구 상당 부분을 점령하여 두Doubs 도道의 일부로 병합했다. 이로써 쥐라 방어선이 없어지면서 스위스 국경 방어의 핵심 요소도 사라졌다. 경제 봉쇄를 당하고 있던 프랑스로서는 스위스로 팽창할 통로가 열렸고, 스위스 상인들과 전시 투기자들로부터 곡물, 가축, 초석을 비롯해 중요 상품을 조달할 수 있었다. 스위스의 중립과 혁명 프랑스와의 무역의 중요성에 관한 흥미로운 논의는 Edgar Bonjour, *Geschichte der schweizerischen Neutralität: vier Jahrhunderte eidgenössischer Aussenpolitick* (Basel: Helbing & Lichtenhahn, 1965), vol. 1을 보라.

9. J. Holland Rose and Alexander M. Broadley, *Dumouriez and the Defence of England Against Napoleon* (London: J. Lane, 1909), 145–86.

10. J. Holland Rose, *Lord Hood and the Defence of Toulon* (Cambridge: ambridge University Press, 1922); Robert Forczyk, *Toulon 1793: Napoleon's First Great Victory* (Oxford: Osprey, 2005).

11. Thomas Hippler, *Citizens, Soldiers and National Armies: Military Service in France and Germany, 1789–1830* (London: Routledge, 2008), 81–82.

12. 근래의 논의는 Jean-Joël Bregeon and Gérard Guicheteau, *Nouvelle histoire des guerres de Vendée* (Paris: Perrin, 2017)를 보라.

13. Desmond Gregory, *The Ungovernable Rock: A History of the Anglo-Corsican Kingdom and Its Role in Britain's Mediterranean Strategy During the Revolutionary War, 1793–97* (Rutherford, NJ: Fairleigh Dickinson University Press, 1985).

14. Sam Willis, *The Glorious First of June* (London: Quercus, 2011); Michael Duffy and Roger Morriss, eds., *The Glorious First of June 1794: A Naval Battle and Its Aftermath* (Exeter: University of Exeter Press, 2001).

15. 자세한 내용은 R. B. Rose, *Gracchus Babeuf: The First Revolutionary Communist* (Stanford, CA: Stanford University Press, 1978)를 보라.

16. Albert Sorel, *L'Europe et la Révolution française* (Paris: Plon Nourrit, 1903), V:20.

17. 피레네 산맥에서의 전쟁에 관한 장문의 논의는 Antonio Canovas del Catillo, *Historia General de Espana* (Madrid: El progreso editorial, 1891-93), vols. XVI-XVIII을 보라.

18. Francois Guizot, *France* (New York: P. F. Colllier & Son, 1902), 318에서 인용.

19. Geoffrey Bruun, *Europe and the French Imperium, 1799-14* (New York: Harper & Row, 1965), 116; Frederick C. Schneid, *Napoleon's Conquest of Europe: The War of the Third Coalition* (Westport, CT: Praeger, 2005), 39.

20. 깊이 있는 논의는 Kenneth Gregory Johnson, "Louis-Thomas Villaret de Joyeuse: Admiral and Colonial Administrator (1747-1812)," PhD diss., Florida State University, 2006, 103-44를 보라.

21. Laurent, marquis de Gouvion Saint-Cyr, *Mémoires sur les campagnes des armées du Rhin et de Rhin-et-Moselle de 1792 jusqu'à la paix de Campo Formio* (Paris: Anselin, 1829), III:4.

22. 카를 대공은 부름저 백작 다고베르트 지기스문트 휘하 8만 병력의 지원을 받았지만 얼마 지나지 않아 부름저는 일부 병력을 이탈리아로 이끌고 가라는 명령을 받았고, 나머지 병력은 핵심 도시들의 수비대로 배치되었다. 부름저의 출발은 사실 전화위복이었는데 덕분에 카를 대공은 작전을 수행할 때 더 큰 유연성을 발휘할 수 있었다.

23. 1796년 라인강 전선에서 프랑스의 공세가 실패한 데는 여러 요인을 들 수 있지만 병참상의 심각한 난관과 장 피슈그뤼 장군의 반역이 특히 컸다. 후자에 관한 자세한 내용은 Georges Caudrillier, *La trahison de Pichegru et les intrigues royalistes dans l'Est avant Fructidor* (Paris: Alcan, 1908)을 보라. 전역 전반에 관해서는 Steven T. Ross, *Quest for Victory: French Military Strategy, 1792-99* (New York: Barnes, 1973); H. Bordeau, *Les armées du Rhin au début du Directoire* (Paris, 1909); Ramsay Weston Phipps, *The Armies of the First French Republic and the Rise of the Marshals of Napoleon I* (London: Oxford University Press, 1926), vol. 2; Timothy C. W. Blanning, *The French Revolution in Germany: Occupation and Resistance in the Rhineland, 1792-1802* (New York: Oxford University Press, 1983)를 보라. 오스트리아 측은 Archduke Charles, *Archduke Charles' 1796 Campaign in Germany*, trans. George F. Nafziger (West Chester, OH: Nafziger Collection, 2004); Gunther E. Rothenberg, *Napoleon's Great*

Adversaries: Archduke Charles and the Austrian Army, 1792-1814 (Bloomington: Indiana University Press, 1992); Lee W. Eysturlid, *The Formative Influences, Theories, and Campaigns of the Archduke Carl of Austria*, (Westport CT: Greenwood Press, 2000)를 보라.

24. Martin Boycott-Brown, *The Road to Rivoli: Napoleon's First Campaign* (London: Cassell, 2001); David Chandler, *The Campaigns of Napoleon* (New York: Macmillan, 1966), 53-87; Ramsay Weston Phipps, *The Armies of the First French Republic* (London: Oxford University Press, 1931), vol. 3. 보나파르트가 임명되기 전 피에몬테에서 벌어진 전쟁에 대한 대략적인 개관은 Léonce Krebs and Henri Moris, *Les campagnes dans les Alpes pendant la Révolution, 1794, 1795, 1796* (Paris: Plon, 1895); Ciro Paoletti, *La guerra delle Alpi (1792-96)* (Rome: USSME, 2000)을 보라.

25. 1796년 4월 29일 파리 조약, AN AF/IV/1702/4/2; 1796년 5월 15일 토리노 조약, AN AF/IV/1702/4/3; Domenico Carutti, *Le Corte di Savoia durante le rivoluzione e l'impero francese* (Turin: L. Roux, 1888), vol. I을 보라. 혁명전쟁 이전과 당시에 피에몬테의 입장에 관한 개괄적인 논의는 Ciro Paoletti, *Dal ducato all'unità: Tre secoli e mezzo di storia militare piemontese* (Rome: USSME, 2011)을 보라.

26. Chandler, *The Campaigns of Napoleon*, 88-112; Jean Thiry, *Bonaparte en Italie, 1796-97* (Paris: Berger-Levrault, 1973); Guglielmo Ferrero, *The Gamble: Bonaparte in Italy, 1796-97* (New York: Walker, 1961).

27. Phillip R. Cuccia, *Napoleon in Italy: The Sieges of Mantua*, 1796-99 (Norman: University of Oklahoma Press, 2014).

28. 깊이 있는 논의는 Raymond Kubben, *Regeneration and Hegemony: Franco-Batavian Relations in the Revolutionary Era, 1795-1803* (Leiden: Martinus Nijhoff, 2011), 501-66을 보라.

29. 1797년 캄포포르미오 조약의 제3조, 7조, 8조와 비밀조항 제1조, AN AF/III/59/235/I을 보라.

30. 캄포포르미오 조약의 제6조와 비밀조항 제4조, AN AF/III/59/235/I을 보라. George B. McClellan, *Venice and Bonaparte* (Princeton, NJ: Princeton University Press, 1931)도 보라.

31. Michel Kerautret, *Les grands traités du Consulat, 1799-1804. Documents diplomatiques du Consulat et de l'Empire* (Paris: Nouveau Monde Editions, 2002), I:93.

32. John Jervis St. Vincent, *Memoirs of Admiral the Right Hon. the Earl of St. Vincent, G.C.B., &c.*, ed. Jedediah Stephens Tucker (London: Richard Bentley, 1844), I:255.

33. William James, Naval History of Great Britain (London: Richard Bentley,

1837), II:29-53; John D. Harbron, *Trafalgar and the Spanish Navy* (Annapolis, MD: Naval Institute Press, 1988), 118-20; Claude Farrère, *Histoire de la marine française* (Paris: Flammarion, 1934); Noel Mostert, *The Line upon a Wind: The Greatest War Fought at Sea Under Sail 1793-1815* (London: Vintage, 2008).

34. James, *Naval History of Great Britain*, II:68-78; Christopher Lloyd, (New York: Macmillan, 1963); Sam Willis, *In the Hour of Victory: The Royal Navy at War in the Age of Nelson* (New York: W. W. Norton, 2014).

35. Horace Walpole to Sir Horace Mann, April 27, 1773, *Letters of Horace Walpole, Earl of Orford* (London: Richard Bentley, 1843), II:237. 월폴은 제1차 폴란드 분할에 관해 이야기하고 있었지만 이 발언은 영국이 대륙에 행사할 수 있는 영향력의 제한적 성격을 잘 드러낸다.

36. B. Collins, *War and Empire: The Expansion of Britain, 1790-1830: The Projection of British Power, 1775-1830* (London: Longman, 2010); M. Duffy, "World-Wide War and British Expansion, 1793-1815," in *The Oxford History of the British Empire*, vol. 2, *The Eighteenth Century*, ed. P. J. Marshall (Oxford: Oxford University Press, 2001).

37. Robin Blackburn, "Haiti, Slavery, and the Age of the Democratic Revolution," *William and Mary Quarterly* 63 (2006): 643-73을 보라.

38. Pierre Pluchon, *Histoire des Antilles et de la Guyane* (Toulouse: Privat, 1982), 304-305; *Révolutions aux colonies* (Paris: Publication des Annales historiques de la Révolution française, 1993), 55-60.

39. 에스파냐령에 대한 영국의 공격에 에스파냐도 즉각 반응했다. 1798년 약 2천 명의 인원을 거느린 에스파냐 선단이 온두라스만에 있는 영국 정착지를 공격했다. 에스파냐군은 영국군과 소규모 교전을 여러 차례 벌인 뒤 아무런 소득 없이 지리멸렬하게 퇴각해야 했다.

40. Michael Duffy, *Soldiers, Sugar and Seapower: The British Expeditions to West Indies and the War Against Revolutionary France* (Oxford: Clarendon, Press, 1987), 291. Michael Duffy, "The Caribbean Campaigns of the British Army, 1793-1815," in *The Road to Waterloo: The British Army and the Struggle Against Revolutionary and Napoleonic France, 1793-1815* (London: National Army Museum, 1990), 23-31을 보라.

41. Jeremy D. Popkin, *A Concise History of the Haitian Revolution* (Oxford: Blackwell, 2012), 48-61.

42. 루베르튀르의 전기는 George Tyson, ed., *Toussaint L'Ouverture* (Englewood Cliffs, NJ: Prentice Hall, 1973); Pierre Pluchon, *Toussaint Louverture: Un révolutionnaire noir d'Ancien Régime* (Paris: Fayard, 1989)을 보라.

43. 훌륭한 논의는 Sabine Manigat, "Les fondements sociaux de l'État louverturien,"

in *La Révolution française et Haiti: Filiations, ruptures, nouvelles dimensions*, ed. Michel Hector (Port-au-Prince: Sociéte haitienne d'histoire et de géographie, 1995), I:130-42를 보라.

44. W. James, *The Naval History of Great Britain from the Declaration of War by France in 1793 to the Accession of George IV* (London: Macmillan, 1837), I:118-20.

45. Lennox Algernon Mills, *Ceylon Under British Rule 1795-1832* (London: Milford, 1933), 9-15.

46. Graham Irwin, "Governor Couperus and the Surrender of Malacca, 1795," in *Journal of the Malayan Branch of the Royal Asiatic Society* 29, no. 3 (1956): 86-113.

47. Wim Klooster and Geert Oostindie, eds., *Curaçao in the Age of Revolutions, 1795-1800* (Leiden: KITLV Press, 2011).

48. Francis Baring to Henry Dundas, January 12, 1795, in George M. Theal, ed., *Records of the Cape Colony* (London: Government of the Cape Colony, 1897), I:22.

49. Captain John Blankett to Under-Secretary Sir Evan Nepean, January 25, 1795, in Theal, ed., *Records of the Cape Colony*, 26.

50. 1796년 9월 11일 조지 워싱턴 대통령의 고별사, Http://avalon.law.yale.edu/18th_century/washing.asp.

51. 흥미로운 논의는 John Lamberton Harper, *American Machiavelli: Alexander Hamilton and the Origins of the U.S. Foreign Policy* (Cambridge: Cambridge University Press, 2004), 65-102를 보라.

52. Ron Chernow, *Alexander Hamilton* (New York: Penguin, 2004), 389-408.

53. "Proclamation 4—Neutrality of the United States in the War Involving Austria, Prussia, Sardinia, Great Britain, and the United Netherlands Against France," April 22, 1793, American Presidency Project, http://www.presidency.ucsb.edu/ws/index.php?pid=65475&st=&stx=. 오래되었지만 여전히 유용한 연구는 C. M. Thomas, *American Neutrality in 1793: A Study in Cabinet Government* (New York: Columbia University Press, 1931)을 보라.

54. *American State Papers: Documents, Legislative and Executive, of the Congress of the United States*, ed. Walter Lowrie and Matthew St. Clair Clarke (Washington, DC: Gales and Seaton, 1833), I:240.

55. *American State Papers*, I:430.

56. 1794년 6월에 미 의회는 중립법을 통과시켜 유럽의 분쟁에서 자국의 중립을 재차 역설했는데, 중립법은 미국인이 외국의 군대에 입대하는 것을 불법으로 규정하고, "미국과 평화 관계에 있는 외국 군주 또는 나라의 영토나 속령을 상대로 한 (…) 일체의 군사 원정이나 활동에 수단을 제공하거나 마련하는 일"을 금지했다.

1794년 6월 5일, 중립법, *United States Statues at Large*, 3rd Cong., Sess. I., 381–84.

57. The Jay Treaty, 1794, and Associated Documents, Yale Law School, The Avalon Project, http://avalon.law.yale.edu/subject_menus/jaymenu.asp.

58. Joseph Ellis, *Founding Brothers: The Revolutionary Generation* (New York: Vintage Books, 2000), 136–37.

59. "American Affairs," in *Report on the Manuscripts of J. B. Fortescue, Esq. Preserved at Dropmore* (London: HMSO, 1899), III:526.

60. Treaty of Friendship, Limits, and Navigation Between Spain and the United States, October 27, 1795, http://avalon.law.yale.edu/18th_century/sp1795.asp.

61. Eric Robert Papenfuse, *The Evils of Necessity: Robert Goodloe Harper and the Moral Dilemma of Slavery* (Philadelphia: American Philosophical Society, 1997), 27–28.

62. 자세한 내용은 George C. Daughan, *If by Sea: The Forging of the American Navy from the Revolution to the War of 1812* (New York: Basic Books, 2008), 325–45 를 보라.

63. Convention Between the French Republic and the United States of America, September 30, 1800, http://avalon.law.yale.edu/19th_century/fr1800.asp.

4장 라 그랑 나시옹의 형성, 1797-1802

1. 예를 들어 프랑스 역사가 마르크 벨리사는 1988년 베를린 장벽의 붕괴와 적절한 비교를 이끌어낸다. *Repenser l'ordre européen (1795-1802): De la société des rois aux droits des nations* (Paris: Éditions Klimé, 2006)을 보라.

2. Bernard Gainot, "Révolution, Liberté=Europe des nations? Sororité conflictuelle," in *Mélanges Michel Vovelle sur la Révolution, approaches plurielles*, ed. Jean Paul Bertaud (Paris: Société des études robespierristes, 1997), 457–68.

3. 이탈리아 관련 논의는 Anna Maria Rao, "Les républicains democrats italiens et le Directoire," in *La République directoriale*, ed. Philippe Bourdin and Bernard Gainot (Paris: Société des Études Robespierristes, 1998), II: 1070–76; Antonio de Francesco, "Aux origins du movement démocratique italien: quelques perspectives de recherché d'après l'exemple de la période révolutionnaire 1796–1801," *Annales historiques de la Révolution Française* 308 (1997): 333–48을 보라.

4. 이 개념에 관한 흥미로운 논의는 Peter Sahlins, "Natural Frontiers Revisited: France's Boundaries Since the Seventeenth Century," *American Historical Review* 95, no. 5 (December 1990): 1423–51; Norman J. Pounds, "The Origin of the Idea of Natural Frontiers in France," *Annals of the Association of American Geographers* 41, no. 2 (June 1951): 146–57을 보라.

5. Jeremy Black, *France from Louis XIV to Napoleon: The Fate of Great Empire* (London: University College London Press, 1999), 173.

6. 프랑스는 이탈리아에서만 십여 개의 공화국을 수립했는데 다음 여러 해에 걸쳐 통합되거나 확장되거나 아예 폐지된 이 공화국들의 면면은 다음과 같다: 알바 공화국(1796), 리구리아 공화국(1796), 치스파다나 공화국(1796), 볼로냐 공화국(1796), 베르가모 공화국(1797), 크레마 공화국(1797), 브레시아 공화국(1797), 페스카라 공화국(1797), 안코나 공화국(1797), 티베리나 공화국(1798), 파르테노페 공화국(1799), 수발피나 공화국(1800). 게다가 저지대 지방에는 바타비아 공화국(1795), 라인강 좌안에는 치스레니아 공화국(1797), 스위스에는 헬베티아 공화국(1798)도 수립되었다. Michel Vovelle, *Les Républiques Soeurs sous le regard de la Grande Nation* (Paris: L'Harmattan, 2007)을 보라.

7. Louis Charles Antoine Desaix de Veygoux, *Journal de voyage du general Desaix, Suisse et Italie (1797)*, ed. Arthur Chuquet (Paris: Plon-Nourrit, 1907), 256.

8. *Gazette Nationale, ou Le Moniteur Universel*, no. 123, 3 Pluviôse An 8, 487; Niall Ferguson, *Empire: The Rise and Demise of the British World Order and the Lessons for Global Power* (New York: Basic Books, 2004), 49.

9. "Declaration and Resolutions of the Society of United Irishmen of Belfast," in Theobald Wolfe Tone, *Life of Theobald Wolfe Tone: Memoirs, Journals and Political Writings, Compiled and Arranged by William T. W. Tone* (Dublin: Lilliput Press, 1998 [1826]), 298-99.

10. Richard Hayes, *Ireland and Irishmen in the French Revolution* (London: Ernest Benn, 1932). 정치적 요구에 관해서는 "The United Irishmen's Plan of Parliamentary Reform," in Edmond Curtis and R. B. McDowell, eds., *Irish Historical Documents 1172-1922* (New York: Barnes & Noble, 1968), 237-38 을 보라.

11. "The Organization of the United Irishmen, 1797" in Curtis and McDowell, *Irish Historical Documents*, 240-41. W. Benjamin Kennedy, "Conspiracy Tinged with Blarney: Wolfe Tone and Other Irish Emissaries to Revolutionary France," *CRE* 1978, 48-57도 보라.

12. 자세한 내용은 Cathal Poirteir, ed. *The Great Irish Rebellion of 1798* (Dublin: Mercier Press, 1998); Thomas Bartlett, ed., *1798: A Bicentenary Perspective* (Dublin: Four Courts, 2003); Patrick Geoghegan, *The Irish Act of Union: A Study in High Politics, 1798-1801* (Dublin: Gill and Macmillan, 1999); Stephen Small, *Political Thought in Ireland, 1776-1798: Republicanism, Patriotism, and Radicalism* (Oxford: Clarendon Press, 2002); Jim Smyth, ed., *Revolution, Counter-revolution, and Union: Ireland in the 1790s* (Cambridge: Cambridge University Press, 2000)를 보라.

13. Joseph Stock, *A Narrative of What Passed at Killalla in the County of Mayo and*

the Parts Adjacent During the French Invasion in the Summer of 1798 (London: J. Wright, 1800), 23-24.

14. 예를 들어, 1769년에 프랑스 외무대신은 아메리카 대륙에서 프랑스 식민지 상실을 만회하기 위해 이집트 정복을 제안했다. Francois-Charles Roux, *Les origines de l'expédition d'Egypte* (Paris: Plon-Nourrit, 1910), 294-95.

15. Raoul Clément, *Les Français d'Égypte aux XVIIe et XVIIIe siècles* (Cairo: Impr. de l'Institut français d'archéologie orientale, 1960); Paul Masson, *Histoire du commerce français dans le Levant au XVIIe siècle* (Paris, Hachette, 1911).

16. Clément, *Les Français d'Égypte aux XVIIe et XVIIIe siècles*, 274.

17. Roux, *Les origines de l'expédition d'Egypte*, 246.

18. 1789년 3월, 이스마일 베이는 정치적 경쟁자들에 맞서 프랑스의 지원을 구했다. 하지만 1789년의 정치 위기 탓에 부르봉 군주정은 이 요구에 응할 수 없었다.

19. Daniel Crecelius and Gotcha Djaparidze, "Relations of the Georgian Mamluks of Egypt with Their Homeland in the Last Decades of the Eighteenth Century," *Journal of the Economic and Social History of the Orient* 45 (2002): 320-411.

20. Guillaume-Antoine Olivier, *Voyage dans l'Empire Othoman, l'Egypte et la Perse...*(Paris: H. Agasse, 1801), III:202-3.

21. Olivier, *Voyage dans l'Empire Othoman*, III:209. Roux, *Les origines de l'expédition d'Egypte*, 248도 보라.

22. 마갈롱의 계획과 그것을 탈레랑이 수정한 내용에 관한 자세한 설명은 Roux, *Les origines de l'expedition d'Egypte*, 323-29를 보라. Henry Laurens et al., *L'Expedition d'Egypte, 1798-1801* (Paris: Armand Colin, 1989), 28도 보라.

23. Clément de La Jonquière, *L'expédition d'Égypte, 1798-1801* (Paris: H. Charles-Lavauzelle, 1899), I:169.

24. Napoleon, *Correspondance générale*, ed. Thierry Lentz (Paris: Fayard, 2004), I:1118.

25. 1798년 2월 14일 탈레랑의 장문의 보고서는, La Jonquière, *L'expédition d'Egypte, 1798-1801*, I:154-68을 보라. 보나파르트, 다시 말해 정치적 위협을 제기할 수도 있는 인기 절정의 장군을 무력화할 수 있다는 총재정부의 계산도 적지 않은 이점이었다. 한 영국 역사가가 적절하게 표현한 대로 총재들은 "어느 정도는 보나파르트를 제거하기 위해, 어느 정도는 그의 뜻을 만족시켜주기 위해, 또 어느 정도는 여론에 상당한 영향력을 행사하는 (…) 파리 사교계 일각을 기쁘게 하고 현혹시키기 위해" 그를 이집트로 보냈다. Henry Richard Vassall-Fox, *Lord Holland's Foreign Reminiscences* (New York: Harper & Brothers, 1851), 158.

26. 자세한 내용은 Henry Laurens, *Les origines intellectuelles de l'expédition d'Égypte: l'Orientalisme Islamisant en France (1698-1798)* (Paris: Éditions Isis, 1987)를 보라.

27. Arrêtes du Directoire, 23 Germinal an VI (April 12, 1798), in *Correspondance de Napoleon*, IV:50-54.

28. 이 전역에 관한 논의는 Christoperh Herold, *Bonaparte in Egypt* (London: Hamish Hamilton, 1962); Irene Bierman, *Napoleon in Egypt* (Los Angeles: Gustave E. von Grunebaum Center for Near Eastern Studies, 2003); Juan Richard Cole, *Napoleon's Egypt: Invading the Middle East* (New York: Palgrave Macmillan, 2008); Paul Strathern, *Napoleon in Egypt* (New York: Bantam Books, 2008); Nathan Schur, *Napoleon in the Holy Land* (London: Greenhill Books, 1999)에 의지한다. 이집트 쪽 시각은 ʿAbd al-Rahmān Jabarti, *Napoleon in Egypt: Al-Jabarti's Chronicle of the French Occupation, 1798* (princeton, NJ: Markus Wener, 2004); Abdullah Brown, *Bonaparte in Egypt: The French Campaign of 1798-1801 from the Egyptian Perspective* (London: Leonaur, 2012)를 보라.

29. Jonquière, *L' expédition d'Égypte, 1798-1801*, I:518-27.

30. Desmond Gregory, *Malta, Britain and the European Powers, 1793-1815* (Madison, NJ: Farleigh Dickinson University Press, 1996); William Hardman, *A History of Malta During the Period of the French and British Occupations, 1798-1815* (London: Longmans, Green, 1909).

31. *Correspondance de Napoléon*, IV: 143-76에서 다양한 명령을 보라.

32. Jonquière, *L' expédition d'Égypte, 1798-1801*, I:644. Ernle Bradford, The Shield and the Sword: The Knights of St. John of Jerusalem, Rhodes and Malta (New York: Dutton, 1973), 215-16도 보라.

33. Pierre Maire Louis de Boisgelin de Kerdu, *Ancient and Modern Malta* (London: R. Phillips, 1805), II:98-99. 프랑스의 점령에 관한 사료는 Hannibal Publius Scicluna, *Documents Relating to the French Occupation of Malta in 1798-1800* (Valletta: Empire Press, 1923)을 보라.

34. 반란의 원인에 관한 훌륭한 통찰은 Jean de Bosredon de Ransijat, *Journal du siège et blocus de Malte* (Paris: Valade, 1801), 278-86을 보라.

35. Roderick McGrew, "Paul I and the Knights of Malta," in *Paul I: A Reassessment of His Life and Reign*, ed. Hugh Ragsdale (Pittsburgh: University Center for International Studies, 1979), 50; Norman E. Saul, *Russia and the Mediterranean, 1797-1807* (Chicago: University of Chicago Press, 1970), 35-39, 64-65를 보라. 보나파르트는 몰타의 그리스 주민과 러시아 간 일체의 접촉은 사형에 처해질 수 있다는 포고령을 내렸다. "러시아 깃발을 달고 항해하는 그리스 선박은 프랑스 선박에 의해 붙들릴 경우 모두 격침될 것이다." 1798년 6월 17일자 명령, *Correspondance de Napoléon*, IV:168-69.

36. 맘루크는 1250년에 아이유브 왕조를 무너뜨리며 집권했고 다음 5세기에 걸쳐 두 왕조가 이집트를 지배했는데, 바리야(바흐리)조朝 맘루크 (1250-1382)

는 대체로 튀르크계였고, 부르지조 맘루크(1382-1517, 1811년까지 커다란 영향력을 유지하기는 했다)는 대체로 캅카스계의 후예(조지아인, 체르케스인, 아르메니아인)였다. Thomas Philipp and Ulrich Haarmann, *The Mamluks in Egyptian Politics and Society* (Cambridge: Cambridge University Press, 1998); Jane Hathaway, *The Politics of Households in Ottoman Egypt: The Rise of the Qazadaglis* (Cambridge: Cambridge University Press, 1997); Daniel Crecelius and Gotcha Djaparidze, "Georgians in the Military Establishment in Egypt in the Seventeenth and Eighteenth Centuries," *Annales Islamologiques* 42 (2008): 313-37; Daniel Crecelius and Gotcha Djaparidze, "Relations of the Georgian Mamluks of Egypt with Their Homeland in the Last Decades of the Eighteenth Century," *Journal of the Economic and Social History of the Orient* 45, no. 3 (2002): 320-41을 보라.

37. 이집트 원정 이전과 당시의 프랑스-오스만 관계는 İsamil Soysal, *Fransiz İhtilali ve Türk-Fransiz Diplomasi Münasebetleri (1789-1802)* (Ankara: Türk Tarih Kurumu, 1999)를 보라.

38. Ian Coller, "Egypt in the French Revolution," in *The French Revolution in Global Perspective*, ed. Suzanne Desan, Lynn Hunt, and William Max Nelson (Ithaca, NY: Cornell University Press, 2013), 131.

39. Edward W. Said, *Orientalism* (New York: Vintage Books, 1979), 79-88을 보라.

40. Eugene Tarle, *Admiral Ushakov na Sredizemnom more, 1798-1800* (Moscow: Voennoe Izdat. Ministerstva Oborony SSSR, 1948); Desmond Gregory, *Malta, Britain and the European Powers, 1793-1815* (Madison, NJ: Fairleigh Dickinson University Press, 1996).

41. Alexander Mikhailovskii-Danilevskii and Dmitrii Miliutin, *Istoriya voiny Rossii s Frantsiei v tsarstvovanie imperatora Pavla I v 1799 g.*, 5 vols. (St. Petersburg: Tip. Shtaba voenno-uchebnykh zavedenii, 1852-57); Édouard Gachot, *Souvarow en Italie* (Paris: Perrin, 1903); Carl von Clausewitz, *La Campagne de 1799 en Italie et en Suisse* (Paris: Champ libre, 1979); Christopher Duffy, *Eagles over the Alps: Suvorov in Italy and Switzerland, 1799* (Chicago: Emperor's Press, 1999).

42. 런던 주재 러시아 대사 세묜 보론초프에 내린 지시에서 파벨은 오스트리아와 결렬의 이유를 설명했다. 러시아와 영국군만으로는 프랑스를 물리치기에는 역부족이므로 파벨은 프로이센과의 동맹을 추구하여 "피에몬테와 제노바, 교황 대리 관구[Legations: 교황령 국가들 중 교황을 대리하는 추기경들이 행정을 담당하는 구역으로 볼로냐, 페라라, 라벤나를 가리킨다]를 그곳에 권리를 갖고 있는 이들에게 돌려주지 않고 차지하려는 빈의 속셈"을 저지하려고 했다. 그 경우 러시아나 영국 어느 쪽도 프로이센 국왕이 라인강 유역에서 일부 영토를 획득하는 데 반대하지 않을 작정이었다. 파벨은 오스트리아의 콧대를 꺾고 "유럽 전역을 좌지우지할 수 있는" 러시아, 영국, 프로이센, 오스만 정부, 스웨덴, 덴마크

와의 동맹을 구상했다. Emperor Paul to Semen Vorontsov, October 15, 1799, *Dropmore Papers*, VI: 32–34.

43. Emperor paul I to emperor Francis, October 22, 1799, Mihkahilovskii-Danilevskii and Miliutin, *Istoriya oviny Rossii s Frantsiei*, III:332. 오스트리아에 파견된 영국 대사인 민토 백작 길버트 엘리엇은 자국 정부에 오스트리아의 1차 적 목표는 프랑스가 정복한 이탈리아 영토를 장악하는 것이며 오스트리아가 이 목표를 달성하기 위해 극단적 수단도 마다하지 않을 것이라고 경고했다. 오스트리아 정부는 "십중팔구 이를 추후 정책 기조로 삼을 것이고 (…) 동맹 상대를 고를 때 이런 시각을 순순히 따르거나 묵인할 열강을 선택할 것이다. 영국 쪽에서 단호히 반대하면 (…) 오스트리아를 다시금 프랑스 공화국과 한 패로 만들 공산이 크며 (…) 그런 조건에서 단독 강화를 맺을 동기를 제공할 수도 있다." *Life and Letters of Sir Hilbert Elliot, First Earl of Minto*, ed. the Countess of Minto (London: Longmans, Green, 1874), III:95.

44. Gaspar Jean Marie René de Cugnac, *Campagne de L'Armée de Réserve en 1800* (Paris: Libr. Military R. Chapelot, 1900); David Chandler, *The Campaigns of Napoleon* (New York: Macmillan, 1966), 264–97.

45. Alexandere de Clercqu, ed. *Recueil des Traités de la France* (Paris: A. Durand et Pedone-Lauriel, 1880), I:395–96을 보라. 협상 6일 만에 오스트리아 사절 생쥘리앙 백작은 프랑스 외무장관 탈레랑에게 한 수 당했고, 그럴 권한이 없었음에도 오스트리아에 불리한 조건으로 예비교섭 조건에 서명했다. 빈은 생쥘리앙에 대한 책임을 일체 부인하고 협정 비준을 거부했다.

46. Paul W. Schroeder, *The Transformation of European Politics, 1763–1848* (New York: Oxford University Press, 1994), 209.

47. 1800년 7월 18일 독일 황제에 대한 보조금 관련 하원 토론, *The Parliamentary History of England from the Earliest Period to the Year 1803* (London: T. C. Hansard, 1820), XXXV:431–54를 보라. 윌리엄 W. 그렌빌의 편지가 실린 *Dropmore Papers* 제6권은 1800년 영국-오스트리아 관계를 들여다볼 수 있는 중요한 창이다.

5장 2차 대불동맹전쟁과 그레이트 게임의 기원들

1. John F. Richards, *The New Cambridge History of India. Volume 1.5: The Mughal Empire* (Cambridge: Cambridge University Press, 1995), 253–81; C. A. Bayly, *The New Cambridge History of India. Volume 2.1: Indian Society and the Making of the British Empire* (Cambridge: Cambridge University Press, 1988), 7–44.

2. 이 지도자들로는 푸나의 페슈와, 바로다의 가이크바드, 인도르와 말와의 홀카르, 그왈리오르와 우자인의 신디아, 나그푸르의 본살, 페라르의 라자 등이 있었다. 자세한 설명은 Stewart Gordon, *The New Cambridge History of India*, vol. 2.4, *The*

Marathas, 1600-1818 (Cambridge: Cambridge University Press, 1993), 154-74 를 보라. V. G. Hatalkar, *Relations Between the French and the Marathas* (Bombay: T. V. Chidambaran, 1958); Umesh Ashokrao Kadam, *History of the Marathas: French-Maratha Relations, 1668-1818* (New Delhi: Sundeep Prakashan, 2008) 도 보라.

3. 하이데라바드에 관해서는 Sunil Chander, "From a Pre-Colonial Order to a Princely State: Hyderabad in Transition, c. 1748-1865," Ph.D. diss., University of Cambridge, 1987, 71-88을 보라.

4. 조약에 따라 마이소르는 영토의 거의 절반을 할양했다. 페슈와는 통가바드라강까지 영토를 획득했고 니잠은 크리슈나강부터 펜네드강까지 영토와 펜네르강 남안의 쿠다파 요새와 간디코타 요새를 얻었다. 영국 동인도회사는 트라반코레 왕국과 칼리강 사이에 있는 마이소르의 말라바드 해안 영토의 상당 부분과 더불어 바라마할과 딘디굴 지구를 차지했다. 마이소르는 또한 쿠르그의 라자에게 독립을 허락했는데 쿠르그는 실질적으로 동인도회사의 속국이 되었다.

5. 리처드 웰즐리의 전기는 Iris Butler, *The Eldest Brother: The Marquess Wellesley, the Duke of Wellington's Eldest Brother* (London: Hodder and Stoughton, 1973) 를 보라. 인도에서 웰즐리 형제들에 관해서는 John Severn, *Architects of Empire: The Duke of Wellington and His Brothers* (Norman: University of Oklahoma Press, 2007), 65-194를 보라.

6. Wellesley to Henry Dundas, February 28, 1798, in Henry Dundas and Richard Wellesley, *Two Views of British India: The Private Correspondence of Mr. Dundas and Lord Wellesley, 1798-1801*, ed. Edward Ingram (Bath: Adams & Dart, 1970), 28.

7. 자세한 내용은 "Contents of Mr. Dundas's letters to the Marquis Wellesley... Governor-General of India, 1798-1800," NLS, MS.1062의 문서; Arthur Wellesley, *A Selection from the Despatches, Treaties, and Other Papers of the Marquess Wellesley*, ed. Sidney Owen (Oxford: Clarendon Press, 1877); Dundas and Wellesley, *Two Views of British India*.

8. "Memorandum on Marquess Wellesley's Government in India," in Wellesley, *A Selection from the Despatches, Treaties, and Other Papers*, lxxv.

9. Dundas to Wellesley, 18 March 1799, "Contents of Mr. Dundas's Letters to the Marquis Wellesley...Governor-General of India, 1798-1800," NLS, MS.1062, p. 7.

10. 던다스에게 보낸 편지에서 웰즐리는 티푸의 군대에서 복무하는 프랑스 병사의 숫자가 어느 정도여야 적대 행위의 이유로 간주될 수 있을지를 물었다. 던다스는 현재의 상황으로는 어떤 숫자도 정당한 이유로 간주될 것이라고 답변했다. Dundas to Wellesley, March 18, 1799, "Contents of Mr. Dundas's Letters to the Marquis Wellesley...Governor-General of India, 1798-1800," NLS,

MS.1062, pp. 7-8.

11. Percival Spear, *The Oxford History of Modern India, 1740-1947* (Oxford: Oxford University Press, 1965), Part III, 111.

12. Stewart Gordon, *The New Cambridge History of India*, vol. 2, part 4, The Marathas, 1600-1818 (Cambridge: Cambridge University Press, 1993), 166-72; Kaushik Roy, *War, Culture and Society in Early Modern South Asia, 1740-1849* (New York: Routledge, 2011), 109-17; Radhey Shyam Chaurasia, History of the Marathas (New Delhi: Atlantic, 2004), 21-65.

13. 바세인 조약(1802) 전문은 *Treaties and Engagements with Native Princes and States in India, Concluded for the Most Part in the Years 1817 and 1818*, BL, India Office Records, IOR/A/2/21, ix-xii; Richard Wellesley, *The Despatches, Minutes, and Correspondence of the Marquess Wellesley*, ed. Montgomery Martin (London: W. H. Allen, 1837), III:627-31.

14. 영국-마라타 전쟁으로 이어지는 사건들에 관해서는 Govind S. Sardesai, *New History of the Marathas*, vol. 3, *Sunset over Maharashtra, 1772-1848* (New Delhi: Munshiram Manoharlal, 1986), 333-79; Pratul Chandra Gupta, *Baji Rao II and the East India Company, 1796-1818* (Bombay: Allied, 1964), 27-39; Rory Muir, *Wellington: The Path to Victory, 1769-1814* (New Haven, CT: Yale University Press, 2013), 106-25를 보라.

15. Arthur Wellesley, *The Dispatches of Field Marshal the Duke of Wellington, During His Various Campaigns...*, ed. John Gurwood (London: John Murray, 1834), I:398.

16. Muir, *Wellington*, 130-47; Randolf G. S. Cooper, *The Anglo-Maratha Campaigns and the Contest for India: The Struggle for Control of the South Asian Military Economy* (Cambridge: Cambridge University Press, 2003), 82-212; K. G. Pietre, *The Second Anglo-Maratha War, 1802-05* (Poona: Dastane Ramchandra, 1990), 134-35.

17. *Treaties and Engagements with Native Princes and States in India*, xv-xviii; Wellesley, *The Despatches, Minutes, and Correspondence of the Marquess Wellesley*, III:634-36.

18. 1795년 5월 16일에 조인된 헤이그 조약은 프랑스와 바타비아 공화국 간 방위 동맹을 수립했다. 하지만 후자가 명백히 종속적인 입장이었는데, 바타비아 공화국은 마스트리히트, 베늘로, 플랑드르 지방을 프랑스에 내주어야 했을 뿐 아니라 1억 길더의 무거운 전쟁 배상금을 물고 프랑스 점령군을 지원하고, 프랑스 공화국에 저렴한 이자로 차관을 제공해야 했다.

19. AE Correspondance consulaire et commercial, "Alexandrie," 16. 각서의 발췌문은 Froncois Charles-Roux, *Les orgines de l'expedition de l'Égypte* (Paris: Plon-Nourrit, 1910), 273에 실려 있다.

20. AE Correspondance politique, "Perse," 8.

21. Georges Cuvier, "Eloge historique de Guill.-Ante. Oliver"와 "Extrait d'une notice biographique sur Bruguières," in *Recueil des eloges historiques lus dans les séances publiques de l'Institut royal de France* (Paris, 1819), II:235-65, 425-42. 건강이 좋지 않았던 브뤼기에르가 1798년에 이탈리아에서 사망하는 바람에 올리비에는 그 해에 프랑스로 홀로 귀환했다. 그들의 여행에 관한 서술은 G. A. Olivier, *Voyage dans l'Empire Othoman, l'Égypte et la Perse*, 6 vols. (Paris: Agasse, 1801-1807)를 보라.

22. Paul Barras, *Mémoires de Barras, Membre du Directoire*, ed. George Duruy (Paris: Hachette, 1896), III:161. 프랑스 외무장관 탈레랑은 1798년 2월에 작성한 한 각서에서 "이집트를 점령하고 세력을 단단히 다진 뒤, 수에즈에서 인도로 1만 5천 명의 군단을 파견하여, 티푸 사히브(티푸 술탄)의 군대에 합류시켜 함께 영국인들을 몰아낼 것"이라고 주장하여 그러한 의견을 강화했다.

23. Glenville to Eden, January 16, 1798, FO, 7/51. 1799-1801년에 영국의 전략을 둘러싼 그렌빌과 던다스 간 논쟁에 관해 흥미로운 논의는 Edward Ingram, "A Preview of the Great Game in Asia, III: The Origins of the British Expedition to Egypt in 1801," *Middle Eastern Studies* 9, no. 3 (1973): 296-314를 보라.

24. Dundas to Wellesley, October 31, 1799, in Dundas and Wellesley, *Two Views of British India*, 206.

25. Secret Committee to the Governor General at Bengal, East India House, June 18, 1798과 H. Douglas to Governor General, Bengal, November 27, 1798은 Mubarak Al-Otabi, "The Qawasim and British Control of the Arabian Gulf," Ph.D. diss., University of Salford, 1989, 65에서 인용. 영국 동인도회사 자체가 영국 금융계와 인도 및 민간 무역, 해운업 이해관계자들 간 분열과 이전투구에 시달렸으며, 이러한 내부 사정이 흔히 아시아에서 영국의 정책을 형성했다는 사실은 주목할 만하다. 자세한 설명은 C. H. Philips, *The East India Company, 1784-1834* (Manchester: Manchester University Press, 1961); Philip Lawson, *The East India Company: A History* (London: Longman, 1993)를 보라.

26. Patricia Risso, *Oman and Muscat: An Early Modern History* (New York: St. Martin's Press, 1986); Jeremy Jones and Nicholas P. Ridout, *Oman: Culture and Diplomacy* (Edinburgh: Edinburgh University Press, 2012). 프랑스와 무스카트의 관계는 A. Auzouz, "La France et Muscate aux dix-huitième et dix-neuvième siècles," *Revue d'histoire diplomatique* XXIII (1909): 518-40을 보라.

27. 1798년 10월 12일 영국-오만 조약, Sir Charles U. Aitchison, ed., *A Collection of Treaties, Engagements and Sunnuds Relating to India and Neighboring Countries* (Calcutta: O. T. Cutter, 1865), VII:208-10; J. B. Kelly, *Britain and the Persian Gulf, 1795-1880* (Oxford: Clarendon Press, 1968), 65-67. 술탄은 영국 동인도회사가 페르시아만에 최초로 무역 기지를 설치하고, 영국 영사를 무

스카트에 주재시키는 것을 허락했다. 1800년 1월에 존 맬컴이 협상한 영국-오만 추가 조약은 무스카트에 영국 정치 기관원을 상주시킬 것을 적시했다. Aitchison, *A Collection of Treaties, Engagements and Sunnuds*, VII:210-11.

28. 원정대는 병사 1000명과 대포 14문으로 구성되었고, 소형 해군 전대의 지원을 받았다. Edward Ingram, "A Preview of the Great Game in Asia, I: The British Occupation of Perim and Aden in 1799," *Middle Eastern Studies* 9, no. 1 (1973): 3-18.

29. Ingram, "A Preview of the Great Game in Asia, I," 10.

30. 예를 들어 아시아에서 영국의 정책은 전쟁부와 외무부, 인도 운영위원회, 인도에 있는 동인도회사 정부 간 논의에 따라 결정되었다. 근동의 경우, 영국은 그곳을 명확하게 두 지역으로 구분했다. 지중해 분지는 레반트회사의 소관인 반면, 아라비아와 페르시아만은 동인도회사의 소관이었고, 두 회사는 자기 영역이 상대방에게 침범당하는 것을 질색했다.

31. 1799년 11월, 그는 이집트에서 프랑스 세력과 관련하여 "우리가 시달리고 있는 건망증"을 개탄하며 그들이 인도에 위협을 제기한다고 주장했다. "이집트의 어느 곳에든 프랑스 병력이 1,000명이라도 존재하는 한 나는 그 문제를 그런 측면에서 보는 데 동의할 수 없다." Dundas to William Pitt, November 25, 1799, *Dropmore Papers*, VI:39. Dundas to Grenville, November 24, 1799, *Dropmore Papers*, VI:37-38도 보라.

32. Dundas to Lord Grenville, June 13, 1798, in Wellesley, *The Despatches, Minutes, and Correspondence of the Marquess Wellesley*, I:689-91; Dundas to Lord Grenville, September 2, 1800, in *Dropmore Papers*, VI:312-13. 폭넓은 논의는 Edward Ingram, *Commitment to Empire: Prophecies of the Great Game in Asia, 1797-1800* (Oxford: Clarendon Press, 1981), 47-48; Piers Mackesy, *Statesmen at War: The Strategy of Overthrow, 1798-1799* (London: Longman, 1974), 7.

33. Dundas to Wellesley, September 27-November 1, 1799, in Dundas and Wellesley, *Two Views of British India*, 180, 203.

34. 1799년 10월, 실제로 웰즐리는 프랑스의 침공 가능성을 미연에 막고자 고아에 영국 수비대를 배치하는 문제를 두고 포르투갈과 합의를 이끌어냈다.

35. 자세한 내용은 Piers Mackesy, *War Without Victory: The Downfall of Pitt, 1799-1802* (Oxford: Clarendon Press, 1984), 142-62; E. Ingram, "A Preview of the Great Game in Asia, III," 303-10을 보라.

36. 던다스는 이집트와 그 주변 지역에서 작전을 수행하는 방안을 선호하여, 지중해와 홍해 방면에서 이집트를 직접 침공하자고 주장했다. 하지만 그렌빌과 웰즐리 둘 다 근동에 관심이 전혀 없었다. 웰즐리는 인도에 대한 프랑스의 위협을 걱정했지만 희망봉을 돌아오는 더 전통적인 경로를 예상했고, 프랑스가 모리셔스를 작전 기지로 활용하리라고 내다봤다. 그러므로 1800년 후반에 웰즐리는 모리셔스 원정 방안에 노력을 집중했지만 동인도회사 해군 전대 지휘관의 지원 거부에

직면했다.

37. 랠프 애버크롬비 경 휘하 영국 원정군은 이탈리아와 메노르카, 카디스, 몰타 사이를 오가며 전년도의 상당 기간을 허비해 영국 군부에 적잖은 불만을 야기했다. "참으로 망신스럽고 값비싼 원정대다. 원정군 2만 2천 명 가운데 상당수는 병사도 아닌데다가 유럽 곳곳을 떠돌며 우방과 적을 불문하고 조롱과 웃음거리가 되고 있다"라고 한 고위 관리는 혀를 찼다. Charles Cornwallis to Major General Ross, November 6, 1800, *Correspondence of Charles, First Marquis Cornwallis*, ed. Charles Ross (London: John Murray, 1859), III:300-301.

38. 자세한 내용은 Georges Rigault, *Le général Abdallah Menou et la dernière phase de l'expédition d'Egypte (1799-1801)* (Paris: Plon-Nourrit, 1911); Muḥammad Shafiq Ghurbāl, *Beginnings of the Egyptian Question and the Rise of Mehemet Ali* (New York: AMS Press, 1977)를 보라.

39. 흥미로운 논의는 Abbas Amanat and Farzin Vejdani, eds., *Iran Facing Others: Identity Boundaries in a Historical Perspective* (New York: Palgrave, 2012)를 보라.

40. Petrus Bedik, *Cehil sutun, seu explicatio utriusque celeberrimi, ac pretiosissimi theatri quadraginta columnarum in Perside orientis, cum adjecta fusiori narratione de religione, moribus* (Vienna: Universitatis Typogr., 1678), 387-88.

41. 이 외교적인 의사 타진은 부시르에 주재원으로 임명된 동인도회사의 다재다능한 이란인 직원 마디 알리 칸이 수행했다. 1799년에 파트 알리 샤는 자발적으로 약간의 기병을 헤라트에 파견했는데 영국 관계자들은 이를 자신들의 외교적 노력의 맥락에서 바라보며 마디 알리 칸의 조치라고 착각했다.

42. 맬컴은 먼저 무스카트를 방문해, 1800년 1월 18일에 현지 술탄과 새로운 협정을 체결할 수 있었다. 그 뒤 페르시아로 갔는데 그곳에서 맬컴이 맡은 임무는 본인이 설명한 대로 세 가지였다. "내 여행의 첫째 목적은 해마다 찾아오는 자만 샤의 인도 침공 걱정을 더는 것이다. 회사에 항상 심각한 경비 지출을 야기하는 이 위협은 자만 샤의 관심을 페르시아 지방으로 분산시킴으로써 덜 수 있다. 둘째, 악독하지만 활발한 민주주의자인 프랑스인들의 시도를 좌절시켜야 한다. 셋째, 이전에 번창했다가 크게 쇠퇴한 무역을 얼마간 회복시켜야 한다." John William Kaye, *The Life and Correspondence of Major-General Sir John Malcolm* (London: Smith, Elder, 1856), I:89-90.

43. Kaye, *The Life and Correspondence of Major-General Sir John Malcolm*, I:111.

44. Kaye, *The Life and Correspondence of Major-General Sir John Malcolm*, I:116.

45. 테헤란 조약(1801), Aitchison, *A Collection of Treaties, Engagements and Sunnuds*, VII:112-17 Kelly, *Britain and the Persian Gulf*, 70-73; Denis Wright, *The English Amongst the Persians: Imperial Lives in Nineteenth Century Iran* (London: I. B. Tauris, 2001), 4-5. 게다가 조약은 영국산 철, 납, 강철, 모직물의 무관세 수입을 규정하여 페르시아에서 영국의 통상 이익을 확보했다.

46. Percy M. Sykes, *History of Persia* (London: Macmillan, 1915), II:300-302;

Birendra Varma, *From Delhi to Teheran: A Study of British Diplomatic Moves in North-Western India, Afghanistan and Persia, 1772-1803* (Patna: Janaki Prakashan, 1980), 186-92. Malcolm Yapp, *Strategies of British India: Britain, Iran, and Afghanistan, 1798-1850* (Oxford: Clarendon Press, 1980); Robert Gleave, "The Clergy and the British: Perceptions of Religion and the Ulama in Early Qajar Iran," in *Anglo-Iranian Relations Since 1800*, ed. Vanessa Martin (New York: Routledge, 2005), 40-41도 보라.

47. Lindsey Hughes, *Peter the Great: A Biography* (New Haven, CT: Yale University Press, 2004), 174-75; Paul Bushkovitch, *Peter the Great* (London: Rowman & Littlefield, 2001), 137-38. 상트페테르부르크 조약(1723)으로 러시아는 카스피해의 서해안 지역과 이란의 길란, 마잔다란, 아스트라바드 지방을 지배하게 되었다.

48. Janet Martin, *Medieval Russia, 980-1584* (Cambridge: Cambridge University Press, 2003), 195-97, 261-35.

49. 뛰어난 개관은 Nikolas K. Gvosdev, *Imperial Policies and Perspectives Towards Georgia, 1760-1819* (New York: St. Martin's Press, 2000), 14-62을 보라.

50. Giorgi Paichadze, *Goergievskii traktat* (Tbilisi: Metsniereba, 1983); A. Surgualdze, *1783 tslis georgievskis traktati da misi istroiuli mnishvneloba* (Tbilisi: Tsodna, 1982); Zurab Avalov, *Prisoedinenie gruzii k Rossii* (St. Petersburg: Montvid, 1906). 조약 전문은 www.amsi.ge/istroia/sab/gerogievski.html에서 볼 수 있다.

51. David M. Lang, *The Last Years of the Georgian Monarchy, 1658-1832* (New York: Columbia University Press, 1957), 209-12를 보라.

52. Marie F. Brosset, *Histoire de la Géorgie: depuis l'antiquité jusqu'au XIXe siècle* (St. Petersburg: Impr. de l'Académie impériale des sciences, 1849), vol. II.

53. 1796년 2월 19일(3월 1일), 예카테리나가 주보프에게 보낸 전문과 1796년 3월 27일(4월 7일) 이란인들에게 내린 황제의 성명서는 Nikolai Dubrovin, *Istoriya voiny i vladychestva russkikh na Kavkaze* (St. Petersburg: Tip. Skorokhodova, 1886), III:70-80, 125-29; V. Potto, "Persidskii pokhod Zubova," in *Kavkazaskaya voina v otdelnykh ocherkakh, epizodakh, legendakh i biografiyakh* (St. Petersburg: Tip. E. Evdokimova, 1888), I:285-96; Muriel Atkin, *Russia and Iran, 1780-1828* (Minneapolis: University of Minnesota Press, 1980), 40-42에서 볼 수 있다.

54. 통찰력 있는 논의는 Muriel Atkin, "The Pragmatic Diplomacy of Paul I: Russia's Relations with Asia, 1796-1801," *Slavic Review* 38, no. 1 (March 1979): 60-74을 보라.

55. 저명한 영국 역사가 데이비드 랭은 "러시아는 1787년에 병력을 철수시키고, 1795년 아가 무함마드에 맞서 때맞춰 병력을 파견하지 못하고, 다시금 1797년

에 철군을 단행함으로써 조지아에 게오르기옙스크 조약을 고수하라고 요구할 일체의 법적 권리를 상실했다'라고 적절하게 지적했다. Lang, *The Last Years of the Georgian Monarchy*, 173.

56. 자세한 내용은 Gvosdev, *Imperial Policies and Perspectives Towards Georgia*, 77-98; Nikolai Dubrovin, *Georgii XII: Poslednii tsar Gruzii i prisoedinenie eia k Rossii* (St. Petersburg: Tip. Departamenta udelov, 1867); Laurens H. Rhinelander, "The Incorporation of the Caucasus into the Russian Empire: The Case of Georgia," Ph.D. diss., Columbia University, 1972; Zurab Avalov (Avalishvili), *Prisoedinenie Gruzii k Rossii* (St. Petersburg: Montvid, 1906).

57. Karl Roider, *Baron Thugut and Austria's Response to the French Revolution* (Princeton, NJ: Princeton University Press, 1987), 86.

58. *Décret de la Convention nationale, du 19 novembre 1792, l'an Ier de la république françoise: Par lequel la Convention déclare qu'elle accordera fraternité & secours à tous les peuples qui voudront recouvrer leur liberté* (Rennes: Imprimerie Nationale du Département d'Ille et Vilaine, 1792).

59. *Archives parlementaires de 1787 à 1860: recueil complet des débats législatifs et politiques des chambres françaises* (Paris: Librairie administrative Paul Dupont, 1909), LXIV. Also see 231. Virginie Martin, "In Search of the 'Glorious Peace'? Republican Diplomats at War, 1792-1799," in *Republics at War, 1776-1840: Revolutions, Conflicts, Geopolitics in Europe and the Atlantic World*, ed. Pierre Serna, Antonino de Francesco, and Judith A. Miller (New York: Palgrave Macmillan, 2013), 46-64도 보라.

60. Jacques Godechot, "Les variations de la politique française à l'égard des pays occupés de 1792 à 1815," in *Occupants, Occupés 1792-1815. Colloque de Bruxelles, 29 et 30 janvier 1968* (Brussels: Université libre de Bruxelles, Centre d'histoire économique et sociale, 1969), 27.

61. Jacques Godechot, *La grande nation: l'expansion révolutionnaire de la France dans le monde de 1789 à 1799* (Paris: Aubier, 1956), II:660에서 인용.

62. Francois Furet, *Interpreting the French Revolution* (Cambridge: Cambridge University Press, 1981), 127.

6장 평화의 의례들, 1801-1802

1. Georges Lefebvre, *The Thermidorian and the Directory: Two Phases of the French Revolution* (New York: Random House, 1964), 387-45; William Doyle, *The Oxford History of the French Revolution* (Oxford: Oxford University Press, 1990), 318-68; Martyn Lyons, *France Under the Directory* (Cambridge: Cambridge University Press, 1975); Denis Woronoff, *The Thermidorean Regime and the*

Directory, 1794-1799 (Cambridge: Cambridge University Press, 1984). 당대인들의 인식을 살펴보려면 Paul Thiébault, *The Memoirs of Barton Thiébault*, trans. and ed. Arthur Butler (New York: Macmillan, 1896), II:13-14; Antoine-Marie Chamans, *The Memoirs of Count Lavallette* (Philadelphia: Thomas T. Ash, 1832), 71-72를 보라.

2. 인용문은 나폴레옹과 마르몽 장군과의 대화로 Holland Rose, *The Life of Napoleon I* (London: George Bell and Sons, 1907), I:218에서 가져왔다.

3. 깊이 있는 논의는 Malcolm Cook, *Napoleon Comes to Power: Democracy and Dictatorship in Revolutionary France, 1795-1804* (Cardiff: University of Wales Press, 1998). 간결한 설명은 Andrew Roberts, *Napoleon: A Life* (new York: Viking, 2014), 215-27; Michael Broers, *Napoleon: Soldier of Destiny* (New York: Pegasus Books, 2014), 203-29; Robert B. Aspery, *The Rise of Napoleon Bonaparte* (New York: Basic Books, 2000), 327-39.

4. Thierry Lentz, *La France et l'Europe de Napoléon, 1804-1814* (Paris: Fayard, 2007), 107-46.

5. 통령(집정)정부에 관한 논의는 Thierry Lentz, *Le grand Consulat: 1799-1804* (Paris: Fayard, 1999); Jean Tulard, *Le Directoire et le Consulat* (Paris: Presses universitaires de France, 1991); Lefebvre, *Napoleon from Brumaire to Tilsit*, 71-92, 122-59를 보라.

6. Lentz, *La France et l'Europe de Napoléon*, 151-94.

7. 선거 제도에 관한 논의는 Lentz, *La France et l'Europe de Napoléon*, 98-106을 보라.

8. Lentz, *La France et l'Europe de Napoléon*, 97; Isser Woloch, *Napoleon and His Collaborators: The Making of a Dictatorship* (New York: W. W. Norton, 2001), 94-96.

9. 1800년 국민투표에서는 투표자의 약 80퍼센트가 기권했고, "예"라고 투표한 사람의 숫자는 사실 150만 명에 가까웠다. 이에 관한 훌륭한 논의는 Malcolm Crook, "Confidence from Below? Collaboration and Resistance in the Napoleonic Plebiscites," in *Collaboration and Resistance in Napoleonic Europe: State Formation in an Age of Upheaval, 1800-1815*, ed. Michael Rose (New York: Palgrave Macmillan, 2003), 19-36. 뤼시앵의 조작에 관한 현지의 시각은 Bernard Gainor, "Réflexions sur le plebiscite de l'an VIII à partit de l'exemple de la Saône-et-Loire," in *Le Bonheaur est une idéee neuve: Mélanges en l'honneur du Professeur Jean Bart*, ed. Jean Jacques Clère (Dijon: Presses universitaires de Dijon, 2000)를 보라. 기권 비율은 계속 높았다. 예를 들어 10만 명이 거주하는 마르세유 시에서는 1,200명만이 투표에 참가했다. Claude Langlois, "Le plébiscite de l'an VIII ou le coup d'Etat du 18 Pluviôse an VIII," *Annales historiques de la Révolution française*, 1972, 43-65, 231-46, 396-415; Claude Langlois, "Napoléon Bonaparte plebiscite?" in *L'Election du chef d'Etat en France: De Hugues Capet à nos jours*, ed.

Leo Hamon and Guy Lobrichon (Paris: Beauchesne, 1988), 81-93.

10. Langlois, "'Le plébiscite de l'an VIII,'" 414.

11. Crook, "Confidence from Below?," 31; Jeff Horn, "Building the New Regime: Founding the Bonapartist State in the Department of the Aube," *French Historical Studies* 25, no. 2 (2002): 241.

12. Lentz, *La France et l'Europe de Napoléon*, 391-42.

13. Joseph N. Moody, *French Education Since Napoleon* (Syracuse: Syracuse University Press, 1978); Stewart McCain, *The Language Question Under Napoleon* (New York: Palgrave Macmillan, 2018), 117-50.

14. 나폴레옹의 개혁 조치에 관한 간결한 개관은 Robert B. Holtman, *The Napoleonic Revolution* (Baton Rouge: Louisiana State University Press, 1967)을 보라.

15. Patrick M. Geoghegan, *The Irish Act of Union: A Study in High Politics, 1798-1801* (New York: St. Martin's Press, 1999); Daire Keogh and Kevin Whelan, eds., *Acts of Union: The Causes, Contexts, and Consequences of the Act of Union* (Dublin: Four Courts Press, 2001); Hilary Larkin, *A History of Ireland, 1800-1922* (London: Anthem Press, 2014), 9-26.

16. 1799년 1월 31일, 윌리엄 피트의 연설, *The Speeches of the Right Honourable William Pitt in the House of Commons* (London: Longman, 1808), III:29.

17. 역사서술에 관한 논의는 Liam Kennedy and David S. Johnson, "The Union of Ireland and Britain, 1801-1921," in *The Making of Modern Irish History: Revisionism and the Revisionist Controversy*, ed. D. George Boyce and Alan O'Day (New York: Routledge, 2006), 34-49를 보라.

18. 프랑스-오스트리아 협상 개시는 August Fournier, "Die Mission des Grafen Saint-Julien im Jahre 1800," *Historische Studien und Skizzen* 1 (1885): 179-210 을 보라.

19. 1800년 10월 19일 오스트리아 외무대신 요한 아마데우스 프란츠 드 파울라 투 구트는 뤼네빌에서 오스트리아의 입지와 프랑스-러시아 관계 개선의 전망을 묘 사하면서 "만사가 갈수록 뒤죽박죽이 되어가고 있으며, 우리는 난마와 같은 상 황에 빠졌다"라고 한탄했다. 1800년 10-11월에 작성된 그의 편지, 특히 Franz de Paula Thugut, *Vertrauliche Briefe des Freiherrn von Thugut* (Vienna: Wilhelm Braumüller, 1872), vol. 2, esp. 317-18, 321-22, 352-53을 보라. 오스트리아 국내 정치에 관한 흥미로운 논의는 Harold C. Deutsch, *The Genesis of Napoleonic Imperialism* (Cambridge, MA: Harvard University Press, 1938), 7-13을 보라.

20. 조약 전문은 Alexandre de Clercq, ed., *Recueil des traités de la France* (Paris: A. Durand et Pedone-Lauriel, 1880), I:424-29; Georg Friedrich Martens, *Recueil des principaux traités d'alliance, de paix, de trève, de neuralité, de commerce, de limites, d'échange, etc.* (Gottingue: Librairie de Dieterich, 1801), VII:538-44를 보라.

21. Karl Roider, *Baron Thugut and Austria's Response to the French Revolution* (Princeton: Princeton University Press, 1987), 371–73을 보라.

22. Bonaparte to the Senate, February 13, 1801, in *A Selection from the Letters and Despatches of the First Napoleon*, ed. D. Bingham (London: Chapman and Hall, 1884), I:341.

23. Clercq, *Recueil des traités de la France*, I:431–32.

24. Joseph Élisabeth Roger, comte de Damas d'Antigny, *Memoirs of the Comte Roger de Damas, 1787–1806*, ed. Jacques Rambaud (London: Chapman and Hall, 1913), 298–99.

25. Clercq, *Recueil des traités de la France*, I:432–34.

26. 조약은 비준되지 않았고, 보나파르트가 입법 기관들이 이 조약을 반대하지 않을 것임을 확실히 한 아홉 달 뒤에야 발표되었다.

27. 협상에 관한 훌륭한 요약은 M. Barbara, "Napoleon Bonaparte and the Restoration of Catholicism in France," *Catholic Historical Review* 12, no. 2 (1926): 241–57 을 보라.

28. 조약 전문은 www.napoleon.org/fr/salle_lecture/articles/files/Concordat_18011. asp에서 볼 수 있다.

29. Louis Pierre Édouard Bignon, *Histoire de France, depuis le 18 brumaire, novembre 1799, jusqu'à la paix de Tilsit (Juillet 1807)* (Brussels: J. P. Meline, 1836), 173.

30. Claude Langlois, "La fin des guerres de religion: La disparition de la violence religieuse en France au 19e siècle," *French Historical Studies* 21, no. 1 (1998): 3–25를 보라.

31. 피해를 최소화하려고 런던 주재 러시아 대사 세멘 보론초프는 러시아 황제를 유아적인 인물로 묘사하고 영국 각료들에게 "애들한테 화를 낼 수는 없는 법"이라고 호소했다. Vorontsov to Lord Grenville, July 2, 1800, in *Dropmore Papers*, VI:259, 261.

32. 러시아 역사가 알렉산드르 코르닐로프는 파벨을 "제관을 쓴 사이코패스"라고 부르며 그의 치세를 "갑작스러운 등장, 밖에서 들이닥친 예기치 못한 돌풍이며, 모든 것을 혼란에 빠트리고 뒤죽박죽으로 만들었지만 자연스러운 진행 경로를 오랫동안 가로막거나 심각하게 변경하지는 못했다"라고 묘사했다. Aleksandr Kornilov, *Kurs istorii Rossii XIX veka* (The Hague: Mouton, 1969), 58. 더 사려 깊고 통찰이 돋보이는 논의는 Ole Feldbaek, "The Foreign Policy of Tsar Paul I, 1800–1801: An Interpretation," *Jahrbücher für Geschichte Osteuropas* XXX (1982): 16–36; Hugh Ragsdale, "The Origins of Bonaparte's Russian Policy," *Slavic Review* 27, no. 1 (1968): 85–90; Hugh Ragsdale, *Détente in the Napoleonic Era: Bonaparte and the Russians* (Lawrence: University of Kansas Press, 1980)를 보라.

33. Robert Meynadier, "Un plan de l'Empereur Paul de Russie," *La Revue de*

Paris 6 (November–December 1920): 193–94; Sergey Tatishchev, "Paul 1er et Bonaparte," *Nouvelle revue* XLIX (1889): 260; Alexander Mikhailovskii-Danilevskii and Dmitrii Miliutin, *Istoriya voiny Rossii s Frantsiei v tsarstvovanie imperatora Pavla I v 1799 g.* (St. Petersburg: Tip. Shtaba voenno-uchebnykh zavedenii, 1852–57), V:494.

34. Bonaparte to Talleyrand, June 4 and July 4, 1800, in Napoleon Bonaparte, *Correspondance Générale*, ed. Thierry Lentz, Michel Kerautret, François Houdecek, et al. (Paris: Fayard, 2006), III: 280, 326.

35. 당대의 보도는 *Monthly Visitor* XVI (January 1802): 11–15를 보라.

36. 프랑스-러시아 외교 서신은 Alexander Trachevskii, "Diplomaticheskie snosheniya Frantsii i Rossii v epokhu Napoleona I, 1800–1802," *SIRIO* LXX (1890): 1–10; F. Martens, *Recueil des traités et conventions conclus par la Russie avec les puissances étrangères* (St. Petersburg: A. Böhnke, 1902), XIII:250–70.

37. 러시아인들이 발레타항을 자국 해군에 폐쇄할 거라고 걱정한 영국은 지휘관들에게 러시아인들을 몰타에 받아들이지 말라고 명령했다.

38. Diplomatic Note, October 8, 1800, in Trachevskii, "Diplomaticheskie snosheniya," 10–11.

39. 각서에 따르면 "그리스와 부속 도서는 4대 강국의 보호 아래 베네치아 섬들의 예를 따라서 공화국으로 수립될 것이다 (⋯) 하지만 당분간 그리스인들은 러시아의 비호를 받을 것이다."

40. 파벨은 여백에 "너무 많은가!?"라고 휘갈겨 썼다. 로스톱친은 오스트리아 "황제와 신료들은 파산한 사람이 방금 제비뽑기에서 큰 상을 얻은 것마냥 터키의 분할에 만족할 것"이라고 주장했다.

41. "Zapiska grafa F.V. Rostopchina o politicheskikh otnosheniyakh Rossii v poslednie mesyatsy Pavlovskago tsarsvovaniya", *Russkii arkhiv*, 1878, I:109–10. 프랑스 판본은 Duc de Broglie, "La Politique de la Russie en 1800 d'apres un document inédit," *Révue d'histoire dipolmatique* 3 (1889): 1–12를 보라.

42. Mark McKinley Lee, "Paul I and the Indian Expedition of 1801: Myth and Reality," MA thesis, Texas Tech University, 1984, 74–219. V. T. Lebedev, *V Indiyu, voyeno-statisticheskiy i strategicheskiv ocherk* (St. Petersburg: Tipografiy a A. A. Porokhovskchikova, 1898); Alex Zotov, "The Failed Franco-Russian Expedition to India, 1801," http://history-gatchina.ru/paul/india/index.htm도 보라.

43. Gottfried Wilhelm Leibniz, *Mémoire de Leibnitz à Louis XIV sur la conquête de l'Égypte* (Paris: Edouard Garnot, 1840), 37–51; Curt Bogislaus Ludvig Kristoffer von Stedingk, *Mémoires posthumes du feldmaréchal comte de Stedingk: rédigés sur des lettres, dépêches et autres pièces authentiques laissées à sa famille*, ed. Magnus Fredrik Ferdinand Björnstjerna (Paris: A. Bertrand, 1845), II:6–9. P.

Karatygin, "Proekt Russko-frantsuzskoi ekspeditsii v Indiyu 1800 g.," *Russkaya starina* 8 (1873): 401-9도 보라.

44. *Napoleon's Wars: An International History* (88-89)에서 찰스 이스데일은 이 원정의 중요성을 올바르게 축소하지만 러시아와 더 긴밀한 관계를 추구하다 페르시아로부터 침공을 당한 조지아 내 "별개의 위기"와 잘못 연결시킨다. 이스데일은 코사크 원정이 1795년 페르시아 아가 무함마드 칸의 침공에 대한 반응이라고 시사한다. 하지만 그 같은 관련성에는 이론의 여지가 있다. 사실, 바로 이듬해 (1796년)에 예카테리나 2세는 발레리안 주보프 백작 휘하에 러시아 군단 1개를 남부 캅카스에 파견하여 페르시아의 침공에 대응했다. 주보프는 오늘날의 다게스탄과 아제르바이잔에서 페르시아 세력을 성공적으로 공격하고, 1796년 6월에 바쿠를 함락했다. 즉위하자마자 이란 침공을 중단시키고 병력을 소환한 사람은 파벨 1세였다.

45. Paul to Orlov, January 12/24, 1801, in Nikolai Shilder, *Imperator Pavel I* (St. Petersburg, 1801), 417.

46. 그렌빌 경은 호송선단을 수색할 권한은 영국에 있어서 "독립성에 버금가는 문제, 영국의 위대함의 원천을 건드리며, 해군력의 토대 자체를 뒤흔드는 문제"라고 믿었다. Piers Mackesy, *War Without Victory: The Downfall of Pitt, 1799-1802* (Oxford: Clarendon Press, 1984), 134에서 인용.

47. T. K. Derry, "Scandinavia," in *The New Cambridge Modern History*, ed. C. W. Crawley (Cambridge: Cambridge University Press, 1975), 484.

48. Philip G. Dwyer, "Prussia and the Armed Neutrality: The Invasion of Hanover in 1801," *International History Review* 15, no. 4 (1993): 662-64.

49. 자세한 내용은 Alfred Mahan, *The Influence of Sea Power upon the French Revolution and Empire, 1793-1812* (Boston: Little, Brown, 1918), II:41-45; Ole Feldbaek, *Danmark og Det væbnede neutralitetsforbund 1800-1801: småstatspolitik i en verdenskrig* (Copenhagen: Institut for økonomisk historie ved Københavns universitet, 1980)을 보라.

50. Hugh Ragsdale, "A Continental System in 1801: Paul I and Bonaparte," *Journal of Modern History* 42, no. 1 (March 1970): 70-89. his "Russia, Prussia, and Europe in the Policy of Paul V," *Jahrbücher für Geschichte Osteuropas* XXXI (1983): 81-118도 보라.

51. David Macmillan, "Paul's Retributive Measures of 1800 Against Britain: The Final Turning-Point in British Commercial Attitudes Towards Russia," *Canadian-American Slavic Studies* VI, no. 1 (1973): 72-77.

52. Originaltraktater med främmande makter (traktater), August 31, 1805, Riksarkivet, SE/RA/25.3/2/39/A-B; Russian Imperial Declaration (August 27, 1800), Convention Between Russia, Sweden, and Denmark-Norway (December 16, 1800), and Convention Between Russia and Prussia (December 18, 1800)

in August James Brown Scott, ed., *The Armed Neutralities of 1780 and 1800: A Collection of Official Documents* (New York: Oxford University Press, 1918), 489-92, 531-49.

53. 하노버는 인적 결합으로 영국 왕정과 합쳐져 있었고 북독일의 중요한 상업 중심지였으므로 영국에 외교적 압력을 넣고 싶은 어느 나라에게나 당연한 공격 대상이었다.

54. Paul W. Schroeder, *The Transformation of European Politics, 1763-48* (New York: Oxford University Press, 1994), 220.

55. 프로이센 국왕의 선언, Scott, *The Armed Neutralities of 1780 and 1800*, 592-94. 더 자세한 내용은 Paul Bailleur, ed., *Preussen und Frankreich von 1795 bis 1807: Diplomatische correspondenzen*, vol. 2 (Leipzig: S. Hirzel, 1881-1887). Dwyer, "Prussia and the Armed Neutrality," 661-87; Guy Stanton Ford, *Hanover and Prussia, 1795-1803: A Study in Neutrality* (New York: Columbia University Press, 1903), 192-268도 보라.

56. 훌륭한 논의는 Eugene Tarle, *Kontinentalnaya blokada* (Moscow: Zadruga, 1913); William F. Galpin, *The Grain Supply of England During the Napoleonic Period* (New York: Macmillan, 1925); Robert G. Albion, Forests and Sea Power: *The Timber Problem of the Royal Navy, 1652-1862* (Cambridge MA: Harvard University Press, 1927)를 보라.

57. 1800-1801년 영국의 전략에 대한 더 폭넓은 논의는 Mackesy, *War Without Victory*, 95-201을 보라.

58. William Laird Clowes, *The Royal Navy: A History from the Earliest Times to the Present* (London: Sampson Loaw, Marston, 1899), IV:470-71; *The Naval Chronicle*, ed. James Stanier Clarke (London: Bunney & Gold, 1801) V:162, 444-45; VI:148; Neville A. T. Hall, *Slave Society in the Danish West Indies: St. Thomas, St. John and St. Croix*, ed. B. W. Higman (Kingston: University of the West Indies Press, 1994), 26.

59. Ole Feldbæk, *The Battle of Copenhagen 1801: Nelson and the Danes* (Barnsley: Leo Cooper, 2002).

60. 당대의 일부 러시아인들은 영국 정부가 시해에 연루되었으며 영국의 금이 모의 자금을 댔다고 믿었다. 당대의 증언들은 *Tsarubiistvo 11 marta 1801 goda: Zapiski uchastnikov I sovremennikov* (St. Petersburg, 1907); *Arkhiv Kniazya Vorotsova* (Moscow, 1870-1895), X: 113-14, XIV:146-48을 보라. James Kenney, "Lord Whitworth and the Conspiracy Against Tsar Paul I: The New Evidence of the Kent Archive," *Slavic Review* 36, no. 2 (June 1977): 205-19도 보라.

61. Luccesini's report of April 17, 1801, in Paul Bailleu, ed. *Preussen und Frankreich von 1795 bis 1807: Diplomatische correspondenzen* (Leipzig: S. Hirzel, 1887), II:38.

62. Dwyer, "Prussia and the Armed Neutrality," 86.

63. Ford, *Hanover and Prussia*, 271-90을 보라.

64. 보나파르트와 무스타파 파샤 간 서신은 *Pièces curieuses ou Alger en 1802* (Paris: Palais Royal, 1830), 5-16을 보라.

65. *A Selection from the Letters and Despatches of the First Napoleon*, ed. Bingham, I:397, 398-99, 401.

66. 법안 전문은 *A Century of Lawmaking for a New Nation: U.S. Congressional Documents and Debates, 1774-1875*, http://memory.loc.gov/cgi-bin/ampage? collId=llsl&fileName=001/llsl001.db&recNum=473에서 볼 수 있다.

67. Treaty of Peace and Amity, September 5, 1795, Yale University, The Avalon Project, http://avalon.law.yale.edu/18th_century/bar1795t.asp. Martha Elena Rojas, "'Insults Unpunished': Barbary Captives, American Slaves, and the Negotiation of Liberty," *Early American Studies: An Interdisciplinary Journal* 1, no. 2 (2003): 159-86도 보라.

68. Treaties with Tripoli (November 4, 1796), Algiers (January 3, 1797), and Tunis (August 28, 1797), Yale University, The Avalon Project, http://avalon.law.yale.edu/subject_menus/barmenu.asp.

69. Joseph Whelan, *Jefferson's War: America's First War on Terror, 1801-1805* (New York: Carroll and Graf, 2003); Michael L. S. Kitzen, *Tripoli and the United States at War: A History of American Relations with the Barbary States, 1785-1805* (Jefferson, NC: McFarland, 1993).

70. Spencer C. Tucker, *Stephen Decatur: A Life Most Bold and Daring* (Annapolis, MD: Naval Institute Press, 2004).

71. Richard Zacks, *The Pirate Coast: Thomas Jefferson, the First Marines, and the Secret Mission of 1805* (New York: Hyperion, 2005); Richard Parker, *Uncle Sam in Barbary: A Diplomatic History* (Tallahassee: University Press of Florida, 2004).

72. Joshua London, *Victory in Tripoli: How America's War with the Barbary Pirates Established the U.S. Navy and Shaped a Nation* (Hoboken, NJ: John Wiley, 2005).

7장 전쟁으로 가는 길, 1802-1803

1. 훌륭한 논의는 John D. Grainger, *The Amiens Truce: Britain and Bonaparte, 1801-03* (Rochester, NY: Boydell Press, 2004). James Raymond Weinlader, "The Peace of Amiens, 1801-02: Its Justification in Relation to Empire," Ph.D. diss., University of Wisconsin, 1977도 보라.

2. Bonaparte to George III, December 25, 1799, in Napoleon, *Correspondance générale*, ed. Thierry Lentz (Paris: Fayard, 2004), II:1115.

3. George III to Lord Grenville, September 4, 1792, in *The Letters of King George III*, ed. Bonamy Dobree (London: Cassell, 1935), 215.

4. George III to Lord Grenville, August 2, 1792, in *The Letters of King George III*:218-19; George III, *The Later Correspondence of George III*, ed. Arthur Aspinall (Cambridge: Cambridge University Press, 1963), II:73.

5. George III to Lord Grenville, January 1, 1800, in *The Later Correspondence of George III*, III:308.

6. Earl Philip Henry Stanhope, *Life of the Right Honourable William Pitt* (London: John Murray, 1867), III:215-16. Robert Bisset, *The History of the Reign of George III to the Termination of the Late War* (London: A. Strahan, 1803), VI:350-51도 보라.

7. Otto to Grenville, August 24, 1800, in *The Parliamentary History of England, from the Earliest Period to the Year 1803* (London: T. C. Hansard, 1820), XXXV:540-41.

8. 보나파르트가 처음에 염두에 둔 병력은 이집트에 있는 병력이었다. 보나파르트가 북아프리카 해안으로 이끌고 간 군대의 병사들은 질병과 사상死傷으로 수가 크게 줄었지만 여전히 이집트의 상당 지역을 효과적으로 장악하고 있었다. 하지만 넬슨 제독이 아부키르만 해전에서 승리(1798)함으로써 본국 프랑스와의 모든 연락이 두절되었고, 어떤 결정적인 조치를 취하지 않는 한 이집트 주둔 프랑스군의 전력이 점차 소진되리라는 것은 불 보듯 뻔했다. 보나파르트는 이 점을 잘 이해하고 있었고 병사들을 빼내오고 싶은 마음이 간절했다. 보나파르트가 두 번째로 염두에 둔 병력은 몰타섬에 주둔한 병사들로서, 그들은 동맹세력에 의해 2년 가까이 섬에 포위된 상태였다. 몰타에 관해서는 William Hardman, *A History of Malta During the Period of the French and British Occupations, 1798-1815* (London: Longmans, Green, 1909), 107-35를 보라.

9. Carysfort to Grenville, November 12, 1800, *Dropmore Papers*, VI:374-76. 캐리스퍼트의 편지는 유럽 내 정서를 묘사한 겐츠의 비망록 두 편을 담고 있었다.

10. 피트의 사임과 사임이 몰고 온 충격에 관한 상세한 논의는 John Ehrman, *The Younger Pitt: The Consuming Struggle* (Stanford, CA: Stanford University Press, 1996), 495-533을 보라. 몇몇 프랑스 역사가들은 주요 매파 인사가 포함된 윌리엄 피트 내각의 사임은 프랑스와 강화를 협상해야만 하는 굴욕을 피하고 향후에 복귀할 경우 정책상 재량권을 얻기 위한 "전략적 술책"이었다고 주장한다. Edourad Driault, *Napoléon et l'Europe. The Politique Extérieure du Premier consul (1800-03)* (Paris: Felix Alcan, 1910), 162-64를 보라.

11. Bonaparte to Talleyrand, July 28, 1800 (no. 5034), September 30, 1800 (no. 5120), January 27, 1801 (no. 5327), February 13, 1801 (no. 5365), and March 2, 1801 (no. 5426); Bonaparte to the King of Spain, November 8, 1800 (no. 5165), in CN, VI:426-27, 469, 499, 590-92; VII:22-23, 54-55;

Traité préliminaire d'alliance signé â Madrid, January 29, 1801; Ratification du Premier Consul...sur le traité préliminaire d'alliance signé à Madrid, February 17, 1801, in Alexandre de Clercq, ed., *Recueil des traités de la France* (Paris: A. Durand et Pedone-Lauriel, 1880), I:420-24.

12. Angelo Pereira, *D. João VI principe e rei* (Lisbon: Empresa Nacional de Publicidade, 1953), I:70; Valentim Alexandre, *Os sentidos do Império: questão nacional e questão colonial na crise do Antigo Regime português* (Porto: Edições Afrontamento, 1993), 102-3, 115-16, 121-26; Albert Silbert, *Do Portugal de antigo regime ao Portugal oitocentista* (Lisbon: Livros Horizonte, 1981), 49-52. 바다호스와 마드리드 조약은 Georg Friedrich Martens, *Recueil des principaux traités d'alliance, de paix, de trève, de neuralité, de commerce, de limites, d'échange, etc.* (Gottingen: Librairie de Dieterich, 1801), VII:348-51; 373-76.

13. Frederick C. Schneid, *Napoleon's Conquest of Europe: The War of the Third Coalition* (Westport, CT: Praeger, 2005), 23을 보라.

14. 오렌지 전쟁이 유럽 바깥에 미친 효과에 관해서는 Mark A. Frakes, "Governor Ribera and the War of Oranges on Paraguay's Frontiers," *The Americas* 45, no. 4 (1989): 489-508; Barbara Anne Ganson, *The Guarani Under Spanish Rule in the Rio de la Plata* (Stanford, CA: Stanford University Press, 2003), 155-56을 보라.

15. Desmond Gregory, *The Beneficent Usurpers: A History of the British in Madeira* (London: Associated University Presses, 1988), 47-64를 보라.

16. 최종 조약도 에스파냐의 호세 니콜라스 데 아사르와 바타비아 공화국의 뤼트허르 얀 시멜페닝크 사이에 체결되었다.

17. 1801년 8월 일반 강화가 체결되었을 때 네덜란드에서 프랑스 병력의 철수를 규정한 양자 간 개별 협정도 체결되었다. 또한 뤼네빌 조약에는 바타비아, 헬베티아, 치살피나, 리구리아 공화국들의 독립을 인정하는 개별 조항이 있었다.

18. Treaty of Amiens, March 25, 1802, Fondation Napoléon, https://www.napoleon.org/histoire-des-2-empires/articles/le-traite-de-la-paix-damiens.

19. 식민지 반환은 중요한 양보 조치로서 영국이 순전히 식민 제국을 확대하기 위해 전쟁에 뛰어든 것이 아님을 명명백백하게 보여주었다.

20. *Diaries and Correspondence of James Harris, First Earl of Malmesbury* (London: Richard Bentley, 1845), IV:69.

21. William Eden Baron Auckland, *The Journal and Correspondence of William, Lord Auckland* (London: Richard Bentley, 1862), IV:143-44.

22. Lord Grenville to William Pitt, October 6, 1801, *Dropmore Papers*, VII:50-51. *Also see Duke of Buckingham and Chandos, Memoirs of the Court and Cabinets of George the Third* (London: Hurst and Blackett, 1855), III:178.

23. Auckland, *Journal and Correspondence*, IV:143-44.

24. William Woodfall, ed., *The Parliamentary Register, or an Impartial Report of the Debates that Occur in the Two Houses of Parliament* (London: John Stockdale, 1802), I:64.

25. 슈뢰더는 아미앵 조약이 "협상 과정에서 프랑스 쪽의 실력과 집요함을, 애딩턴 정부의 허약성과 주의 분산, 협상가로서 콘월리스의 미숙함"을 보여주는 증거라고 올바르게 지적한다. Paul W. Schroeder, *The Transformation of European Politics, 1763-1848* (New York: Oxford University Press, 1994), 227.

26. Piers Mackesy, *War Without Victory: The Downfall of Pitt, 1799-1802* (Oxford: Clarendon Press, 1984), 215-16. 모두 명예를 아는 사람들이지만 그다지 노련하지는 못했던 영국 각료들이 합의 내용을 수용할 용의가 있었다는 사실을 주목해야 하는데 그들로서는 인도와 카리브 해역에서 영국의 국익이 전략적 교두보인 실론과 트리니다드의 보유로 안전하게 지켜졌다고 믿었기 때문이다.

27. 예를 들어 콘래드 길은 애딩턴 내각이 "경험 없는 이의 자신감과 유럽에 평화를 회복시킨다는 기쁨으로 그 단서조항들"을 기안했다고 성토한다. "각료들은 평화적인 열의에서 피트와 그 동료들이라면 두 번 생각할 것도 없이 거부했을 조건들을 수용했다." "The Relations between England and France in 1802," *English Historical Review* XXIV, no. 93 (1909): 61.

28. 흥미로운 논의는 Michael Duffy, "British Diplomacy and the French Wars, 1789-1815," in *Britain and the French Revolution, 1789-1815*, ed. H. T. Dickinson (New York: St. Martin's Press, 1989), 127-45; Piers Mackesy, "Strategic Problems of the British War Effort," in *Britain and the French Revolution, 1789-1815*, ed. H. T. Dickinson (New York: St. Martin's Press, 1989), 147-64; Paul Schroeder, "The Collapse of the Second Coalition," *Journal of Modern History* LIX (1987): 244-90을 보라.

29. Charles Creighton, *A History of Epidemics in Britain* (Cambridge: Cambridge University Press, 1894), II:159-60. 1799년 봄에 밀의 가격은 쿼터 당 61실링 8펜스, 1799년 12월에 94실링 2펜스, 1800년 6월에 134실링, 5펜스, 1801년 여름 후반에 180실링이었다. 1802년에는 57-60실링으로 하락했다 (II:162).

30. Auckland, *Journal and Correspondence*, IV:144.

31. Auckland, *Journal and Correspondence*, IV:144.

32. Admiral Viscount Keith, *The Keith Papers: Selected from the Papers of Admiral Viscount Keith*, ed. Christopher Lloyd (London: Navy Records Society, 1950), II:376.

33. Edmund Burke, "Letters on a Regicide Peace," in *The Works of the Right Hon. Edmund Burke*, ed. Henry Rogers (London: Henry G. Bohn, 1841), II:334.

34. Carl Ludwig Lokke, "French Designs on Paraguay in 1803," *Hispanic American Historical Review* 8, no. 3 (August 1928): 392-405.

35. Pierre-Alexandre-Laurent Forfait's memorandum, 12 Germinal An X (1802),

Henri Prentout, *L'Ile de France sous Decaen, 1803-10* (Paris: Librairie Hachette, 1901), 14에서 인용.

36. Bonaparte to General Berthier, July 18, 1802; Bonaparte to Admiral Decrès, January 15, 1803, in *CN*, no. 6189, VII:524; no. 6544, VIII:176-78.

37. Prentout, *L'Ile de France sous Decaen*, xiv-xxii, 1-4, 16-31. 서른네 살에 불과했던 드캉은 대체로 무명의 인사였고 이전의 어느 식민지 계획과도 연관되어 있지 않았으며 아무런 말썽도 야기할 것 같지 않았다. 1803년 1월에 영국 대사 휘트워스는 드캉이 "젊은 사람이고 사생활에서 흠이 없지만 장군이나 정치가로서 딱히 눈부신 재능을 과시하지는 않는다. 그러므로 드캉만 놓고 보면 [프랑스가] 정복이나 책략으로 인도의 속령을 확대하기보다는 이미 보유하고 있는 영토를 발전시킬 생각이라고 결론 내려도 될 듯하다"라고 평가했다. Oscar Browning, *England and Napoleon in 1803, Being the Despatches of Lord Whitworth and Others* (London: Longmans, Green, 1887), 45. 몇몇 역사가들에게 "자타가 공인하는 호전적인 영국 혐오자" 드캉을 선임한 보나파르트의 결정은 영국과의 화평에 대한 "굳이 감출 것도 없는 멸시"를 보여주는 또 다른 사례였다. W. M. Sloane, "Napoleon's Plans for a Colonial System," *American Historical Review* 4, no. 3(April 1899): 441.

38. George McCall Theal, *History of South Africa* (London: Swan Sonnenschein, 1908), I:93-108.

39. 케이프식민지에 거주하던 영국인들의 보고 내용은 J. Holland Rose, "The French East-Indian Expedition at the Cape in 1803," *English Historical Review* 15, no. 57 (1900): 129-32를 보라.

40. Prentout, *L'Ile de France sous Decaen*, 31-60.

41. Journaux du capitaine de vaisseau Nicolas Baudin, commandant de l'expédition, 1800-1803, AN MAR/5JJ/35-MAR/5JJ/40/D; Nicole Starbuck, "Constructing the 'Perfect' Voyage: Nicolas Baudin at Port Jackson, 1802," Ph.D. diss., University of Adelaide, 2009; Serge M. Rivière and Kumari R. Issur, eds., *Baudin-Flinders dans l'océan indien: Voyages, découvertes, rencontre* (Paris: L'Harmattan, 2006), Ernest Scott, *Terre Napoléon: A History of French Explorations and Projects in Australia* (London: Methuen, 1910).

42. 지침은 Ernest Scott, "Baudin's Voyage of Exploration to Australia," *English Historical Review* 28, no. 110 (April 1913): 341-46. 원정과 관련한 문서는 Nicolas Baudin, *Mon voyage aux terres australes: journal personnel du commandant Baudin* (Paris: Imprimerie nationale éditions, 2000)을 보라.

43. François Péron, *French Designs on Colonial New South Wales: François Péron's Memoir on the English Settlements in New Holland, Van Diemen's Land and the Archipelagos of the Great Pacific Ocean*, ed. Jean Fornasiero and John West-Sooby (Adelaide: Friends of the State Library of South Australia, 2014). 여전히 일

부 현대 역사가들은 "사료상 증거가 거의 전무함에도 보댕 원정에 정치적 성격이 있었다는 믿음을 고수한다." Jean-Paul Faivre, "Preface," in Nicolas Baudin, *The Journal of Post Captain Nicolas Baudin, Commander-in-Chief of the Corvettes Géographe and Naturaliste*, ed. and trans. Christine Cornell (Adelaide: Libraries Board of South Australia, 1974), xiii. 이를 반박하는 논의는 Scott, *Terre Napoléon*, 122-89, 262-82를 보라.

44. 투생의 동기에 관한 간명한 논의는 Jeremy D. Popkin, *A Concise History of the Haitian Revolution* (Oxford: Blackwell, 2012), 111-13.

45. Constitution du 22 frimaire an VIII (December 13, 1799), AN AE/I/29/4.

46. Laurent Dubois, *A Colony of Citizens: Revolution and Slave Emancipation in the French Caribbean, 1787-1804* (Chapel Hill: University of North Carolina Press, 2004), 288-89, 326-27, 351.

47. C. L. R. James, *The Black Jacobins: Toussaint L'Ouverture and the San Domingo Revolution* (New York: Vintage Books, 1989), 270, 275, 294; Claude Wanquet, *La france et la première abolition de l'esclavage, 1794-1802: le cas des colonies orientales, Ile de France (Maurice) et la Réunion* (Paris: Karthala, 1998), 636. 나폴레옹 본인의 회고는 그러한 주장에 충분한 근거를 제공했다. 생도맹그에 관한 그의 발언은 Emmanuel de Las Cases, *Mémorial de Sainte Hélène* (Paris: Gallimard-La Pléiade, 1956), 769; Barry O'Meara, *Napoleon in Exile: or, A Voice from St. Helena* (New York: William Gowans, 1853), II:199를 보라.

48. 근대 전기 유럽의 인종주의에 관한 뛰어난 논의는 Miriam Eliav-Feldon, Benjamin Isaac, and Joseph Ziegler, *The Origins of Racism in the West* (Cambridge: Cambridge University Press, 2009)를 보라.

49. "Aux citoyens de Saint-Domingue," December 25, 1799, in *CN*, no. 4455, VI:42.

50. Arrête of December 25, 1799, in CN, VI:43. Pierre Pluchon, *Toussaint Louverture* (Paris: Fayard, 1989), 447-48도 보라.

51. Pierre-Louis Roederer, *Mémoires sur la Révolution, le Consulat, et l'Empire* (Paris: Plon, 1942), 131.

52. "Notes sour Saint Domingue," in *CN*, XXX: 529. 원정을 단행하기로 한 보나파르트의 결정에 관해서는 Popkin, *A Concise History of the Haitian Revolution*, 116-19; Philippe R. Girard, *The Slaves Who Defeated Napoleon: Toussaint Louverture and the Haitian War of Independence, 1801-1804* (Tuscaloosa: University of Alabama Press, 2011), 33-49. Pierre Branda and Thierry Lentz, *Napoléon, l'esclavage et les colonies* (Paris: Fayard, 2006); Marcel Dorigny, *Rétablissement de l'esclavage dans les colonies française* (Paris: Maisonneuve-Larose, 2003)를 보라. 투생의 인생 마지막 2년에 관해서는 Philippe Girard, *Toussaint Louverture: A Revolutionary Life* (New York: Basic Books, 2016), 217-

52를 보라.

53. "Notes pour server aux instructions à donner au capitaine general Leclerc,"
October 31, 1801, in Charles Leclerc, *Lettres du Général Leclerc*, ed. Paul
Roussier (Paris: Société de l'histoire des colonies françaises, 1937), 263-74.

54. Michel-Étienne Descourtilz's memoirs in Jeremy D. Popkin, ed., *Facing Racial
Revolution: Eyewitness Accounts of the Haitian Insurrection* (Chicago: University
of Chicago Press, 2007), 306을 보라.

55. 기아나에서 노예제의 복귀는 혁명 동안에는 노예 해방을 목청껏 부르짖다가
1802-1803년에 점차 부활시킨 프랑스 식민 행정가 장-바티스트 빅토르 위그의
작품이었다.

56. 자세한 내용은 Claude Ribbe, *Le crime de Napoléon* (Paris: Cherche Midi,
2013); Laurent Dubois, *Avengers of the New World: The Story of the Haitian
Revolution* (Cambridge, MA: Harvard University Press, 2004), 293; Adam
Hochschild, *Bury the Chains: Prophets and Rebels in the Fight to Free an Empire's
Slaves* (New York: Houghton Mifflin, 2006), 293-94를 보라.

57. Leclerc to Bonaparte, October 7, 1802, in *Lettres du Général Leclerc*, 256.

58. Girard, *The Slaves Who Defeated Napoleon*, 159-247, 291-312를 보라.

59. 1791년과 1803년 사이에 10만 명 정도가 혁명의 격랑에 휘말려 죽었는데 대다
수는 흑인이었다.

60. 데살린에 관해서는 Timoleon C. Brutus, *L'homme d'Airain, étude monographique
sur Jean-Jacques Dessalines, fondateur de la nation haïtienne*, 2 vols. (Port-au-
Prince: N. A. Theodore, 1946-1947); Henock Trouillot, *Dessalines: ou, La
tragédie post-coloniale* (Port-au-Prince: Editions Panorama, 1966)를 보라.

61. 이를 조명하는 연구는 Ada Ferrer, *Freedom's Mirror: Cuba and Haiti in the Age of
Revolution* (Cambridge: Cambridge University Press, 2014)을 보라.

62. 자세한 내용은 *Life and Correspondence of Rufus King*, ed. Charles R. King (New
York: G. P. Putnam's Sons, 1896), III:61을 보라.

63. Treaty of San Ildefonso, October 1, 1800, www.napoleon-series.org/research/
government/diplomatic/c_ildefonso.html.

64. William Cobbett, "Cession of Louisiana" (editorial), *Cobbett's Annual Register*
(London: Cox and Baylis, 1802), I:46. 간결하고 이해가 돋보이는 논의는
Bradford Perkins, "England and the Louisiana Question," *Huntington Library
Quarterly* 18, no. 3 (May 1995):279-95를 보라.

65. James Madison to Robert Livingston and James Monroe, March 2, 1803,
in The *Papers of James Madison: Secretary of State Series*, ed. Mary A. Hackett
(Charlottesville: University Press of Virginia, 1984), IV:364-78.

66. Jefferson to Pierre S. du Pont de Nemours, April 25, 1802, in *The Writings of
Thomas Jefferson*, ed. Andrew A. Lipscomb (Washington, DC: Thomas Jefferson

Memorial Association, 1903), X317. 프랑스 주재 미국 대사 로버트 리빙스턴에게 보낸 긴 편지에서 제퍼슨은 "프랑스가 뉴올리언스를 손에 넣는 날이 곧 프랑스를 영영 최악의 상태로 몰아넣을 제삿날입니다 (…) 그 순간부터 우리는 영국의 함대와 그 국민과 손을 잡아야 합니다"라고 썼다. Jefferson to Livingston, April 18, 1802 in *Memoir, Correspondence and Miscellanies from the Papers of Thomas Jefferson*, ed. Thomas Jefferson Randolph (Boston: Gray and Bowen, 1830), III:492.

67. Convention entre la République française et les Etats-Unis d'Amérique réglant l'application du traité de cession de la Louisiane aux Etats-Unis d'Amérique, AN AF/IV/1704/6/12. "The Louisiana Purchase" collection of documents at The Napoleon Series, www.napoleon-series.org/research/government/diplomatic/c_louisiana.html; Monroe and Livingston to James Madison, May 12-13, 1803, in *The Papers of James Madison*, ed. William T. Hutchinson et al. (Chicago: University of Chicago Press, 1965), IV:590-94, 601도 보라. Robert D. Bush, *The Louisiana Purchase: A Global Context* (New York: Routledge, 2014), 69-96 도 보라.

68. 합의에 따라 두 은행은 액면가 6000만 프랑의 증권에 5300만 프랑을 지급해 나머지 차액은 수수료로 갖기로 하고, 세 차례에 나눠서 (주로 영국에서 가져온) 정화를 제공하기로 약속했다. 미국 재무부는 1812년과 1823년 사이에 모든 채권을 상환하여 은행과 채권소유자들은 800만 달러가 넘는 이자를 받았다. 자세한 내용과(관련 사료는) James E. Winston and R. W. Colomb, "How the Louisiana Purchase Was Financed," *Louisiana Historical Quarterly* XII (1929): 189-237을 보라.

69. Henry Adams, *History of the United States of America During the First Administration of Thomas Jefferson* (New York: Charles Scribner's Sons, 1889), II:49.

70. "1804년부터 1808년까지 찰스턴으로 39,075명의 아프리카 노예가 쏟아져 들어왔다. 이 숫자는 지난 200년 사이에 영국령 북아메리카에 유입된 총 노예 숫자의 1/10이 넘는 수치로, 세계 노예무역 역사상 최대 급증 사례일 것이다." Jed Handelsman Shugerman, "The Louisiana Purchase and South Carolina's Reopening of the Slave Trade in 1803," *Journal of the Early Republic* 22, no. 2 (Summer, 2002): 263-90.

71. 자세한 내용은 Sean M. Theriault, "Party Politics During the Louisiana Purchase," *Social Science History* 30, no. 2 (Summer 2006): 293-324; Joyce Appleby, "Jefferson's Resolute Leadership and Drive Toward Empire," in *Major Problems in American Foreign Relations*, ed. Dennis Merrill and Thomas G. Paterson (Boston: Houghton Mifflin, 2005), I:99-103; Charles A. Cerami, *Jefferson's Great Gamble: The Remarkable Story of Jefferson, Napoleon, and the Men Behind the Louisiana Purchase* (Naperville, IL: Sourcebooks, 2003); Jon Kukla,

A Wilderness So Immense: The Louisiana Purchase and the Destiny of America (New York: Knopf, 2003); Peter Kastor and Francois Weil. *Empires of the Imagination: Transatlantic Histories of the Louisiana Purchase* (Charlottesville: University of Virginia Press, 2008); Patrick G. Williams, S. Charles Bolton, and Jeanne M. Whayne. *A Whole Country in Commotion: The Louisiana Purchase and the American Southwest* (Fayetteville: University of Arkansas Press, 2005).

72. Jeremy D. Bailey, *Thomas Jefferson and Executive Power* (Cambridge: Cambridge University Press, 2010), 171-94.

73. J. A. van Houtte, "The Low Countries and Scandinavia," and Anton Guilland, "France and Her Tributaries (1801-1803)," both in *The Cambridge Modern History*, ed. A. Ward et al. (New York: Macmillan, 1906), 88-91, 469-70.

74. 1801년 8월에 보나파르트는 프랑스 점령군의 숫자를 1만 명으로 감축하기로 약속한 프랑스-네덜란드 협약에 서명했다. 여기에 대한 대가로 네덜란드는 500만 플로린의 막대한 전쟁 배상금을 물어야 했다. George de Martens, *Recueil des principaux traités d'alliance, de paix, de trève, de neutralité, de commerce, de limites, d'échange, etc.*, 2nd ed. (Gottingen: Librairie de Dieterich, 1831), VII:368-73.

75. 이 논의는 Holger Böning, *Der Traum vo Freiheit und Gleichheit. Helvetische Revolution und Republik (1798-1803). Die Schweiz auf dem Weg zur börgerlichen Demokratie* (Zurich: Orell Fössli Verlag, 1998); Andreas Grönewald, *Die Helvetische Republik 1798-1803* (Reinach: Multipress-Verl., 2001); Clive H. Church and Randolph C. Head. *A Concise History of Switzerland* (Cambridge: Cambridge University Press, 2013); James M. Luck, *A History of Switzerland* (Palo Alto, CA: Society for the Promotion of Science and Scholarship, 1985). 혁명기 스위스 정치 문화에 관한 탁월한 분석은 Marc H. Lerner, *A Laboratory of Liberty: The Transformation of Political Culture in Republican Switzerland, 1750-1848* (Leiden: Brill, 2012), 10-136을 보라.

76. Bonaparte's proclamation of September 30, 1802, in Johannes Strickler, ed., *Actensammlung aus der Zeit der Helvetischen Republik (1798-1803)* (Bern: Buchdruckerei Stämpfli, 1902), VIII:1437을 보라.

77. Bonaparte's Proclamation of September 30, 1802, in *CN*, no. 6352, VIII:53-55. Clive H. Church and Randolph C. Head, *A Concise History of Switzerland* (Cambridge: Cambridge University Press, 2013), 138-42도 보라. 열아홉 개 칸톤의 헌법과 스위스 연방의 헌법인 중재법은 *Repertorium der Abschiede der eidgenössischen Tagsatzungen vom Jahr 1803 bis Ende des Jahrs 1813* (Bern: Rätzer, 1843)에서 볼 수 있다.

78. 보나파르트는 생플롱과 주변 접근 지역을 비롯해 전략적 요충지를 확보했고, 북부 이탈리아와 프랑스를 잇는 군사 도로를 건설할 수 있도록 발레 지역을 프랑스에 넘기도록 스위스에 강요했다. 1804년 스위스인들이 군사개혁 정책을 도입

하려고 했을 때 보나파르트는 신속히 개혁을 금지시켰다. 이와 관련하여 흥미로운 논의는 Gabrielle B. Clemens, "The Swiss Case in the Napoleonic Empire," in *The Napoleonic Empire and the New European Political Culture*, ed. Michael Broers, Peter Hicks, and Agustin Guimera (New York: Palgrave, 2012), 132-42 를 보라.

79. Note of October 9, 1802, in Arthur Paget, *The Paget Papers: Diplomatic and Other Correspondence of the Right Honorable Sir Arthur Paget, G.C.B. (1794-1807)*, ed. Augustus Paget (London: William Heinemann, 1896), II:62-63. "용감한 스위스가 스스로 자유를 확립할 권리를 빼앗기 위해 [보나파르트가] 뻔뻔하게 간섭하고 있다"라고 존 롯슬리 경은 하원에서 열변을 토했다. *Parliamentary History of England*, XXXVI:950.

80. *The New Annual Register, or General Repository of History, Politics, and Literature for the Year 1803* (London: G. and J. Robinson, 1804), 238.

81. Bonaparte to Talleyrand, November 4, 1802, in CN, no. 6,414, VIII:90.

82. "Message to the Chambers," in Napoleon, *A Selection from the Letters and Despatches of the First Napoleon*, ed. D. Bingham (London: Chapman and Hall, 1884), II:5. Arrêté, April 12 (backdated to April 2), 1801, in *CN*, no. 5526, VII:117-19를 보라.

83. 1802년 1월 26일 보나파르트의 수락 연설은 *CN*, no. 5934, VII:371-73에서 보라. 폭넓은 개관은 Alexander Grab, *Napoleon and the Transformation of Europe* (New York: Palgrave Macmillan, 2003), 159-65를 보라. 이탈리아 공화국의 대통령으로 콘술타가 처음 고른 인물은 저명한 이탈리아 공화주의자 프란체스코 멜치 데릴이었다. 하지만 콘술타의 명사들은 더 좋은 선택을 할 수 있다는 소릴 들었고 말귀를 알아들은 그들은 대통령직을 보나파르트에게 제의했다.

84. Anton Guilland, "France and Her Tributaries (1801-1803)," in *The Cambridge Modern History*, ed. A. Ward et al. (New York: Macmillan, 1906), IX:88.

85. Arrêté, April 12 (backdated to April 2), 1801, in *CN*, no. 5526, VII:117-19를 보라.

86. 1796년에 프랑스는 바덴과 뷔르템베르크 군주들을 상대로 상실 영토에 보상을 해주는 조약을 협상했다. de Clerq, *Recueil des Traités*, I:283-87, 292-99를 보라. 흥미로운 논의는 Sydney Biro, *The German Policy of Revolutionary France: A Study in French Diplomacy During the War of the First Coalition, 1792-1797* (Cambridge, MA: Harvard University Press, 1957), vol. 2를 보라.

87. Grab, *Napoleon and the Transformation of Europe*, 88.

88. 관련 문서는 "The Reorganization of Germany," www.napoleon-series.org/research/government/diplomatic/c_germany.html를 보라.

89. Bonaparte to Talleyrand, April 3, 1802, in *Correspondance générale*, III:948.

90. Bonaparte to Joseph Bonaparte, January 20, 1801, in *The confidential Corres-*

pondence of Napoleon Bonaparte with His Brother Joseph (New York: D. Appleton and Company, 1856), I:53. 독일 문제와 관련하여 러시아의 입장을 분명하게 설명하라는 보나파르트의 지시 사항도 보라. Bonaparte to Talleyrand, April 3, 1802, in *Correspondance générale*, III:944-48.

91. 조약 전문은 Du Clercq, *Recueil des traités de la France*, I:583-87을 보라.

92. Harold C. Deutsch, *The Genesis of Napoleonic Imperialism* (Cambridge, MA: Harvard University Press, 1938), 38-55를 보라.

93. Bonaparte to Maximillian Joseph of Bavaria, October 11, 1801, in *CN*, no. 5796, VII:285.

94. Hajo Holborn, *A History of Modern Germany*, 1648-1840 (New York: Alfred A. Knopf, 1967), 367-68; Grab, *Napoleon and the Transformation of Europe*, 88-89.

8장 파열, 1803

1. 나폴레옹의 해군력에 관한 나의 인식은 에어 대학의 케네스 G. 존슨 박사와의 오랜 토론으로 형성되었는데, 그는 이 주제에 관해 새로운 시각을 많이 밝혀주었다. 나폴레옹의 해군력 운용에 관한 존슨의 저작이 출간될 때까지는 이 주제에 관한 가장 간결한 논의는 그의 긴 논문 "Napoleon's War at Sea," in *Napoleon and the Operational Art of War*, ed. Michael V. Leggiere (Leiden: Brill, 2016), 387-475를 보라.

2. Notes pour le Ministre de la Marine, February 19, 1802, *CN*, no. 5968, VII:395-96.

3. 1806년에 탈레랑이 설명했듯이 나폴레옹은 "아미앵 조약의 어느 특정 조항이 전쟁을 낳았다고 생각하지 않는다. 그는 개전의 진정한 원인이 [자신이] 이 나라의 제조업과 산업에 필시 불리했을 통상 조약을 맺길 거부한 것이라고 확신하고 있다." Conrad Gill, "The Relations Between England and France in 1802," *English Historical Review* 24, no. 93 (1909): 78에서 인용.

4. *Life and Letters of Sir Gilbert Elliot, First Earl of Minto*, ed. Countess of Minto (London: Longmans, Green, 1874), III:209.

5. 이 합의는 프랑스와 프랑스 의존국들의 선박에 대한 영국의 봉쇄를 종결시켰지만 프랑스 해안 4리그 이내에서 영국 선박의 운항을 금지시킨 조치는 전혀 건드리지 않았다. 그 결과 다수의 영국 선박들이 프랑스 당국에 의해 나포, 압류되었고, 영국의 항의에 프랑스 당국은 영국이 자국 신문과 관련하여 한 것처럼 자신들도 기존의 법령을 집행하고 있을 뿐이라고 답변했다.

6. 자료는 Jedidiah Morse, *The American Geography, or A View of the Present State of All the Kingdoms, States and Colonies* (Boston: Thomes & Andrews, 1812), II:72; Willian Cunningham, *The Growth of English Industry and Commerce in Modern*

Times (London: Frank Cass, 1968), appendix F, 933.

7. Harold C. Deutsch, *The Genesis of Napoleonic Imperialism* (Cambridge, MA: Harvard University Press, 1938), 100에서 인용.

8. Charles Walton, "The Free-Trade Origins of the French Revolution," in *The French Revolution in Global Perspective*, ed. Suzanne Desan, Lynn Hunt, and William Max Nelson (Ithaca, NY: Cornell University Press, 2013), 44-56을 보라.

9. 1793년 메수엔 조약은 영국에 수입되는 포르투갈산 포도주 관세를 프랑스 수입산보다 3분의 1 적게 규정했다. A. D. Francis, "John Methuen and the Anglo-Portuguese Treaties of 1793," *Historical Journal* 3, no. 2(1960): 103-24.

10. 그 사이 영국 정부는 통상조약이 먼저 체결되어야 한다고 주장하며 프랑스가 파견한 통상 대리인들을 인정하길 거부했다. 프랑스 측의 불만에 관해서는 AE "Angleterre," 600을 보라.

11. 보나파르트는 성향상 중상주의자였고, 군대를 지휘하는 것과 똑같이 자신이 통상도 지휘할 수 있다고 믿었다. 통상에 관한 보나파르트의 흥미로운 시각은 Jean-Antoine Chaptal, *Mes souvenirs sur Napoléon* (Paris: E. Plon, Nourrit, 1893), 274-76, 281-83에서 엿볼 수 있다. "그 정도로 부과되는 금지 조치는 영국을 상대로 한 실제 봉쇄의 성격을 띠었고, 그 목적은 영국이 재부가 넘쳐나는 와중에도 물자 결핍으로 쓰러지게 하는 것이었다"라고 한 프랑스 역사가는 주장했다. "이것은 [영국이 보기에] 나폴레옹의 고의적인 적대 행위로 간주되었다. 하지만 어느 나라도 자기에게 불리하게 작용할 것임을 아는 통상 조약을 체결할 의무는 없다"라고 어느 현대 영국 역사가는 반박한다. Pierre Lanfrey, *Histoire de Napoleon Ier* (Pairs: Charpentier, 1869), II:454; Andrew Roberts, *Napoleon: A Life* (New York: Viking, 2014), 308.

12. "Lord Elgin's Report on Levantine Affairs and Malta," February 28, 1803, *English Historical Review* 36, no. 142 (1921): 236.

13. Treaty of Amiens, www.napoleon-series.org/research/government/diplomatic/c_amiens.html.

14. Desmond Gregory, *Malta, Britain and the European Powers, 1793-1815* (Madison, NJ: Farleigh Dickinson University Press, 1996), ch. 8을 보라.

15. Bonaparte to Alexander I of Russia, 11 March 1803, *SIRIO*, LXXVII (1891): 55.

16. Preface, in *A Description of Malta, with a Sketch of Its History and That of Its Fortifications, tr. from the Ital., with Notes, by an Officer Resident on the Island* (Malta, 1801), iv.

17. 영국은 이집트에서 수비대를 완전히 철수시키지 않았고 일부 병력은 이집트가 오스만 제국에 정식으로 반환된 뒤에도 알렉산드리아에 남아 있었다. 프랑스가 완전 철군을 요구한 뒤에야 영국은 이 쟁점에서 조약의 요구 조건을 충족시켰다.

18. Hawkesbury to Lord Whitworth, November 14, 1802, in Charles Duke Yonge,

The Life and Administration of Robert Banks, Second Earl of Liverpool, K.G. (London: Macmillan, 1868), I:97.

19. 세바스티아니가 맡은 임무의 범위와 목적에 관해서는 Bonaparte to Talleyrand (August 29, 1802) and Bonaparte to Sebastiani (September 5, 1802), *CN*, VIII:9-10, 25-26을 보라. 세바스티아니의 트리폴리 방문에 관한 상세한 내용은 André Auzoux, "La mission de Sébastinai à Tripoli en l'an X (1802)," in *Revue des études napoléoniennes* XVI (1919): 225-36을 보라.

20. AE "Angleterre," 600. 스티븐 잉글런드는 다른 가능성들을 제기한다.《르모니퇴르》에 발표된 보고서는 프랑스군이 앤틸리스제도에서 당한 참패로부터 대중의 관심을 돌리기 위한 것이었을까? 여기에는 후퇴를 양동작전으로 위장하는 보나파르트만의 특징이 확실히 묻어났다. 하지만 나폴레옹이 자신의 개인적 명예를 옹호하고, 동방 제국이라는 '알렉산드로스풍' 꿈을 위한 교두보로서 이집트의 '반환'에 집착한 것도 사실이었다. 그렇다면 세바스티아니의 보고서는《런던 타임스》[반半관변 신문]가 보나파르트의 이집트 원정에 관해 중상모략이 넘쳐나는 책에 써준 호의적인 서평에 대한 '앙갚음'일 수도 있다." Steven Englund, *Napoleon: A Political Life* (New York: Scribner, 2004), 259.

21. 보나파르트가 세바스티아니의 보고서를 손수 편집했고, 영국의 반응을 분명히 예상하고 특정 단어를 교체하거나 문장을 삭제하여 전체적 어조를 완화하려고 했다는 사실은 주목할 만하다. 자세한 내용은 Deutsch, *The Genesis of Napoleonic Imperialism*, 117-20을 보라.

22. 보나파르트는 외무장관에게 휘트위스 경을 만나서 "제1통령이 이집트 사안에 다시 간섭할 생각은 추호도 없으며 이집트에 진심으로 질렸음"을 밝히라고 지시했다. Lord Whitworth's report of February 7, 1803, in Oscar Browning, *England and Napoleon in 1803, Being the Despatches of Lord Whitworth and Others* (London: Longmans, Green, 1887), 63.

23. William Miles to Stephen Rolleston, June 10, 1803, in *The Correspondence of William Augustus Miles on the French Revolution, 1789-1817* (London: Longmans, Green, 1890), II:333.

24. 영국군의 이집트 철수를 중단시키기엔 이미 늦어버렸는데, 명령서는 11월 런던을 떠났고, 세바스티아니의 보고서가 발표되었을 때 철수 준비 작업이 한창 진행 중이었기 때문이다. 철군은 1803년 3월 11일에 완료되었다.

25. 보나파르트는 이집트에 대한 속셈을 극구 부인하면서도 바로 같은 문장에서 "튀르크 제국이 산산조각 나게 되어서든 아니면 포르테 정부와 모종의 합의를 통해서든 조만간 이집트는 프랑스 차지가 될 것"이라고 시사했다. Lord Whitworth's report of February 21, 1803, in Oscar Browning, *England and Napoleon in 1803*, 79-80. 그리고 런던에 주재하던 나폴레옹의 대사는 "조약 전부 아니면 전무"라는 문구를 들먹이며 영국이 조약의 단서조항을 모두 준수해야 한다는 프랑스의 입장을 강조했다. 여기에 영국 외무장관은 "예전 상태의 대륙이 아니

면 전무"라고 응수했다. Talleyrand to Bonaparte, November 3, 1802, in *Lettres inédites de Talleyrand à Napoléon, 1800-1809*, ed. Pierre Bertrand (Paris: Perrin, 1889), 23-24.

26. "Exposé de la situation de la République," February 20, 1803, in *CN*, no. 6591, VIII:219.

27. Instructions for Ambassador Andréossy, February 19, 1803, AE "Angleterre," 600. Andreossy's report of March 1, 1803, in the same source, 600도 보라.

28. George III, George III, *The Later Correspondence of George III*, ed. A. Aspinall (Cambridge: Cambridge University Press, 1968) IV:83. 국왕의 연설은 애딩턴 이 1803년 3월 6일에 국왕에게 쓴 편지의 일부(IV:82)를 토씨 하나 빠트리지 않 고 담고 있는 것 같다.

29. Deutsch, *The Genesis of Napoleonic Imperialism*, 128.

30. Andreossy's report of March 8, 1803, AE "Angleterre," 600.

31. Talleyrand to Andreossy, March 12, 1803, AE "Angleterre," 600; Lord Whitworth's reports of March 12 and 17, 1803, in Browning, *England and Napoleon in 1803*, 110-12, 127.

32. Bonaparte to Alexander I, March 11, 1803, *SIRIO*, LXXVII (1891): 55; *CN*, no. 6625, VIII:236-37.

33. Lord Whitworth's report of March 14, 1803, in Browning, *England and Napoleon in 1803*, 115-17; Markov's report of March 16, in *SIRIO*, LXXVII (1891): 63-67.

34. Hortense Beauharnais, *Mémoires de la reine Hortense*, ed. Jean Hanoteau (Paris: Plon, 1927), I:146-47; Lord Whitworth's report of March 14, 1803, in Browning, *England and Napoleon in 1803*, 126.

35. Lord Whitworth's report of March 17, 1803, in Browning, *England and Napoleon in 1803*, 128.

36. Lord Whitworth's report of March 18, 1803, in Browning, *England and Napoleon in 1803*, 129. 훅스버리의 편지와 보나파르트의 각서 모두 "Angleterre," 600에 있다.

37. Minister of Marine Decrès's report to Bonaparte, March 31, 1803 (Archives Nationales, IV 1190), 미출간 논문, Kenneth Johnson, "Bayou to the Baltic: Napoleon's Campaigns of 1803-1804"에서 인용.

38. "Notes of an Arrangement to be Concluded by Treaty or Convention Between His Majesty and the French Government," April 3, 1803, in Browning, *England and Napoleon in 1803*, 151.

39. Lord Whitworth's report of April 9, 1803, in Browning, *England and Napoleon in 1803*, 162-67; Talleyrand to Andreossy, April 9, 1803, AE "Angleterre," 600.

40. 탈레랑은 "현대 협상의 역사에 기록된 의심의 여지없는 첫 구두 최후통첩이 여기 있으며, 어떤 상황에서 이런 절차가 이루어졌는지를 생각하면 영국 정부가 결렬을 꾀하고 있다는 고통스러운 생각을 떨칠 수 없다"라고 적었다. Talleyrand to Andreossy, April 29, 1803, AE "Angleterre," 600.

41. Lord Hawkesbury to Lord Whitworth, April 23, 1803, in Browning, *England and Napoleon in 1803*, 182-83.

42. 영국의 행동에 비춰 볼 때 "어떠한 고려사항이 제시되든 몰타의 영구소유권 문제와 관련하여 어떤 형태로도 양보에 동의할 수 없다"라고 보나파르트는 밝혔다. Lord Whitworth's report of April 23, 1803, in Oscar Browning, *England and Napoleon in 1803*, 183.

43. Talleyrand to Whitworth, May 2, 1803 ; Lord Whitworth to Hawkesbury, May 4, 1803, in Browning, *England and Napoleon in 1803*, 218-22. Also see Talleyrand to Andreossy, May 3, 1803, AE "Angleterre," 600.

44. Talleyrand to Andreossy, May 3, 1803, AE "Angleterre," 600.

45. Lord Whitworth's report of May 4, 1803, in Browning, *England and Napoleon in 1803*, 220.

46. Lord Hawkesbury to Lord Whitworth, May 7, 1803, in Browning, *England and Napoleon in 1803*, 224.

47. Alexander to Bonaparte, Alexander to Markov, and Vorontsov to Markov, all April 22, 1803, in *SIRIO*, LXXVII (1891), 100-112 ; Lord Whitworth's report of May 12, 1803, in Browning, *England and Napoleon in 1803*, 236.

48. 휘트워스의 보고(5월 14일자)와 프랑스 측 각서는 Browning, *England and Napoleon in 1803*, 242-43에 있다. 1803년 5월 13일 프랑스 대사에게 내려온 지침은 이 조건들로 정식 협약을 체결할 권한을 부여했다. 1803년 5월 13-20일에 탈레랑과 앙드레오시 사이에 오고 간 서신은 AE "Angleterre," 600을 보라.

49. 선전포고문은 영국이 적대행위 재개를 결정하는 데 기여한 여러 요인을 열거했다. 영국 정부는 우선 프랑스가 영국과 통상조약을 맺어 시장을 개방하지 않은 데 불만을 제기했다. 다음으로 네덜란드 군사 점령의 지속과 스위스 간섭, 피에몬테, 파르마, 플라첸티아, 엘바 합병에 항의했다. 또한 프랑스의 행위를 고려할 때 몰타 철수의 의무를 이행할 수 없다고 주장했다. 영국은 제10조의 일부 조항들은 아직 이행되지 않았음을 거론하여 자국의 행위를 정당화했는데, 기사단장이 선출되지 않았으며, 오스트리아, 러시아, 프로이센이 몰타섬을 보호할 보장책을 제공하지 않았다는 것이다. 더욱이 몰타 기사단 자체가 심한 변화를 겪어서 더 이상 몰타섬에서의 생존이 가능하지 않다고 주장했다. 1802년에 존재한 다섯 군데의 지회 가운데 두 군데(아라곤과 카스티야 지회)는 에스파냐에 의해 폐지되었고, 하나(이탈리아 지회)는 프랑스가 피에몬테를 병합한 뒤 사라졌으며, 네 번째 지회의 재산은 바이에른에 의해 압류될 판이었다. 영국 정부는 기사단이 "독립성을 유지할 수 없도록" 그들을 무력화시키기 위해서 프랑스가 이

러한 변화를 조종했다고 비난했다. 그러므로 이러한 변화들은 조약을 위반한 셈이다. 선전포고문은 또한 오스만 제국의 보전을 보장하기로 약속했음에도 프랑스가 여전히 오스만튀르크에 적대적인 시각을 견지하고 있다고 주장했다. 따라서 영국은 "다른 어떤 안전보장을 받지 않고 몰타섬에서 철수하는 것은 옳지" 않다고 주장했다. 마지막으로 선전포고문은 보나파르트가 영국 대사를 푸대접하고 프랑스 망명귀족을 영국에서 추방하라고 요구한 것, 반反영국 논설을 싣도록 함부르크 신문을 강압한 일을 영국을 상대로 한 프랑스의 모욕적인 언동의 사례로 들었다. "Declaration of War Against France," May 18, 1803, in *The Annual Register......for the Year 1803* (London: W. Otridge and Son, 1805), 734-42.

50. 자세한 내용은 J. E. Cookson, *The Friends of Peace: Anti-War Liberalism in England, 1793-1815* (Cambridge: Cambridge University Press, 1982)를 보라.

51. Jenny Uglow, *In These Times: Living in Britain Through Napoleon's Wars, 1793-1815* (New York: Macmillan, 2014), 342. Kevin Linch, "A Geography of Loyalism? The Local Military Forces of the West Riding of Yorkshire, 1794-1814," *War and Society* 19 (May 2001): 1-21; J. W. Fortescue, *The County Lieutenancies and the Army, 1803-1814* (London: Macmillan, 1909), 26-48, 64-69도 보라.

52. Otto Brandt, *England und die Napoleonische Weltpolitik, 1800-1803* (Heidelberg: C. Winter, 1916), 210.

53. 뒤로크의 보고서는 AE "Russie," 140, 168-215를 보라.

54. Alexandre de Clercq, ed., *Recueil des Traités de la France* (Paris: A. Durand et Pedone-Lauriel, 1880), I:467-68, 474-75.

55. VPR, I:442-45, 463-66; Frederick W. Kagan, *The End of the Old Order. Napoleon and Europe, 1801-05* (New York: Da Capo Press, 2006), 60-66.

56. Vorontsov to Markov, February 10, 1802, in *SIRIO* LXX (1890): 332-33.

57. 혹스버리가 빈 주재 영국 대사에게 보낸 편지에서 설명한 대로 프랑스와의 평화는 본디부터 위태로운 성격의 평화가 될 것이었다. "우리는 선택의 여지가 없을 수도 있다는 것과 다시금 전쟁을 무릅써야 하는 상황으로 몰릴 수도 있으며, 비록 강화가 체결될 수 있다하더라도 유럽 대륙에서 프랑스의 힘이 너무 막강하여, 유럽의 다른 열강들 사이에 훌륭한 상호 이해가 존속하는 것이 무엇보다 중요함을 잊어서는 안 된다." Hawkesbury to Minto, April 24, 1801, FO 7/63.

58. Hawkesbury to St. Helens, April 30, 1801, FO 65/48.

59. *The Parliamentary History of England, from the Earliest Period to the Year 1803* (London: T.C. Hansard, 1820), XXXVI:18-25를 보라.

60. 자세한 내용은 1801년 3월부터 6월까지 혹스버리의 서신, FO 65/48과 65/51을 보라. 세인트헬렌스(1801년 5월 19일자)에게 내린 지침에서 혹스버리는 영국이 "야심과 세력 확장을 염두에 두고서가 아니라 오로지 평화를 지속시킬 수 있는 조건에서 유럽에 평화를 복원하려는 바람에서 행동함"을 주지시켜야 한다고

강조했다: FO 65/48.

61. Alexander I to Semen Vorontsov, November 12, 1801, *Arkhiv knyazya Vorontsova* (Moscow: Tip. Gracheva, 1876), X:300.

62. the memorandum "Du système politique de l'empire de Russie," 28 July 1801, *VPR*, I:63-66을 보라.

63. Panin to S. Vorontsov, September 14, 1801, *Arkhiv knyazya Vorontsova*, XI, 155. 영국의 서신은 FO 65/48을 보라. 러시아 정부는 혹스버리로부터 "[러시아] 황제가 특별히 관심을 [표명한] 세 나라 오스만튀르크, 나폴리, 사르데냐 가운데 앞의 두 나라는 예비교섭 과정에서 실질적으로 처리되었다"고 전해 듣고 분명 기뻐했다. Hawkesbury to St. Helens, October 16, 1801, FO 65/49.

64. St. Helens to Hawkesbury, September 10, 1801, FO 65/49.

65. 조약 전문은 Du Clercq, *Recueil des traités de la France*, I:583-87를 보라.

66. Hawkesbury to Vorontsov, January 8, 1802, FO 65/50. 흥미롭게도 영국은 프 랑스와 협상 과정의 핵심 사항들을 공유하면서 계속해서 러시아 정부의 의견을 구했다.

67. 자세한 내용은 H. Beeley, "A Project of Alliance with Russia in 1802," *English Historical Review* 49, no. 195 (1934): 497-502를 보라.

68. Hawkesbury's letters of September 11, 1802, FO 65/51.

69. Hawkesbury to Warren, October 27, 1802, FO 65/51.

70. Alexander I to S. Vorontsov, January 20, 1803, *Arkhiv khyazya Vorontsova*, X:304-6. Also see Alexander I to S. Vorontsov, November 18, 1802, VPR, I:327; Alexander Vorontsov to Markov, January 5, 1803, *SIRIO* (1890), LXX:616.

71. F. de Martens, *Recueil des traités et conventions conclus par la Russie avec les puissances étrangères* (St. Petersburg: A. Böhnke, 1895), XI:68.

72. Traité de paix entre la République française et la Sublime Porte ottomane. Paris, le 6 messidor an X, AN AE/III/53.

73. "Lord Elgin's Report on Levantine Affairs and Malta," February 28, 1803, *English Historical Review* 36, no. 142 (1921): 234-36.

74. Bonaparte to Duroc, April 24, 1801, in CN, VII:134.

75. Albert Vandal, *Napoléon et Alexandre Ier, l'alliance russe sous le premier Empire* (Paris: 1896), I:3.

76. Vorontsov to Markov, January 5, 1803, in *SIRIO* LXX (1890): 619. 거의 한 달 뒤에 보론초프는 알렉산드르가 "신의 섭리가 자신에게 부여한 처지에 만족하고 있으며, 어느 방면으로도 세력 확장을 계획하고 있지 않다. 그는 누구도 오스만 튀르크를 희생시켜 세력을 확장해서는 안 된다고 생각한다"라고 재차 설명했다. Vorontsov to Markov, February 1, 1803, *SIRIO*, LXXVII (1891): 20.

77. Vorontsov to Markov, January 5, 1803, *SIRIO*, LXX (1890): 616.

78. Hawkesbury to St. Helens, October 3, 1801, FO 65/49.

79. Maartens, *Recueil des traités et conventions conclus par la Russie*, XI:67에 실린 1802년 8월 13일 쿠라킨의 편지를 보라.

80. 자세한 내용은 Warren's reports of December 10, 1802-20 January 1803, FO 65/51을 보라.

81. Hawkesbury to Lord Whitworth, February 9, 1803, in Browning, *England and Napoleon in 1803*, 65-68.

82. Lord Whitworth to Hawkesbury, February 14, 1803, in Browning, *England and Napoleon in 1803*, 70.

83. A. Vorontsov to Warren, March 21, 1803 ; S. Vorontsov to Alexander I, March 25, 1803, *VPR*, I:393, 399. Vorontsov to Markov, 5 January 1803, *SIRIO*, LXX (1890): 616도 보라.

84. 영국 정치가들은 러시아가 내놓은 약속들의 변덕스러운 성격에 관해 불만을 늘 어놓았다. 맘스버리 경이 쓴 대로 "유럽의 열강 가운데 한자리를 (…) 차지한 이 래로 러시아가 보여줬던 모습은 온 데 간 데 없다. 열강을 어르고 달래고 그들한 테서 온갖 감언을 듣지만 결코 누구를 위해서도 적극적 조치를 취하려고 하지 않는다 (…) 우리가 러시아에게 너무 많은 것을 기대한 것 같다. 러시아는 우리 에게 조언을 해주겠지만 도움은 주지 않을 것이다." *Diaries and Correspondence of James Harris First Earl of Malmesbury* (London : Richard Bentley, 1844), IV:252.

85. Bonaparte to Alexander I, March 11, 1803, *SIRIO*, LXXVII (1891): 55 ; *CN*, no. 6625, VIII:236-37.

86. "오스만 정부에 흘러들어갈 수 있는 악의적 소문과 관련하여 그들을 안심시킬 수 있게 제1통령이 그런 취지의 문구를 연설문에 넣었으면 한다는 소망을 표명 하는 것만으로 충분하다"라고 탈레랑은 러시아 대사를 안심시켰다. Talleyrand to Markov, February 21, 1803, in *SIRIO*, LXXVII (1891): 42.

87. Markov to Alexander, March 16, 1803, in *SIRIO*, LXXVII (1891): 61 ; Whitworth to Hawkesbury, May 4, 1803, in Browning, *England and Napoleon in 1803*, 223.

88. 제의를 받았을 때 혹스버리 경이 그런 발언을 했다고 한다. *The Diaries and Correspondence of the Right Hon. George Rose*, edited by Rev. Leveson Vernon Harcourt (London : Richard Bentley, 1860), II:43n.

89. *Diaries and Correspondence of James Harris First Earl of Malmesbury*, IV:259. 의 회에서 연설할 때 애딩턴은 "만약 러시아가 중재를 제의해왔다면 적절히 고 려했을 것"이라고 발언하여 제의 사실을 감추기까지 했다. 이 발언에 러시아 대사관은 총리가 대중을 호도하고 있다고 강력히 항의했다. *The Diaries and Correspondence of the Right Hon. George Rose*, II:43-44에서 보론초프의 설명을 보라.

90. Alan Schom, Napoleon Bonaparte (New York: HarperCollins, 1997), 307. 프랑스 역사가 Pierre Coquelle은 보나파르트가 제국을 수립하기 위해 전쟁을 원했다고 주장했다. Napoléon et l'Angleterre, 1803-1813 (Paris: Plon-Nourrit, 1904), 80.

91. John D. Grainger, The Amiens Truce: Britain and Bonaparte, 1801-1803 (Rochester, NY: Boydell Press, 2004), 211.

92. Paul W. Schroeder, The Transformation of European Politics, 1763-1848 (New York: Oxford University Press, 1994), 230. 영국 역사가 찰스 이스데일은 "[보나파르트] 때문에 항구적 평화의 모든 가능성이 사라졌다는 결론을 내리지 않기란 어렵다"라고 주장하지만 한편으로 "그렇다고 나폴레옹이 아미앵 조약의 결렬을 의도적으로 추구했다는 소리는 아니다. 실제로 그는 영국 및 여타 열강과의 전쟁이 결국에는 불가피하다고 믿었겠지만 잠시 숨을 돌릴 시간이 고작 1년 만에 끝나기를 바라지는 않았다"라고 조심스레 평가하기도 한다. Charles Esdaile, Napoleon's Wars: An International history (New York: Penguin, 2008) 132-33, 153.

93. 보나파르트의 영국혐오증은 여러 측면에서 드러나는데 어떤 것은 매우 사소한 것이다. 그러므로 그는 1802년 9월에, 1346년 잉글랜드군의 칼레 포위전을 묘사한 고블랭 태피스트리가 루브르에 걸려 있는 데 불만을 표시하며, "그런 소재의 작품이 파리에서 모두가 볼 수 있게 걸려 있어서는 안 된다"라고 말했다. Napoleon, Correspondance Générale, ed. Thierry Lentz (Paris: Fayard, 2004), III:1104-5. 하지만 프랑스 사회 전반, 특히 영국과의 경쟁에 직면했던 상인계급 사이에서 강한 반영 감정이 존재했다는 사실도 주목해야 한다. 공안위원회를 대표하여 베르트랑 바레르는 "프랑스의 어린 공화주의자들은 어머니의 품에서 젖을 빨며 영국인에 대한 증오도 함께 빨아들여야 한다"라는 유명한 발언을 한 바 있다. 흥미로운 논의는 Frances Acomb, Anglophobia in France, 1763-1789: An Essay in the History of Constitutionalism and Nationalism (Durham, NC: Duke University Press, 1950); Albert Sorel, L'Europe et la revolution Française (Paris: Plon-Nourrit, 1904), VI:262-63을 보라.

94. 프랑스 외교 정책에 "자연 국경선"의 역할에 대한 최근의 재평가는 Jordan R. Hayworth, Revolutionary France's War of Conquest in the Rhineland: Conquering the Natural Frontier, 1792-1797 (Cambridge: Cambridge University Press, 2019)을 보라.

95. Hermann Stegemann, Der Kampf um den Rhein. Das Stromgebiet des Rheins im Rahmen der großen Politik und im Wandel der Kriegsgeschichte (Stuttgart: Deutsche Verlags-Anstalt, 1924), 464.

96. Paul Kennedy, Rise and Fall of British Naval Mastery (London: Ashfield, 1976), 97-98, 106-20. Paul Kennedy, The Rise and Fall of the Great Powers (New York: Random House, 1987), 148-49도 보라.

97. Englund, *Napoleon*, 261.

98. *The Diaries and Letters of Sir George Jackson, KCH, from the Peace of Amiens to the Battle of Talavera* (London: Richard Bentley and Son, 1872), I:56.

99. 한 프랑스 역사가는 "영국의 [전쟁에 대한] 정당화 논리는 유럽 세력 균형의 보존이지만 이 엄중한 관심사는 바다로까지 확대되지는 않았는데, 그들이 보기에 신은 대양을 영국인을 위해 창조했기 때문"이라고 신랄하게 지적한다. Georges Lefebvre, *Napoleon: From 18 Brumaire to Tilsit, 1799-1807* (New York: Columbia University Press, 1969), 179.

100. Frederick Kagan, "The View from a Rogue State: What Napoleon Can Tell Us About Dealing with Iran," C-SPAN, July 20, 2006, https://www.c-span.org/video/?193520-1/the-end-order.

101. Vorontsov to Markov, February 10, 1802, in *SIRIO* LXX (1890): 332-33. Martens, *Recueil des traités et conventions conclus par la Russie*, IX, 67도 보라.

102. 헨리 던다스는 1800년 3월 말에 정부가 고려하도록 이 각서를 제출했다. 상업과 해군력이 "영제국의 영구적인 국익과 번영에 불가결"함을 정확히 인식한 던다스는 프랑스를 상대로 결정적 승리를 거두기는 어렵다고 판단하고 그 대신 정부가 영국의 산업과 모험적인 상업을 위한 새로운 시장을 확보하고 방어하는 데 전력해야 한다고 믿었다. 만약 영국이 행동에 나서지 않는다면 프랑스가 군사적 성공을 앞세워 시장을 장악할 것이다. 이를 방지하고자 던다스는 테네리페섬, 뉴올리언스, 오리노코강과 라플라타강 하구, 칠레 해안의 콘셉시온을 장악하는 것을 비롯해 에스파냐 식민지에 강압적으로 침투하는 방안을 옹호했다. 1800년 3월 31일자 던다스 각서, "Papers of Henry Dundas, First Viscount Melville, 1779-1813," David M. Rubenstein Rare Book and Manuscript Library, Duke University를 보라.

103. 예를 들어 팀 블래닝은 프랑스가 바타비아 공화국에서 철군하지 않았고, 피에몬테를 병합하고 파르마를 점령했으며, 스위스에 간섭함으로써 1802년 아미앵 조약을 위반했다고 주장한다. 하지만 이 사건들 어느 것도 아미앵 조약의 실제 조항을 위반한 것은 아니다. 사실 프랑스는 전쟁포로의 거취를 논의하고(제2조), 이오니아 일곱섬 공화국[엡타니소스 공화국]을 인정하고(제9조), 나폴리와 로마 공화국에서 철수(제11조의 요구사항)함으로써 의무 사항을 이행했다. 조약의 나머지 조항들은 에스파냐(제7조와 9조)와 네덜란드(제5조와 6조) 사안을 논의하며, 가장 중요하게도 영국의 의무 사항(제3조, 6조, 8조, 9조, 10조, 15조)을 다뤘다. Blanning, *The Pursuit of Glory: Europe 1648-1815* (New York: Viking, 2007), 654.

104. 영국이 스위스에서 동란을 조장하려고 적극적으로 애썼다는 점을 주목해야 한다. 영국의 "금전적 지원" 시도에 관해서는 *The New Annual Register, or General Repository of History, Politics, and Literature for the Year 1803* (London: G. and J. Robinson, 1804), 238를 보라.

105. Nicomede Bianchi, *Storia della monarchia piemontese dal 1773 sino al 1861* (Turin: Fratelli Bocca, 1879), III:419-20. 러시아는 사르데냐의 이해관계를 옹호하려고 실제로 노력했고, 파리에 파견된 러시아 사절은 보나파르트와의 면담에서 이 문제를 제기했다.

106. 조약 제11조에서 오스트리아와 프랑스는 "바타비아, 헬베티아, 치살피나, 리구리아 공화국의 독립과 그곳 주민들이 자신들이 원하는 정부 형태를 채택할 권리를 상호 보장"하기로 약속했다. Traité de paix entre la République française et S.M. l'Empereur, et le corps germanique signé à Lunéville, in Lepold Neumann, ed., *Recueil des traités et conventions conclus par l'Autriche avec les Puissances étrangères depuis 1763 jusqu'à nos jours* (Leipzig: F. A. Brockhaus, 1856), II:1-6. 조약은 2월 9일에 서명되어, 오스트리아에서 1801년 3월 9일, 프랑스에서는 3월 11일에 비준되었다.

107. Michel Franceschi and Ben Weider, *The Wars Against Napoleon: Debunking the Myth of the Napoleonic Wars* (New York: Savas Beatie, 2008), II. 1902년에 아르튀르-레비는 "치세 내내 나폴레옹의 유일한 목표는 프랑스에 마땅한 지위를 가져올 정당하고 항구적인 평화에 도달하는 것이었다"고 주장했다. Arthur-Lévy, *Napoléon et la Paix* (Paris: Nelson, 1902), 15.

108. Carl von Clausewitz, *On War*, trans. Michael Howard and Peter Paret (Oxford: Oxford University Press, 2007), 28.

109. 피터 잉글런드가 적절하게 표현했듯이 "보나파르트는 굳이 영국을 전쟁으로 몰아넣을 필요가 없었지만 그의 행동을 고려할 때 영국은 선전포고를 할 수밖에 없었다." Englund, *Napoleon*, 262.

110. 1803년 1월 15일 보나파르트가 드캉에게 보낸 편지는 그가 평화가 최소한 1년 반은 더 갈 것이라고 예상했음을 보여준다. Correspondance *Générale*, no. 7425, III:30.

111. Morning Post, February 1, 1803.

112. Joseph Pelet de la Lozère, *Napoleon in Council or the Opinions Delivered by Bonaparte in the Council of State* (London: Whittaker, 1837), 308.

113. Grainger, *The Amiens Truce*, 147-48.

114. 그들 중 한 명인 장-가브리엘 펠티에는 실제로 1803년 2월에 명예훼손죄로 재판을 받고 유죄 판결을 받았다. 하지만 전쟁이 개시되어 실제로 투옥되지는 않았다. Hélène Maspéro-Clerc, "Un jounaliste émigré jugé à Londres pour diffamation evners le Premier Consul," *Revue d'histoire moderne et contemporaine* 18, no. 2 (1971): 261-81.

115. Michael Durey, "Lord Grenville and the 'Smoking Gun': The Plot to Assassinate the French Directory in 1798-1799 Reconsidered," *Historical Journal* 45, no. 3 (2002): 547-68.

116. 더욱이 영국은 인신보호령을 중지시켜 정식 기소나 재판 없이도 "혐의를 받는"

사람을 체포하거나 투옥할 수 있었다.

117. Frank McLynn, *Napoleon: A Biography* (New York: Arcade, 2002), 269.

118. Martens, *Recueil des traités et conventions conclus par la Russie*, IX, 70. 저명한 영국 역사가 J. 홀란드 로즈는 "결렬의 진짜 이유는 인도, 이집트, 몰타의 미래가 걸려 있는 동방정책을 둘러싼 본질적 시각 차이였다"라고 말한다. 하지만 나폴레옹 시대를 연구하는 영국 역사가들 가운데 누구보다 뛰어난 학자인 찰스 이스데일은 "결국 핵심은 나폴레옹이 자신의 행동의 자유에 제약이 있어야 한다는 관념을 받아들일 수 없었다는 것이다. 하지만 그와 동시에 영국은 전쟁을 제외하고는 그러한 제약을 부과할 수단이 없었다. 영국과 프랑스 어느 쪽도 근본적인 양보를 할 생각이 없었으므로 결국에는 한 가지 결론밖에 나올 수 없었다"라고 생각한다. 여기에 대조적인 시각은 해럴드 도이치의 주장이다. "영국은 꾐에 빠져 거래를 했다가 뒤늦게야 자신이 도저히 그 약속을 지킬 수 없다는 사실을 깨달았는데, 영국이 서명한 강화 조약은 전통적으로 영국이 지키기 위해 악착같이 싸워온 모든 원칙을 철저히 부인하는 것이었기 때문이다. 대륙에서의 세력균형이 무너졌을 뿐 아니라 전통적인 정책 신조의 근본 원칙들도 압박을 받게 되었다. 게다가 소중한 1763년의 강화[7년전쟁을 종결한 강화 조약]가 없애버렸다고 생각한 프랑스 식민 제국이 바야흐로 재건될 분위기였다." Rose in Thomas Ussher, *Napoleon's Last Voyages, Being the Diaries of Sir Thomas Ussher*, ed. J. Holland Rose (New York; charles Scribner's Sons, 1906), 51n.; Esdaile, *Napoleon's War*, 153; Deutsch, *The Genesis of Napoleonic Imperialism*, 96.

119. Talleyrand to Hédouville, August 29, 1803, AE "Russie," 142.

120. Bonaparte to Talleyrand, August 23, 1803(부속 문건 2개가 딸린 편지), *CN*, VII: 490-4891; Lord Grenville to the Marquis of Buckingham, March 22, 1803, in *Memoirs of the Court and Cabinets of George the Third* (London: Hurst and Balckett, 1855), III:267.

121. Note of October 9, 1802 in Arthur Paget, *The Paget Papers: Diplomatic and Other Correspondence of the Right Honorable Sir Arthur Paget, G.C.B. (1794-1807)*, ed. Augustus Paget (London: William Heinemann, 1896), II, 62-63; *Diaries and Correspondence of James Harris, First Earl of Malmesbury*, IV:279.

122. 영국 대사 휘트워스 경의 보고서는 프랑스 국내 문제들을 종종 과장했고 "열 명중 아홉 명"은 보나파르트 정부를 반대하며 "신뢰나 애정으로 지지를 받지 못하는 통령정부는 해가 다르게 약해지는 반면, 정부를 무너트리려는 목표나 거기에 이해관계가 있는 이들은 강해지고 있다"고 주장했다. 그의 1802년 12월 보고서는 Browning, *England and Napoleon in 1803*, 18을 보라.

123. Deutsch, *The Genesis of Napoleonic Imperialism*, 141-44.

124. Schroeder, *The Transformation of European Politics*, 243.

125. 알렉산드르의 입장은 Martens, *Recueil des traités et conventions conclus par Russie*, II:374-75에 실린 1801년의 지침을 보라.

9장 코끼리 대 고래 : 프랑스 대 영국의 전쟁, 1803-1804

1. 흥미로운 논의는 Daniel A. Baugh, "Great Britain's 'Blue-Water' Policy, 1689-1815," *International History Review* 10, no. 1 (1998): 33-58; Jeremy Black and Philip Woodfine, eds., *The British Navy and the Use of Naval Power in the Eighteenth Century* (Leicester: Leicester University Press, 1988).

2. *Morning Post*, August 25, 1804.

3. 네덜란드 기록 보관소의 사료를 바탕으로 한 깊이 있는 논의는 Martijn Wink, "Een militair debacle? Bataafse militaire inzet in West-Indië 1802-1804," BA thesis, University of Leiden, 2018을 보라. 저작을 공유해준 마르테인 빙크에게 감사하다.

4. Martin A. Klein, "Slaves, Gum, and Peanuts: Adaptation to the End of the Slave Trade in Senegal, 1817-48," *William and Mary Quarterly*, 66, no. 4 (2009), 895-914.

5. Walter Frewen Lord, "Goree: A Lost Possession of England," *Transactions of the Royal Historical Society* 11 (1897): 139-52; J. M. Gray, *A History of the Gambia* (Cambridge: Cambridge University Press, 2015), 284-86.

6. Napoleon to Decrès, June 17, 1803, in Édouard Desbrière, *1793-1805: projets et tentatives de débarquement aux îles Britanniques* (Paris: R. Chapelot, 1902), III:84.

7. Desbrière, *1793-1805*, III:107-109, 355-56, 380, 411을 보라.

8. Franco-Dutch Convention, June 25, 1803 in Georg Friedrich Martens, *Recueil des principaux traités d'alliance, de paix, de trève, de neuralité, de commerce, de limites, d'échange, etc.* (Gottingue: Librairie de Dieterich, 1801), VII:702-706.

9. Franco-Suisse Conventions, September 27, 1803, in Martens, *Recueil des principaux traités*, VIII:132-39.

10. Charles Auriol, *La France, l'Angleterre et Naples de 1803 á 1806* (Paris: Plon-Nourrity, 1904), I:352-447.

11. 혁명기에 영국의 정책에서 하노버가 한 역할은 Torsten Riotte, *Hannover in der Britischen politik (1792-1815)* (Münster: Lit, 2005), 특히 61-162를 보라.

12. Bonaparte to Frederick William of Prussia, March 11, 1803, and Bonaparte to Duroc, March 12, 1803, *CN*, no. 6629, VIII:243-46.

13. 자세한 내용은 Brendan Simms, *The Impact of Napoleon: Prussian High Politics, Foreign Policy, and the Crisis of the Executive, 1797-1806* (Cambridge: Cambridge University Press, 1997), 67-148을 보라.

14. F. de Martens, *Recueil des traités et conventions conclus par la Russie avec les puissances étrangères* (St. Petersburg: A. Böhnke, 1895), VI:310.

15. Frederick William to Bonaparte, March 25, 1803, Archives du Ministère des Affaires Étrangères, "Prusse," 227.

16. 자세한 내용은 Paul Bailleur, ed., *Preussen und Frankreich von 1795 bis 1807:*

Diplomatische correspondenzen (Leipzig: S. Hirzel, 1887), II:95-102; Philip G. Dwyer, "Two Definitions of Neutrality: Prussia, the European States-System, and the French Invasion of Hanover in 1803," *International History Review* 19, no. 3 (1997): 525-28을 보라.

17. Talleyrand to Laforest, May 17, 1803, in Bailleu, *Preussen und Frankreich*, II:142-45.

18. 러시아의 외교 정책에 대한 더 훌륭한 통찰은 Patricia Grimsted, "Czartoryski's System for Russian Foreign Policy, 1803," in *California Slavic Studies*, ed. Nicholas V. Riasanovsky and Gleb Struve (Berkeley: University of California Press, 1970), V:19-92를 보라.

19. 한 프로이센 사절의 보고에 따르면 보론초프 재상을 비롯해 러시아 고위 관리들은 프로이센은 자국을 점령하라고 제안함으로써 보나파르트의 의지를 실행하는 사람이 되었다고 생각했다. Heinrich Ulmann, *Russisch-preussiche politik unter Alexander I. und Friedrich Wilhelm III. bis 1806* (Leipzig: Duncker und Humblot, 1899), 61-62. 흥미로운 시각은 Uta Krüger-Löwenstein, *Russland, Frankreich und das Reich 1801-1803: zur Vorgeschichte der 3. Koaltion* (Wiesbaden: Steiner, 1972), 43-63, 104-25를 보라.

20. Haugwitz to Frederick William III, October 26, 1803, and Haugwitz's Memorandum of November 3, 1803, in Bailleu, *Preussen und Frankreich*, II:209-13.

21. Louis Pierre Bignon, *Histoire de France depuis 1793 jusu'en 1812* (Paris: Charles Bechet, 1830), III:128-30; Adolphus William Ward, *Great Britain and Hanover* (Oxford: Clarendon Press, 1899), 202-8; Friedrich von Ompteda, *Die Ueberwdltigung Hannovers durch die Franzosen* (Hanover: Helwing, 1862), 126-27.

22. Harold C. Deutsch, *The Genesis of Napoleonic Imperialism* (Cambridge, MA: Harvard University Press, 1938), 169.

23. "Projet de concert à établir entre sa majesté l'empereur de toutes les Russies et sa majesté le roi de Prusse," *VPR*, I:442-44, 463-65. Alopeus to Haugwitz, May 19, 1803, *VPR*, I:434; Vorontsov to Alopeus, May 24, 1803, in Martens, *Recueil des traités conclus par la Russie*, VI:314도 보라.

24. 러시아의 동기에 관한 논의는 Ulmann, *Russisch-preussische politik*, 69; W. H. Zawadzki, "Prince Adam Czartoryski and Napoleonic France, 1801-1805: A Study in Poltical Attitudes," *Historical Journal* 18, no. 2 (1975); 248-49를 보라. 보나파르트의 대화 시도는 Bailleu, *Preussen und Frankreich* II:148-51 그리고 183-89에서 나폴레옹과의 협상에 대한 요한 폰 롬바르트의 보고를 보라; Deutsch, *The Genesis of Napoleonic Imperialism*, 165-68도 보라.

25. *The Works of William Shakespeare: The Tragedy of Julius Caesar*, edited by Michael MacMillan (London: Methuen, 1902), 132.

26. Haugwitz to Frederick William III, and Frederick William III to Haugwitz, June 4-9, 1803, in Bailleu, *Preussen und Frankreich*, II:152-54, 159-61.

27. 자세한 내용은 1803년 11-12월 루케시니와 탈레랑의 서신, Bailleu, *Preussen und Frankreich*, II:215-20, 223-32에서 볼 수 있다.

28. Cobenzl to Colloredo, July 6, 1802, in Deutsch, *The Genesis of Napoleonic Imperialism*, 58.

29. Article II, Anglo-Russian Treaty, April 11, 1805, in J. Holland Rose, ed., *Select Despatches from the British Foreign Office Archives Relating to the Formation of the Third Coalition Against France, 1804-1805* (London: Royal Historical Society, 1904), 266.

30. Andrés Muriel, *Historia de Carlos IV* (Madrid: Imp. de Manuel Tello, 1894), XXXIV:82-87.

31. Armstrong to Monroe, May 4, 1805, Clifford L. Egan, "The United States, France, and West Florida, 1803-1807," *Florida Historical Quarterly* 47, no. 3 (1969): 234에서 인용.

32. Frederick C. Schneid, *Napoleon's Conquest of Europe: The War of the Third Coalition* (Westport, CT: Praeger, 2005), 24.

33. 자세한 내용은 Salvador Bermúdez de Castro y O'Lawlor, marqués de Lema, *Antecedentes políticos y diplomáticos de los sucesos de 1808; Estudio histórico-crítico escrito con la presencia de documentos inéditos del Archivo Reservado de Fernando VII, del Histórico-nacional y otros* (Madrid: F. Beltrán, 1912), 특히 231-32를 보라.

34. Javier Cuenca Esteban, "Statistics of Spain's Colonial Trade, 1792-1820: Consular Duties, Cargo Inventories and Balances of Trade," *Hispanic American Historical Review* 61, no. 3 (1981): 409.

35. See André Fugier, *Napoléon et l'Espagne, 1799-1808* (Paris: F. Alcan, 1930), I:185-89; Jacques Chastenet, *Godoy: Master of Spain, 1792-1808* (London: Batchworth Press, 1953), 118.

36. Ana María Schop Soler, *Las relaciones entre España y Rusia en la época de Carlos IV* (Barcelona: Universidad de Barcelona, Cátedra de Historia General de España, 1971), 88.

37. Schop Soler, *Las relaciones entre España y Rusia*, 116-17.

38. 에스파냐에는 영국을 상대로 선전포고를 하는 "선택지"도 주어졌는데, 선전포고를 하면 에스파냐는 포르투갈을 침공하고 지브롤터를 봉쇄할 군단 2개를 제공해야 한다.

39. Napoleon to Talleyrand, August 14-16, 1803, in *CN*, nos. 7,007-7,008, VIII:458-63.

40. Fugier, *Napoleon et l'Espagne*, I:220-22.

41. Bonaparte to Charles IV, September 18, 1803, *CN*, no. 7113, VIII:680-81.

42. Michael W. Jones, "Fear and Domination: Pierre Riel, the Marquis de Beurnonville at the Spanish Court and Napoleon Bonaparte's Spanish Policy, 1802-05," Ph.D. diss., Florida State University, 2004, 80.

43. Frederick H. Black, "Diplomatic Struggles: British Support in Spain and Portugal, 1800-1810," Ph.D. diss., Florida State University, 2005, 47-72.

44. Alexandre de Clercq, ed., *Recueil des Traités de la France* (Paris: A. Durand et Pedone-Lauriel, 1880), II:83-84. 12월에 포르투갈은 프랑스와 유사한 협정을 체결하여 포르투갈 시장을 프랑스 통상에 개방하고 1600만 프랑의 가격으로 중립을 사들였다.

45. Charles-Alexandre Geoffroy de Grandmaison, *L'Espagne et Napoléon, 1804-1809* (Paris: Plon-Nourrit, 1908), I:1-5; André Fugier, *Napoléon et l'Espagne, 1799-1808* (Paris: F. Alcan, 1930), I:186-97, 204-47, 294-313.

46. 1794-1797년의 침공 준비에 관해서는 Desbrière, *1793-1805*, vol. I을, 1798-1801년의 준비에 관해서는 vol. II를 보라.

47. Desbrière, *1793-1805*, vols. III-IV에 실린 지침과 보고서, Napoleon, *Correspondance Générale*, ed. Thierry Lentz (Paris: Fayard, 2004), vols. 4-5를 보라. 1803년과 1804년에 나폴레옹이 쓴 서신의 3분의 1 이상이 영국 침공과 관련한 것이었다. H. F. B. Wheeler, *Napoleon and the Invasion of England: The Story of the Great Terror* (London: John Lane, 1908), vol. 2.

48. SHD MV BB1, 26의 문서를 보라.

49. 국립 선단에 관한 최상의 연구는 여전히 Jacques Blanc, "La flottille nationale, 1803-1805," MA thesis, Université Paris IV, 2007를 보아야 한다.

50. Peter Lloyd, *The French Are Coming! 1805: The Invasion Scare of 1803-1805* (Kent, UK: Spellmount, 1991), 24-25, 29-30.

51. 경비 추산은 Desbrière, *1793-1805*, III:90-92, 97, 111-12, 149, 152, 174, 350, 358, 384-85, 389, 452, 463, 538의 데이터를 바탕으로 한다. 프랑스 기록 보관소에 보관된 문서들도 이와 관련해 풍성한 데이터를 제공한다. 1803년 8월 해군부의 한 보고서는 건보트와 수송선의 가격이 카이크(소형 고기잡이 배) 한 척 당 6000프랑부터 바닥이 평평한 수송선 한 척 당 14만 프랑까지 걸쳐 있음을 보여준다. SHD MV BB1, 28과 AN Archives du Consulat et de la Secrétairerie d'État impériale AF/IV/1195, 1203-205의 문서를 보라.

52. Martin van Creveld, *Command in War* (Cambridge, MA: Harvard University Press, 1985), 65-78은 나폴레옹의 사령부와 참모 체계를 훌륭하게 약술한다. 핵심 인물이지만 세간에는 알려지지 않은 총감독 피에르 다뤼에 관해서는 Bernard Bergerot, *Daru, Intendant-Général de la Grande Armée* (Paris: Tallandier, 1991)를 보라.

53. Berthier to Ney, January 18, 1807, in Jean Baptiste Modeste Eugene Vachée,

Napoleon at Work (London: Adam and Charles Black, 1914), 24; Gunther Rothenberg, *The Art of Warfare in the Age of Napoleon* (Bloomington: Indiana University Press, 1978), 129.

54. 나폴레옹은 대서양 해안을 따라 여섯 개의 병영을 세웠다. 술트는 불로뉴 인근에 세워진 "불로뉴와 생토메르 병영"을 맡았고, 네는 에타플 근처에 세워진 "몽트레유 병영"을 맡았다. 다부는 북부, 브뤼주와 앙블르퇴즈 근처에 세워진 병영을 맡았다. 몇몇 병영들의 위치는 특히 주목할 만한데 그 위치 덕분에 나폴레옹이 프랑스 바깥의 자원을 이끌어낼 수 있었기 때문이다. 그러므로 피에르 오주로 원수가 맡은 병영은 에스파냐와의 국경지대에 있었는데 그 존재(와 더불어 에스파냐에 대한 암묵적 위협)로 인해 에스파냐 궁정은 막대한 재정 보조금을 지불하고 중립을 사들일 수밖에 없었다. Desbrière, *1793-1805*, III:68-77; Fréderic Lemaire, "Les Camps napoléoniens d'Étaples-sur-Mer (camp de Montreuil, 1803-1805). Recherches en cours," in *Revue du Nord*, 2010, 39-49 n. 388. 에스파냐에 대한 프랑스의 위협은 Bonaparte to Talleyrand, August 14, 1803, *CN*, no. 7007, VIII:458-61을 보라.

55. Jean Roch Coignet, *Les Cahiers du capitaine Coignet* (Paris: Hachette, 1883), 161-62. 대육군의 장교와 병사들에 관한 논의는 Michael J. Hughes, *Forging Napoleon's Grande Armee: Motivation, Military Culture, and Masculinity in the French Army, 1800-1808* (New York: New York University Press, 2012); Jean-Claude Damamme, *Les soldats de la Grande Armée* (Paris: Perrin, 1998); John Robert Elting, *Swords Around a Throne: Napoleon's Grande Armée* (New York: Free Press, 1988)를 보라.

56. "Note pour le Bureau de l'Organization, 8 fructidor an XIII" (August 26, 1805), in Paul Claude Alombert-Goget and Jean Lambert Alphonse Colin, *La Campagne de 1805 en Allemagne* (Paris: R. Chapelot, 1902), I:330-32; "Composition of the Grande Armée as of 30 September 1805," II:158-68도 보라.

57. Napoleon to Eugène de Beauharnais, June 7, 1809, in *CN*, no. 15310, XIX:81.

58. "전쟁은 불확실성의 영역이다: 전쟁에서 행동을 계산하기 위해 바탕이 되는 사안들의 4분의 3은 거대한 불확실성의 안개에 가려져 있다. 그렇다면 무엇보다도 여기서 요령 있는 판단으로 진실을 탐색하기 위해 예리하고 우수한 지성이 요구된다." Carl von Clausewitz, *On War*, trans. J. J. Graham (London: Kegan Paul, Trench, Trubner, 1908), I:48-49.

59. David Chandler, *The Campaigns of Napoleon* (New York: Scribner, 1966), 185.

60. 영국 대중에게 이 침공 공포가 미친 장기적 영향은 Eve Darian-Smith, Bridging Divides: *The Channel Tunnel and English Legal Identity in the New Europe* (Berkeley: University of California Press, 1999), 71-93을 보라.

61. Donald Graves, *Dragon Rampant: The Royal Welch Fusiliers at War, 1793-1815* (Barnsley, UK: Frontline Books, 2010), 51에서 인용.

10장 황제의 정복, 1805-1807

1. Louis Georges de Cadoudal, *Georges Cadoudal et la chouannerie* (Paris: E. Plon, 1887), 292-317; G. Lenotre, *Georges Cadoudal* (Paris: B. Grasset, 1929); Patrick Huchet, *Georges Cadoudal et les chouans* (Rennes: Éditions Ouest-France, 1998); Jean François Chiappe, *Georges Cadoudal ou la liberté* (Paris: Librairie académique Perrin, 1971); Jean de La Varende, *Cadoudal* (Paris: Éditions françaises d'Amsterdam, 1952).

2. Anne Jean Marie René Savary, *Memoirs of the Duke of Rovigo* (London: Henry Colburn, 1828), I:287. 이 공작들에 베르나도트가 연루된 것은 Dunbar Plunket Barton, *Bernadotte and Napoleon, 1763-1810* (London: John Murray, 1921), 47-65를 보라.

3. Anne-Louise-Germaine de Staël, *Ten Years' Exile* (London: Treuttel and Wurtz, 1821), 68-69.

4. John R. Hall, *General Pichegru's Treason* (London: Smith, Elder, 1915), 349-51. 피셰그뤼의 앞선 모략들은 G. Caudrillier, *Le Trahison de Pichegru et les intrigues royalistes dans l'Est avant Fructidor* (Paris: Félix Alcan, 1908)을 보라.

5. Frances Montgomery, "General Moreau and the Conspiracy Against Napoleon in 1804: The Verdict of the Court and of History," *Proceedings of the Consortium on Revolutionary Europe*, 1988, 165-87; Ernest Picard, *Bonaparte et Moreau* (Paris: Plon-Nourrit, 1905), 352-405. Pierre Savinel, *Moreau, rival républicain de Bonaparte* (Rennes: Ouest-France, 1986); Soizik Moreau, *Jean-Victor Moreau: l'adversaire de Napoléon* (Paris: Punctum, 2005)도 보라.

6. Jean-Paul Bertaud, *Bonaparte et le duc d'Enghien: le duel des deux France* (Paris: R. Laffront, 1972) Henri Welschinger, *Le duc d'Enghien* (Paris: E. Plon, Nourrit, 1888). 공작은 혁명전쟁 동안 왕당파 병력을 지휘했고 혁명 정부에 대한 확고한 반대를 다짐했다.

7. Henri Welschinger, *Le duc d'Enghien. L'enlèvement d'Ettenheim et l'exécution de Vincennes* (Paris: Plon-Nourrit, 1913); Andréa Davy-Rousseau, "Autour de la mort du duc d'Enghien," *Revue du souvenir Napoléonien* 334 (1984): 2-15; Jacques Godechot, *The Counter-Revolution: Doctrine and Action, 1789-1804* (Princeton, NJ: Princeton University Press, 1981), 376-81.

8. André François Miot de Mélito, *Memoirs of Count Miot de Mélito, Minister, Ambassador, Councillor of State and Member of the Institute of France, Between the Years 1788 and 1815*, ed. Wilhelm August Fleischmann (New York: Scribner, 1881), 311.

9. Miot de Mélito, *Memoirs*, 310.

10. Miot de Mélito, *Memoirs*, 312-14; Vincent Cronin, *Napoleon Bonaparte: An Intimate Biography* (New York; Morrow, 1972), 244.

11. "Récit de Le Couteulx de Canteleu," in *Correspondance du duc d'Enghien (1801-1804) et documents sur son enlèvement et sa mort* (Paris: A. Picard, 1908), II:443.

12. Henri Welschinger, "L'Europe et l'exécution du duc d'Enghien," in *Revue de la Société des études historiques* 8 (1890): 1-19, 73-94.

13. Harold C. Deutsch, *The Genesis of Napoleonic Imperialism* (Cambridge, MA: Harvard University Press, 1938), 193에서 인용.

14. Welschinger, "L'Europe et l'exécution du duc d'Enghien," 84.

15. 자신의 처신이 그가 섬기는 군주의 의향을 반영하지 않는다는 말을 들었을 때 마르코프는 "황제에게 자기 의견이 있을 수 있지만 러시아인들도 각자 자기 의견이 있소"라고 대답했다. Talleyrand to Laforest, October 4, 1803, Paul Bailleur, ed., *Preussen und Frankriech von 1795 bis 1807: Diplomatische correspondenzen*, vol. 2 (Leipzig: S. Hirzel, 1881-1887), II:205.

16. Jacques Godechot, *Le comte d'Antraigues: Un espion dans l'Europe des émigrés* (Paris: Fayard, 1986); Léonce Pingaud, *Un agent secret sous la révolution et l'empire: le comte d'Antraigues* (Paris, E. Plon Nourrit, 1894).

17. 러시아 외무대신은 회고록에 이렇게 적었다. "프랑스와 평화 관계인 독립국에 프랑스 병사를 파견하여 당기앵 공작을 압송해온 사건 그리고 그 직후 재판 과정과 처형은 전반적으로 망연자실과 공분을 자아냈는데, 당시 여론의 분위기는 실제 두 눈으로 보지 않고는 쉽게 짐작할 수 없을 것이다." Adam Czartoryski, *Memoirs of Prince Adam Czartoryski and His Correspondence with Alexander I*, ed. Adam Gielgud (London: Remington, 1888), II:14.

18. Edouard Driault, *Napoléon et l'Europe. Austerlitz, la fin du Saint-empire (1804-1806)* (Paris: F. Alcan, 1912), 53-64; Deutsch, *The Genesis of Napoleonic Imperialism*, 200-204.

19. Czartoryski, *Memoirs*, II:15; Albert Sorel, *L'Europe et la Révolution française* (Paris: Plon Nourrit, 1903), VI:361.

20. 오스트리아에 대한 러시아의 대화 시도는 *VPR*, I:216, 222-23, 236, 246, 251, 259를 보라. 오스트리아 쪽은 Adolf Beer, *Zehn jahre österreichischer Politik, 1801-1810* (Leipzig: F.A. Borckhaus, 1877), 73-77을 보라.

21. The Berlin Declaration, May 24, 1804, in F. de Martens, *Recueil des traités et conventions conclus par la Russie avec les puissances étrangères* (St. Petersburg: A. Böhnke, 1895), VI:337-45. 폭넓은 논의는 Deutsch, *The Genesis of Napoleonic Imperialism*, 160-71; Schroeder, *The Transformation of European Politics*, 253-55 를 보라.

22. Miot de Mélito, *Memoirs*, 248; Lucchesini's report of July 20, 1802, in Bailleur, *Preussen und Frankreich*, II:106; Markov's report of June 5, 1802, in *SIRIO* (1890) LXX:427.

23. 조제프 보나파르트는 어느 편지에서 이 점을 지적했다. "조르주와 모로 음모가

세습 칭호 선언을 결정했다. 나폴레옹이 임기가 있는 통령이라면 쿠데타로 그를 무너트릴 수 있다. 그가 종신 통령이라면 살인자의 일격이 필요했을 것이다. 그는 세습 지위를 일종의 방패로 취했다. 세습 지위를 취하면 그를 죽이는 것만으로는 더는 충분하지 않다. 국가 전체를 무너트려야 한다. 사실인즉슨 세상의 이치는 세습 원칙으로 향하는 경향이 있다. 그것은 필요의 문제였다." Claude-Francois Méneval, *Mémoires pour servir à histoire de Napoléon Ier depuis 1802 jusqu'à 1815* (Paris: E. Dentu, 1893), I:330에서 인용.

24. Henri Welschinger, *Le Pape et l'Empereur, 1804-1815* (Paris: Librairie Plon-Nourrit, 1905), 15.

25. Constitution de l'an XII: senatus-consulte du 28 floréal an XII conférant le titre d'empereur héréditaire des Français à Napoléon Bonaparte, AN AE/II/1512. 자세한 내용은 Thierry Lentz, ed., *La proclamation du Premier Empire* (Paris: Fondation Napoléon, 2002)를 보라.

26. Lentz, *La France et l'Europe de Napoléon*, 97. 투표 결과는 약 890만 명의 투표자 가운데 60퍼센트가 기권했음을 보여준다.

27. Louis Madelin, *The Consulate and the Empire* (New York: AMS Press, 1967), I:212.

28. 날짜 자체는 11월 9일(브뤼메르 18일의 쿠데타 5주년)을 요구한 나폴레옹과 대관식을 크리스마스(샤를마뉴 대관 804주년)와 맞추고 싶었던 교황 사이의 타협이었다. 자세한 내용은 Thierry Lentz, Émilie Barthet, et al., *Le sacre de Napoléon, 2 décembre 1804* (Paris: Nouveau Monde, 2003)를 보라.

29. Lentz, *La France et l'Europe de Napoléon*, 27-84; Irene Collins, *Napoleon and His Parliaments, 1800-1815* (New York: St. Martin's Press, 1979).

30. 1804년, 7월 오스트리아가 인정을 미루자 나폴레옹은 조치를 취하겠다고 위협했다. 7월 러시아 사절은 나폴레옹이 부관과 나눈 대화 내용을 보고했는데, 거기서 나폴레옹은 "[오스트리아가] 계속 미적거리면 결정을 내리도록 기한을 정할 것이고 그 기한까지 오스트리아 대사에게 승인을 알리는 새로운 서신이 오지 않으면 유럽의 지형이 바뀔 것"이라고 협박했다. Oubril to Czartoryski, July 6, 1804, *SIRIO*, LXXVII (1891): 659.

31. Czartoryski to Razumovskii, June 19, 1804, *VPR*, II:31.

32. Napoleon to Francis of Austria, to Charles IV of Spain, and to Ferdinand of Naples, January 1-2, 1805, in *CN*, X:98-99, 101-3.

33. Napoleon to George III, January 2, 1805, in *CN*, X:100-101.

34. Adam Jerzy Czartoryski, *Mémoires du Prince Adam Czartoryski et Correspondance avec l'Empereur Alexandre Ier* (Paris: E. Plon, Nourrit, 1887), I:388.

35. Deutsch, *The Genesis of Napoleonic Imperialism*, 257-332; Schroeder, *Transformation of European Politics*, 258-72; Frederick W. Kagan, *The End of the Old Order: Napoleon and Europe 1801-1805* (New York: Da Capo, 2006), 83-228.

36. 자세한 내용은 Russo-Swedish Convention, January 14, 1805, and the Russian Declaration of Guarantee of the Anglo-Swedish Convention, August 31, 1805, in Originaltraktater med främmande makter (traktater), Riksarkivet, SE/RA/25.3/2/42/A-H, SE/RA/25.3/2/43/A-B. Convention Between Russia and Kingdom of Both Sicilies, September 10, 1805, *VPR*, II:570-77; Russo-Turkish Treaty, September 23, 1805, VPR, II:584-94; Article I, St. Petersburg Convention, April 11, 1805, *VPR*, II:356도 보라.

37. Article 2 in Martens, *Recueil des Traités*, II:435.

38. Separate Article 6, Martens, *Recueil des Traités*, II:443.

39. Kagan, *The End of the Old Order*, 234; Moritz Edler von Angeli, "Ulm und Austerlitz. Studie auf Grund archivalischer Quellen über den Feldzug 1805 in Deutschland," *Mittheilungen des Kaiserlichen und Koniglichen Kriegsarchivs* (Vienna, 1877), 398-400; in Paul Claude Alombert-Goget and Jean Lambert Alphonse Colin, *La Campagne de 1805 en Allemagne* (Paris: R. Chapelot, 1902), I:39-69; David Chandler, *The Campaigns of Napoleon* (New York: Scribner, 1966), 382-83.

40. 프랑스와 오스트리아 사이 전쟁 전망이 대두되자 나폴레옹은 대형 독일 국가들과 동맹을 추구했는데, 그중 일부는 합스부르크에 맞서 프랑스 편을 들면 영토와 더 큰 자율성을 얻을 수 있었다. 바이에른이 가장 먼저 프랑스와 한 배를 타기로 결정해 1805년 9월 23일에 동맹조약을 체결했고, 10월 1일과 8일에는 바덴과 뷔르템베르크도 뒤를 따랐다.

41. Alfred Krauss, *Beilagen zu 1805 der Feldzug von Ulm* (Vienna: Seidel und Sohn, 1912), Beilage III:1-6.

42. 오스트리아가 사용하는 그레고리우스력과 러시아가 사용하는 율리우스력 사이 열이틀의 차이를 두고 영어권에서 많은 연구가 이루어졌다. 하지만 러시아와 오스트리아 고위 지휘부 간에 오간 서신 원문을 비롯해 기록보관소의 사료들은 그러한 주장을 뒷받침하지 않는다. 사실 러시아 측 서신에는 양 달력의 날짜가 모두 적혀 있다.

43. François Nicolas Mollien, *Mémoires d'un ministre du trésor public: 1780-1815* (Paris: Félix Alcan, 1898) I:408-9.

44. Miot de Mélito, *Memoirs*, II:142-43.

45. 대육군의 라인강 진군에 관해 간략하지만 통찰이 돋보이는 논의는 Frederic L. Huidekoper, "Napoleon's Concentration on the Rhine and Main in 1805," *Journal of the Military Service Institution of the United States* XLI (1907): 207-20 을 보라.

46. Eric Arnold, "Fouche Versus Savary: French Military Intelligence in the Ulm-Austerlitz Campaign," in *Proceedings of the Consortium on Revolutionary Europe*, 1976, 55-67. Also see Jean Savant, *Les espions de Napoléon* (Paris: Hachette,

1957), 123-45; Paul Müller, *L'Espionnage militaire sous Napoleon 1er Ch. Schulmeister* (Paris: Berger-Levrault, 1896); Abel Douay and Gérard Hertault, *Schulmeister: dans les coulisses de la Grande Armée* (Paris: Nouveau Monde Éditions, 2002).

47. 하지만 오스트리아 분견대 2개는 실제로 포위를 뚫었다가 나중에 항복했다. 기병 1만 3천 명을 거느린 페르디난트 대공은 결국 트로히텔핑겐에서 항복했고, 또 다른 1만 2천 병력은 노이슈타트에서 무기를 내려놓았다.

48. 여타 지역에서 동맹세력의 소규모 작전 역시 실패했다. 영국군과 스웨덴군은 하노버에서 별다른 성과를 거두지 못했고 러시아 원정군은 폭풍에 발길을 돌렸다. 남부 이탈리아에서는 프랑스군이 영국이 지원하는 나폴리 군대를 무찌른 뒤 본토에서 시칠리아섬까지 추격했다.

49. 러시아군 전위대를 지휘한 표트르 바그라티온 소장은 10월 2일 다음과 같이 보고했다. "[9월 27-28일에] 강행군을 했는데, 첫 번째 행군은 거의 24시간 동안 쉼 없이 지속되었고, 두 번째 행군은 심지어 그보다 더 길게 이어졌다." Bagration to Kutuzov, October 2, 1805, in *Dokumenti shtaba M. I. Kutuzova, 1805-1806*, ed. A. Karvyalis and V. Soloveyev (Vilnius: Gos. izdatelstov polit literatury, 1951), 59-60. 쿠투조프는 러시아 병사들이 나흘 동안 강행군을 한 뒤에야 휴식을 취할 수 있었다고 불평했다. 그 결과 병자 숫자가 크게 늘었고 "아프지 않은 병사들도 녹초가 되어 간신히 서 있을 정도이다. 더욱이 습한 날씨 때문에 대다수 병사들의 부츠가 이미 닳아버려서 맨발로 행군해야 했다. 그들은 포장된 도로에서 행군하느라 너무 심하게 고생해 더는 대열에 남아 있을 수가 없다." Kutuzov to Strauch, October 1, 1805, in *M. I. Kutuzov: Sbornik dokumentov*, ed. Liubomir Beskrovnyi (Moscow: Voennoe izdatelstvo Voennogo Ministerstva Soyuza SSR, 1954), II:68-69.

50. Murat to Napoleon, November 13, 1805, in Paul Le Brethon, ed. *Lettres et Documents pour servir a l'histoire de Joachim Murat, 1767-1815* (Paris: Librarie Plon, 1910), IV:146-48.

51. 이 사건에 대한 훌륭한 논의는 Frederic L. Huidekoper, "The Surprise of the Tabor Bridge at Vienna by Prince Murat and Marshal Lannes, November 13, 1805," in *Journal of the Military Service Institution of the United States* XXXVI (1905): 275-93, 513-30을 보라.

52. Napoleon to Murat, November 16, 1805, in Napoleon, *Correspondance générale*, ed. Thierry Lentz (Paris: Fayard, 2008), V:856.

53. Russo-Prussian Convention, November 3, 1805, *VPR*, II:613-19.

54. 하지만 러시아와 오스트리아 장교단 사이에는 여전히 긴장이 흘렀다. 러시아 장교단은 오스트리아 장교단을 매우 싫어했는데 그들이 보기에 오스트리아군은 전투마다 족족 지고는 이제 러시아인들이 힘든 일을 해주길 바라고 있었다. 이런 정서는 일부 오스트리아 장교들이 프랑스군을 위해 첩자 노릇을 하고 있다는

러시아 측의 혐의 제기로 강화되었다. Kutuzov to Liechtenstein, November 24, 1805, *Dokumenty shtaba M.I. Kutuzova, 1805-1806*, ed. V. Karvyalis and A. Solovyeov (Vilna, 1951), 199-200.

55. 알렉산드르는 훗날 "나는 젊고 미숙했다. 쿠투조프는 내게 우리가 다르게 행동해야 한다고 말했지만 그때 더 집요하게 주장했어야 했다"라고 말했다. Nikolai Shilder, *Imperator Aleksandr Pervyi, ego zhizn' i tsarstvovanie* (St. Petersburg: A. S. Suvorin, 1897), II:134.

56. 바이로터는 알렉산드르에게 영향력을 행사하는 소수의 오스트리아 장교들 가운데 한 명이었다. 러시아 황제의 심복인 아담 차르토리스키 공에 대해 바이로터가 "대단히 용맹하고 군사 지식이 풍부한 장교였지만 마크 장군처럼, 종종 복잡한 자신의 전술을 너무 신뢰했고, 적의 뛰어난 기량으로 자기 전술이 좌절될 수도 있다는 점을 인정하려 하지 않았다"라고 썼다. Czartoryski, *Memoirs*, 102. 바이로터의 성격에 대한 유사한 묘사는 W. Rüstow, *Der Krieg von 1805 in Deutschland und Italien* (Zürich: Meyer & Zeller, 1859), 325를 보라.

57. Christopher Duffy, *Austerlitz 1805* (London: Seeley Service, 1977), 75.

58. *The Czar's General: The Memoirs of a Russian General in the Napoleonic Wars*, trans. and ed. Alexander Mikaberidze (Welwyn Garden City, UK: Ravenhall Books, 2005), 56. 19세기 초 가장 뛰어난 러시아 장군 중 한 명인 알렉산드르 예르몰로프는 러시아 전위(나중에 후위)대에서 기마포병대를 지휘했다.

59. Shilder, *Alexander*, 135; Alexander Mikhailovsky-Danilevsky, *Opisanie pervoi voiny imperatora Aleksandra s Napoleonom v 1805-m godu* (St. Petersburg: Tip. Shtaba otd. korpusa vnutrennei strazhi, 1844), 142; Czartoryski, *Memoirs*, 104; Alexander-Andrault Langeron, "Journal inédit de la campagne de 1805," in *Relations et rapports officiels de la bataille d'Austerlitz, 1805*, ed. Jacques Garnier (Paris: La Vouivre, 1998), 31.

60. "Disposition for Offensive to Menitz and Sokolnitz Against the Enemy Right Flank on December 1, 1805," n.d. (ca. November 30, 1805), RGVIA, f. 846 op. 16, d. 3117/1, ll. 47.

61. Czartoryski, *Memoirs*, II:105.

62. Langeron, *Journal inedit de la campagne de 1805*, 31. 슈트터하임 소장은 "동맹군은 [나폴레옹이] 브륀을 앞에 뒤고 전투를 벌이는 도박을 하지는 않을 것이라고 자만했다. [비샤우 전투] 이후로 이런 '희망'은 사령부에서 지배적인 '의견'이 되었다"라고 평가했다. Stutterheim, *La Bataiile d'Austerlitz, par un militaire témoin de la journée du 2 décembre 1805* (Paris, 1806), 44.

63. "Additional Bulletin, December 31, 1805, Correspondence of Olry, *Istoricheskii Vestnik* 147 (1917): 458-59.

64. Dolgorukov to Alexander, November 25, 1805, in Mikhailovsky-Danielevsky, *Opisanie*, 144. 돌고루코프의 오만불손한 발언을 들은 나폴레옹은 울화통이 터

졌다. "가서 당신 황제에게 나는 이런 모욕을 용납하지 못한다고 전해. 당장 꺼지시오!" Paul-Philippe Ségur, *Histoire et Mémoires* (Paris: Librairie de Firmin-Didot, 1877), II:448. Jean Lambert Alphonse Colin, "Campagne de 1805," *Revue Historique* 77 (1907): 284-90; Anne Jean Maire René Savary, *Memoirs du duc de Rovigo* (London: H. Colburn, 1828), II:198-99.

65. Langeron, *Journal inedit de la campagne de 1805*, 30; Mikhailovsky-Danilevsky, *Opisanie*, 145.

66. "Additional Bulletin, December 31, 1805, Correspondence of Olry, in *Istoricheskii Vestnik* 147 (1917): 460-61.

67. Duffy, *Austerlitz*, 81; Rüstow, *Der Krieg von 1805*, 356-57; 도흐투로프는 호스티에라덱 근처에, 킨마이어의 분견대는 아우게초에 있었다. 란제론 장군 휘하 병력의 대열은 도흐투로프의 우익에 있었다. 프시비셰프스키는 프라첸에 있었다. 콜로브라트는 그 뒤에 멈췄고, 리히텐슈타인은 심지어 그보다 더 멀리, 세 번째와 네 번째 종렬 대형 뒤에 있었다.

68. "Deployment of Troops, December 1, 1805," in Mikhailovsky-Danilevsky, *Opisanie*, 145-48; Langeron, *Journal inedit de la campagne de 1805*, 41; Jean Lambert Alphonse Colin, "Campagne de 1805," *Revue Historique* 77 (1907): 291; Michel de Lombarès, "Devant Austerlitz," *Revue historique de l'armée* 3 (1947): 47.

69. Joseph de Maistre, *Peterburgskie pisma* (St. Petersburg, 1995), 61. 유사한 정보는 *Istoricheskii Vestnik*, 147 (1917): 433의 오를리 서신에 있다.

70. *Diaries and Correspondence of James Harris, First Earl of Malmesbury* (London: Richard Bentley, 1845), IV:339.

71. General Dmitri Dokhturov's letters to his wife, *Russkii arkhiv* 12, no. 1 (1874): 1091-2.

72. Peter Goodwin, *The Ships of Trafalgar: The British, French and Spanish Fleets, 21 October 1805* (London: Conway Maritime, 2005); Robert Mackenzie, *The Trafalgar Roll: The Officers, the Men, the Ships* (London: Chatham, 2004); Brian Lavery, *Nelson's Fleet at Trafalgar* (Annapolis, MD: Naval Institute Press, 2004).

73. Roger Knight, *Pursuit of Victory: The Life and Achievemnt of Horatio Nelson* (London: Allen Lane, 2005), 502-8; Adam Nicolson, *Men of Honour: Trafalgar and the Making of the English Hero* (London: HarperCollins, 2005).

74. Nelson to Rose, October 6, 1805, in *The Dispatches and Letters of Vice Admiral Lord Viscount Nelson*, ed. Nicholas H. Nicholas (Cambridge: Cambridge University Press, 2011), VII:80; 콜링우드에게 보낸 1805년 10월 9일자 편지도 보라.

75. 피에르 세르보 함장의 수기, Edward Fraser, *The Enemy at Trafalgar: An Account*

of the Battle from Eye-Witness Narratives and Letters and Despatches from the French and Spanish Fleets (London: Hodder & Stoughton, 1906), 214를 보라.

76. 전투에 대한 논의는 Alan Schom, *Trafalgar: Countdown to Battle, 1803-1805* (London: Penguin, 1992); John Harbron, *Trafalgar and the Spanish Navy: The Spanish Experience of Sea Power* (London: Conway Maritime, 2004); John Terraine, *Trafalgar* (London: Wordsworth, 1998); René Maine, *Trafalgar: Napoleon's Naval Waterloo* (London: Thames and Hudson, 1957); Gregory Fremont-Barnes, *Trafalgar 1805: Nelson's Crowning Victory* (Oxford: Osprey, 2005)를 보라.

77. 예를 들어, Ian Christie, *Wars and Revolutions: Britain, 1760-1815* (Cambridge, MA: Harvard University Press, 1982), 266; J. Steven Watson, *The Oxford History of England*, vol. XII, *The Reign of George III, 1760-1815* (Oxford: Clarendon Press, 1960), 433; Roy Adkins, *Trafalgar: The Biography of a Battle* (London: Little, Brown, 2005), 277-78; David Andress, *The Savage Storm: Britain on the Brink in the Age of Napoleon* (London: Little, Brown, 2012), 124. Also see Arthur Bryant, *Years of Victory, 1802-1812* (New York: Harper & Bros. 1945); C. Northcote Parkinson, *Britannia Rules: The Classic Age of Naval History 1793-1815* (London: Weidenfeld & Nicolson, 1977).

78. 피어스 매키지는 "전쟁이 4분의 3만큼만 진행되었는데 바다에서의 싸움은 일반적으로 트라팔가르에서 끝난 것처럼 서술되는" 사실을 개탄했다. Piers Mackesy, *The War in the Mediterranean 1803-1810* (Cambridge, MA: Harvard University Press, 1957), vii. 근래의 논의는 James Davey의 탁월한 연구서, *In Nelson's Wake, The Navy and the Napoleonic Wars* (New Haven, CT: Yale University Press, 2015)를 보라.

79. Michael Broers, *The Napoleonic Empire in Italy, 1796-1814: Cultural Imperialism in a European Context?* (New York: Palgrave Macmillan, 2005), 190-92; Charles McKay, "French Mismanagement and the Revolt of Parma, 1806," *Proceedings of the Consortium on Revolutionary Europe*, 1995, 445-52.

80. Napoleon to Junot, February 7, 1806, in *CN*, XII:18-19.

81. Henri Welschinger, *Le pape et l'empereur, 1804-1815* (Paris: Plon-Nourrit, 1905), 46-62; E. Hales, *Napoleon and the Pope: The Story of Napoleon and Pius VII* (London: Eyre & Spottiswoode, 1961), 178-79, 184-89. Margaret M. O'Dwyer, *The Papacy in the Age of Napoleon and the Restoration: Pius VII, 1800-1823* (Lanham, MD: University Press of America, 1985); Carla Nardi, *Napoleone e Roma: la politica della consulta romana* (Rome: Ecole française de Rome, 1989)도 보라.

82. John A. Davis, *Naples and Napoleon: Southern Italy and the European Revolutions (1780-1860)* (Oxford: Oxford University Press, 2006); 130-34; Harold Acton,

The Bourbons of Naples, 1734-1825 (London: Methuen, 1956), 520-40.

83. Frederick C. Schneid, *Napoleon's Italian Campaigns: 1805-1815* (Westport, CT: Praeger, 2002), 3-46.

84. William Henry Flayhart, *Counterpoint to Trafalgar: The Anglo-Russian invasion of Naples, 1805-1806* (Gainesville: University Press of Florida, 2004); Piers Mackesy, *The War in the Mediterranean, 1803-1810* (Cambridge, MA: Harvard University Press, 1957), 78-84.

85. Napoleon to Queen Caroline of Naples, January 2, 1805, in *CN*, X:103-4.

86. Robert Matteson Johnston, *The Napoleonic Empire in Southern Italy and the Rise of the Secret Societies* (New York: Macmillan, 1904), 88-96.

87. Schneid, *Napoleon's Italian Campaigns*, 51.

88. 자세한 내용은 Richard Hopton, *The Battle of Maida 1806: Fifteen Minutes of Glory* (London: Leo Cooper, 2002)를 보라.

89. James R. Arnold, "A Reappraisal of Column Versus Line in the Peninsular War," *Journal of Military History* 68, no. 2 (April 2004): 535-52.

90. Stuart to Windham, July 6, 1806, cited in Milton C. Finley, "The Most Monstrous of Wars: Suppression of Calabrian Brigandage, 1806-1811," *Proceedings of the Consortium on Revolutionary Europe*, 1989, II:254.

91. 깊이 있는 논의는 Nicolas Cadet, *Honneur et violences de guerre au temps de Napoléon: La campagne de Calabre* (Paris: Éditions Vendémiaire, 2015); Milton Finley, *The Most Monstrous of Wars: The Napoleonic Guerrilla War in Southern Italy, 1806-1811* (Columbia: University of South Carolina Press, 1994)를 보라.

92. John Ehrman, *The Younger Pitt: The Consuming Struggle* (Stanford, CA: Stanford University Press, 1996), 822-23.

93. 바이에른은 부르가우 변경백령, 아이히슈타트 제후령, 티롤, 포랄부르크, 호헤넴스, 쾨니히스에그-로텐펠스, 테트낭, 아르겐, 린다우시를 받았다. 뷔르템베르크는 에힝겐, 문더킹겐, 리틀링겐, 멩겐, 줄겐, 호엔베르크군, 넬렌부르크 방백령, 알토르프현을 받았다. 바덴 선제후국은 대공국으로 지위가 격상되었고, 브리스가우 일부와 오르테나우, 콘스탄체시, 메이나우 기사령을 받았다. 작은 보상의 형태로 오스트리아는 잘츠부르크, 베르히테스가덴, 튜턴 기사단 영지를 공식 병합할 수 있었다.

94. Peter H. Wilson, "Bolstering the Prestige of the Habsburgs: The End of the Holy Roman Empire in 1806," *International History Review* 28, no. 4 (December 2006): 709-36. 1806년 7월 12일에 16개국이 라인연방에 가입했다. 바이에른, 뷔르템베르크, 아샤펜부르크/레겐스부르크, 바덴, 베르크, 아렌베르크, 나사우-우징겐, 나사우-바일부르크, 호엔촐레른-헤힝겐, 호엔촐레른-지그마링겐, 잘름-잘름, 잘름-퀴르부르크, 이젠부르크, 아이엔, 리히텐슈타인, 헤센-다름슈타트가 가입국이었다. 뷔츠부르크 대공국은 9월 25일, 작센은 12월 11일에 가입했다.

나흘 뒤에 작센-코르부르크, 작센-고타, 작센-힐트부르크하우젠, 작센-마이닝 겐, 작센-바이마르-아이제나흐가 가입하며 연방은 더욱 커졌다. 다음으로 연방 이 더욱 확대된 때는 1807년 4월에 12개국이 추가 가입했을 때다.

95. Sam A. Mustafa, *Germany in the Modern World: A New History* (New York: Rowman & Littlefield, 2011), 94.

96. 프로이센 정부, 사회, 문화를 깊이 있게 들여다볼 수 있는 책은 Peter Paret의 *The Cognitive Challenge of War: Prussia 1806* (Princeton: Princeton University Press, 2009)이다.

97. Michael V. Leggiere, *Blucher: Scourge of Napoleon* (Norman: University of Oklahoma Press, 2014), 91; Simms, *Prussian High Politics*, 269-96.

98. 원래의 소책자는 1906년 100주년을 맞아 재판을 찍었는데 저자는 필리프 크리스티안 고틀리프 옐린으로 여겨진다. *Deutschland in seiner tiefen Erniedrigung* (Stuttgart: Lehmann, 1906), https://books.google.com/books?id= gAgSAAAAYAAJ. 소책자의 제목 "극심한 치욕에 빠진 독일"은 아돌프 히틀러의 《나의 투쟁》의 여러 페이지에 두드러지게 등장하게 된다.

99. "브라우나우의 가증스런 범죄는 모두를 충격에 빠트렸다"라고 한 오스트리아 정치가는 9월 후반에 말했다. 나사우의 외교관 한스 크리스토프 폰 가게른은 더욱 강한 비난을 쏟아냈다. 그는 "이 민족적 상처가 피로 물들 날이 올 것"이라고 프랑스 외무대신에게 말했다. Friedrich von Gentz to Metternich, September 23, 1806, in *Briefe von und an Friedrich von Gentz*, ed. Friedrich Carl Wittichen (Munich: R. Oldenbourg, 1913), III:59-60; Hellmuth Rössler, *Zwischen Revolution und Reaktion; ein Lebensbild des Reichsfreiherrn Hans Christoph von Gagern, 1766-1852* (Göttingen: Musterschmidt-Verlag, 1958), 108-9. 최근 연구에서 프랑스 역사가 Michel Kerautret는 팔름 사건을 "국가범죄"라고 불렀다. *Un Crime d'État sous l'empire: L'Affaire Palm* (Paris: Vendémiaire Editions, 2015)를 보라.

100. Brendan Simms, *The Impact of Napoleon: Prussian High Politics, Foreign Policy, and the Crisis of the Executive, 1797-1806* (Cambridge: Cambridge University Press, 1997), 279에서 인용.

101. Simms, *Prussian High Politics*, 296-300.

102. Schroeder, *Transformation of European Politics*, 304. "한마디로 영토 상실에 대한 걱정이 아니라 생존에 대한 단순한 욕망에서 1806년에 프로이센은 프랑스에 맞섰다"고 브렌던 심스는 주장한다. Simms, *Prussian High Politics*, 298.

103. Jean-Baptiste Antoine Marcellin Marbot, *The Memoirs of Baron de Marbot* (London: Longmans, Green, 1903), I:173.

104. Karen Hagemann, *Revisiting Prussia's War Against Napoleon: History, Culture and Memory* (Cambridge: Cambridge University Press, 2015), 34에서 인용.

105. Dennis Showalter, "Reform and Stability: Prussia's Military Dialectic from

Hubertusberg to Waterloo," in *The Projection and Limitations of Imperial Powers, 1618-1850*, ed. Frederick C. Schneid (Leiden: Brill, 2012), 89-97; Olaf Jessen, "Eingeschlafen auf den Lorbeeren Friedrichs des Großen?," in *1806: Jena, Auerstedt und die Kapitulation von Magdeburg: Schande oder Chance?*, ed. Mathias Tullner and Sascha Möbius (Halle: Landesheimatbund Sachsen-Anhalt, 2007), 110-29.

106. Carl von Clausewitz, *On War*, ed. Michael Howard and Peter Paret (Princeton, NJ: Princeton University Press, 1976), 155.

107. Friedrich Eduard Alexander von Höpfner, *Der Krieg von 1806 und 1807* [*i.e. achtzehnhundertsechs und achtzehnhundertsieben*]: *ein Beitrag zur Geschichte der Preussischen Armee nach den Quellen des Kriegs-Archivs bearbeitet* (Berlin: Schropp, 1850), I, chs. 1-7.

108. Höpfner, *Der Krieg von 1806 und 1807*, I:265-300; David G. Chandler, "Napoleon, Operational Art, and the Jena Campaign," in *Historical Perspectives of the Operational Art*, ed. Michael D. Krause and R. Cody Philips (Washington, DC: Center for Military History, 2007), 39-44.

109. Gerd Fesser, *1806, die Doppelschlacht bei Jena und Auerstedt* (Jena: Bussert und Stadeler, 2006); Gerhard Bauer and Karl-Heinz Lutz, *Jena 1806: Vorgeschichte und Rezeption* (Potsdam: Militärgeschichtliches Forschungsamt, 2009).

110. 프로이센은 예나에서 약 1만 명을 사상자로 잃었다. 또 1만 5천 명은 포로가 되었으며, 군기 34개와 포 120문도 빼앗긴 반면, 나폴레옹의 병력 손실은 5천 명 안팎이었다. 아우어슈테트에서 프로이센의 손실은 사상자 1만 명, 포로 3천 명, 포 115문에 달한 반면, 프랑스군의 사상자는 7천 명으로, 다부의 전력의 25 퍼센트였다. Chandler, *Campaigns of Napoleon*, 452-506; Oscar von Lettow-Vorbeck, *Der Krieg von 1806-1907*, vol. I, *Jena und Auerstedt* (Berlin: Mittler und sohn, 1896); F. N. Maude, *The Jena Campaign* (New York: Macmillan, 1909); F. Loraine Petre, *Napoleon's Conquest of Prussia — 1806* (London: John Lane, 1907); Paul Jean Foucart, *Campagne de Prusse, 1806; d'après les archives de la guerre* (Paris: Berger-Levrault, 1887); Henri Bonnal, *La manoeuvre de Iéna* (Paris: Chapelot, 1904)를 보라.

111. 요새의 항복과 그 영향에 관한 현재 독일의 역사서술상 논쟁은 Mathias Tullner and Sascha Möbius, eds., *1806: Jena Auerstedt und die Kapitulation von Magdeburg: Schande oder Chance?* (Halle: Landesheimatbund Sachsen-Anhalt, 2007). 특히 주목할 만한 논문은 Mathias Tullner, "Die preußische Niederlage bei Jena und Auerstedt (Hassenhausen) und die Kapitulation von Magdeburg" (130-39); Wilfried Lübeck, "8. November 1806—die Kapitulation von Magdeburg, die feige Tat des Gouverneurs v. Kleist?" (140-52); Bernhard Mai, "Die Belagerungen von Magdeburg, Kolberg und Breslau 1806/07" (153-

72)이다.

112. Petre, *Napoleon's Conquest of Prussia — 1806*, 236-55.

113. Leggiere, *Blucher*, 108-12.

114. Dennis E. Showalter, "Hubertusberg to Auerstedt: The Prussian Army in Decline?," *German History* 12 (1994): 308-33.

115. 나폴레옹은 그다음 그 프로이센 대왕의 검을 개인적인 전리품으로 가져갔다.

116. Alexander Mikhailovsky-Danilevsky, *Opisanie vtoroi voini Imperatora Aleksandra s Napoleonom v 1806-1807 godakh* (St. Petersburg, 1846), 47-53.

117. 베니히센은 약 7만의 병사와 276문의 포를 지휘했다. 북스회브덴에게는 병사 5만 5천 명과 포 216문이 있었다. 게다가 3만 7천 명의 병사와 132문의 포를 보유한 에센 장군의 군단이 드네스트르강에서 진군해오고 있었다. 베니히센, 북스회브덴, 에센의 전열에 관한 정보는 Mikhailovsky-Danilevsky, *Opisane vtoroi voini Imperatora Aleksandra* (1846), 63n., 69n을 보라. Army Rosters, RGVIA, f. 846, op. 16, d. 3164, ll. 25-33도 보라.

118. 알렉산드르가 톨스토이에게 보낸 날짜 미상 서신, Mikhailovsky-Danilevsky, *Opisanie vtoroi voini Imperatora Aleksandra* (1846), 72-73. 소수의 유능한 러시아 지휘관 중 한 명인 미하일 쿠투조프 장군은 아우스터리츠에서 패배 뒤 불명예 퇴진당했다.

119. Jean-Roch Coignet, *The Narrative of Captain Coignet, Soldier of the Empire, 1776-1850* (New York: Thomas Y. Crowell, 1890), 138. 러시아 쪽 시각은, Alexander Mikaberidze, ed., *The Russian Eyewitness Accounts of the Campaign of 1807* (London: Pen & Sword, 2015), 27-108을 보라.

120. 1806년 후반의 작전들에 대한 논의는 Höpfner, *Der Krieg von 1806 und 1807*, III:1-157; Mathieu Dumas, *Précis des événements militaires, ou, Essais historiques sur les campagnes de 1799 à 1814* (Paris: Treuttel et Wurtz, 1826), XVII:99-205; Karl Ritter von Landmann, *Der Krieg von 1806 und 1807: auf Grund urkundlichen Materials sowie der neuesten Forschungen und Quellen* (Berlin: Voss, 1909), 300-327; Carl von Plotho, *Tagebuch während des Krieges zwischen Russland und Preussen einerseits, und Frankreich andrerseits, in den Jahren 1806 und 1807* (Berlin: F. Braunes, 1811), 1-43; F. Lorain Petre, *Napoleon's Campaign in Poland, 1806-7* (London: Sampson Low, Marston, 1901), 59-118을 보라.

121. 그의 임명은 커다란 실수였다. 카멘스키는 69세였고 10년 넘게 군대를 지휘하지 않았었다. 그는 이미 건강이 아주 좋지 않아서 11월 말에 빌나에 도달하자마자 "저는 시력을 거의 잃었습니다. 지도에서 지명을 찾을 수 없어서 다른 사람들에게 찾아달라고 부탁해야 했습니다. 눈과 머리에서 [지독한] 통증에 시달리며 말을 탈 수 없고.....심지어 무슨 지시를 내리는지도 모르고 [명령서에] 서명하고 있습니다"라고 푸념했다. Kamesky to Alexander, December 22, 1807,

Mikhailovsky-Danilevsky, *Opisane vtoroi voini Imperatora Aleksandra* (1846), 76.

122. Höpfner, *Der Krieg von 1806 und 1807*, III:193-94; E. Grenier, *Étude sur 1807: Manoeuvres d'Eylau et Friedland* (Paris, 1911), 51-53; Oscar von Lettow-Vorbeck, *Der krieg von 1806 und 1807* (Berlin, 1896), IV:31-49; Colmar von der Goltz, *From Jena to Eylau: The Disgrace and the Redemption of the Old-Prussian Army: A Study in Military History* (London, 1913), 197-203.

123. Denis Davydov, "Vospominaniya o srazhenii pri Preussisch-Eylau 1807 goda yanvarya 26-go i 27-go," in *Russkaya voennaya proza XIX veka* (Leningrad: Lenizdatm, 1989), http://www.museum.ru/1812/Library/Davidov7/index.html.

124. Antoine Jomini, *Vie politique et militaire de Napoleon, racontée par lui même* (Paris, 1827), II:355.

125. James R. Arnold and Ralph R. Reinertsen, *Crisis in the Snows: Russia Confronts Napoleon: The Eylau Campaign 1806-1807* (Lexington, VA: Napoleon Books, 2007).

126. 아일라우 전투는 Chandler, *The Campaigns of Napoleon*, 535-51; Petre, *Napoleon's Campaign in Poland*, 158-208; Mikhailovsky-Danilevsky, *Opisanie vtoroi voini Imperatora Aleksandra* (1846), 161-217; Höpfner, *Der Krieg von 1806 und 1807*, III:201-58을 보라.

127. Jean-Baptiste Barrès, *Memoirs of a Napoleonic Officer* (London: G. Allen & Unwin, 1925), 101.

128. À l'Armee; Napoleon to Berthier, 60th-61st Bulletins, February 16-19, 1807, in *CN*, XIV, nos. 11,816, 11,820, 11,822, 11,827, 11,830, 11,832, 381-91; Mikhailovsky-Danilevsky, *Opisanie vtoroi voini Imperatora Aleksandra* (1846), 233-34; Petre, *Napoleon's Campaign in Poland*, 215-37.

129. Bennigsen, "Memoirs," *Russkaya starina* 100 (December 1899): 700; Robert Wilson, *Brief Remarks on the Character and Composition of the Russian Army and a Sketch of the Campaigns in Poland in the Years 1806 and 1807* (London: C. Roworth, 1810), 128-29; *Ob uchastii gvardii v kampaniu 1807 g.*, RGVIA, f. 846, op. 16, d. 3163, ll. 1-13.

130. 알렉산드르와 프리드리히-빌헬름 3세 간 만남에 관한 하르덴베르크의 기록은 *VPR*, III:546; Landmann, *Der Krieg von 1806 und 1807*, 388-89; Bennigsen, "Memoirs," *Russkaya starina* 100 (October 1899): 226-28; 100 (December 1899): 697-700을 보라.

131. 알렉산드르에게 보낸 편지에서 베니히센은 작켄 장군의 불복종을 비난하고 그가 구트슈타트에서 기동 실패에 책임이 있다고 주장했다. 작켄은 결국 군법회의에 회부되었고, 베니히센의 혼란스러운 명령을 근거로 자신의 행동을 정당

화했다. 작켄 공판은 3년 넘게 이어졌다. 작켄은 결국 유죄 판결을 받았지만 그의 혁혁한 경력 때문에 아무런 처벌도 받지 않았다. Benningsen, "Memoirs," *Russkaya Starina* 101 (January 1901): 272; Mikhailovsky-Danilevsky, *Opisanie vtoroi voini Imperatora Aleksandra* (1846), 298-302; Höpfner, *Der Krieg von 1806 und 1807*, III:583.

132. "Relation de la Bataille de Heilsberg le 10 Juin 1807," RGVIA, f. 846, op. 16, d. 3204, ll. 9-10; Mikhailovsky-Danilevsky, *Opisanie vtoroi voini Imperatora Aleksandra* (1846), 307-8; Höpfner, *Der Krieg von 1806 und 1807*, III:602-22; Landmann, *Der Krieg von 1806 und 1807*, 412-15.

133. Petre, *Napoleon's Campaign in Poland*, 304-9; Höpfner, *Der Krieg von 1806 und 1807*, III:652-53; Plotho, *Tagebuch während des Krieges*, 163. 가장 근래에 나온 영어 연구서는 James R. Arnold and Ralph R. Reinertsen, *Napoleon's Triumph: La Grande Armée Versus the Tsar's Army: The Friedland Campaign, 1807* (Lexington, VA: Napoleon Books, 2011).

134. Harold T. Parker, *Three Napoleonic Battles* (Durham, NC: Duke University Press, 1983), 17-18.

135. Maurice Girod de L'Ain, *Grands artilleurs: Drouot — Sénarmont — Eblé* (Paris: Berger-Levrault, 1895), 180-81, 224-26.

136. Leveson-Gower to Canning, June 17, 1807, cited in Herbert Butterfield, *The Peace Tactics of Napoleon, 1806-1808* (Cambridge: Cambridge University Press, 1959), 197-98.

137. 영국 무관 로버트 윌슨의 연락책 가운데 한 명이 엿들은 바에 따르면 그렇다. 이 일화의 또 다른 판본에서 알렉산드르의 첫 마디는 "영국을 상대로 한 결투에서 내가 당신 편의 입회인이 되리다"였다. Napoleon to Alexander, July 1, 1812, in *Correspondance générale*, XII:787을 보라. Louis Pierre Bignon, *Histoire de France depuis le 18 Brumaire jusqu'a la Paix de Tilsit* (Paris: Charles Béchet, 1830), VI:316, Armand Lefebvre, *Histoire des cabinets de l'Europe pendant le Consulat et l'Empire* (Paris: Pagnerre, 1847), III:102도 보라.

138. 러시아는 또한 항구 도시 카타로(오늘날 몬테네그로의 코토르)와 이오니아 제도를 프랑스에 넘기기로 합의해 아드리아 해역에서 나폴레옹의 존재감을 강화시켰다.

139. Treaty of Tilsit, July 7, 1807, Fondation Napoléon, https://www.napoleon.org/histoire-des-2-empires/articles/traite-de-tilsit-avec-la-russie-7-juillet-1807.

140. Lefebvre, *Napoleon*, 249. 또 다른 저명한 프랑스 학자 장 튈라르도 동의한다. "대제국 관념은 1805년에 시작되어 대국민 관념을 계승했다." Jean Tulard, ed., *Dictionnaire Napoléon* (Paris: Fayard, 1987), 833을 보라.

141. Claire Élisabeth Rémusat, *Mémoires de Madame de Rémusat 1802-1808* (Paris:

Calmann-Lévy, 1880), III:202-5.

142. "Discours de S. M. L'Empereur et Roi à l'ouverture du Corps Législatif," August 16, 1807, in *CN*, XV:498-500.

143. 본국에서 나폴레옹은 호민관회의를 폐지하여 자신의 권력을 더욱 강화했다. Senatus Consultum, August 19, 1807, www.napoleon-series.org/research/government/legislation/c_tribunate.html.

144. Reinhart Koselleck, "Über die Theoriebedürftigkeit der Geschichtswissenschaft," in *Theorie der Geschichtswissenschaft und Praxis des Geschichtsunterrichts*, ed. Werner Conze (Stuttgart: Klett, 1972), 10-28; Niklas Olsen, *History in the Plural: An Introduction to the Work of Reinhart Koselleck* (New York: Berghahn Books, 2014), 167-202.

11장 다른 수단에 의한 전쟁 : 유럽과 대륙 봉쇄 체제

1. 1697년 이후로 영국과 프랑스가 관여한 전쟁으로는 에스파냐 왕위계승전쟁 (1701-1714), 오스트리아 왕위계승전쟁(1740-1748), 7년전쟁(1756-1763), 미국 혁명전쟁(1775-1783), 프랑스 혁명전쟁(1793-1802)이 있다. 영국과 프랑스는 딱 한 번, 사국동맹전쟁(1718-1720)에서만 한 편이었다.

2. Eli F. Heckscher, *The Continental System: An Economic Interpretation* (Oxford: Clarendon Press, 1922), 18-27, 42-43, 47, 77, 91; J. Holland Rose, "Napoleon and English Commerce," *English Historical Review* 8 (1893): 704-25. 중립국 문제에 관해서는 W. Allison Phillips and Arthur H. Reede, *Neutrality: Its History, Economic, and Law*, vol.2, *The Napoleonic Period* (New York: Columbia University Press, 1936)을 보라.

3. 1793년 6월 영국은 프랑스로의 모든 식량 반입을 금지했다가 몇 달 뒤에 이 결정을 철회했다.

4. Heckscher, *The Continental System: An Economic Interpretation*, 81-83. Frank Edgar Melvin, *Napoleon's Navigation System: A Study of Trade Control During the Continental Blockade* (New York: University of Pennsylvania, 1919), ch. 1도 보라.

5. 지난 100년간 대륙 봉쇄 체제의 전체적 성격과 그것이 유럽 국가들에 미친 효과에 관한 여러 연구서(대체로 미출간 논문과 학위논문)가 나왔다. Heckscher의 *The Continental System: An Economic Interpretation*이 여전히 유일하게 전세계를 개괄하는 연구서로, 이미 오래 전부터 이 주제에 관한 새로운 재검토가 요구되는 실정이다. 근래에 추가된 유용한 역사서술로는 Katherine Aaslestad and Johan Joor, eds., *Revisiting Napoleon's Continental System: Local, Regional and European Experiences* (New York: Palgrave Macmillan, 2014) and Francois Crouzet, "The Continental System: After Eighty Years," in *Eli Heckscher, International Trade, and Economic History*, ed. Ronald Findlay, Rolf G. H. Henriksson, Hakan Lindgren,

and Mats Lundahl (Cambridge, MA: MIT Press, 2006), 323-42. 대륙 봉쇄 체제에 대한 나의 논의는 이외에도 Geoffrey James Ellis, *Napoleon's Continental Blockade: The Case of Alsace* (New York: Oxford University Press, 1981); Harley Farris Anton, "The Continental Study: A Study of Its Operation and Feasibility," MA thesis, Louisiana State University, 1976; Merritt P. Whitten, "France and the Continental System of the Berlin Decree," M.S thesis, University of Wisconsin-Madison, 1964; François Crouzet, *L'économie britannique et le blocus continental, 1806-1813* (Paris: Presses universitaires de France, 1958); Albert John Daeley, "The Continental System in France as Illustrated by American Trade," PhD diss., University of Wisconsin-Madison, 1949; John Baugham Harrison, "The Continental System in Italy as Revealed by American Commerce," PhD diss., University of Wisconsin-Madison, 1937; Leah Julia Fritz, "Napoleon's Continental System in the North German States," MA thesis, University of Wisconsin-Madison, 1937; Andrew Wellington Tuholski, "The Continental System of Napoleon," MA thesis, Columbia University, 1919 등을 토대로 한다.

6. Napoleon to Eugène de Beauharnais, August 23, 1810, *Correspondance de Napoléon*, XXI:60.

7. Berlin Decree, November 21, 1806, in *Correspondance de Napoléon*, XIII:555.

8. British Order-in-Council, November 11, 1807, in *American State Papers: Documents Legislative and Executive of the Congress of the United States*, ed. Walter Lowrie and Matthew St. Clair Clarke (Washington: Gales and Seaton, 1832), III:269-70.

9. Milan Decree, December 17, 1807, in Napoleon, *Correspondance Générale*, ed. Thierry Lentz (Paris: Fayard, 2004), VII:1361.

10. 이 두 용어 사이 구분은 프랑스 역사가 마르셀 뒤낭과 로제르 뒤프레스가 오랫동안 유지해왔다. Marcel Dunan, "Le système continental," *Revue des études Napoléoniennes* 3 (1913): 115-46; Dunan, "L'Italie et le système continental," *Revue de l'Institut Napoléon* 96 (1965): 176-92; Roger Dufraisse, "Régime douanier, blocus, système continental: essai de mise au point," *Revue d'histoire économique et sociale* 44 (1966): 518-34; Dufraisse, "Napoléon pour ou contre l'Europe," *Revue du souvenir Napoléonien* 402 (1995): 4-25를 보라.

11. Napoleon to Eugène de Beauharnais, August 23, 1810, *Correspondance de Napoléon*, XXI:60.

12. 엘리 헥셔의 말마따나 이것은 "프랑스 대륙 시장 구상"이었고, 이는 "일방적 공동시장"이란 표현을 쓴 또 다른 위대한 역사가 G. 엘리스도 동의하는 평가다. A. Chabert, *Essai sur les mouvements des revenus et de l'activité économique en France de 1789 à 1820* (Paris: Librairie de Médicis, 1949)를 보라.

13. 예를 들어 1810년의 새로운 관세는 이탈리아 왕국이 프랑스산이 아닌 면직물, 아마포, 거즈, 모직물은 수입하지 못하게 막았다. Owen Connelly, *Napoleon's Satellite Kingdoms* (New York: Free Press, 1965), 48.

14. Napoleon to Louis Napoleon, December 15, 1806, in *Lettres inédites de Napoléon 1er* (an VIII-1809), ed. Leon Lecestre (Paris: Librairie Plon, 1897), I:82.

15. P. K. O'Brien, "Public Finance," in *The Rise of Financial Capitalism: International Capital Markets in the Age of Reason*, ed. Larry Neal (Cambridge: Cambridge University Press, 1990), 201-22; O'Brien, "Public Finance in the Wars with France, 1793-1815," in *Britain and the French Revolution, 1789-1815*, ed. H. T. Dickinson (New York: St. Martin's, 1989), 165-87.

16. Napoleon to Louis Napoleon, April 3, 1808, in *Correpondance de Napoléon*, XVI:473. 스코틀랜드 귀족인 더글러스와 클라이즈데일 후작 알렉산더 해밀턴이 자크 루이 다비드에게 황제의 초상화를 의뢰하며 무려 1,000기니라는 엄청난 액수를 제시했을 때 나폴레옹은 사례금이 현금으로 지불된다면 초상화(유명한 〈서재의 나폴레옹〉)를 그려도 좋다고 허락했다. Phillippe Bordes, *Jacques-Louis David: Empire to Exile* (New Haven, CT: Yale University Press, 2005), 113-21을 보라.

17. B. R. Mitchell and Phyllis Deane, *Abstract of British Historical Statistics* (Cambridge: Cambridge University Press, 1962), 441-43.

18. Roger Knight, *Britain Against Napoleon: The Organization of Victory, 1793-1815* (London: Allen Lane, 2013)를 보라. 프랑스가 영국을 아사로 몰아넣을 수 있었을지에 관한 논의는 William Freeman Galpin, *The Grain Supply of England during the Napoleonic Period* (New York: Macmillan, 1925), 109-22, 168-201을 보라.

19. Heckscher, *The Continental System: An Economic Interpretation*, 93.

20. 깊이 있는 시각은 Eugene Tarle, *Kontinetal'naya Blokada* (Moscow: Zadruga, 1913); Carlo Zaphi, *L'Italia di Napoleon dalla Cisalpina al Regno* (Turin: UTET, 1986), 더 간략한 논의는 Alexander Grab, "The Kingdom of Italy and Napoleon's Continental Blockade," in *Revisiting Napoleon's Continental System: Local, Regional and European Experiences*, ed. Katherine Aasletad and Johan Joor (New York: Palgrave Macmillan, 2014), 98-111; Grab, "The Politics of Finance in Napoleonic Italy (1802-1814)" *Journal of Modern Italian Studies* 3, no. 2 (1998): 127-43을 보라.

21. Alexandre Chabert, *Essai sur les mouvements des revenus et de l'activité economique en France de 1798 à 1820* (Paris: Librairie de Médicis, 1949), 368-69; François Crouzet, "Wars, Blockade, and Economic Change in Europe, 1792-1815," *Journal of Economic History* 24, no. 4 (1964): 575-77.

22. Louis Bergeron, *Banquiers, négociants et manufacturiers parisiens du Directoire à l'*

Empire (Paris: Éditions de l'EHESS, 2000), chs. 10-11.

23. Agusti Nieto-Galan, *Colouring Textiles: A History of Natural Dyestuffs in Industrial Europe* (Boston: Kluwer Academic, 2001), ch. 3.

24. Bergeron, *France Under Napoleon*, 150-60, 162-67, 172-84; Heckscher, *The Continental System: An Economic Interpretation*, 286-94; François Crouzet, "Wars, Blockade, and Economic Change in Europe, 1792-1815," *Journal of Economic History* 24, no. 4 (1964): 567-88. 소다회(탄산나트륨)와 가성칼리(탄산칼륨)는 유리, 직물, 비누, 제지 분야에서 핵심 화학물질이었다. 1791년 니콜라 르블랑이 바다소금을 가지고 이 알칼리 물질을 제조하는 새로운 공정을 특허출원했지만 그의 성공은 프랑스 혁명으로 가로막혔다. 혁명정부는 르블랑의 공장을 몰수하고, 그의 제조 공법을 공개했다. 나폴레옹은 르블랑에게 공장을 돌려줬지만 르블랑은 그의 발명을 활용한 다른 업체들과 경쟁하느라 어려움을 겪었다.

25. House of Lords, Orders of Council, February 15, 1808, in *The Parliamentary Register* (London: John Stockdale, 1808), I:365.

26. B. H. Tolley, "The Liverpool Campaign Against the Order in Council and the War of 1812," in *Liverpool and Merseyside: Essays in the Economic and Social History of the Port and Its Hinterland*, ed. J. R. Harris (New York: Augustus M. Kelley, 1969), 98-145; D. J. Moss, "Birmingham and the Campaign Against the Orders-in-Council and the East India Company Charter, 1812-13," *Canadian Journal of History* 11 (1976): 173-88; Antonette L. McDaniel, "'Thus Has the People Gloriously Triumphed': Petitioning, Political Mobilization and the Orders-in-Council Repeal Campaign, 1808-1812," PhD diss., University of Tennessee, Knoxville, 1992.

27. *The Bank — The Stock Exchange — The Bankers — The Bankers' Clearing House — The Minister and the Public* (London: E. Wilson, 1821), 75. 웨스트엔드 은행들은 웨스트민스터와 스트랜드 일대에 생겨나 영국 엘리트계급, 즉 젠트리, 귀족, 엘리트 상인계급의 이익을 위해 일했다. Eric Kerridge, *Trade and Banking in Early Modern England* (Manchester: Manchester University Press, 1988), 76-84 를 보라.

28. Mina Ishizu, "Boom and Crisis in Financing British Transatlantic Trade: A Case Study of the Bankrupcy of John Leigh & Company in 1811," in *The History of Bankruptcy: Economic, Social and Cultural Implications in Early Modern Europe*, ed. Thomas M. Safley (New York: Routledge, 2013), 144-54.

29. B. R. Mitchell, *British Historical Statistics* (Cambridge: Cambridge University Press, 1988), 495. 북유럽에서 영국의 노력에 관해서는 A. N. Ryan, "The Defence of British Trade in the Baltic, 1808-1813," *English Historical Review* 74, no. 292 (1959): 443-66을 보라.

30. 흥미로운 논의는 Knight, *Britain Against Napoleon*, 386-416을 보라.

31. R. P. Dunn-Pattison, *Napoleon's Marshals* (London: Methuen, 1909), 60-61.

32. Knight, *Britain Against Napoleon*, 403.

33. 흥미로운 논의는 Silvia Marzagalli ("The Continental System: A View from the Sea"), Jann M. Witt ("Smuggling and Blockade-Running During the Anglo-Danish War from 1807 to 1814"), and Michael Rowe ("Economic Warfare, Organize Crime and the Collapse of Napoleon's Empire") in *Revisiting Napoleon's Continental System*, ed. Aaslestad and Joor, 90-93, 153-69, 196-99. Gavin Daily, "Napoleon and the 'City of Smugglers,' 1810-1814," *Historical Journal* 50, no. 2 (2007): 333-52; Daily, "English Smugglers, the Channel, and the Napoleonic Wars, 1800-1814," *Journal of British Studies* 46, no. 1 (2007): 30-46도 보라.

34. 프랑스 혁명과 제1제정 동안 프랑스 산업 발전에 관한 흥미로운 논의는 Jeff Horn, *The Path Not Taken: French Industrialization in the Age of Revolution, 1750-1830* (Cambridge, MA: MIT Press, 2006), chs. 5-7. 혼은 (퍽 도발적으로) 프랑스가 영국식 "자유주의" 산업 정책을 채택하지 못한 주요 이유는 나폴레옹의 몰이해 때문이 아니라 프랑스 혁명의 유산, 특히 노동자 반란에 대한 두려움 때문이라고 주장한다. 영국 산업가들이 노동자들이 들고 일어나지 못하게 국가에 기댈 수 있었다고 할 때 프랑스 산업가들은 거대한 혁명적 동란의 그늘에서 살았고 비슷한 방식으로 국가에 기댈 수 없었다.

36. François Crouzet, "Wars, Blockade, and Economic Change in Europe, 1792-1815," *Journal of Economic History* 24, no. 4 (1964): 571.

37. Melvin, *Napoleon's Navigation System*, 114-17, 120, 124, 128-29, 135-37, 173-78, 300-307. 깊이 있는 연구는 Silvia Marzagalli, *Les boulevards de la fraude: La négoce maritime et le Blocus continental 1806-1813, Bordeaux, Hambourg, Livourne* (Villeneuve-d'Ascq: Presses universitaires du Septentrion, 1999); Marzagalli, *Bordeaux et les États-Unis, 1776-1815: politique et stratégies négociantes dans la genèse d'un réseau commercial* (Geneva: Droz, 2014); Daeley, "The Continental System in France as Illustrated by American Trade"를 보라.

38. Heckscher, *The Continental System: An Economic Interpretation*, 258, 272-77.

39. F. Evrard, "Le commerce des laines d'Espagne sous le Premier Empire," *Revue d'histoire moderne et contemporaine* 4 (1937): 212-18.

40. Jean Labasse, *Le Commerce des soies à Lyon sous Napoléon et la crise de 1811* (Paris: Presses universitaires de France, 1957), 70-83.

41. Richard J. Barker, "The Conseil General des Manufactures Under Napoleon (1810-1814)," *French Historical Studies* 6, no. 2 (1969): 198-213.

42. 이에 대한 통찰은 François Crouzet, "Les consequences économiques de la Révolution: à propos d'un inédit de Sir Francis d'Ivernois," *Annales historiques*

de la Révolution francaise XXXIV (1962): 182-217을 보라.

43. 데이비드 랜즈는 "1850년대와 1860년대는 서유럽이 영국을 따라잡은 시대였다. 하지만 양적인 의미에서는 아니었다. 양적 추월은 더 나중에, 그것도 특정 분야에서만 일어났다. 그렇다고 질적인 의미에서도 아니었다. 특정 산업의 생산 효율성과 규모를 보든 경제 전반의 산업화 정도를 보더라도 말이다"라고 지적한다. David S. Landes, *The Unbound Prometheus: Technological Change and Industrial Development in Western Europe from 1750 to the Present* (Cambridge: Cambridge University Press, 2003), 41-230 (인용은 228-29). François Crouzet, "Wars, Blockade, and Economic Change in Europe, 1792-1815," *Journal of Economic History* 24, no. 4 (1964): 578, 585.

44. August Wilhelm von Schlegel, *The Continental System, and Its Relations with Sweden* (London: J. J. Stockdale, 1813), 86-87.

12장 포르투갈과 에스파냐 쟁탈전, 1807-1812

1. H. V. Livermore, *A New History of Portugal* (Cambridge: Cambridge University Press, 1966), 213-38; António Henrique R. de Oliveira Marques, *History of Portugal* (New York: Columbia University Press, 1972), I:407-17, 421-25.

2. Stanley J. Stein and Barbara H. Stein, *The Colonial Heritage of Latin America: Essays on Economic Dependence in Perspective* (New York: Oxford University Press, 1970), 113.

3. Kenneth R. Maxwell, "The Generation of the 1790s and the Idea of the Luso-Brazilian Empire," in *Colonial Roots of Modern Brazil*, ed. D. Alden (Berkeley: University of California Press, 1973), 118-21.

4. 탁월한 개관은 Kenneth R. Maxwell, *Conflicts and Conspiracies: Brazil and Portugal, 1750-1808* (Cambridge: Cambridge University Press, 1973)을 보라.

5. 비록 에스파냐와 포르투갈은 18세기에 여러 차례—1735-1737년, 1761-1763년, 1776-1777년—무력 충돌을 벌였지만 이 충돌들은 남아메리카 식민지에서 벌어졌다.

6. 영국과 포르투갈 간 역사적 관계에 대한 자세한 설명은 Davis Francis, *Portugal, 1715-1808: Joanine, Pombaline and Rococo Portugal as Seen by British Diplomats and Traders* (London: Tamesis Books, 1985), 197-202, 237-43; A. B. Wallis Chapman, "The Commercial Relations of England and Portugal, 1487-1807," *Transactions of the Royal Historical Society* 1 (1907): 174-79; Harold Edward Stephen Fisher, *The Portugal Trade: A Study of Anglo-Portuguese Commerce, 1700-1770* (London: Methuen, 1971). 포르투갈의 중립과 리스본의 자유 무역항 선언은 George Friedrich Martens, *Recueil des Principaux Traités . . . conclus par les Puissances de l'Europe* (Gottingen: Jean Chrétien Dieterich, 1800), VI:606-8;

VII:140. 일부 포르투갈 신료들, 특히 안토니우 다라우주 이 아제베두는 프랑스와 더 긴밀한 유대를 추구했고 심지어 포르투갈 항구들을 영국 선박에 폐쇄하기로 약속하는 비밀조약(1797)을 프랑스와 체결하기도 했다. 하지만 런던은 리스본에 이를 공식 부인하도록 요구했고 조약은 비준되지 않았다. Martens, *Recueil*, VII:201; *Dropmore Papers*, III:282, 355, 359, 373을 보라.

7. Valentim Alexandre, *Os sentidos do Império: questão nacional e questão colonial na crise do Antigo Regime português* (Porto: Edições Afrontamento, 1993), 100-104.

8. Napoleon, *Correspondance générale*, ed. Thierry Lentz (Paris: Fayard, 2004), III:438.

9. Margaret Scott Chrisawn, *The Emperor's Friend: Marshal Jean Lannes* (Westport, CT: Greenwood Press, 2001), 87.

10. Chrisawn, *The Emperor's Friend*, 93.

11. Ángelo Pereira, *D. João VI principe e rei* (Lisbon: Empresa Nacional de Publicidade, 1953), I:106-7; Alexandre, *Os sentidos do Império*, 129-35.

12. Charles de Mouy, "L'ambassade du général Junot à Lisbonne d'après des documents inédits," in *Revue des deux mondes* CXXI (1894): 144-45; Charles Hugh Mackay, "The Tempest: The Life and Career of Jean-Andoche Junot, 1771-1813," Ph.D. diss., Florida State University, 1995, 89-100.

13. Napoleon to King Charles IV, September 7, 1807, *Correspondance générale*, VII:1106.

14. Kenneth G. Johnson, "Napoleon's War at Sea," in *Napoleon and the Operational Art of War*, ed. Michael V. Leggiere (Leiden: Brill, 2016), 440. 나폴레옹의 요구 사항을 보여주는 실례는 쥐노에게 쓴 편지, *CN*, XVI:128-30, 147-48, 156을 보라. 최근에 출간된 *Correspondance générale*, vol. VIII(1808)은 나폴레옹이 프랑스 해군 재건에 얼마나 많은 시간을 할애했는지를 보여준다. 이 권에 수록된 3,021통의 서신 가운데 200통이 넘는 서신이 나폴레옹의 해군대신인 드크레에게 보낸 것으로, 해군 증강과 다양한 해상 원정을 위한 기술적 세부 사항과 방안을 담고 있다.

15. Napoleon to Talleyrand, July 19, 1807, *CN*, XV:433. Alphonse Louis Grasset, *La Guerre d'Espagne, 1807-1813* (Paris: Berger-Levrault, 1914), I:94-121도 보라.

16. 더 자세한 내용은 Hauterive to Rayneval, July 30, 1807; Rayneval to Talleyrand, August 12, 1807, AE "Portugal," 126을 보라.

17. Araujo to Rayneval, August 21, 1807, AE "Portugal," 126.

18. Rayneval to Champagny, October 2, 1807, AE "Portugal," 126.

19. Alan K. Manchester, *British Preeminence in Brazil, Its Rise and Decline: A Study in European Expansion* (Chapel Hill: University of North Carolina Press, 1933), 54. Also see Livermore, *A New History of Portugal*, 248.

20. Oliveira Marques, *History of Portugal*, I:425. 한 영국 역사가에게 동 주앙은 "공포와 나태에 번갈아 지배를 받는, 대책 없는 멍청이의 끔찍한 예"였다. William Napier, *History of the War in the Peninsula and in the South of France* (London: John Murray, 1828), I:143.

21. Manchester, *British Preeminence in Brazil*, 58-63. Gordon Teffeteller, "England and Brazil: Strangford and Joao VI," *Proceedings of the Consortiium on Revolutionary Europe*, 1990, 203-5.

22. André Fugier, *Napoléon et l'Espagne, 1799-1808* (Paris: F. Alcan, 1930), II:347-48.

23. Extract from "Official Declaration of the Blockade of the Mouth of the Tagus," cited in Donald D. Howard, "Portugal and the Anglo-Russian Naval Crisis (1808)," *Naval War College Review* 34 (1981): 49-50.

24. Convention secète et Convention relative à l'occupation du Portugal, October 27, 1807, in *CN*, XVI:118-21. 조약에 따라 보병 2만 5천 명과 기병 3천 명으로 구성된 프랑스군이 에스파냐를 통과해 리스본으로 진군하고, 에스파냐 보병 8천 명과 기병 3천 명도 프랑스군 휘하에 리스본에서 합류할 예정이었다. 또 다른 에스파냐 병력 1만 명은 포르투를 장악하는 한편, 약 6천 명의 병력은 포르투갈의 알가르브를 점령하기로 했다. 영국군이 공격해올 경우 프랑스는 포르투갈에 4만 명의 병력을 추가로 파견할 계획이었다.

25. 에트루리아는 공식적으로는 카를로 루도비코가 다스렸지만 나이가 어려(1803년에 왕위를 물려받았을 때 네 살밖에 되지 않았다) 어머니인 마리아 루이사가 섭정으로 다스렸다. 왕국이 밀수와 간첩 활동의 온상이 되었다는 근거로 1807년 8월 프랑스군이 침공했다.

26. Mackay, *The Tempest*, 122-27.

27. 프랑스군이 살라망카를 지나간 뒤 프랑스 병사들이 약탈을 저지른 사례가 몇몇 있었는데 그 병사들 가운데 일부는 에스파냐 농민들에게 살해당했다. Adolphe Thiers, *Histoire du Consulat et de l'Empire* (Paris: Paulin, 1849), VIII:329-30. 프랑스 병사들이 직면한 난국에 관해서는 Mackay, *The Tempest*, 138-46. David Buttery, *Wellington Against Junot: The First Invasion of Portugal, 1807-1808* (Barnsley: Pen & Sword Military, 2011) chs. 3-4. 프랑스군의 진군을 바라보는 에스파냐 쪽 시각은 Pedro Agustín Girón, *Recuerdos (1778-1837)*, ed. Ana María Berazaluce (Pamplona: Ed. Univ. de Navarra, 1978)을 보라.

28. 11월 12일, 나폴레옹은 쥐노에게 포르투갈 점령에 관한 일단의 지침을 보냈다. 쥐노는 포르투갈 함대를 손에 넣고, 포르투갈 육군을 무장해제하고, 포르투갈 병사 6천 명가량을 프랑스로 보내라는 명령을 받았다. 또 섭정 왕세자가 "자진하여" 프랑스로 가도록 설득하는 한편, 영국 상품을 압수하고 영국민을 억류해야 했다. 프랑스 장군은 "청렴결백의 절대적 모범"을 보이라는 지시도 받았다. *CN* XVI:156-57.

29. Manuel de Oliveira Lima, *Dom João VI no Brazil: 1808-1821* (Rio de Janeiro: Journal do Commercio, 1908) I:45-55. John Barrow, *The Life and Correspondence of Admiral Sir William Sidney Smith* (London: Richard Bentley, 1848), II:261-69에 수록된 시드니 스미스 경의 서신과 여타 문서, Charles Oman, *A History of the Peninsular War* (Oxford: Clarendon Press, 1902), I:30도 보라.

30. Manchester, *British Preeminence in Brazil*, 65-68. 승선에 관한 자세한 내용은 Thomas O'Neill, *A Concise and Accurate Account of the Proceedings of the Squadron Under the Command of Rear Admiral Sir Will. Sidney Smith, K.G., in Effecting the Escape and Escorting the Royal Family of Portugal to the Brazils on the 29th of November 1807* (London: R. Edwards, 1809)를 보라.

31. Oman, *A History of the Peninsular War*, I:30-31. 이들은 (2만 5천 명의 병력 가운데) 리스본에 때맞춰 도착하기 위해 강행군을 한 1500명가량의 초라한 전위 대일 뿐이었다. 알메이다 근처, 지세가 험한 국경지대에서 프랑스군은 보급 부족과 폭우에 심하게 고생했다. 한 프랑스 참전병이 회고한 대로였다. "리스본에 입성했을 때 우리의 행색은 눈뜨고 봐주기 힘들었다. [병사들은] 녹초가 되었고, 씻지 못해 꼴이 말이 아니었다 (…) 드럼 소리에도 더는 행군할 기력이 남아 있지 않았다." Paul Charles Thiebault, *The Memoirs of Baron Thiebault* (London: Smith, Elder & Co., 1896), II:199.

32. Oman, *A History of the Peninsular War*, I:31.

33. Napoleon to Junot, October 17-31, 1807, in *CN*, XVI:98-99, 130; Napoleon to Clarke, October 28, 1807, in *New Letters of Napoleon I Omitted from the Edition Published Under the Auspices of Napoleon III*, ed. Mary Loyd (New York: D. Appleton, 1897), 53.

34. Lord Russel of Liverpool, *Knight of the Sword: The Life and Letters of Admiral Sir William Sidney Smith* (London: Victor Gollancz, 1964), 168-69; Paul C Krajeski, *In the Shadow of Nelson: The Naval Leadership of Admiral Sir Charles Cotton, 1753-1812* (Westport, CT: Greenwood Press, 2000), 56-58.

35. Fugier, *Napoléon et l'Espagne*, II:352-54.

36. Napoleon to Junot, December 23, 1807, in *CN*, XVI:214-16.

37. Georges Lefebvre, *Napoleon* (London: Routledge & Kegan Paul, 1969), II:15.

38. Oliveira Marques, *History of Portugal*, I:429.

39. Allan J. Kuethe and Kenneth J. Adrien, *The Spanish Atlantic World in the Eighteenth Century: War and the Bourbon Reforms, 1713-1796* (Cambridge: Cambridge University Press, 2014), 133-66, 231-33, 271-73, 280-84, 350-53.

40. John R. Fisher, *Commercial Relations Between Spain and Spanish America in the Era off Free Trade, 1778-1796* (Liverpool: Centre for Latin American Studies, University of Liverpool, 1985), 9-19.

41. John R. Fisher, *The Economic Aspects of Spanish Imperialism in America, 1492–1810* (Liverpool: Liverpool University Press, 1997), 197–216; Adrian J. Pearce, *British Trade with Spanish America, 1763 to 2008* (Liverpool: Liverpool University Press, 2007), 161–229. 1799년에 카를로스 4세는 자유무역에 관한 칙령을 폐지했지만 식민지 관리들은 식민지를 방어하는 데 충분한 세수를 얻고, 무역제한 완화로 혜택을 보는 식민지인들의 충성을 확보하기 위해서는 어쩔 수 없다며 계속해서 "중립국들"과 무역을 했다.

42. Gabriel H. Lovett, *Napoleon and the Birth of Modern Spain* (New York: New York University Press, 1965), I:1–46. Scott Eastman, *Preaching Spanish Nationalism Across the Hispanic Atlantic, 1759–1823* (Baton Rouge: Louisiana State University, 2012), 1–44도 보라.

43. Vicente Pérez Moreda, "Spain's Demographic Modernization, 1800–1930," in *The Economic Modernization of Spain, 1830–1930*, ed. Nicolás Sánchez-Albornoz (New York: New York University Press, 1987), 34.

44. Elizabeth Vassall Fox Holland, *The Spanish Journal of Elizabeth, Lady Holland*, ed. Giles Stephen Holland Fox-Strangways (London: Longmans, 1910), II:85–86, 123–24.

45. Proclamation of Godoy, October 5, 1806, in Oman, *A History of the Peninsular War*, I:603.

46. 고도이에 대한 나폴레옹의 경멸은 유명했다. 1801년 고도이가 뤼시앵 보나파르트에게 제1통령의 초상화를 보내달라고 부탁했을 때 나폴레옹은 거절했다. "자기 선임자를 지하감옥에 가두고[고도이의 선임자 아란다 백작은 투옥당했다] 종교재판소의 관습을 채택하는 사람한테는 절대로 내 초상화를 보내지 않을 거다. 내가 그 인간을 이용할 수도 있겠지만 그래도 그한테는 경멸감밖에 들지 않는다." Napoleon, *A Selection from the Letters and Despatches of the First Napoleon*, edited by D. Bingham (London: Chapman and Hall, 1884), I:349. 일찍이 1805년에 나폴레옹은 어느 심복에게 "에스파냐 왕좌에 앉아 있는 부르봉 사람은 위험한 이웃"이라고 말했다. Jean-Baptiste Jourdan, *Mémoires militaires du Maréchal Jourdan (guerre d'Espagne)* (Paris: Flammarion, 1899), 9. Robert B. Mowat, *The Diplomacy of Napoleon* (New York: Longmans, Green, 1924), 208–9도 보라.

47. 이 논의는 주로 Fugier, *Napoléon et L'Espagne*, I:22–395; II:85–211; Geoffroy de Grandmaison, *L'Espagne et Napoléon* (Paris: Plon-Nourrit, 1908), I:72–169에 나와 있다.

48. Copia de un real decreto por el que se comunica haber evitado una conjura para destronar a Carlos IV, October 31, 1807; Copia de una circular expedida para que todos los pueblos solemnicen acción de gracias por haber evitado una conjura para destronar a Carlos IV, November 3, 1807, Archivo de la Real Chancillería de Valladolid, Cédulas y Pragmáticas, Caja 30.41, 30.42.

49. Grandmaison, *L'Espagne et Napoléon*, I:99-114. For a more detailed discussion see Fugier, *Napoléon et L'Espagne*, II:216-345.

50. Pieter Geyl, *Napoleon: For and Against* (New York: Penguin Books, 1982), 92. 부르봉 왕족과 고도이의 성격을 비롯해 에스파냐 상황에 관한 프랑스 외교 보고서는 Touron to Napoleon, December 20, 1807, AN, AF IV 1680을 보라.

51. Conde de Toreno, *Historia del Levantamiento, Guerra y Revolución de España*, ed. Joaquín Varela Suanzes-Carpegna (Madrid: Centro de Estudios Políticos y Constitucionales, 2008), 4.

52. Michel Morineau, *Incroyables gazettes et fabuleux métaux: les retours des trésors américains d'après les gazettes hollandaises (XVIe-XVIIIe siècles)* (Cambridge: Cambridge University Press, 1985), 454. Carlos Marichal, *La bancarrota del virreinato, Nueva España y las finanzas del imperio español, 1780-1810* (México: El Colegio de México, Fideicomiso Historia de las Américas, Fondo de Cultura Económica, 1999), 173; Javier Cuenca, "Statistics of Spain's Colonial Trade, 1792-1820: Consular Duties, Cargo Inventories and Balance of Trade," *Hispanic American Historical Review* 61, no. 3 (1981): 381-428도 보라. Barbara H. Stein and Stanley J. Stein, *Edge of Crisis: War and Trade in the Spanish Atlantic, 1789-1808* (Baltimore: John Hopkins University Press, 2009)도 보라.

53. Richard Herr, *Rural Change and Royal Finances in Spain at the End of the Old Regime* (Berkeley: University of California Press, 1989), 137-38.

54. 대단히 유력한 베어링스컴퍼니의 수장인 프랜시스 베어링은 멕시코의 은을 실어 나르는 데 영국 정부의 지원을 확보했다. 자세한 논의는 Adrian J. Pearce, "The Hope-Barings Contract: Finance and Trade Between Europe and the Americas, 1805-1808," *English Historical Review* 124, no. 511 (2009): 1324-52; John A. Jackson, "The Mexican Silver Scheme: Finance and Profiteering in the Napoleonic Era, 1796-1811," Ph.D. diss., University of North Carolina, 1978; Carlos Marichal, *Bankruptcy of Empire: Mexican Silver and the Wars Between Spain, Britain and France, 1760-1810* (Cambridge: Cambridge University Press, 2007), ch. 5를 보라.

55. *A Selection from the Letters and Despatches of the First Napoleon*, II:352.

56. 폴 슈뢰더는 나폴레옹이 "다른 많은 이들과 마찬가지로 다양한 이유에서—반영국적, 가족적, 왕조적, 경제적, 군사적, 개인적 이유에서 에스파냐 사업에 뛰어들었다. 그 가운데 어느 이유가 결정적이었는지를 논해봐야 쓸모가 없을 뿐더러 그렇게 심대한 결과를 낳은 사업에는 틀림없이 심오한 이유들이 있었을 것이라고 짐작하는 것도 틀렸다"라고 올바르게 지적한다. Paul W. Schroeder, *The Transformation of European Politics, 1763-1848* (New York: Oxford University Press, 1994), 341.

57. Napoleon to Junot, October 17, 1807, in *Correspondance générale*, VII:1204.

58. Oman, *A History of the Peninsular War*, I:36-37.

59. Nick Lipscombe, *The Peninsular War Atlas* (Oxford: Osprey, 2014), 30-32.

60. Napoleon to Champagny, March 9, 1808, in *Correspondance générale*, VIII:237.

61. 나폴레옹의 지침은 *CN*, XVI, nos. 13626, 13632, 13652, 13656, 13675, 13682 를 보라. 1808년 에스파냐에서 뮈라에 관한 흥미로운 논의는 Joachim Murat, *Murat, lieutenant de l'empereur en Espagne 1808: d'après sa correspondance inédite et des documents originaux* (Paris: E. Plon, 1897)을 보라.

62. Royal Decrees of March 16-21, 1808, in Biblioteca Histórica Municipal (Madrid), C 34363. 1808년 4월 8일, 또 다른 칙령이 프랑스와 에스파냐 간 "우호와 친밀한 동맹의 유대를 단단히 하려는" 에스파냐 국왕의 열렬한 소망을 천명했다.

63. Simon Barton, *A History of Spain* (New York: Palgrave Macmillan, 2009), 165-66; José Joaquín de Mora, *Mémoires historiques sur Ferdinand VII, roi des Espagnes* (Paris: Librairie Universelle, 1824), 35-45, 334-37; Manuel Godoy, *Memorias* (Gerona: Libreria de Vicente Oliva, 1841), VI:1-62.

64. Royal Proclamation of March 19, 1808 in "Expediente sobre la abdicación de Carlos IV a favor de su hijo Fernado VII, la confirmación en sus puestos de todos los ministros de los tribunales, y sobre la llegalda del nuevo monarca a Madrid," Archivo Histórico Nacional (Madrid), Consejos, 5511, Exp.2. 아란후에스에서 벌어진 사건과 고도이의 체포에 관해서는 Royal Decree of March 18-19, 1808 in Biblioteca Histórica Municipal, C 34363을 보라.

65. Grandmaison, *L'Espagne et Napoléon*, I:99-114; Fugier, *Napoléon et L'Espagne*, II:383-93; Richard Herr, "The Constitution of 1812 and the Spanish Road to Parliamentary Monarchy," in *Revolution and the Meanings of Freedom in the Nineteenth Century*, ed. Isser Woloch (Stanford, CA: Stanford University Press, 1996), 70-71.

66. 최근에 출판된 나폴레옹의 1808년도 서간집에는 에스파냐 사안을 직접 관장할 의사를 표명한 무수한 편지들이 담겨 있지만 그는 파리를 떠나지 않았고 결국에는 뮈라에게 "작금의 상황 때문에 출발을 미룰 수밖에 없다"라고 알렸다. 그는 출발 지연을 스웨덴을 상대로 한 러시아의 선전포고 탓으로 돌렸지만 사실은 이미 부르봉 왕가를 몰아내고 카를로스 4세를 루이 보나파르트로 대체할 은밀한 왕조 프로젝트에 몰두하고 있었다. 루이가 왕위를 거부하면서 그 프로젝트는 수포로 돌아갔다. 1808년, 3월 23-27일자 편지, *Correspondance générale*, VIII, nos. 17,462, 17,510을 보라.

67. 고도이는 감금 상태에서 구조되어 프랑스로 이송되었고, 다음 몇 년 동안 처음에는 퐁텐블로에, 그다음에는 콩피에뉴에 머물렀다가 마지막으로 엑상프로방스에서 망명 생활을 했다. 나폴레옹이 몰락한 뒤 고도이는 에스파냐로의 귀환이 거부되어 오랫동안 이탈리아에서 살았다. 그는 1844년에 마침내 에스파냐로 돌아와

도 된다는 허락을 받았지만 프랑스에 머물렀고 1851년에 파리에서 사망했다.

68. Schroeder, *The Transformation of European Politics*, 343.

69. José Canga Argüelles, *Observaciones sobre la historia de la guerra de España* (London: D. M. Calero, 1829), I:37-39.

70. Tournon to Napoleon, March 13, 1808, cited in Francisco Martí Gilabert, *El motín de Aranjuez* (Pamplona: Universidad de Navarra, 1972), 106.

71. Anne Jean Marie René Savary, *Mémoires du duc de Rovigo: pour servir à l'histoire de l'empereur Napoléon* (Paris: A. Bossange, 1828), III:358.

72. Juan Pérez de Guzmán, *El dos de mayo de 1808 en Madrid* (Madrid: Establecimiento tipográfico sucesores de Rivadeneyra, 1908), 361-417; 마드리드 반란이 가저온 충격은 465-540을 보라. 프랑스 쪽 시각은 Murat, *lieutenant de l'empereur en Espagne 1808*, 314-45를 보라.

73. 루이 보나파르트는 에스파냐 왕위를 거절했고 제롬도 똑같이 관심이 없었다.

74. 자세한 내용은 Jean-Paul Coujou, "Political Thought and Legal Theory in Suárez," in *A Companion to Francisco Suárez*, ed. Victor M. Salas and Robert L. Fastiggi (Leiden: Brill, 2014), 29-71; Brian Hamnett, "The Meieva Roots of Spanish Constitutionalism," in *The Rise of Constitutional Government in the Iberian Atlantic World: The Impact of the Cádiz Constitution of 1812*, ed. Natalia Sobrevilla Perea and Scott Eastman (Tuscaloosa: University of Alabama Press, 2015), 19-41; Richard Hocquellet, *Résistance et revolution durant l'occupation napoléonienne en Espagne, 1808-1812* (Paris: La boutique de l'histoire, 2001), 140-54.

75. 어떤 훈타 정부에서는 혁명가들이 주도권을 잡고 다수를 차지한 반면, 어떤 훈타 정부에서는 동란 이전에 저명한 인사들이 여전히 지위를 유지했다. Charles J. Esdaile, *Spain in the Liberal Age: From Constitution to Civil War, 1808-1939* (Oxford: Blackwell, 2000), 17.

76. Manuel Ardit Lucas, *Revolucion liberal y revuelta campesina: un ensayo sobre la desintegracion del regimen feudal en el Pais Valenciano (1793/1840)* (Barcelona: Editorial Ariel, 1977), 139-40; Lovett, *Napoleon and the Birth of Modern Spain*, I:166.

77. Joaquín Varela Suanzes-Carpegna, *La teoría del Estado en las Cortes de Cádiz: orígenes del constitucionalismo hispánico* (Madrid: Centro de Estudios Políticos y Constitucionales, 2011)을 보라. 부상하던 에스파냐 민족주의 관념들에 관해서는 Scott Eastman, *Preaching Spanish Nationalism Across the Hispanic Atlantic, 1759-1823* (Baton Rouge: Louisiana State University Press, 2012)을 보라.

78. 나폴레옹의 노력에도 대표적인 에스파냐 명사들 대다수는 회의 참석을 거부하여 궁극적으로 참석자 수는 100명에 못 미쳤는데 대부분 귀족과 부르봉 관료 출신이었다. 바욘 회의는 도저히 전국적인 기구로 간주될 수 없었다. 5월 24일 소

집된 회의는 6월 15일에 회기를 개시하여 1808년 7월 7일에 작업을 완료했다.

79. 헌법 전문은 https://es.wikisource.org/wiki/Constituci%C3%B3n_de_Bayona_de_1808에서 볼 수 있다.

80. Louis François Joseph Bausset-Roquefort, *Private Memoirs of the Court of Napoleon and of Some Public Events of the Imperial Reign, from 1805 to the First of May 1814, to Serve as a Contribution to the History of Napoleon* (Philadelphia: Carey, Lea & Carey, 1828), 188-89.

81. Lipscombe, *The Peninsular War Atlas*, 44-46.

82. Owen Connelly, *The Gentle Bonaparte: A Biography of Joseph, Napoleon's Elder Brother* (New York: Macmillan, 1968), 99-116.

83. Eugène Titeux, *Le Général Dupont: une erreur historique* (Puteaux-sur-Seine: Prieur et Dubois et Cie, 1903), vol. 3; Francisco Vela, *La batalla de Bailén, 1808: el águila derrotada* (Madrid: Almena Ediciones, 2007); Dominique Vedel, *Relations de la campagne d'Andalousie, 1808* (Paris: La Vouivre, 1999); Charles Clerc, *Guerre d'Espagne: Capitulation de Baylen* (Paris: Ancienne Librairie Thorin et Fils Albert Fontemoing, 1903).

84. 프랑스로 귀환하자마자 뒤퐁은 군법회의에 회부되어 파면당하고 포르드주에 투옥되었다. 다른 지휘관들도 황제의 불벼락을 피할 수 없었다. 한편 프랑스군의 일반 사병들은 6년이라는 긴 시간을 포로로 지내야 했다. 카디스에 정박한 감옥선에 갇힌 포로들은 학대와 영양실조, 과밀 수용, 악천후에 시달렸다. 이들은 나중에 카브레라섬으로 이송되었는데 에스파냐 당국자들에게 대체로 방치되어 이루 말할 수 없는 고난을 견뎌야 했다. 포로 생활에서 살아남은 사람은 절반이 채 못 됐다. 프랑스군의 항복을 둘러싼 상황을 살펴보기 위해 나폴레옹이 1812년에 조직한 조사 관련 문서는 Susan Howard, "The Bailen Enquiry," The Napoleon Series, http://www.napoleonseries.org/military/battles/1808/Peninsula/Bailen/BailenEnquiry/c_bailenEnquiry.html을 보라. Théopphile Geisendorf-Des Gouttes, *Les prisonniers de guerre au temps du 1er empire. La déportation aux Baléares et aux Canaries (les archipels enchanteurs et farouches) des soldats de baylen et des marins de Trafalgar (1809-1814)* (Geneva: Éditions Labor, 1936); Pierre Pellissier and Jérôme Pheilipeau, *Les grognards de Cabrera: 1809-1814* (Paris: Hachette littérature, 1979); Denis Smith, *The Prisoners of Cabrera: Napoleon's Forgotten Soldiers, 1809-1814* (New York: Four Walls Eight Windows, 2001)을 보라.

85. Connelly, *The Gentle Bonaparte*, 117-18.

86. 1808년 9월에 아란후에스에서 결성된 최고 중앙 훈타정부는 국무대신을 역임한 연로한 플로리다블랑카 백작이 이끌었고, 각 지방 훈타정부 구성원들로 이루어져 있었다. 결국에 남부 항구도시 카디스로 밀려난 최고 훈타는 다음 2년간 통치와 전쟁 수행을 주관했다. Esdaile, *Spain in the Liberal Age*, 22.

87. Mildred Fryman, "Charles Stuart and the Common Cause: Anglo-Portuguese Diplomatic Relations, 1810-1814," *Proceedings of the Consortium on Revolutionary Europe*, 1977, 105-15.

88. Oman, *Peninsular War*, I:210-12; Jac Weller, *Wellington in the Peninsula, 1808-1814* (London: Nicolas Vane, 1962), 30-31; Lipscombe, *The Peninsular War Atlas*, 60-65.

89. 대중의 반응의 일례는 1809년 1월호 젠틀맨스 매거진에 실린 바이런 경의 풍자시를 보면 된다. "저 군인들의 시노드[동방정교 주교회의]가 열린 뒤로, 브리타니아는 병이 들었네, / 신트라! 그 이름이여!" *The Complete Works of Lord Byron*, ed. Henry Lytton Bulwer (London: A. and W. Galignani, 1841), 74. 협약에 대한 영국 대중의 반응을 더 온전히 알고 싶으면 Michael Glover, *Britannia Sickens: Sir Arthur Wellesley and the Convention of Cintra* (London, Leo Cooper, 1970)를 보라.

90. John Joseph Stockdale, *The Proceedings on the Enquiry into the Armistice and Convention of Cintra, and into the Conduct of the Officers Concerned* (London: Stockdale, 1809). 웰즐리가 협약에 관여한 바는 Rory Muir, *Wellington: The Path to Victory, 1769-1814* (New Haven, CT: Yale University Press, 2013), 264-82를 보라.

91. Stephen Summerfield and Susan Law, *Sir John Moore and the Universal Soldier*, vol. 1, *The Man, the Commander and the Shorncliffe System of Training* (London: Ken Trotman, 2015).

92. Oman, *A History of Peninsular War*, I:368-75.

93. D. W. Davies, *Sir John Moore's Peninsular Campaign 1808-1809* (The Hague: Martinus Nijhoff, 1974), 63-65; Christopher Summerville, *March of Death: Sir John Moore's Retreat to Corunna, 1808-1809* (London: Greenhill Books, 2003), 23.

94. Treaty of Tilsit, July 7, 1807, Fondation Napoléon, https://www.napoleon.org/histoire-des-2-empires/articles/traite-de-tilsit-avec-la-russie-7-juillet-1807.

95. Albert Vandal, *Napoléon et Alexandre 1 er: l'alliance russe sous le 1 er Empire* (Paris, 1894-97), I:165-77, 182-87, 190-203; Vernon J. Puryear, *Napoleon and the Dardanelles* (Berkeley: University of California Press, 1951), 234-35, 248-49. 1807년 후반 안 장 마리 르네 사바리 장군의 상트페테르부르크 파견 임무와 파리로 파견된 사절 톨스토이 장군 관련 문서는 *SIRIO* LXXXIII (1892)와 LXXXIX (1893)을 보라.

96. 러시아의 환멸의 사례는 *SIRIO* LXXXIX (1893):194-95, 366-68, 407-11, 476-79. E. Driault, *Napoléon et l'Europe: Tilsit. France et Russie sous le premier empire. La Question de Pologne (1806-1809)* (Paris: F. Alcan, 1917), 272-91도 보라.

97. Pierre Lanfrey, *The History of Napoleon the First* (New York: Macmillan, 1894), III:487.

98. Johann Wilhelm von Goethe, *Mélanges par Goethe*, ed. Jacques Porchat (Paris: Hachette, 1863), 307-9. 바이에른의 막시밀리안 요제프 국왕은 그와 나폴레옹 사이의 모종의 긴장관계를 고려해 원래는 초대되지 않았다. 하지만 결국 바이에른 국왕이 에르푸르트로 찾아왔다. 흥미로운 논의는 Matthias Stickler, "Erfurt als Wende—Bayern und Württemberg und das Scheitern der Pläne Napoleons I. für einen Ausbau der Rheinbundverfassung," in *Der Erfurter Fürstenkongreß 1808: Hintergründe, Ablauf, Wirkung*, ed. Rudolf Benl (Erfurt: Stadtarchiv, 2008), 266-300을 보라.

99. Charles-Maurice de Talleyrand, *Mémoires (1754-1815)* (Paris: Plon, 1982), 439. *Mémoires, documents et écrits divers laissés par le prince de Metternich* (Paris: Plon, 1881), II:227도 보라.

100. Gustav Brünnert, *Napoleons Aufenthalt in Erfurt im Jahre 1808* (Erfurt: Druck von Fr. Bartholomäus, 1899).

101. 이를 이해하려면 *Mémoires d'Aimée de Coigny*, ed. Etienne Lamy (Paris: Calmann-Lévy, 1902), 193, 209-12, 239를 보라.

102. 탈레랑의 의도에 관한 논의는 Emile Dard, *Napoléon et Talleyrand* (Paris: Plon, 1935), 203-17; Georges Lacour-Gayet, *Talleyrand, 1754-1838* (Paris: Payot, 1930), II:238-54; Georges Bordonove, *Talleyrand* (Paris: Pygmalion, 2007); Emmanuel Waresquiel, *Talleyrand: Le prince immobile* (Paris: Fayard, 2006). 탈레랑이 1809년부터 오스트리아에 고용되어 있었음을 암시하는 충분한 증거가 있다. E. Dard, "La Vengeance de Talleyrand," *Revue des deux mondes* XX (1934): 215-29.

103. 인용문은 탈레랑과의 대담 이후 메테르니히가 보고한 것이다. *Mémoires de Metternich*, II:248.

104. Armand-Augustin-Louis de Caulaincourt, *Memoirs* (London: Cassell, 1935), I:540.

105. Eugene Tarle, *Talleyrand* (Moscow: Urait, 2017), 96. Émile Dard, "La vengeance de Talleyrand (1809)," *Revue des Deux Mondes* 20, no. 1 (1934): 215-29도 보라. 에르푸르트 이후로 러시아 정부는 공식적으로는 파리 주재 러시아 대사의 자문으로 젊은 카를 폰 네셀로데 백작을 파견하여 알렉산드르 황제와 탈레랑 간 연락책 역할을 맡겼다.

106. "Posolstvo grafa P.A. Tolstogo v Parizhe v 1807 i 1808 gg," *SIRIO* LXXXIX (1893): esp. 689-94.

107. 1808년 10월 12일 에르푸르트 협약 제8조부터 11조까지 보라. www.napoleon-series.org/research/government/diplomatic/c_erfurt.html. 제11조에서 프랑스와 러시아는 "오스만 제국의 어느 부분에 대해서도 영토적 모험을 시도할 의사

가 없고 사전에 고지 받지 않고는 다른 어느 나라의 시도도 용납할 생각이 없는 바, 그 제국의 여타 속령을 보전"하기로 약속했다.

108. 똑같이 결정적인 것은 카탈루냐에서 프랑스군의 작전으로서, 그들은 카르데데우(12월 16일), 몰린스 데 레이(12월 21일)에서 에스파냐군을 완파했다. Lipscombe, *The Peninsular War Atlas*, 70–87.

109. Neil Campbell, *Napoleon on Elba: Diary of an Eyewitness to Exile*, ed. Jonathan North (Welwyn, UK: Ravenhall, 2004), 50.

110. Napoleon, *Correspondance générale*, VIII:489.

111. Proclamation of December 7, 1808, in Grandmaison, *L'Espagne et Napoléon*, I:402.

112. John H. Gill, *1809: Thunder on the Danube: Napoleon's Defeat of the Habsburgs* (Barnsley, UK: Frontline Books, 2008), I:14–15.

113. Napier, *History of the War in the Peninsula*, I:425–49; Davies, *Sir John Moore's Peninsular Campaign*, 114–53; Lipscombe, *The Peninsular War Atlas*, 80, 88.

114. Bausset, *Private Memoirs*, 238.

115. Aymar-Olivier Le Harivel de Gonneville, *Recollections of Colonel de Gonneville* (London: Hurst and Blackett, 1875), I:189–90; Bausset, *Private Memoirs*, 239.

116. Davies, *Sir John Moore's Peninsular Campaign*, 178–238; Napier, *History of the War in the Peninsula*, I:473–97; Summerville, *March of Death*, 131–78, 180. 더 간결한 설명은 Philip Haythornthwaite, *Corunna 1809: Sir John Moore's Fighting Retreat* (Oxford: Osprey, 2001)을 보라.

117. Lipscombe, *The Peninsular War Atlas*, 89–96.

118. Christopher Hibbert, *Corunna* (London: Batsford, 1961), 188에서 인용.

119. Charles Esdaile, *The Peninsular War: A New History* (New York: Palgrave Macmillan, 2003), 151–56.

120. 북부 에스파냐와 프랑스 대부분을 6일 동안 황급히 달려온 나폴레옹은 1월 23일 아침에 파리에 닿았다. 닷새 뒤에 황제의 불호령이 탈레랑에게 떨어졌고 탈레랑은 제국대고관帝國大高官 직위에서 쫓겨났다. 푸셰는 자리를 보전했지만 똑똑한 어조로 관할 부처와 무관한 사안에는 신경 끄라는 소리를 들었다.

121. Oman, *A History of the Peninsular War*, II:90–143; Jacques Belmas, *Journaux des sièges faits ou soutenus par les Français dans la Péninsule de 1807 à 1814* (Paris: Firmin Didot Frères, 1836), vol. II; Raymond Rudorff, *War to the Death: The Sieges of Saragossa, 1808–1809* (New York: Macmillan, 1974).

122. André François Miot de Melito, *Memoirs of Count Miot de Melito, Minister, Ambassador, Councillor of State and Member of the Institute of France, Between the Years 1788 and 1815*, ed. Wilhelm August Fleischmann (New York: Scribner, 1881), 557.

123. Schroeder, *The Transformation of European Politics*, 343.

124. 순전히 호송에 투입되는 노력의 좋은 사례는 Rafael Farias, ed., *Memorias de la Guerra de la Independencia: escritas por soldados franceses* (Madrid: Hispano-Africana, 1919), 269-87.

125. Fernando Diaz Plaja, *La historia de España en sus documentos. El siglo XIX* (Madrid: Instituto de Estudios Políticos, 1954), 74-76.

126. "Instrucción que su Majestad se ha dignado aprobar para el corso terrestre contra los ejércitos franceses," April 17, 1809, Archivo Histórico Nacional (Madrid), Estado, 11, A, http://pares.mcu.es/GuerraIndependencia/catalog/show/2728028.

127. Charles J. Esdaile, *Fighting Napoleon: Guerrillas, Bandits and Adventurers in Spain, 1808-1814* (New Haven, CT: Yale University Press, 2004); Esdaile, *The Peninsular War: A New History* (New York: Palgrave Macmillan, 2003). 게릴라에 대한 더 전통적인 해석은 Ronald Fraser, *Napoleon's Cursed War: Popular Resistance in the Spanish Peninsular War* (London: Verso, 2008); John Tone, *The Fatal Knot: The Guerrilla War in Navarre and the Defeat of Napoleon in Spain* (Chapel Hill: University of North Carolina Press, 1994)을 보라.

128. 간략한 논의는 Don Alexander, "The Impact of Guerrilla Warfare in Spain on French Combat Strength," *Proceedings of the Consortium on Revolutionary Europe*, 1975, 91-103.

129. Antoine René Charles Mathurin de La Forest, *Correspondance du comte de la Forest, ambassadeur de France de espagne 1808-1813* (Paris: A. Picard et Fils, 1905), IV:31, 49, 98, 204; V:209, 304도 보라. 나폴레옹은 게릴라들에 맞서 보호를 제공할 프랑스 특수 헌병부대를 설립하기는 했다. Oman, *A history of the Peninsular War*, III:203-204; Grandmaison, *L'Espagne et Napoléon: 1804-1809*, III, 251-52를 보라.

130. Denis Charles Parquin, *Souvenirs et campagnes d'un vieux soldat de l'empire (1803-1814)* (Paris: Berger-Levrault, 1903), 254.

131. Muir, *Wellington: The Path to Victory*, 283-98.

132. 웰링턴을 다룬 많은 전기 가운데 특히 중요한 것은 로리 뮤어의 2권짜리 역작, *Wellington: The Path to Victory, 1769-1814* (New Haven, CT: Yale University Press, 2013), *Wellington: Waterloo and the Fortunes of Peace* (New Haven, CT: Yale University Press, 2015), 그리고 휴 데이비스의 *Wellington's War: The Making of a Military Genius* (New Haven, CT: Yale University Press, 2014)이다.

133. Andrew Field, *Talavera: Wellington's First Victory in Spain* (Barnsley: Pen & Sword, 2006); Rene Chartrand, *Talavera 1809: Wellington's Lighting Strike into Spain* (Oxford: Osprey, 2013).

134. Donald D. Horward, "Wellington's Peninsular Strategy, Portugal and the Lines

of Torres Vedras," *Portuguese Studies Review* 2 (1993): 46-59: Ian Fletcher, *The Lines of Torres Vedras 1809-1811* (Oxford: Osprey, 2003): John Grehan, *The Lines of Torres Vedras: The Cornerstone of Wellington's Strategy in the Peninsular War 1809-1812* (Staplehurst: Spellmount, 2000). 베레스퍼드와 포르투갈 군대의 재조직은 Samuel Edison Vichness, "Marshal of Portugal: The Military Career of William Carr Beresford, 1785-1814," Ph.D. diss., Florida State University, 1976, 218-381: Malyn Newitt and Martin Robson, *Lord Beresford and British Intervention in Portugal, 1807-1820* (Lisbon: Impr. de Ciências Sociais, 2004)를 보라.

135. Brian de Toy, "Wellington's Lifeline: Naval Logistics in the Peninsula," *Proceedings of the Consortium on Revolutionary Europe*, 1995, 361: Donald D. Horward, "Admiral Berkeley and the Duke of Wellington: The Winning Combination in the Peninsula," in *New Interpretations in Naval History*, ed. William B. Cogar (Annapolis MD: Naval Institute Press, 1989), 105-20: Horward, "Wellington, Berkeley, and the Royal Navy: Sea Power and the Defense of Portugal (1908-1812)," *British Historical Society of Portugal Annual Report and Review* 18 (1991): 85-104: Horward, "British Sea Power and Its Influence upon the Peninsular War (1808-1814)," *Naval War College Review* 31, no. 2 (1978): 54-71. Brian de Toy, "Wellington's Admiral: The Life and Career of George Berkeley, 1753-1818," Ph.D. diss., Florida State University, 1997, 492-565도 보라. 반도전쟁 동안 해군의 역할을 책 한 권 분량으로 다룬 연구는 Christopher Hall, *Wellington's Navy: Seapower and the Peninsular War 1807-1814* (London, 2004)를 보라. 영국군의 병참에 관한 깊이 있는 논의는 T. M. D. Redgrave, "Wellington's Logistical Arrangements in the Peninsular War, 1809-1814," Ph.D. diss., King's College London, 1979를 보라.

136. Donald D. Horward, "Logistics and Strategy in the Peninsula," *Proceedings of the Consortium on Revolutionary Europe*, 1999, 357-59: De Toy, "Wellington's Lifeline," 361: Hall, *Wellington's Navy*, 95.

137. Rear Admiral Martin to Lord Keith, September 21, 1813, in *Letters and Papers of Admiral of the Fleet Sir Thos. Byam Martin*, ed. Richard Vesey Hamilton (London: Navy Records Society, 1898), II:409.

138. Don W. Alexander, *Rod of Iron: French Counterinsurgency Policy in Aragon During the Peninsular War* (Wilmington: Scholarly Resources, 1985): Mark A. Reeves, "Iberian Leech: Napoleon's Counterinsurgency Operations in the Peninsular, 1807-1810," MMAS thesis, US Army Command and General Staff College, 2005, 81-84: Philippe H. Gennequin, "'The Centurions vs. the Hydra': French Counterinsurgency in the Peninsular War (1808-1812)," MMAS thesis, US Army Command and General Staff College, 2011, 44-76.

John L. Tone, *The Fatal Knot: The Guerrilla War in Navarre and the Defeat of Napoleon in Spain* (Chapel Hill: University of North Carolina Press, 1994): Jean-Yves Puyo, "Les expériences de Suchet à l'armée d'Aragon," *Revue du souvenir Napoléonien* 439 (2002): 8-15: David J. Lemelin, "Marshal Suchet in Aragon," *Military Review* 78 (1998): 86-90도 보라.

139. Lipscombe, *The Peninsular War Atlas*, 148-51: Oman, *A History of the Peninsular War*, III:9-66.

140. 1810년 1월 말 최고 중앙 훈타정부는 스스로 해산하여 5인 섭정위원회에 권력을 넘겼는데, 섭정위원회는 여전히 억류 중인 부르봉 군주들을 대신해 다스릴 예정이었다.

141. 자세한 내용은 François Crouzet, *L'économie britannique et le blocus continental (1806-1813)* (Paris: Presses universitaires de France, 1958), I:284-403: John Severn, *A Wellesley Affair: Richard Marquess Wellesley and the Conduct of Anglo-Spanish Diplomacy, 1809-1812* (Tallahassee: University Presses of Florida, 1981), 46-131: Muir, *Wellington: The Path to Victory*, 319, 327, 346-47을 보라.

142. 하지만 프랑스가 이 시점에서 전쟁을 끝낼 수 있었을지에 관해서는 여전히 질문이 남아 있다. 일부 역사가들은 그렇다고 대답한다. "포르투갈 침공이 성공했다면 갈리시아, 카디스, 발렌시아, 심지어 카탈루냐에도 저항세력은 남아 있지 못했을 것이다. 전쟁은 얼마 지나지 않아 잦아들었을 것이다"라고 찰스 오만은 평가한다. 그의 결론은 영국의 또 다른 위대한 학자 찰스 이스데일의 저작에서도 반향을 얻었는데, 이스데일은 나폴레옹이 꾸준히 증원군을 보냈다면 프랑스군은 "에스파냐에서 저항을 분쇄했을 테고 그 다음 웰링턴조차도 극복할 수 없을 만큼 압도적인 전력으로 포르투갈로 진군했을 것"이라고 믿는다. 하지만 프랑스는 에스파냐의 험한 지형에서 계속해서 심각한 병참상 난관에 직면했고, 일부 지역에서 통제력을 유지하는 데 애를 먹었음을 주목해야 한다. 카탈루냐에서 생시르를 대체한 피에르 오주로 원수는 진취적이고 완강한 카탈루냐인들을 상대로 힘겨운 싸움을 계속해야 했고, 발렌시아에서 발목이 잡힌 쉬셰는 1801년 아라곤에서 새로운 소요 사태에 직면했다. Charles Oman, "The Peninsular War, 1808-1814," in *The Cambridge Modern History*, ed. A. W. Ward et al. (Cambridge: Cambridge University Press, 1969), IX:458: Esdaile, *Napoleon's Wars: An International History*, 351.

143. 뛰어난 목격담은 Jean Jacques Pelet, *The French Campaign in Portugal, 1810-1811: An Account by Jean Jacques Pelet*, trans. Donald D. Horward (Minneapolis: University of Minnesota Press, 1972)를 보라.

144. Donald D. Horward, *The Battle of Bussaco: Masséna vs. Wellington* (Tallahassee: Florida State University Press, 1965): René Chartrand, *Bussaco, 1810: Wellington Defeats Napoleon's Marshals* (Oxford: Osprey, 2001).

145. Maurice Girod de l'Ain, *Vie militaire du Géneral Foy* (Paris, E. Plon, Nourrit, 1900), 343. 깊이 있는 논의는 John Grehan, *The Lines of Torres Vedras: The Cornerstone of Wellington's Strategy in the Peninsular War, 1809–1812* (London: Spellmount, 2000)을 보라.

146. Pelet, *The French Campaign in Portugal*, 273.

147. Wellington to the Earl of Liverpool, December 21, 1810, in *The Dispatches of Field Marshal the Duke of Wellington During His Various Campaigns in India, Denmark, Portugal, Spain, the Low Countries, and France from 1799 to 1818*, ed. Lt. Colonel Gurwood (London: John Murrat, 1837), VII:54. Muir, *Wellington: The Path to Victory*, 399–406도 보라.

148. Esdaile, *Peninsular War*, 328.

149. Grenville to Grey, November 1, 1819, *Dropmore Papers*, X:61–62.

150. Muir, *Wellington: The Path to Victory*, 402–3.

151. Donald D. Horward, "Wellington and the Defense of Portugal, 1808–1813," *Proceedings of the Consortium on Revolutionary Europe*, 1987, 101; Muir, *Wellington: The Path to Victory*, 399–400.

152. Guy Dempsey, *Albuera 1811: The Bloodiest Battle of the Peninsular War* (London: Frontline Books, 2008); Mark S. Thompson, *The Fatal Hill: The Allied Campaign Under Beresford in Southern Spain in 1811* (Chapelgarth, UK: n.p., 2002). 프랑스군은 전체 전력의 대략 3분의 1인 7천~8천 명을 잃었다.

153. Gates, *The Spanish Ulcer*, 343–50.

154. 이 전투에 관한 최상의 서술은 Rory Muir, *Salamanca 1812* (New Haven, CT: Yale University Press, 2001)이다. 더 간략한 서술은 Ian Fletcher, *Salamanca 1812: Wellington Crushes Marmont* (Oxford: Osprey, 2004)를 보라.

155. Girod de l'Ain, *Vie militaire du Géneral Foy*, 178.

156. Napier, *History of the War in the Peninsula*, III:130.

157. Gates, *The Spanish Ulcer*, 372–73.

158. 에스파냐에서 전쟁이 계속된 탓에 이 대표들 가운데 직접 선출된 사람은 거의 없었다. 에스파냐령 아메리카에서 온 대표들은 과두지배층 카빌도(도시 협의회)에 의해 뽑힌 이들이었다.

159. Luis Palacios Bañuelos, Ignacio Ruiz Rodríguez, and Fernando Bermejo Batanero, eds., *Cádiz 1812: origen del constitucionalismo español* (Madrid: Dykinson, 2013), 117–66; Burton Laverne Showers, "The Constitutional Debates on the Spanish Constitution of 1812," M.A. thesis, University of Wisconsin–Madison, 1950.

160. 초안은 열다섯 명의 대표들로 구성된 특별 위원회가 1811년 내내 기안한 것이었다. 그렇게 기안된 헌법은 코르테스에서 토론을 거쳐 1812년 3월 18일에

승인되었다.

161. Arnold R. Verduin, "The Spanish Constitution of 1812 and the Influence of the French Revolution Thereon," M.A. thesis, University of Wisconsin-Madison, 1930. 1812년 헌법 전문은 Biblioteca Virtual Miguel de Cervantes, www.ervantesvirtual.com/servlet/SirveObras/c1812/12159396448091522976624/index.htm에서 볼 수 있다.

162. Charles R. Berry, "The Election of the Mexican Deputies to the Spanish Cortes, 1810-1822," in *Mexico and the Spanish Cortes, 1810-1822*, ed. N. L. Benson (Austin: University of Texas Press, 1966), 22-31; John R. Fisher, *Government and Society in Colonial Peru: The Intendant System, 1784-1814* (London: Athlone Press, 1970), 217-18.

163. Natalia Sobrevilla Perea and Scott Eastman, eds., *The Rise of Constitutional Government in the Iberian Atlantic World: The Impact of the Cádiz Constitution of 1812* (Tuscaloosa: University of Alabama Press, 2015), 264.

164. 페루에 관해서는 Natalia Sobrevilla Perea, "Loyalism and Liberalism in Peru, 1810-1824," in *The Rise of Constitutional Government in the Iberian Atlantic World*, ed. Natalia Sobrevilla Perea and Scott Eastman (Tuscaloosa: University of Alabama Press, 2015), 111-32를 보라. 정치 지도자들의 형성에 관해서는 Adam Sharman and Stephen G. H. Roberts, eds., *1812 Echoes: The Cadiz Constitution in Hispanic History, Culture and Politics* (Newcastle upon Tyne: Cambridge Scholars Publishing, 2013)를 보라.

13장 대제국, 1807-1812

1. Thomas Nipperday, *Germany from Napoleon to Bismarck 1800-1866*, trans. Daniel Nolan (Dublin: Gill & Macmillan, 1996), 1.

2. Louis Bergeron, *France Under Napoleon* (Princeton, NJ: Princeton University Press, 1981), xiv.

3. Nipperday, *Germany from Napoleon to Bismarck*, 1.

4. Alexander Grab, *Napoleon and the Transformation of Europe* (New York: Palgrave Macmillan, 2003), 19.

5. James J. Sheehan, "State and Nationality in the Napoleonic Period," in *The State of Germany: The National Idea in the Making, Unmaking, and Remaking of a Modern Nation-State*, ed. John Breuilly (Harlow: Longman, 1992), 47-59.

6. Napoleon to Jérôme, November 15, 1807, in Napoleon, *Correspondance générale*, ed. Thierry Lentz (Paris: Fayard, 2004), VII:1321.

7. Louis Madelin, *La Rome de Napoléon; la domination français à Rome de 1809 à 1814* (Paris: Plon-Nourrit, 1906), 3.

8. Herbert Fisher, *Studies in Napoleonic Statesmanship: Germany* (Oxford: Clarendon Press, 1903), 173-223, 312-32; Charles Schmidt, *Le grand-duché de Berg (1806-13): étude sur la domination française en Allemagne sous Napoléon 1er* (Paris: F. Alcan, 1905).

9. Allen Cronenberg, "Montgelas and the Reorganization of Napoleonic Bavaria," *Proceedings of the Consortium on Revolutionary Europe*, 1989, 712-19; Daniel Michael Klang, "Bavaria and the Age of Napoleon," Ph.D. diss., Princeton University, 1963; Chester Penn Higby, *The Religious Policy of the Bavarian Government During the Napoleonic Period* (New York: Columbia University Press, 1919).

10. Dominique de Villepin, *Les Cent-Jours, ou, L'esprit de sacrifice* (Paris: Perrin, 2001); Michel Franceschi and Ben Weider, *The Wars Against Napoleon: Debunking the Myth of the Napoleonic Wars* (New York: Savas Beatie, 2008), 80-81; Don Dombowsky, *Nietzsche and Napoleon: The Dionysian Conspiracy* (Cardiff: University of Wales Press, 2014), sec. 3.12.

11. Geoffrey Ellis, "The Continental System Revisited," in *Revisiting Napoleon's Continental System: Local, Regional and European Experiences*, ed. Katherine B. Aalestad and Johan Joor (London: Palgrave Macmillan, 2015), 33.

12. 대륙 봉쇄 체제에 관해 앞서 거론한 저술들 외에도 Pierre Branda, ed., *L'economie selon Napoléon: monnaie, banque, crises et commerce sous le Premier Empire* (Paris: Éditions Vendémiaire, 2016)를 보라.

13. 나폴레옹 제국에 관한 통찰력 있는 연구서에서 영국 역사가 마이클 브로어스는 1807년 이전에 얻은 영토로 구성된 "내內제국"과 1808-12년에 얻은 영토를 포괄한 "외外제국", 천차만별 수준으로 나폴레옹 정권의 효능을 경험한 다양한 "중간지대"를 구분할 것을 제안한다. Broers, *Europe Under Napoleon 1799-1815* (New York: Edward Arnold, 1996)를 보라.

14. Rafał Kowalczyk, *Polityka gospodarcza i finansowa Księstwa Warszawskiego w latach 1807-12* (Łódź: Wydawn. Uniwersytet Łódzkiego, 2010); Henryk Grossmann, *Struktura społeczna i gospodarcza Księstwa Warszawskiego: na podstawie spisów ludności, 1808-10* (Warsaw: Nakł. Gł. Urzędu Statystycznego, 1925)를 보라. Monika Senkowska-Gluck, "Les majorats français dans le duché de Varsovie (1807-1813)," *Annales historiques de la Révolution française* 36 (1964): 373-86; Senkowska-Gluck, *Donacje napoleońskie w Księstwie Warszawskim: studium historycyno-prawne* (Wrocław: Zakład Narodowy im. Ossolińskich, 1968)도 보라.

15. Elisabeth Fehrenbach, *Traditionale Gesellschaft und revolutionäres Recht: die Einführung des Code Napoléon in den Rheinbundstaaten* (Göttingen: Vandenhoeck & Ruprecht, 1974); Fehrenbach, *Der Kampf um die Einführung des Code Napoléon in den Rheinbundstaaten* (Wiesbaden: Steiner, 1973); Helmut Berding,

Napoleonische Herrschafts - und Gesellschaftspolitik im Königreich Westfalen: 1807–13 (Göttingen: Vandenhoeck und Ruprecht, 1973). See Isabel Hull, *Sexuality, State, and Civil Society in Germany, 1700-1815* (Ithaca, NY: Cornell University Press, 1996).

16. Hull, *Sexuality, State, and Civil Society in Germany*.

17. Marshal Eduard Mortier's Proclamation of November 1, 1806, Hessisches Staatsarchiv Marburg, www.digam.net.

18. 탁월한 개관은 Sam A. Mustafa, *Napoleon's Paper Kingdom: The Life and Death of Westphalia, 1807-13* (New York: Rowman & Littlefield, 2017)을 보라.

19. Roger Darquenne, *La conscription dans le département de Jemappes (1798-1813)* (Mons: Cercle archéologique de Mons, 1970).

20. Fisher, *Studies in Napoleonic Statesmanship*, 181, 214-215, 300-301. Jean–Camille–Abel–Fleuri Sauzey, *Les Allemands sous les aigles françaises: essai sur les troupes de la Confédération du Rhin, 1806-14. Tome I: Le régiment de Francfort* (Paris: R. Chapelot, 1902)도 보라.

21. Alexander Grab, "Army, State, and Society: Conscription and Desertion in Napoleonic Italy (1802-1814)," *Journal of Modern History* 67, no. 1 (1995): 28.

22. Grab, "Army, State, and Society," 25에서 인용.

23. 유럽 다양한 지역들에서 징병제가 가져온 충격은 Isser Woloch, "Napoleonic Conscription: State Power and Civil Society," *Past and Present* 111 (1986): 101–29; Grab, "Army, State, and Society"; Alan Forrest, *Conscripts and Deserters: The Army and the French Society During the Revolution and Empire* (New York, 1989); Darquenne, *La conscription dans le département de Jemappes*를 보라.

24. 뛰어난 논의는 Woloch, "Napoleonic Conscription." 그리고 Woloch, *The New Regime: Transformations of the French Civic Order, 1789-1820s* (New York: W. W. Norton, 1995), 380-426를 보라.

25. Alexander Grab, "State, Society and Tax Policy in Napoleonic Europe," in *Napoleon and Europe*, ed. Philip Dwyer (London: Pearson, 2001), 169.

26. 뛰어난 논의는 Marcel Marion, *Histoire financière de la France depuis 1715. Tome IV: 1797-18. La fin de la Révolution, le Consulat et l'Empire. La liberation du territoire* (Paris: Librairie Arthur Rousseau, 1925)를 보라.

27. Napoleon to Eugène de Beauharnais, August 23, 1810, in *Correspondance de Napoléon*, XX:61.

28. Napoleon to Soult, July 14, 1810, in *Napoléon raconté par l'écrit: Livres anciens, manuscrits, documents imprimés et autographes, iconographie* (Paris: Teissèdre, 2004), 56-57. Also see Bruno Colson, *Napoleon on War* (New York: Oxford University Press, 2015), 245-46.

29. Marion, *Histoire financière de la France depuis 1715*, IV:318; Grab, "State, Soci-

ety and Tax Policy in Napoleonic Europe," 185.

30. Mustafa, *Napoleon's Paper Kingdom*, 79–106.

31. 자세한 내용은 Pierre Branda, *Le prix de la gloire. Napoléon et l'argent* (Paris: Fayard, 2007); Branda, "La guerre a-t-elle payée la guerre?" in *Napoléon et l'Europe*, ed. Thierry Lenz (Paris: Fayard, 2005), 258–73을 보라.

32. Michel Bruguière, "Domaine extraordinaire," in *Dictionnaire Napoléon*, ed. Jean Tulard (Paris, 1989), 608.

33. Nicola Todorov, "Finances et fiscalité dans le royaume de Westphalie," in *La revue de l'Institut Napoléon* 189 (2004): 7–46. Helmut Berding, "Le Royaume de Westphalie, état-modèle," *Francia: Forschungen zur westeuropäischen Geschichte* 10 (1982): 345–58도 보라.

34. John A. Davis, "The Napoleonic Era in Southern Italy: An Ambiguous Legacy?," *Proceedings of the British Academy* 80 (1993): 133–48. Pasquale Villani, *Mezzogiorno tra riforme e rivoluzione* (Bari: Laterza, 1962)도 보라.

35. Stuart Woolf, *Napoleon's Integration of Europe* (London: Routledge, 1991), 184. Geoffrey Ellis, "The Nature of Napoleonic Imperialism," in *Napoleon and Europe*, ed. Philip Dwyer (London: Pearson, 2001), 97–117도 보라.

36. 나폴레옹은 계속하여 "그들은 너를 두려워하는 정도로만 너를 존경할 것이고, 자신들의 이중성과 기만적 성격이 너에게 알려져 있음을 의식하고 있는 정도로만 너를 두려워할 것이다"라고 덧붙인다. Napoleon to Talleyrand, October 7, 1797, no. 2292; Napoleon to Eugène de Beauharnais, July 27, 1805, in *CN*, no. 9028, III:369: XI:48을 보라.

37. 교황령의 일부인 그 지역은 이탈리아 반도 중앙 아드리아해 연안에 있으며, 북쪽으로는 에밀리아로마냐, 서쪽으로는 토스카나, 남서쪽으로는 움브리아, 아브루초, 라치오주와 맞닿아 있다.

38. 프랑스의 종교 정책에 관한 좋은 개관은 Michael Broers, *The Politics of Religion in Napoleonic Italy: The War Against God, 1801–14* (New York: Routledge, 2002)를 보라. 프랑스의 로마 점령은 Susan Vandiver Nicassio, *Imperial City: Rome Under Napoleon* (Chicago: University of Chicago Press, 2009); Louis Madelin, *La Rome de Napoléon: la domination français à Rome de 1809 à 1814* (Paris, Plon-Nourrit, 1906)를 보라.

39. 이 논의는 Alexander Grab, "From the French Revolution to Napoleon," in *Italy in the Nineteenth Century: 1796-1900*, ed. John A. Davis (Oxford: Oxford University Press, 2000), 25–48; Nicassio, *Imperial City: Rome Under Napoleon*, 151–94; Michael Broers, *The Napoleonic Empire in Italy, 1796–14: Cultural Imperialism in a European Context?* (New York: Palgrave Macmillan, 2005), 123–74; Desmond Gregory, *Napoleon's Italy* (Madison: Fairleigh Dickinson University Press, 2001), 119–32; Owen Connelly, *Napoleon's Satellite Kingdoms*

(New York: Free Press, 1965), 19-126을 바탕으로 한다.

40. 전쟁이 이탈리아에 미친 영향에 관한 훌륭한 논의는 Frederick C. Schneid, *Soldiers of Napoleon's Kingdom of Italy: Army, State, and Society, 1800-15* (Boulder, CO: Westview Press, 1995); Paolo Coturri, *Partire partirò, partir bisogna: Firenze e la Toscana nelle campagne napoleoniche, 1793-15* (Florence: Sarnus, 2009); Virgilio Ilari et. al. *Il regno di Sardegna nelle guerre napoleoniche e le legioni anglo-italiane, 1799-1815* (Novara: Widerholdt Frères, 2008); Vittorio Scotti Douglas, ed., *Gli Italiani in Spagna nella guerra napoleonica, 1807-13: i fatti, i testimoni, l'eredità: atti del IV Convegno internazionale di "Spagna contemporanea," Novi Ligure, 22-24 ottobre 2004* (Alessandria: Edizioni dell'Orso, 2006)을 보라.

41. Alexander Grab, "The Kingdom of Italy and Napoleon's Continental Blockade," *Proceedings of the Consortium on Revolutionary Europe*, 1988, 587-604.

42. Davis, *Naples and Napoleon*, 163-208.

43. Luigi de Rosa, "Property Rights, Institutional Change and Economic Growth in Southern Italy in the XVIIIth and XIXth Centuries," *Journal of European Economic History* 8, no. 3(1979): 531-51.

44. 조제프 보나파르트는 1807년에 추첨식 징병제도를 도입했지만 추첨제로 충분한 신병을 얻을 수 없게 되자 1808년 할당제를 도입했다. 할당은 종종 구금되어 있던 산적과 죄수들로 충당되었다. 자세한 내용은 Nino Cortese, "L'esercito napoletano nelle guerre napoleoniche," *Archivio storico per le province napoletane* 51 (1926): 319-21을 보라.

45. 깊이 있는 논의는 Maria Christina Ermice, *Le origini del Gran Libro del debito pubblico e l'emergere di nuovi gruppi sociali (1806-15)* (Naples: Arte Tipografica Editrice, 2005)를 보라.

46. Davis, *Naples and Napoleon*, 180.

47. Napoleon to Clarke, October 13, 1810, in *Correspondance de Napoléon*, XXI:216-17; Albert Espitalier, *Napoleon and King Murat* (London: John Lane, 1912), 66-88.

48. 흥미로운 논의는 Desmond Gregory, *Sicily: The Insecure Base: A History of the British Occupation of Sicily, 1806-15* (Rutherford, NJ: Fairleigh Dickinson University Press, 1988), 15-57을 보라. 지중해에서 프랑스-영국 각축전에 관한 가장 근래의 서술은 Gareth Glover, *The Forgotten War Against Napoleon: Conflict in the Mediterranean, 1793-15* (Barnsley: Pen & Sword, 2017)을 보라.

49. 시칠리아 전통에서 새로운 세금을 물릴 때 의회 권한을 생략할 수 있는 경우는 딱 네 가지, 즉 외적 침입, 반란, 국왕의 억류, 왕족 혼인 때밖에 없었다.

50. Joseph Alexander von Helfert, *Königin Karolina von Neapel und Sicilien im Kampfe gegen die französische Weltherrschaft, 1790-1814: mit Benützung von Schriftstücken*

des K.K. Haus-, Hof- und Staats-Archivs (Vienna: Braumüller, 1878), 432–34.

51. Oscar Browning, "Queen Caroline of Naples," *English Historical Review* 2, no. 7 (July 1887): 488.

52. John Rosselli, *Lord William Bentinck: The Making of a Liberal Imperialist, 1774–39* (Berkeley: University of California Press, 1974), 147. 더 자세한 내용은 Browning, "Queen Caroline of Naples," 490–91을 보라.

53. Browning, "Queen Caroline of Naples," 492–97; Rosselli, *Lord William Bentinck*, 152ff.

54. C. W. Crawley, "England and the Sicilian Constitution of 1812," *English Historical Review* 55, no. 218 (1940): 251–74; Rosselli, *Lord William Bentinck*, 157–60.

55. Edward Blaquiere, *Letters from the Mediterranean . . .* (London: Henry Colt, 1813), I:405.

56. 파올로 발사모의 인용문은 Moses I. Finley, *A History of Sicily* (New York: Viking, 1987), 150.

57. Rosselli, *Lord William Bentinck*, 151.

58. Browning, "Queen Caroline of Naples," 499–513.

59. 통찰은 Eckart Kehr, Hanna Schissler, and Hans-Ulrich Wehler, *Preussische Finanzpolitik, 1806–1810: Quellen zur Verwaltung der Ministerien Stein und Altenstein* (Göttingen: Vandenhoeck & Ruprecht, 1984)를 보라.

60. Johann Fichte, *Fichte: Addresses to the German Nation*, ed. Gregory Moore (Cambridge: Cambridge University Press, 2008).

61. James J. Sheehan, *German History, 1770–1866* (Oxford: Clarendon Press, 2008), 295–310; Marion Gray, "Bureaucratic Transition and Accommodation of the Aristocracy in the Prussian Reform Year 1808," *Proceedings of the Consortium on Revolutionary Europe* (1981), 86–92.

62. 자세한 내용은 Charles Edward White, *The Enlightened Soldier: Scharnhorst and the Militarische Gesellschaft in Berlin, 1801–05* (Westport, CT: Praeger, 1989); Michael Schoy, "General Gerhard von Scharnhorst: Mentor of Clausewitz and Father of the Prussian-German General Staff," Canadian Defense Forces Publication, https://www.cfc.forces.gc.ca/259/181/82_schoy.pdf를 보라.

63. Peter Josephson, Thomas Karlsohn, and Johan Östling, *The Humboldtian Tradition: Origins and Legacies* (Leiden: Brill, 2014).

64. The Order of Cabinet, June 30, 1808, cited in John R. Seeley, *Life and Times of Stein: Germany and Prussia in the Napoleonic Age* (Boston: Roberts Brothers, 1879), I:387.

14장 황제의 마지막 승리

1. James J. Sheehan, *German History, 1770-1866* (Oxford: Clarendon Press, 2008), 285에서 인용.

2. Hruby to Stadion, July 31, 1808, in Adolf Beer, *Zehn jahre österreichischer politik, 1801-1810* (Leipzig: F. A. Brockhaus, 1877), 352-53. Stadion's memoranda (December 1808) in Beer, *Zehn jahre*, 516-25; Metternich to Stadion, September 24 and October 30, 1808, in Clemens Wenzel Lothar Fürst von Metternich, *Memoirs of Prince Metternich, 1773-1815*, ed. Richard Metternich, trans. Robina Napier (London: Richard Bentley, 1880), II:283-88도 보라.

3. Gunther E. Rothenberg, *Napoleon's Great Adversaries: The Archduke Charles and the Austrian Army, 1792-1814* (Bloomington: Indiana University Press, 1982); Lee W. Eysturlid, *The Formative Influences, Theories and Campaigns of the Archduke Carl of Austria* (Westport, CT: Greenwood, 2000).

4. 반대는 주로 카를 대공과 겐츠한테서 나왔다. Enno E. Kraehe, *Metternich's German Policy* (Princeton, NJ: Princeton University Press, 1983), I:74-75.

5. Metternich to Stadion, April 3, 1809, in Metternich, *Memoirs*, II:347.

6. 1808년 12월 24일자 오스트리아 정부에 대한 캐닝의 답변은 John M. Sherwig, *Guineas and Gunpowder: British Foreign Aid in the Wars with France, 1793-1815* (Cambridge, MA: Harvard University Press, 1969), 208-9를 보라.

7. Scherwig, *Guineas*, 208-9, 212-13.

8. Rory Muir, *Britain and the Defeat of Napoleon, 1807-1815* (New Haven: Yale University Press, 1996), 89-90; Christopher Hall, *British Strategy in the Napoleonic Wars, 1803-1815* (Manchester: Manchester University Press, 1992), 177.

9. John H. Gill, *1809: Thunder on the Danube: Napoleon's Defeat of the Habsburgs* (Barnsley, UK: Frontline Books, 2008), I:20에서 인용.

10. Gill, *1809*, I:379-80.

11. 1808년 10월 12일에 에르푸르트에서 체결된 동맹 협약 제10조는 F. de Martens, *Recueil des traités et conventions conclus par la Russie avec les puissances étrangères* (St. Petersburg: A. Böhnke, 1895)를 보라.

12. Rumyantsev to Alexander, January 24, 1809, *VPR*, IV:465-66.

13. Kurakin to Alexander I, January 30, 1809, *VPR*, IV:468-69.

14. Rumyantsev to Alexander, February 11, 1809, *VPR*, IV:468-69. 나폴레옹의 감정은 알렉산드르에게 영향을 준 것 같은데, 알렉산드르는 "오스트리아의 무분별함은 이해할 수가 없다. 아마도 영국 탓인 듯하다"라고 여겼다. Alexander to Napoleon, January 27, 1809, in Sergei Tatishev, *Alexandre 1er et Napoléon: d'après leur correspondence inédite, 1801-12* (Paris, 1891), 468-69. 러시아 전쟁 대신 알렉세이 아락체예프는 오스트리아가 "영국의 부추김을 받아 전쟁으로 향

하고" 있으며, "러시아는 프랑스와의 조약을 지키는 의무를 져야 할 것"이라고 확신했다. Arakcheyev to Prozorovskii, January 12, 1809, *VPR*, IV:461.

15. Schwarzenberg to Princess Schwarzenberg, March 21, 1809, in *Karl Philipp zu Schwarzenberg, Breife des Feldmarschalls Fursten Schwarzenberg an seine Frau 1799-16* (Vienna, 1913), 165-67. "러시아를 통틀어서 현재 [프랑스와의] 동맹에 반대하지 않는 저명인사는 다섯 명뿐이며 우리는 그들이 누구인지 잘 알고 있다. 그들이 사교계에 나올 때마다 모두가 '5인방 중 한 명이군'이라고 수군거린다. 이 표현이 워낙 잘 알려져 있어서 그 5인방 중 한 명이 방 안에 들어오자마자 모든 대화가 뚝 그친다'라고 한 러시아 귀족은 경찰 정보원에게 털어놨다. Fogel to Balashov, June 10, 1809, *VPR*, V: 69. Nikolay Dubrovin, "Russkaya zhizn v nachale XIX veka," *Russkaya starina* 12 (1898): 508; Schwarzenberg to Stadion, March 2, 1809, in Tatishev, *Alexandre 1er et Napoléon*, 465; Kazimierz Waliszewski, *La Russie il y a cent ans: Le regne d'Alexandre 1er* (Paris, 1923), I:283.

16. 1809년 봄에 포겔의 첩보원은 바그라티온이 오스트리아 카를 대공을 상대로는 절대로 군대를 지휘하지 않을 것이라고 프랑스 대사에게 딱 잘라 말했다고 보고했다; *VPR*, IV:66. 당대인들의 시각은 "Pisma A. Bulgakova k ego bratu iz Peterburga v Venu 1808-1809," *Russkii arkhiv* 9 (1899): 82에서 볼 수 있다.

17. 루미얀체프 아래서 일한 러시아 외교관 알렉산드르 부테네프는 회고록에서 "루미얀체프의 견해로는 나폴레옹만이 유럽에서 혁명 운동을 억제할 수 있었으며, 1815년 나폴레옹이 몰락했을 때 [루미얀체프] 그러한 운동의 부상을 예견했다'라고 언급했다. "Vospominania russkogo diplomata A. P. Buteneva," *Russkii arkhiv* 3 (1881):58-59.

18. Vel. Kn. Nikolay Mikhailovich, *Diplomaticheskie snoshenia Rossii i Frantsii po doneseniyam poslov Imperatorov Aleksandra i Napoleona, 1808-1812* (St. Petersburg: Ekspeditsia zagotovleniya gosudarstvennykh bumag, 1905), I:xxvi-xxviii.

19. Frederick William III to Alexander, Alexander to Frederick William III, May 2-19, in *Correspondance inédite du roi Frédéric-Guillaume III et de la reine Louise avec l'empereur Alexandre Ier d'après les originaux des archives de Berlin et de Saint Petersbourg*, ed. Paul Bailleu (Leipzig, 1900), 184-91.

20. Llewellyn D. Cook, "Prince Schwarzenberg's Mission to St. Petersburg, 1809," *Proceedings of the Consortium on Revolutionary Europe*, 1998, 399-410.

21. 바그너 대위(1809년 1월 28일)와 베젠베르크(1809년 2월 20일)에게 내린 슈타디온의 지침은 Wladislaw Fedorowicz, 1809. *Campagne de Pologne, depuis le commencement jusqu'à l'occupation de Varsovie* (Paris: Plon-Nourrit, 1911), 67-73, 95. Also Hellmuth Rössler, *Graf Johann Philipp Stadion, Napoleons deutscher Gegenspieler* (Vienna: Herold, 1966), I:318-19를 보라.

22. Alexander to Rumyantsev, February 14, 1809, *VPR*, IV:493-95.

23. Alexander to Rumyantsev, February 14, 1809, *VPR*, IV:494.

24. Schwarzenberg to Franz, April 21, 1809, in Gustav Just, *Politik oder Strategie? Kritische Studien über den Warschauer Feldzug Österreichs und die Haltung Russlands 1809* (Vienna, 1909), 69-70.

25. Moritz Edler v. Angeli, *Erzherzog Karl von Osterreich als Feldherr und Heeresorganisator* (Vienna: K. u. K. Hof-universitäts-Buchhändler, 1896-1898), IV:33-55.

26. Schneid, *Napoleon's Italian Campaigns*, 59-84; Gill, *1809*, II:201-45.

27. Cited in Rothenberg, *Napoleon's Great Adversaries*, 146.

28. Louis Francois Lejeune, *Memoirs of Baron Lejeune*, ed. A. Bell (London, 1897), I:215-16.

29. 최상의 서술은 Gill, *1809*, vol. I. Henri Bonnal, *La manoeuvre de Landshut: étude sur la stratégie de Napoléon et sa psychologie militaire depuis le milieu de l'anée 1808 jusqu'au 30 avril 1809* (Paris: R. Chapelot, 1905); Charles Gaspard Louis Saski, *Campagne de 1809 en Allemagne et en Autriche* (Paris Berger-Levrault, 1899), II:255-265, 276-99도 보라.

30. Gill, *1809*, I:223-303; Angeli, *Erzherzog Karl von Osterreich als Feldherr und Heeresorganisator*, IV:75-187; Saski, *Campagne de 1809*, II:332-75.

31. Sheehan, *German History*, 287; Oscar Criste, *Erzherzog Carl von Österreich* (Vienna: W. Braumüller, 1912), III:79-80.

32. Angeli, *Erzherzog Karl von Osterreich als Feldherr und Heeresorganisator*, IV:315-28.

33. Gill, *1809*, II:129-98; Robert M. Epstein, *Napoleon's Last Victory and the Emergence of Modern War* (Lawrence: University Press of Kansas, 1994), 104-18. F. Loraine Petre, *Napoleon and the Archduke Charles* (London: John Lane, 1909)도 보라.

34. Angeli, *Erzherzog Karl von Osterreich als Feldherr und Heeresorganisator*, IV:335-51.

35. Gill, *1809*, II:196.

36. Frederick C. Schneid, *Napoleon's Italian Campaigns: 1805-1815* (Westport, CT: Praeger, 2002), 85-102; Gill, *1809*, II:246-97; Petre, *Napoleon and the Archduke Charles*, 314-16.

37. 카테, 되른베르크, 실의 반란에 관한 최근의 영어 연구는 Sam A. Mustafa, *The Long Ride of Major von Schill: A Journey Through German History and Memory* (Lanham, MD: Rowman & Littlefield, 2008)를 보라.

38. 결국에 브라운슈바이크는 바그람에서 프랑스의 승리가 전세를 역전시켰음을 알고서 작센에서 빠져나와 영국 해군에게 구조될 수 있도록 베저강 하구로 가는 방안을 구상했다. 7월 20일에 출발한 "검은 브라운슈바이크 병사들"은 사

방에서 위협에 직면했지만 사투를 벌이며 베저강 하류까지 가서 엘스플레트에서 영국 선박에 승선했다. 그들은 에스파냐로 가서 웰링턴 장군 휘하에서 혁혁한 공을 세웠다. Fred Mentzel, "Der Vertrag Herzog Friedrich Wilhelms von Braunschweig mit der britischen Regierung über die Verwendung des Schwarzen Korps (1809)," *Braunschweigisches Jahrbuch 55* (1974): 230–39.

39. Marcus Junkelman, *Napoleon und Bayern den Anfängen des Königreiches* (Regensburg: F. Pustet, 1985); Karl Paulin, *Andreas Hofer und der Tiroler Freiheitskampf 1809* (Vienna: Tosa-Verl, 1996).

40. Alexander Grab, "State Power, Brigandage and Rural Resistance in Napoleonic Italy," *European History Quarterly* 25 (1995): 39–70; Mario Leonardi, "L' insorgenza del 1809 nel regno d'Italia," *Annunario dell'Istituto per l'Età Moderna e Contemporanea* 31, no. 2 (1980): 435–37이탈리아에서 프랑스 정권의 강압적 성격에 관한 더 폭 넓은 논의는 Michael Broers, *The Napoleonic Empire in Italy, 1796–1814: Cultural Imperialism in a European Context?* (New York: Palgrave Macmillan, 2005), 123–59를 보라.

41. 바그람 전역에 관한 가장 뛰어난 서술은 Gill, *1809*, vol. III; Gunther E. Rothenberg, *The Emperor's Last Victory: Napoleon and the Battle of Wagram* (London: Weidenfeld and Nicolson, 2004). 더 간략한 논의는 Epstein, *Napoleon's Last Victory*, 129–70; Ian Castle, *Aspern and Wagram 1809: Mighty Clash of Empires* (London: Osprey, 1994); Sławomir Leśniewski, *Wagram 1809* (Warsaw: Bellona, 2003); Jean Thiry, *Wagram* (Paris: Berger-Levrault, 1966)을 보라.

42. 이 같은 전쟁의 성격 변화는 한 역사가가 "현대전의 등장"이라고 묘사한 것이었다. Epstein, *Napoleon's Last Victory*, 171.

43. 깊이 있는 논의는 Milton Finley, *The Most Monstrous of Wars: The Napoleonic Guerrilla War in Southern Italy, 1806–1811* (Columbia: University of South Carolina Press, 1994), 114–25를 보라.

44. Beer, *Zehn jahre österreichischer politik*, 335–41; Sherwig, *Guineas and Gunpowder*, 208–13; Hellmuth Rössler, *Graf Johann Philipp Stadion, Napoleons deutscher* (Vienna: Herold, 1966), 318–19.

45. 물론 외무장관 캐닝은 에스파냐에서 영국이 겪은 좌절, 다시 말해 신트라 협약과 프랑스군이 포르투갈을 무사히 빠져나간 사태의 여파로 오명을 벗고 싶은 마음이 간절하기도 했다.

46. 캐슬레이는 발헤런 원정을 일찍이 1797년에 구상했다. Robert Stewart, *Viscount Castlereagh, Correspondence, Despatches and Other Papers of Viscount Castlereagh* (London: William Shoberl, 1851), VI:245–47에서 1797년 12월 25일자 그의 서신을 보라.

47. John Bew, *Castlereagh: A Life* (Oxford: Oxford University Press, 2012), 250.

48. Gordon C. Bond, *The Grand Expedition: The British Invasion of Holland in 1809* (Athens: University of Georgia Press, 1979), 10-12.

49. 캐슬레이, 고든 중령, 알렉산더 호프 소장의 비망록은 Castlereagh, *Correspondence, Despatches and Other Papers*, VI:247-65를 보라.

50. William Jerdan, *Autobiography* (London: Arthur Hall, 1852), I:115.

51. 자세한 내용은 Victor Enthoven, *Een haven te ver: de Britse expeditie naar de Schelde van 1809* (Nijmegen: Vantilt, 2009); T. van Gent, *De Engelse invasie van Walcheren in 1809* (Amsterdam: De Bataafsche Leeuw, 2001); Théo Fleischman, *L'expedition anglaise sur le continent en 1809, conquéte de l'île de Walcheren et menace sur Anvers* (Brussels: La Renaissance du livre, 1973)를 보라.

52. Bond, *The Grand Expedition*, 90-113. Martin R. Howard, *Walcheren 1809: The Scandalous Destruction of a British Army* (Barnsley: Pen & Sword Military, 2012) 도 보라.

53. Gordon Bond, "Walcheren Fever: The Curse of the British Army, 1809-1814," *Proceedings of the Consortium on Revolutionary Europe*, 1989, 579-85; T. H. McGuffie, "The Walcheren Expedition and the Walcheren Fever," *English Historical Review* 62, no. 243 (1947): 191-202. 나폴레옹은 건강에 좋지 않은 발헤런의 기후를 알고 있었고 영국군이 그로 인해 고생하리란 걸 확실히 예상했다. Napoleon to Clarke, August 22, 1809, *Correspondence de Napoléon*, no. 15,698, XIX:382-384.

54. Bond, *The Grand Expedition*, 126-32.

55. 나폴레옹의 평가는 Barry Edward O'Meara, *A Voice from St. Helena* (London: Simpkin and Marshall, 1822), I:255-56을 보라.

56. Bond, *The Grand Expedition*, 142-43.

57. Giles Hunt, *The Duel: Castlereagh, Canning and Deadly Cabinet Rivalry* (London: I. B. Tauris, 2008); George Canning, *Memoirs of the Life of the Right Honourable George Canning* (London: Thomas Tegg, 1828), II:185-91; W. Alison Phillips, *George Canning* (New York: E. P. Dutton, 1903), 77-79; Bew, *Castlereagh*, 257-67.

58. Albert Vandal, *Napoléon et Alexandre 1er: l'alliance russe sous le 1er Empire* (Paris, 1894-97), II:72.

59. Alexander to Golitsyn, April 21, 1809, RGVIA, f. VUA, d. 3369, l. 3-4.

60. Champagny to Caulaincourt, 2 June, 1809, in Vandal, *Napoléon et Alexandre 1er*, II:94.

61. Alexander to Golitsyn, 18 May, 1809, RGVIA, f. VUA, d. 3369, l. 11-13b.

62. Journal of Military Operations of the Russian Army in Galicia in 1809, RGVIA, f. VUA, d. 3365; Alexander Mikhailovskii-Danilevskii, *Opisanie voiny protiv Avstrii v 1809 godu*, RGVIA, f. VUA, d. 3360.

63. Ferdinand to Franz, June 6, 1809, in Bronislaw Pawlowski, *Historja Wojny Polsko-Austrajackiej 1809 Roku* (Warsaw, 1935), 362-63.

64. Roman Soltyk, *Relation des Opérations de l'Armée aux orders du Prince Joseph Poniatowski* (Paris, 1841), 278; Mikhailovskii-Danilevskii, *"Opisanie voiny protiv Avstrii,"* RGVIA, f. VUA, d. 3360, l.119b. 한 번은 라도미실에서 강 위로 다리를 놓고 러시아-폴란드 합동 작전을 개시해야 할 때 러시아 지휘관이 "온 갖 구실을 들어 작전을 지연시키려고 했다. 그날은 월요일이었는데, '월요일'은 불길한 날이니 러시아인들은 그날은 전투를 하지 않겠다는 것이다. 다음날 그는 성조지의 십자가를 잃어버리고는 불길한 징조라고 여겼다." Soltyk, *Relation des opérations*, 282-83.

65. Archduke Ferdinand to Golitsyn, Golitsyn to Archduke Ferdinand, April 30-May 4, 1809, in Modest Bogdanovich, *Istoriya tsarstvovaniya imperatora Aleksandra I i Rossii v ego vremya* (St. Petersburg, 1869), II:64; Just, *Politik oder Strategie?*, 79-82.

66. Champagny to Caulaincourt, June 2, 1809, in Vandal, *Napoléon et Alexandre 1er*, II:95.

67. Alexander to Golitsyn, May 29, 1809, RGVIA, f. VUA, d. 3369, 1. 15-16b. 고르차코프의 군법회의 관련 문서는 *Zhurnal imperatorskogo Russkago Voenno-Istoricheskogo Obshestva* 2 (1911): 1-10에도 실려 있다.

68. 자세한 내용은 Alexander Mikaberidze, *"Non-Belligerent Belligerent Russia and the Franco-Austrian War of 1809," Napoleonica. La Revue* 10 (2011): 15-18을 보라.

69. Napoleon to Frederick, April 2, 1811, in *CN*, no. 17553, XXII:17.

70. Mikhailovskii-Danilevskii, *Opisanie voiny protiv Avstrii*, RGVIA, f. VUA, d. 3360, l.118-118b.

71. Golitsyn to Alexander, July 5, August 23, 1809, *VPR*, V:89-90. 골리친의 편지 에는 포니아토프스키와의 서신도 담겨 있었다.

72. 이 사건들에 대한 폴란드 쪽 시각은 Soltyk, *Relation des opérations*, 319-20에서 포니아토프스키가 나폴레옹에 쓴 편지를 보라. 러시아 쪽 출전은 오스트리아군 이 의도적으로 도시를 러시아군에게 넘겼다는 주장을 부인하며, 러시아 병사 두 명이 죽고 여러 명이 다친 사실을 러시아군이 무력으로 도시를 장악한 증거로 제시한다. Bogdanovich, *Istoria tsarstvovania imperatora Aleksandra I*, II:449를 보라.

73. Golitsyn to Alexander, July 17, 1809, in Bogdanovich, *Istoria tsarstvovania imperatora Aleksandra I*, II:447-48. 수보로프 장군에게 쓴 편지에서 골리친은 "무의미한 트집 잡기를 해대는 폴란드 술집 군중(traktirnye skopisha)"을 언급 한다. Golitsyn to Suvorov, August 22, 1809, RGVIA, f. VUA, d. 3375, l.6-7b. 러시아인들도 똑같이 화답했다. 부관 참모 가가린은 알렉산드르에게 크라

쿠프에서 "우리 관리들이 하찮고 자잘한 사안들에 무수한 트집을 잡으며 호혜와 동의의 정신에 반하는 행동을 하는 것"을 목격했다고 말했다. Arakcheyev to Golitsyn, August 15, 1809, RGVIA, f. VUA, d. 3371, l. 18-18b.

74. Golitsyn to Poniatowski, August 2, 1809, in Bogdanovich, *Istoria tsarstvovania imperatora Aleksandra I*, II:450; Golitsyn to Alexander, August 7, 1809, *VPR*, V:122. "조국의 복원을 꿈꾸지 않은 폴란드인은 단 한 명도 없으며 그것은 퍽 당연한 일입니다. 자신이 태어난 땅이 선조들이 알아볼 만한 단일한 권위 아래 있는 것을 누군들 바라지 않겠습니까?" Golitsyn to Alexander, June 16, 1809, *VPR*, V:76-77.

75. 프란츠 황제는 러시아가 "아무런 노력도 하지 않고 갈리치아의 태반을 소유하려" 한다고 걱정했다. Franz to Ferdinand, June 23, 1809, in Pawlowski, *Historja Wojny Polsko-Austrajackiej 1809 Roku*, 444.

76. Rumyantsev to Golitsyn, June 27, 1809, *VPR*, V:85-86. 프랑스어 판본은 비록 축약된 것이긴 해도 Vandal, *Napoléon et Alexandre 1er*, II:547-48에 있다.

77. Caulaincourt to Napoleon, August 3, 1809, in Vandal, *Napoléon et Alexandre 1er*, II:112-13.

78. 루미얀체프가 쓴 편지는 "갈리치아에서 이중적인 역할을 하고 있는 바르샤바 공국 병사들"에 관해 불평한다. "그들은 작센 군대의 병사로서만 활동하는 것이 아니라 폴란드인임을 자처했다. 그들은 조국의 이름으로 포고령을 발표하고 폴란드의 복원을 거론했다. 애국적인 정서에 호소하며 심지어 [바르샤바 공국 밖에서도] 병사들을 모집했다. 폴란드 왕국의 완전한 해체 이후로 [러시아] 황제의 권위 아래 평화롭게 살아온 신민들 가운데 일부는 그러한 호소에 넘어갔다 (…) 이전 폴란드 국가들의 문장이 [러시아] 제국의 국경지대에 다시 등장했다. 그 문장은 모두가 그것이 누구 영토인지 볼 수 있게 하기 위함인가? (…) 폴란드 왕국 복원에 대한 생각이 바르샤바 공국에 살고 있는 사람들의 마음속에 자리 잡고 있다. 그것은 비밀스러운 속내가 아니라 오히려 공공연하게 천명되는 희망이다." Rumyantsev to Caulauincourt, July 27, 1809, *VPR*, V:116-17.

79. "Convention non ratifiée par l'Empereur Napoléon Ier," in *CN*, XX:148-49.

80. 나폴레옹은 1810년 2월 6일 샹파니에게, 자신의 답변과 역제안을 작성하라고 지시했지만(*CN*, no. 16178, XX:149-50을 보라) 러시아 쪽은 프랑스 쪽 초안도 거부했다. 그 대신 알렉산드르는 본질적으로 똑같은 것을 요구하는 새로운 초안을 작성해 보냈다(3월 17일).

81. Napoleon to Caulaincourt, July 1, 1810, in *CN*, no. 16181, XX:158-59.

82. Rumyantsev to Bethmann, June 20, 1809, *VPR*, V:78-79.

83. Alexander to Rumyantsev, August 16, 1809, *VPR*, V:130-31.

84. Phillip Vigel, *Vospominaniya F.F. Vigelya* (Moscow: Katkov i K., 1864), III, 61-62; Caulaincourt to Napoleon, August 2 and August 19, 1809, in Nikolay Mikhailovich, *Diplomaticheskie snoshenia Rossii i Frantsii*, IV:34, 52; Vandal, *Na-*

poléon et Alexandre 1er, II:112-13.

85. Prozorovsky to Golitsyn, August 4, 1809, in *Russkii arkhiv* 2 (1876): 157-59. 프로조롭스키가 러시아 왕가의 독일계 기원, 따라서 그 외래적 성격을 강조하기 위해 "홀슈타인 왕가"라고 비하조로 지칭한 것은 주목할 만하다.

15장 북방문제, 1807-1811

1. Michael Roberts, *The Swedish Imperial Experience, 1650-18* (Cambridge: Cambridge University Press, 1979). 발트 지역에 대한 폭 넓은 개관은 Michael North, *The Baltic: A History* (Cambridge, MA: Harvard University Press, 2015), 117-82를 보라.

2. Hildor A. Barton, *Scandinavia in the Revolutionary Era* (Minneapolis: University of Minnesota Press, 1986), 181.

3. Sten Carl Oscar Carlsson, *Gustaf IV Adolf, en biografi* (Stockholm: Wahlström & Widstrand, 1946); Matti Klinge, *Napoleonin varjo: Euroopan ja Suomen murros 1795-15* (Helsinki: Otava, 2009).

4. 스웨덴에게 포메른의 중요성에 관해서는 Jens E. Olesen, "Schwedisch-Pommern in der schwedischen Politik nach 1806," in *Das Ende des Alten Reiches im Ostseeraum: Wahrnehmungen und Transformationen*, ed. Michael North and Robert Riemer (Köln: Böhlau, 2008), 274-92를 보라.

5. Prince Royal of Denmark to Prince Christian August, November 21, 1806, in *Meddelelser fra krigsarkiverne udgine af Generalstaben* (Copenhagen: F. Hegel & Son, 1885), II:347-48.

6. Gustaf Björlin, *Sveriges krig i tyskland åren 1805-07* (Stockholm: Militärlitteratúr-Föreningens förlag, 1882), 100, 144-54, 162-72, 174-87.

7. Christer Jorgensen, *The Anglo-Swedish Alliance Against Napoleonic France* (New York: Palgrave, 2004), 75-80.

8. Christophe Guillaume de Koch and Frédéric Schoell, *Histoire abrégée des Traités de paix entre les puissances de l'Europe depuis la Paix de Westphalie* (Brussels: Meline, Cans, 1838), III:45-46.

9. Koch and Schoell, *Histoire abrégée*, 47-48. 하지만 다른 동맹국들처럼 스웨덴도 영국이 적절한 군사적 지원을 신속히 해주지 않는다고 불만을 표명했다. 요르겐센은 영국의 "꾸물거림"이 대륙에 파견할 수 있는 병력이 1만 6천 명밖에 없었으며, 원정에 가용한 선박의 용적 톤수 측면에서도 지장을 받은 사실로부터 기인했다고 지적한다. 하지만 더 중요한 것은 "구스타브 4세의 계획이 무엇인지 또 자신들이 얼마나 많은 병력과 보조금을 지급해야 하는지를 정확히 알기 전까지는 (⋯) 영국이 행동에 나서기를 거부했다"는 점이다. Jorgensen, *The Anglo-Swedish Alliance*, 80-89.

10. Björlin, *Sveriges krig i tyskland åren 1805-1807*, 214-26. 프랑스 쪽은 Vigier de Saint-Junien, *Brune's 1807 Campaign in Swedish Pomerania*, trans. and ed. George Nafziger (West Chester, OH: Nafziger Collection, 2001)을 보라.

11. Prince Royal of Denmark to Prince Christian August, November 21, 1806, in *Meddelelser fra krigsarkiverne udgine af Generalstaben* (Copenhagen: F. Hegel & Son, 1885), II:347-48.

12. 덴마크 관리들과 국경지대 지휘관들의 보고서는 *Meddelelser fra krigsarkiverne udgnie af Generalstaben*, II:310ff에, 뮈라의 11월 8일 답변은 II:325에 있다.

13. *Hansard's Parliamentary Debates*, "Papers Relative to the Expedition to Copenhagen," X:765-67, 775-76. Also see Rasmus Glenthøj and Morten Nordhagen Ottosen, *Experiences of War and Nationality in Denmark and Norway, 1807-15* (New York: Palgrave Macmillan, 2014), 30.

14. Canning to Lord Granville Leveson-Gower, July 21 (추신의 날짜는 July 22), A. N. Ryan, "Documents Relating to the Copenhagen Operation, 1807", *Publications of the Navy Record Society* 125, no. 5 (1984): 307-8.

15. *Hansard's Parliamentary Debates*, X:13, 18, 30, 59, 68, 69, 72-73, 74-75, 86-87, 92, 94, 252-66을 보라. 1808년 2월 1-3일의 토론은 부분적으로 http://hansard.millbanksystems.com/volumes/1/10에서 볼 수 있다.

16. Oscar Browning, "A British Agent at Tilsit," *English Historical Review* 17, no. 65 (1902): 110; Thomas Munch-Petersen, "Colin Alexander Mackenzie: A British Agent at Tilsit," *Northern Studies* 37 (2003): 9-16; J. Holland Rose, "A British Agent at Tilsit," *English Historical Review* 16, no. 64 (1901): 712-18; J. Holland Rose, "Canning and the Secret Intelligence from Tilsit (July 16-23, 1807)," *Transactions of the Royal Historical Society* (n.s.) 20 (1906): 61-77.

17. Thomas Munch-Petersen, "The Secret Intelligence from Tilsit: New Light on the Events Surrounding the British Bombardment of Copenhagen in 1807," *Historisk Tidsskrift* 102, no. 1 (2002): 55-96.

18. 훌륭한 논의는 Robert G. Albion, *Forests and Sea Power: The Timber Problem of the Royal Navy, 1652-1862* (Cambridge, MA: Harvard University Press), 특히 20-32를 보라.

19. George Louis Beer, *British Colonial Policy, 1754-1765* (New York: Macmillan, 1907), 215-17. *Remarks on the Probable Conduct of Russia and France Towards This Country, Also on the Necessity of Great Britain Becoming Independent of the Northern Powers for Her Maritime Supplies* (London, 1805), 93-95; Joshua Jepson Oddy, *European Commerce: Shewing New and Secure Channels of Trade with the Continent of Europe* (London, 1805)도 보라.

20. 데이터는 Oddy, *European Commerce*, 398에서 가져왔다.

21. 1805-1806년에 피트 내각에서 외무장관을 지낸 멀그레이브 경 헨리 핍스는

1807년 9월에 제임스 갬비어 제독에게 쓴 편지에서 나폴레옹이 발트해를 폐쇄할 수 있으므로 프랑스의 셀란섬 점령에 관해 특히 우려했다. 멀그레이브는 셀란섬의 탈환이 "매우 엄중한 사안"이라고 여겼는데, 섬을 탈환하면 영국이 발트 지역에 접근할 수 있고 프랑스-러시아 동맹을 쪼갤 쐐기를 박아 넣을 수 있을 것이기 때문이었다. Lord Mulgrave to Gambier, in *Memorials, Personal and Historical of Lord Gambier*, ed. Georgiana Chatterton (London: Hurst and Blackett, 1861), II:43.

22. 1807년 5월 빈 대사로 새로 임명된 펨브루크 경은 던바 함장이 지휘하는 프리깃함 애스트리어호로 코펜하겐을 거쳐 이동할 때 그곳에서 덴마크인들이 선박을 의장하고 있는 것을 목격했다고 주장했다. 펨브루크의 보고서는 덴마크의 전쟁 준비 태세에 관한 던바 함장의 더 자세한 보고로 뒷받침되었다. "펨브루크 경이 실제로 본 것이 뭔지는 예나 지금이나 수수께끼"라고 오늘날의 덴마크 역사가들은 말한다. 당시 유일하게 의장된 배는 어느 러시아 공녀를 상트페테르부르크에 데려다주기 위해 준비 중인 전열함 뿐이었다. Glenthøj and Ottosen, *Experiences of War and Nationality in Denmark and Norway*, 31. A. N. Ryan, "The Causes of the British Attack upon Copenhagen in 1807," *English Historical Review* 63, no. 266 (1953): 43ff도 보라.

23. Carl J. Kulsrud, "The Seizure of the Danish Fleet in 1807," *American Journal of International Law* 32, no. 2 (1938): 280-311. 더 비판적인 시각은 Eric Moller, "England og Danmark-Norge 1807," *Dansk Historisk Tidsskrift* 8, no. 3 (1912): 310-21.

24. Glenthøj and Ottosen, *Experiences of War and Nationality in Denmark and Norway*, 32.

25. Napoleon to Talleyrand, July 31, 1807, in *CN*, XV: 459-60. 이틀 뒤에 그는 한 자도시들의 총독에게 편지를 쓰면서 동일한 의향을 표명했다. "덴마크가 영국에 선전포고를 하든지 아니면 내가 덴마크에 선전포고를 할 것이다." Napoleon to Bernadotte, August 2, 1807, in *CN*, XV:467.

26. Glenthøj and Ottosen, *Experiences of War and Nationality in Denmark and Norway*, 30-31. H. Arnold Barton, *Scandinavia in the Revolutionary Era, 1760-1815* (Minneapolis: University of Minnesota Press, 1986), 277-78도 보라.

27. John D. Grainger, *The British Navy in the Baltic* (Woodbridge: Boydell Press, 2014), 167-71; Ryan, "The Causes of the British Attack upon Copenhagen in 1807," 51-52.

28. Glenthøj and Ottosen, *Experiences of War and Nationality in Denmark and Norway*, 29-31.

29. J. Bernstorff to Prince Regent, August 3, 1807, in *Historisk Tidsskrift* 6, no. 1 (1887-88): 38.

30. Glenthøj and Ottosen, *Experiences of War and Nationality in Denmark and*

Norway, 42-45.

31. Grainger, *The British Navy in the Baltic*, 173.

32. Sir Arthur Paget, *The Paget Papers: Diplomatic and Other Correspondence of the Right Hon. Sir Arthur Paget, G.C.B., 1794-1807*, ed. Augustus Berkeley Paget (London: W. Heinemann, 1896), II:376.

33. Avgustina Stanislavskaya, *Russko-angliiskie otnosheniya i problemy Sredizemnomorya, 1798-07* (Moscow: USSR Academy of Sciences, 1962), 482.

34. Declaration on the Rupture of the Peace with England, November 5, 1807, in *PSZ*, XXIX:1306-8.

35. 1830년대에 들어서고 한참 지나서까지도 코펜하겐 곳곳에 눈에 띄던 포격 흔적들 덕분에 영국의 공격에 대한 기억은 대중의 뇌리에 오래도록 남아 있었다.

36. 북독일에서 프랑스의 군사적 존재감은 물론 홀슈타인과 슐레스비히나 여타 영토를 내주는 것 말고는 덴마크 정부에 별다른 현실적 선택지를 주지 않았다.

37. 덴마크인과 노르웨이인들은 전쟁 동안 2천 척의 영국 상선을 압류했고 가끔은 영국 전함과도 싸웠다(얼마간 성공도 거뒀다).

38. T. K. Derry, *History of Scandinavia* (Minneapolis: University of Minnesota Press, 1979), 204-5.

39. Jón Rúnar Sveinsson, *Society, Urbanity and Housing in Iceland* (Gävle, Sweden: Meyers, 2000), 43. 아이슬란드의 총인구는 4만 7천 명을 조금 넘었다. Richard Tomasson, *Iceland: The Frist New Society* (Minneapolis: University of Minnesota Press, 1980), 58.

40. Anna Agnarsdottir, "Scottish Plans for the Annexation of Iceland, 1785-1813," *Northern Studies* 29 (1992): 83-91.

41. 자세한 내용은 Anna Agnarsdottir, "The Imperial Atlantic System: Iceland and Britain During the Napoleonic Wars," in *Atlantic History: History of the Atlantic System 1580-1830*, ed. Horst Pietschmann (Gottingen: Vandenhoeck & Ruprecht, 2002), 497-512; Agnarsdottir, "The Challenge of War on Maritime Trade in the North Atlantic: The Case of the British Trade to Iceland during the Napoleonic Wars," in *Merchant Organization and Maritime Trade in the North Atlantic, 1660-1815*, ed. Olaf Uwe Jansen (St. John's, Newfoundland: International Maritime Economic History Association, 1998), 221-58을 보라. 조셉 뱅크스와 아이슬란드에 관해서는 Anna Agnarsdóttir, ed., *Sir Joseph Banks, Iceland and the North Atlantic 1772-1820: Journals, Letters and Documents* (London: Hakluyt Society, 2016)을 보라.

42. Samuel Phelps, *Observations on the Importance of Extending the British Fisheries Etc.* (London: W. Simpkin, 1817), 58.

43. Gunnar Karlsson, *The History of Iceland* (Minneapolis: University of Minnesota Press, 2000), 195-96.

44. 전기적 연구는 Sarah Bakewell, *The English Dane: From King of Iceland to Tasmanian Convict* (New York: Random House, 2011)를 보라.

45. Jørgen Jørgensen, *The Convict King, Being the Life and Adventures of Jorgen Jorgenson* (London: Ward & Downey, 1891), 69-70.

46. 요르겐센은 감옥에서 2년을 보냈다. 석방된 뒤에는 유럽과 오스트레일리아를 떠돌았다.

47. Anna Agnarsdóttir, "Iceland Under British Protection During the Napoleonic Wars," in *Scandinavia in the Age of Revolution: Nordic Political Cultures, 1740-1820*, ed. Pasi Ihalainen, Karin Sennefelt, Michael Bregnsbo, and Patrik Winton (Burlington, VT: Ashgate, 2011), 255-66.

48. Jorgensen, *The Anglo-Swedish Alliance*, 100-125.

49. 러시아는 프리데릭스함, 빌만스트란트(라펜란트), 네슐로트(사본린나) 같은 도시를 비롯해 핀란드에서 추가로 영토를 받았다.

50. Sam Clason, *Gustaf IV Adolf och den europeiska krisen under Napoleon: Historiska uppsatser* (Stockholm: Geber, 1913), 102-3. 문제의 외교관은 러시아 주재 스웨덴 대사 쿠르트 보기슬라우스 루드비그 크리스토퍼 폰 스테딩크로서, 스테딩크는 러시아 재상 니콜라이 루미얀체프와의 대화 내용을 보고했다. Stedingk to Gustavus IV, December 5, 1807, in *Mémoires posthumes du Feld-Maréchal Comte de Stedingk* (Paris: Arthus-Bertrand, 1845), II:398.

51. Clason, *Gustaf IV Adolf*, 104.

52. 러시아-스웨덴 간 협상은 Clason, *Gustaf IV Adolf*, 104-15; Carl Henrik von Platen, *Stedingk: Curt von Stedingk (1746-1837): kosmopolit, krigare och diplomat hos Ludvig XVI, Gustavus III och Katarina den stora* (Stockholm: Atlantis, 1995), 241-44를 보라.

53. Henry Crabb Robinson, *Diary, Reminiscences and Correspondence*, ed. Thomas Sadler (Boston: Fields, Osgood, 1870), I:167.

54. "Declaration on Imposing Embargo on the English Vessels," November 9, 1807, *PSZ*, XXIX: 1316. 러시아 정부는 포고령을 내리기 직전에 항구 당국자들에게 영국 선박을 억류하라는 비밀 지령을 내렸지만 소식이 금방 퍼져나가서 수십 척의 영국 선박이 황급히 러시아 해안에서 출항했다. 크론슈타트와 리가에서만 화물을 가득 실은 영국 선박 60척이 닻을 올리고 항구를 빠져나갔다. M. Zlotnikov, *Kontinentalnaya blokada i Rossiya* (Moscow: Nauka, 1966), 136-37.

55. 러시아 외교관들은 스웨덴의 군사 시설과 병력에 관한 첩보 보고서를 꾸준히 올렸다. Clason, *Gustaf IV Adolf*, 124-29를 보라.

56. Alexander Mikhailovsky-Danilevsky, *Opisanie Finlyandskoi Voiny v 1808 i 1809 godakh* (St. Petersburg, 1841), 7-9; G. Zakharov, *Russko-Shvedskaya Voina 1808-09 gg.* (Moscow, 1940), 10; *Narrative of the Conquest of Finland by the Russians in the Years 1808-09: From an Unpublished Work by a Russian Officer of*

Rank, ed. Gen. Monteith (London, 1854), 1-2. 마지막 출전은 이 전역에 참가한 쉬흐텔린 장군이 쓴 연구서의 영역본이다.

57. *Narrative of the Conquest of Finland*, 3-4. 더욱이 상트페테르부르크에 파견된 덴마크 사절 오토 폰 블룸은 스테딩크에게, 러시아가 스웨덴을 곧 공격할 생각이며 덴마크는 이 전쟁 노력을 지지해야 할 것이라고 말했다. 이 정보는 스톡홀름에서 무시되었고 스웨덴 정부는 러시아의 핀란드 침공이 개시된 지 2주일이 지난 1808년 3월 7일에야 덴마크가 러시아 편에 가담했음을 알게 되었는데 그마저도 러시아 외교문서 배달원을 스톡홀름 북쪽에서 붙잡아 수중의 문서를 압수한 다음에 알게 된 것이었다. 이 정보를 알려준 모르텐 노르드하겐 오토센에게 감사하다.

58. 스웨덴은 5만 명 정도를 동원할 수 있었지만 이 가운데 1만 9천 명(1만 4984명은 정규군이고 4천 명은 민병대였다)만이 핀란드에서 칼 나타나엘 클레르케르 장군 휘하에 있었다. 7천 명 전력의 수비대가 북방의 지브롤터로 알려진 핀란드만 해안의 스베아보리 요새를 지켰다. Erik Hornborg, *När Riket Sprängdes: Fälttågen i Finland och Västerbotten 1808-09* (Stockholm, 1955), 24; Johan Gustaf Björlin, *Finska Kriget 1808 och 1809* (Stockholm, 1905), 16.

59. Raymond Carr, "Gustavus IV and the British Government 1804-9," *English Historical Review* 60, no. 236 (January 1945): 58-61.

60. Gustavus to Klingspor, February 5, 1808, in Mikhailovsky-Danilevsky, *Opisanie Finlyandskoi voiny*, 16.

61. Clason, *Gustaf IV Adolf*, 130-34. 러시아는 심지어 스테딩크 대사에게 한동안 통행증을 내주지 않았고 통행증을 내준 다음에도 스웨덴에 제때에 도착해 임박한 공격을 경고하지 못하도록 그의 귀국 경로를 자꾸 바꿨다.

62. "Proclamation of February 28," "Address to Local Population," "Address to Finnish Soldiers," February 22-28, 1808, *VPR*, IV:170, 176.

63. Generalstabens krigshistoriska afdelning, *Sveriges krig åren 1808 och 1809* (Stockholm: Kongl. boktryckeriet P. A. Norstedt & söner, 1890), II:101-76.

64. 스웨덴 전시 내각은 수세적 자세를 취하고 병력을 핀란드 서부로 철수시키는 마우리츠 클링스포르 원수의 방안을 지지했다. Generalstabens krigshistoriska afdelning, *Sveriges krig åren 1808 och 1809*, II:86-97; Hornborg, *När Riket Sprängdes*, 6, 13-14, 20-26, 31-36, 47-50; Anders Persson, *1808: Gerillakriget i Finland* (Stockholm, 1986), 19-20; Allan Sandström, *Sveriges sista krig: de dramatiska åren 1808-09* (Örebro: Bokförlaget Libris, 1994), 16-17; Björlin, *Finska Kriget 1808 och 1809*, 18-24. Martin Hårdstedt, *Finska kriget 1808-09* (Stockholm: Prisma, 2006)도 보라.

65. Generalstabens krigshistoriska afdelning, *Sveriges krig åren 1808 och 1809*, II:159-65; Hornborg, *När Riket Sprängdes*, 87-99; Zakharov, *Russko-Schvedskaya voina*, 30-33; Mikhailovsky-Danilevsky, *Opisanie Finlyandskoi voiny*, 80-91;

Petrus Nordman, *Krigsman och krigsminnen* (Helsingfors: Schildt, 1918), 120-22.

66. Alexander Bulgakov to Constantine Bulgakov, May 11, 1808, *Russkii arkhiv 37*, no. 3 (1899): 55; *Polnoe sobranie zakonov Rossiiskoi imperii*, XXX, no. 22,881.

67. Jacob von Ræder, *Danmarks Krigs- og Politiske Historie fra Krigens udbrud 1807 til freden til Jönköping den 10de december* (Copenhagen: Reitzel, 1847), II:98-102. 덴마크의 선전포고문은 2월 29일에 작성되었지만 정식 포고는 일부러 2주 동안 미뤘는데 러시아가 침공하면 스웨덴이 협상에 의한 타결을 추구해 덴마크가 싸움에 나서지 않아도 되지 않기를 바랐기 때문이다.

68. 덴마크는 1645년 브룀세브로 조약(노르웨이의 옘틀란드, 헤리에달렌, 이드레, 세르나 주와 더불어 발트해의 고틀란드와 외셀섬)과 1658년 로스킬데 조약(덴마크의 스코네, 블레킹에, 할란드, 보른홀름 주와 노르웨이의 보후슬렌, 트뢰넬라그 주)에 의거해 영토를 대규모로 할양해야 했다. 자세한 내용은 Michael Roberts, *The Swedish Imperial Experience, 1560-1718* (Cambridge: Cambridge University Press, 1979), 7-8; Robert Frost, *The Northern Wars: War, State and Society in Northeastern Europe 1558-1721* (New York: Longman, 2000), 135-41, 180-82를 보라.

69. 전쟁 전야에 덴마크의 외교적, 군사적 노력은 Ræder, *Danmarks Krigs- og Politiske Historie*, II:78-105, 158-66을 보라.

70. Ehrenheim to Wetterstedt, March 4, 1808, in *Handlingar ur v. Brinkman'ska archivet på Trolle-Ljungby*, ed. Gustaf Andersson (Ürebro: N. M. Lindh, 1865), II:211. Carl Gustaf von Brinkman to Essen, March 9, 1808, in Hilma Borelius, *Carl Gustaf von Brinkman* (Stockholm: A. Bonnier, 1918), II:230-31도 보라. 칼 구스타프 폰 브링크만은 부재상이자 런던 주재 스웨덴 대사였다.

71. Wetterstedt to Adlerberg, March 17, 1808, cited in Christer Jorgensen, "The Common Cause: The Life and Death of the Anglo-Swedish Alliance Against France, 1805-1809," Ph.D. diss., University College London, 1999, 144-45.

72. Sven G. Trulsson, "Canning, den hemliga kanalen till förhandlingerna i Tilsit och invasionsföretaget mot Köpenhamn 1807," *Scandia* 29 (1963): 320-59.

73. Karen Larsen, *History of Norway* (Princeton, NJ: Princeton University Press, 1950), 366.

74. Elof Tegnér, *Gustaf Mauritz Armfelt* (Stockholm: Beijer, 1887), III:145-52.

75. Carl Fredrik Meijer, *Kriget emellan Sverige och Danmark, åren 1808 och 1809* (Stockholm: O. L. Lamm, 1867), 71-108; Ernst von Vegesack, *Svenska arméens fälttåg uti Tyskland och Norrige åren 1805, 1806, 1807 och 1808* (Stockholm: L. J. Hjerta, 1840), 102-10.

76. Hornborg, *När Riket Sprängdes*, 87-105; Björlin, *Finska Kriget 1808 och 1809*, 91-107, 248-60, 269-73.

77. 핀란드 게릴라 전쟁은 Persson, 1808; Jussi T. Lappalainen, Lars Ericson Wolke, and Ali Pylkkänen, *Sota Suomesta: Suomen sota 1808-09* (Hämeenlinna: Suomalaisen Kirjallisuuden Seura, 2007)를 보라.

78. Persson, *1808*, 125-43, 145-65.

79. Imperial Manifesto of June 17, 1808, and Imperial Decree of February 1, 1809, in D. G. Kirby, ed., *Finland and Russia, 1808-20: From Autonomy to Independence: A Selection of Documents* (London: Macmillan, 1975), 12-14.

80. Eino Jutikkala and Kauko Pirinen, *A History of Finland* (New York: Praeger, 1962), 147-50, 159-71, 176-77; Fred Singleton (with A. F. Upton), *A Short History of Finland* (Cambridge: Cambridge University Press, 2003), 58-60.

81. Andreas Kappeler, *The Russian Empire: A Multiethnic History* (London: Longman, 2001), 60-212 (핀란드에 관해서는, 94-98). Jyrki Paaskoski, "Venäjän keisarikunta ja Suomen suuriruhtinaskunnan synty 1808-20," in *Venäjän keisarikunta ja Suomen suuriruhtinaskunnan synty 1808-20* (Helsinki: Kansallisarkisto, 2009), 42-46; Max Engman, *Pitkät jäähyväiset: Suomi Ruotsin ja Venäjän välissä vuoden 1809 jälkeen* (Helsinki: Werner Söderström Osakeyhtiö, 2009)도 보라.

82. Mulgrave to Saumarez, February 20, 1808, in James Saumarez, *The Saumarez Papers: Selections from the Baltic Correspondence of Vice-Admiral Sir James Saumarez, 1808-12*, ed. A. N. Ryan (London: Navy Records Society, 1968), 7. 전대는 빅토리호(100문), 센토어호, 수퍼브호, 임플래커블호, 브런즈윅호, 마스호, 오라이언호, 골라이어스호, 뱅가드호(모두 74문), 딕테이터호와 아프리카호(각각 64문), 그리고 프리깃함 5척으로 구성되어 있었다. Tom Voelcker, *Admiral Saumarez Versus Napoleon: The Baltic, 1807-12* (Woodbridge: Boydell Press, 2008), 34-38도 보라.

83. Admiralty to Saumarez, April 16-22, 1808, in *The Saumarez Papers*, 11-14. Castlereagh to the King, April 17, 1808, in George III, *The Later Correspondence of George III*, ed. A. Aspinall (Cambridge: Cambridge University Press, 1970), V:65-66; Christopher Hall, *British Strategy in the Napoleonic Wars, 1803-1815* (Manchester: Manchester University Press, 1992), 163-64; Rory Muir, *Britain and the Defeat of Napoleon, 1807-1815* (New Haven: Yale University Press, 1996), 26도 보라.

84. Voelcker, *Admiral Saumarez Versus Napoleon*, 38-41. 이 문제는 런던 주재 스웨덴 대사가 본국의 지침을 크게 넘어서서 영국 정부에 획약을 해준 것에서 기인했다.

85. D. W. Davies, *Sir John Moore's Peninsular Campaign 1808-1809* (The Hague: Martinus Nijhoff, 1974), 35에서 인용.

86. Jorgensen, *The Anglo-Swedish Alliance*, 145-52.

87. Voelcker, *Admiral Saumarez versus Napoleon*, 38-42; Hall, *British Strategy*, 165.

88. Charles Oman, *A History of the Peninsular War* (1902; rpt., Oxford: Clarendon

Press, 2004), I:369-70.

89. 사실, 일찍이 1808년 4월에 조지 캐닝은 로마나 사단의 덴마크 탈출을 돕는 데 관심을 표명했다.

90. James Robertson, *Narrative of a Secret Mission to the Danish Islands in 1808* (London: Longman, Roberts, and Green, 1863), 1-83.

91. Paul Louis Hippolyte Boppe, *Les Espagnols à la Grande-Armée: le corps de la Romana, 1807-08; le régiment Joseph-Napoléon, 1809-13* (Paris: C. Terana, 1986).

92. Nikolai Dubrovin, "Russkaya zhizn' v nachale XIX veka," *Russkaya starina* 107, no. 9 (1901): 449.

93. 1804-1813년 러시아-페르시아 전쟁 때, 1809년 존 맬컴 경의 사절단에 동행한 영국군 장교들이 개혁이 진행 중이던 페르시아 군대를 훈련시키고 수포로 돌아 간 조지아 원정에 함께했다는 사실은 주목할 만하다. 그런 장교들 가운데 한 명 인 윌리엄 몬테이스는 나중에 국경지대 병력과 에리반 수비대를 지휘했다. 16장을 보라.

94. 최초 전시 행위 가운데 하나로서 영국 당국자들은 영국 항구의 러시아 선박을 억류했는데 이 가운데는 드미트리 세니야빈 제독의 지중해 전대에 지급할 봉급을 싣고 있던 44문짜리 러시아 프리깃함 스페슈니코를 포츠머스 항구에, 태평양으로 탐사 원정에 나선 바실리 골로빈 휘하 슬루프선 디아나호를 남아프리카의 사이먼스타운에 억류한 행위도 포함된다.

95. 자세한 내용은 Donald D. Howard, "Portugal and the Anglo-Russian Naval Crisis (1808)," *Naval War College Review* 34 (1981): 48-74; N. Skritskii, *Admiral Senyavin* (Moscow: Veche, 2013)를 보라.

96. James Saumarez, *Memoirs and Correspondence of Admiral Lord de Saumarez*, ed. James Ross (London: Richard Bentley, 1838), II:98-101.

97. Voelcker, *Admiral Saumarez Versus Napoleon*, 55-56.

98. *Times*, July 29, 1809; *London Gazette*, August 22, 1809, July 9, 1811, February 24, 1810.

99. Treaty of Örebro, July 18, 1812, in *British and Foreign State Papers, 1812-14* (London: James Rigway and Sons, 1841), I, pt. 1, 13-15.

100. Ehrenheim to Adlerberg, July 7, 1808, cited in Jorgensen, *The Anglo-Swedish Alliance*.

101. Jorgensen, *The Anglo-Swedish Alliance*, 140-52.

102. Anthony Merry to Canning, February 24, 1809, FO 73/54.

103. Anders Grade, *Sverige och Tilsitalliansen (1807-10)* (Lund: Gleerupska univ.-bokhandeln, 1913), 265-79.

104. Björlin, *Finska Kriget 1808 och 1809*, 216-31, 234-47; Alexander Mikaberidze, "'The Lion of the Russian Army': Life and Military Career of General Prince

Peter Bagration 1765-1812," Florida State University, Ph.D. diss., 2003, 458-60.

105. I. I. Kiaiviarianen, *Mezhdunarodnie otnoshenia na severe Evropi v nachale XIX veka i prisoedinenie Finlandii k Rossii v 1809 godu* (Petrozavodsk: Karelskoe knizhnoe izd-vo, 1965), 36-41, 146-53, 172-93, 211-25.

106. Singleton, *A Short History of Finland*, 63-66.

107. Meijer, *Kriget emellan Sverige och Danmark*, 124-55.

108. 구스타브는 1808년 9월 핀란드 상륙 작전 실패를 이유로 근위연대 3개를 강등시키고, 100명이 넘는 장교들을 직무 불이행과 비겁 행위로 기소했다.

109. 깊이 있는 논의는 Sten Carl Oscar Carlsson, *Gustaf IV Adolfs fall: krisen i riksstyrelsen, konspirationerna och statsvälvningen (1807-09)* (Lund: C. Bloms boktryckeri, 1944)을 보라.

110. Merry to Canning, March 12, 1809, FO, 73/55.

111. 스웨덴의 정치적 미래를 논의하기 위해 5월 1일 릭스다그(국회)가 개원했다. 릭스다그는 더 많은 권력을 입법부와 국왕 자문회의에 위임함으로써 스웨덴 군주정의 권력을 제한하는 신헌법을 기안하여 승인했다(이 헌법은 1975년까지 유지되었다). 6월 5일에는 쇠데르만란드 공작 칼이 국왕 칼 13세(1809-1818)로 선출되었다. Franklin D. Scott, *Sweden: The Nation's History* (Carbondale: Southern Illinois University Press, 1988), 295-96; H. Arnold Barton, "The Swedish Succession Crises of 1809-1810 and the Question of Scandinavian Union," in *Essays on Scandinavian History* (Carbondale: Southern Illinois University Press, 2009), 136-60; Allan Sandström, *Sveriges Sista Krig: De Dramatiska Åren 1808-09* (Örebro: Bokförlaget Libris, 1994), 127-59; Walter Sandelius, "Dictatorship and Irresponsible Parliamentarism—A Study in the Government of Sweden," *Political Science Quarterly* 49, no. 3 (1934): 347-71. 구스타브 아돌프 국왕은 9개월 동안 억류되어 있다가 풀려났다. 그는 1809년 12월에 스웨덴을 떠났고, 1812년에 아내와 이혼했으며 스위스에서 30년 가까이 매우 고독하고 궁핍하게 살다가 1837년에 세상을 떠났다.

112. 역사서술을 살펴보려면 Åke Sandström, "Sveriges 1809: föreställningar om finska kriget under 200 år," in *Fänrikens marknadsminne: Finska kriget 1808-09 och dess följder i eftervärldens ögon*, ed. Max Engman (Jyväskylä: SLS Atlantis, 2009), 28-54를 보라.

113. H. Arnold Barton, "Late Gustavian Autocracy in Sweden: Gustaf Iv Adolf and His Opponents, 1792-1809," in *Essays on Scandinavian History* (Carbondale: Southern Illinois University Press, 2009), 118-20; Mikael Alm, "Dynasty in the Making: A New King and His 'Old' Men in Royal Ceremonies 1810-44," in *Scripts of Kingship: Essays on Bernadotte and Dynastic Formation in an Age of Revolution*, ed. Mikael Alm and Britt-Inger Johansson (Uppsala: Opuscula

Historica Upsaliensia, 2008), 23-48; Pasi Ihalainen and Anders Sundin, "Continuity and Change in the Language of Politics at the Swedish Diet, 1769-10," in *Scandinavia in the Age of Revolution: Nordic Political Cultures, 1740-1820*, ed. Pasi Ihalainen, Michael Bregnsbo, Karin Sennefelt, and Patrik Winton (Farnham: Ashgate, 2011), 169-92.

114. Merry to Canning, March 14-19, 1809, FO 73/55.

115. Napoleon to Karl, April 12, 1809, in Peter A. Granberg, *Historisk tafla af F.D. Konung Gustaf IV Adolfs sednaste regerings-år* (Stockholm: C. Delén, 1811), II:151-52.

116. 영국 사절은 자국 정부는 스웨덴 내정에, 더욱이 비협조적인 구스타브를 복위시키는 계획에 엮이고 싶은 생각이 없다고 말하며 거절했다. Merry to Canning, April 21-25, 1809, FO 73/55.

117. Mikaberidze, "The Lion of the Russian Army," 467-77; Mikhailovsky-Danilevsky, *Opisanie Finliandskoi Voini v 1808 i 1809 godakh*, 396-408; K. Ordin, *Pokorenie Finlandii: opit opisanie po neizdannim istochnikam* (St. Petersburg, 1889), I:419-20; H. Algren, "Furst Barclay de Tollys tåg öfver Bottniska viken 1809. (Ur ryska generalen von Bergs efterlämnade papper)," *Svensk Militär Tidskrift*, 1914, 195-99.

118. Algren, "Furst Barclay de Tollys tåg öfver Bottniska viken 1809," 196-97. Ordin, *Pokorenie Finlandii*, 421도 보라.

119. Mikhail Borodkin, *Istoriia Finliandii: vremia Imperatora Aleksandra I* (St. Petersburg, 1909), 198; Mikhailovsky-Danilevsky, *Opisanie Finliandskoi Voini v 1808 i 1809 godakh*, 404-8.

120. Karl to Alexander I, March 18, 1809, in Granberg, *Historisk tafla af F.D. Konung Gustaf IV Adolfs sednaste regerings-år*, II:145-46. 칼은 덴마크 국왕과 나폴레옹에게도 서신을 보냈다(II:147-48).

121. Ordin, *Pokorenie Finlandii*, 426. 참전병 중 한 명인 쉬흐텔런 장군은 다음과 같이 썼다. "크노링은 휘하 군대의 안전을 걱정했다: 그는 유능하고 노련한 장군이었지만 모험심이 부족했고 그런 모험심이 없다면 전쟁에서 성공을 거둘 수 없다. 그는 위험 부담을 너무 철저하게 계산하는 경향이 있어서 어느 것도 운에 맡기지 않으려고 했다. 그러므로 매우 합당한 동기가 없지는 않았지만 이 빛나는 기회를 너무 쉽게 포기해버렸다." *Narrative of the Conquest of Finland by the Russians in the Years 1808-09: From an Unpublished Work by a Russian Officer of Rank*, ed. Gen. Monteith (London, 1854), 194. 크노링이 핀란드로 철수하기로 결심했다는 소식을 듣고 스웨덴 장군 크론스테트는 "크노링이 그렇게 경솔하게 행동할 거라고는 도저히 믿을 수 없다"라고 말했다. Borodkin, *Istoriia Finliandii*, 198.

122. 크노링이 바르클라이 드 톨리에게, 스트로가노프가 슐첸하임에게, 휴전 조약

(바르클라이 드 톨리와 크론스테트 사이), 휴전 조약(그리펜베리와 슈발로프 사이), 1809년 3월 20-25일, *VPR*, IV:539-41, 546-49, 693-94, 698-99. 러시아 전쟁대신 알렉세이 아락체예프도 이 결정에 공동 책임이 있다. 러시아 병력이 스웨덴 본토를 막 침공하려는 차에 그는 만약 이 공세가 어떤 식으로든 차질을 빚는다면 군대와 더 중요하게는 자신에게 심각한 후폭풍이 몰아닥칠 것임을 깨달았다. 그러므로 그는 공세 중지를 명령하고 알렉산드르 황제에게 추가 지시를 내려달라고 요청했다. 황제는 이미 전쟁대신에게 "핀란드 전체에 걸쳐 전권"을 부여했음에도 말이다. 황제의 지시를 받는 데 소요될 시간과 거리를 고려할 때 아락체예프의 행동은 한마디로 침공 작전에 필요한 귀중한 시간을 허비하는 행위였다. Alexander to Arakcheyev, March 7/19, 1809, in Nikolai Shilder, *Imperator Aleksandr Pervyi, ego zhizn' i tsarstvovanie* (St. Petersburg: A. S. Suvorin, 1897), II:238; Ordin, *Pkorenie Finlandii*, 421; Mihailovsky-Danilevsky, *Opisanie Finlaiandskoi Voini v 1808 i 1809 godakh*, 388-89; Borodkin, *Istoriia Finliandii*, 195, 199-200.

123. Voelcker, *Admiral Saumarez Versus Napoleon*, 90-92.

124. Ordin, *Pokorenie Finlandii*, 430-31; Borodkin, *Istoriia Finliandii*, 200.

125. 이를 이해하려면, Lee Sather, *The Prince of Scandinavia: Prince Christian August and the Scandinavian Crisis of 1807-10* (Oslo: Forsvaretsmuseet, 2015)를 보라. 이 중대한 저작을 알려준 모르텐 노르드하겐 오토센에게 감사드린다.

126. Meijer, *Kriget emellan Sverige och Danmark*, 189-98.

127. Erik Hamnström, *Freden i Fredrikshamn* (Uppsala: Wretmans tryckeri, 1902), 83-87, 91.

128. Hamnström, *Freden i Fredrikshamn*,104.

129. Originaltraktater med främmande makter (traktater), 17 September 1809, Riksarkivet (Swedish National Archives), SE/RA/25.3/2/44/A (1809).

130. 비록 일부 스웨덴인들에게 이는 "국가적 트라우마"의 순간이었지만 "자랑스러운 핀란드 국가"의 상실에 대한 스웨덴 대중의 전체적인 반응은 사실 퍽 잠잠했다. 민족주의적인 스웨덴 역사가들의 저작이 1808-09년의 사건들을 "국가적 참사"로 묘사하기 시작한 것은 19세기 후반기에 들어와서다. Henrik Edgren, "Traumakonstruktionen: Svensk historieskrivning om rikssprängningen 1809," *Scandia* 76, no. 1 (2010): 9-39를 보라.

131. Petri Karonen, *Pohjoinen suurvalta: Ruotsi ja Suomi 1521-1809* (Helsinki: WS Bookwell, 2008), 434-36.

132. Oswald Kuylenstierna, *Karl Johan och Napoleon 1797-1814* (Stockholm: Geber, 1914), 172-77.

133. Hans Klaeber, Marskalk Bernadotte: *Kronprins af Sverige* (Stockholm: Norstedt, 1913), 250-58.

134. Napoleon to Bernadotte, September 10, 1810, in *CN*, XXI:100.

135. Dunbar Plunket Barton, *Bernadotte and Napoleon, 1763-1810* (London: John Murray, 1921), 307.

16장 사면초가의 제국 : 오스만 제국과 나폴레옹 전쟁

1. 더 깊이 있는 논의는 Suraiya N. Faroqhi, ed., *The Cambridge History of Turkey, vol. 3, The Later Ottoman Empire, 1603-1839* (Cambridge: Cambridge University Press, 2006), 135-225를 보라.

2. 18세기 오스만 제국에 대한 흥미로운 개관은 Ali Yaycioglu, *Partners of the Empire: The Crisis of the Ottoman Order in the Age of Revolutions* (Stanford, CA: Stanford University Press, 2016), 17-156을 보라. 오스만 제국이 심지어 수도에서도 직면했던 난제들에 관한 더 심도 깊은 논의는 Betül Başaran, *Selim III: Social Control and Policing in Constantinople at the End of the Eighteenth Century: Between Crisis and Order* (Boston: Brill, 2014), 13-105; Betül Başaran and Cengiz Kirli, "Some Observations on Constantinople's Artisans During the Reign of Selim III (1789-1808)," in *Bread from the Lion's Mouth: Artisans Struggling for a Livelihood in Ottoman Cities*, ed. Suraiya Faroqhi (New York: Berghahn Books, 2015), 259-77을 보라.

3. 오스만 군대의 부침에 관한 훌륭한 개관은 Virginia H. Aksan, "War and Peace," in *The Cambridge History of Turkey*, vol. 3, *The Later Ottoman Empire, 1603-1839*, ed. Suraiya N. Faroqhi (Cambridge: Cambridge University Press, 2006), 81-118을 보라.

4. 버지니아 H. 악산은 프랑스 전문 기술자들이 중요하긴 하나, 대포의 주조와 야전 포병대의 신병을 모집하고 훈련시키는 데 그들의 영향력이 과대평가되었음을 보여준다. Virginia H. Aksan, "Breaking the Spell of the Baron de Tott: Reframing the Question of Military Reform in the Ottoman Empire, 1760-1830," *International History Review* 24, no. 2 (2002): 258-63을 보라.

5. 오스만의 해군 개혁에 관한 깊이 있는 논의는 Tuncay Zorlu, *Innovation and Empire in Turkey: Sultan Selim III and the Modernisation of the Ottoman Navy* (London: Tauris Academic Studies, 2008)를 보라.

6. 버지니아 악산이 주장하듯이 셀림의 군사개혁은 "오스만 사회 내 개혁의 기운과 그 뚜렷한 목소리"라는 맥락 안에서 봐야 한다. 셀림에게 군대의 변화는 왕조적, 종교적 이데올로기의 재정립, 관료제 개혁 그리고 새로운 엘리트계층을 권력 중심부로 통합하는 과제와 복잡하게 얽혀 있었다. Virginia H. Aksan, *Ottoman Wars 1700-1870: An Empire Besieged* (New York: Pearson, 2007), 180-81.

7. Aksan, *Ottoman Wars*, 192-97; Stanford J. Shaw, "The Origins of Ottoman Military Reform: The Nizam-I Cedid Army of Sultan Selim III," *Journal of Modern History* 37 (1965): 291-305. Also see Niyazi Berkes, *The Development of Secular-*

ism in Turkey (Montreal: McGill University Press, 1964), 72-81; Gabor Agoston, "Military Transformation in the Ottoman Empire and Russia, 1500-1800," *Kritika: Explorations in Russian and Eurasian History* 12 (2011): 281-319.

8. Zorlu, *Innovation and Empire in Turkey*, 15-76.

9. Enver Ziya Karal, *Selim III'ün hatt-i hümayunları: Nizam-i Cedit: 1789-1807* (Ankara: Türk Tarih Kurumu Basımevı, 1946), 81-93; Osman Özkul, *Gelenek ve modernite arasında Osmanlı ulemâsı* (İstanbul: Birharf Yayınları, 2005), 316ff.

10. Karal, *Selim III'ün hatt-i hümayunları*, 43-81.

11. 18세기 통치와 외교에서 울라마의 확장된 역할에 관한 논의는 Madeline C. Zilfi, "The Ottoman Ulama," in *The Cambridge History of Turkey*, vol. 3, *The Later Ottoman Empire, 1603-1839*, ed. Suraiya N. Faroqhi (Cambridge: Cambridge University Press, 2006), 223-25; Uriel Heyd, "The Ottoman Ulama and Westernization at the Time of Selim IIII and Mahmud II," in *Studies in Islamic History and Civilization* (Jerusalem: Magnes Press, Hebrew University, 1961), 63-96을 보라.

12. Virginia Aksan, "Locating the Ottomans in Napoleon's World," in *Napoleon's Empire: European Politics in Global Perspective*, ed. Ute Planert (London: Palgrave, 2015), 283.

13. 깊이 있는 논의는 Dušan Pantelić, *Beogradski pašaluk: posle svištovskog mira, 1791-1794* (Belgrade: Grafički zavod "Makarije," 1927)를 보라.

14. Robert Zens, "Pasvanoglu Osman Pasa and the Pasalik of Belgrade, 1791-1807," *International Journal of Turkish Studies* 8, nos. 1-2 (2002): 89-104. D. Ikhchiev, ed., *Turski dŭrzhavni dokumenti za Osman pazvantoglu Vidinski* (Sofia: Dŭrzhavna pechatnitsa, 1908), XXIV:1-128에서 술탄의 명령서와 여타 문서도 보라.

15. Vera Mutafčieva, *Kărdžalijsko vreme* (Sofia: Bălgarskata Akademija na Naukite, 1993), 143-83.

16. Ikhchiev, *Turski dŭrzhavni dokumenti*, 122.

17. Zens, "Pasvanoglu Osman Pasa and the Pasalik of Belgrade," 100-102.

18. 1801년 4월 11-15일, 8월 8일, 국무회의; 1801년 8월 8일 A. 보론초프와 V. 코추베이의 보고, *Arkhiv Gosudarstvennogo Soveta*, III, part ii, 1189-90, 1191-4, 1197-8, 1200-1206.

19. 1801년 8월 8일 국무회의, *Arkhiv Gosudarstvennogo Soveta*, III, part ii, 1196-7.

20. Alexander to Knorring, September 12, 1801, April 23, 1802, *Akty sobrannye Kavkazskoiu arkheograficheskoiu kommissieiu*, I:436, 689. 알렉산드르는 파벨 치치아노프에게 "조지아뿐만 아니라, 페르시아 권력의 잔인성을 보는 데만 익숙한 다른 주변국들에서도 러시아 정부에 대한 신뢰를 얻어내도록 힘쓰라"고 지시했다. "그들은 정의와 힘에 바탕을 둔 강한 나라의 모든 행위를 말하자면 신통하

다고 여길 것이다. [그렇게 함으로써 그대는] 그것[러시아의 지배]에 재빨리 그들의 호의를 얻어내야 한다." Alexander to Tsitsianov, Semptember 26, 1802, II:7-8.

21. 황제의 선언서에는 동부 조지아에서 새로운 행정체계에 관한 지침이 딸려 있었다. 왕국은 러시아 모델에 따라 다섯 구역(우에즈*uezds*, 카르틀리는 세 구역, 카케티는 두 구역으로 나뉘었다)으로 나뉘었고 행정 중심지는 트빌리시, 고리, 두셰티, 텔라비, 시그나기였다. 조지아 왕가가 권좌에서 밀려나고 러시아의 캅카스 전선의 총사령관이 트빌리시에 있는 중앙정부의 수장이 되었고 프라비텔, 즉 조지아 행정관이라는 직함을 받았다. 자세한 설명은 Nikolas K. Gvosdev, *Imperial Policies and Perspectives Towards Georgia, 1760-1819* (New York: St. Martin's Press, 2000); Laurens H. Rhinelander, "The Incorporation of the Caucasus into the Russian Empire: The Case of Georgia," Ph.D. diss., Columbia University, 1972; Zurab Avalov (Avalishvili), *Prisoedinenie Gruzii k Rossii* (St. Petersburg: Montvid, 1906); Nikolay Dubrovin, *Giorgii XII: Poslednii tsar Gruzii i prisoedinenie eia k Rossii* (St. Petersburg, 1897)를 보라.

22. 1802년 3월 31일, 비밀위원회 모임, Grand Duke Nikolai Mikhailovich, *Graf Pavel Aleksandrovich Stroganov* (St. Petersburg, 1903), II:205.

23. 오스트리아 합스부르크 왕가는 많은 세르비아 가문이 오스만령 세르비아에서 (1686년 이래로 오스트리아 치하인) 남부 헝가리로 이주하도록 편의를 도모했으며, 합스부르크의 베오그라드 점령(1719-39) 동안 도나우강 이남에 있는 많은 세르비아인들에게도 오스트리아의 권위가 도달했다. Miroslav Đorđević, *Politička istorija Srbije XIX i XX veka*, vol. I, 1804-1813 (Belgrade: Prosveta, 1956), 25-54; Dusan Pantelic, *Beogradski Pašaluk posle svistovskog mira, 1791-1794* (Belgrade: Grafički zavod "Makarije," 1927)를 보라.

24. 자세한 내용은 Harvey L. Dyck, "New Serbia and the Origins of the Eastern Question, 1751-55: A Habsburg Perspective," *Russian Review* 40 (1981): 1-19; Lawrence P. Meriage, "The First Serbian Uprising (1804-1813) and the Nineteenth-Century Origins of the Eastern Question," *Slavic Review* 37 (1978): 422-23; Stanford Shaw, "The Ottoman Empire and the Serbian Uprising 1804-1807," in *The First Serbian Uprising, 1804-1813*, ed. W. S. Vucinich (New York: Brooklyn College Press, 1982), 71-94를 보라.

25. 이와 관련한 오스트리아와 세르비아의 서신은 Aleksa Ivić, ed., *Spisi bečkih arhiva o prvom srpskom ustanku* (Belgrade: Srpska kraljevska akademija, 1935), I:34, 56, 69, 85-86, 154-60을 보라. 오스트리아의 반응에 대한 논의는 Adolf Beer, *Die orientalische Politik Österreichs seit 1774* (Prague: F. Tempsky, 1883), 183-85, 187-90, 196을 보라.

26. 러시아는 세르비아인들에게 퇴짜를 놓으면서도 몬테네그로와의 연계를 강화했는데, 그 지역을 러시아 지중해 함대의 기지로 이용할 수 있길 바랐기 때문이다.

Norman E. Saul, *Russia and the Mediterranean 1797-1807* (Chicago: University of Chicago Press, 1970), 196-202.

27. 흥미로운 논의는 Ercüment Kuran, *Avrupa'da Osmanlı İkâmet Elçiliklerinin Kuruluşu ve İlk Elçilerin Siyasî Faaliyetleri, 1793-1821* (Ankara: Türk Kültürünü Araştırma Enstitüsü Yayımı, 1968), 15-22; *Salnâme-i Nezaret-i Hariciyye* (Constantinople, 1884), 178-92; Carter V. Findley, "The Legacy of Tradition to Reform: Origins of the Ottoman Foreign Ministry," *International Journal of Middle East Studies* 4 (1970): 334-57; Carter V. Findley, "The Foundation of the Ottoman Foreign Ministry: The Beginnings of Bureaucratic Reform under Selim III and Mahmud II," *International Journal of Middle East Studies* 3 (1972): 388-416; J. C. Hurewitz, "Ottoman Diplomacy and the European State System," *Middle East Journal* 15 (1961): 141-52를 보라.

28. 이 주제에 대한 폭넓은 개관은 J. A. R. Marriott, *The Eastern Question: An Historical Study in European Diplomacy* (Oxford: Clarendon Press, 1940); M. S. Anderson, *The Eastern Question, 1774-1923: A Study in International Relations* (New York: St. Martin's Press, 1966); A. L. Macfie, *The Eastern Question, 1774-1923* (London: Longman, 1996); Lucien Frary and Mara Kozelsky, eds., *Russian-Ottoman Borderlands: The Eastern Question Reconsidered* (Madison: University of Wisconsin Press, 2014)를 보라.

29. Baki Tezcan, *The Second Ottoman Empire: Political and Social Transformation in the Early Modern World* (Cambridge: Cambridge University Press, 2010), 9-10; Karen Barkey, *The Empire of Difference: The Ottomans in Comparative Perspective* (Cambridge: Cambridge University Press, 2008), 197-262; Donald Quataert, *The Ottoman Empire, 1700-1922* (Cambridge: Cambridge University Press, 2000), 37-53. 근대 초기 역사에서 오스만튀르크의 위치에 관해서는 Palmira Brummett, "Imagining the Early Modern Ottoman Space from World History to Piri Reis," in *The Early Modern Ottomans: Remapping the Empire*, ed. Virginia H. Aksan and Daniel Goffman (Cambridge: Cambridge University Press, 2007), 17-58을 보라.

30. S. Solovyev, "Vostochnyi vopros 50 let nazad," *Drevniaia i novaia Rossiia* 2 (1876): 129. Also see V. P. Grachev, "Plany sozdaniya slavyano-serbskogo gosudarstva na Balkanakh v nachale XIX v. i otnoshenie k nim pravitel'stva Rossii," in *Rossiia i Balkany: Iz istorii obschestvenno-politicheskikh i kulturnykh svyazei (XVIII v.-1878 g.)*, ed. I. Dostyan (Moscow: Institut slavyanovedeniya i balkanistiki RAN, 1995), 8-9에서 인용.

31. Fatih Yeşil, "Looking at the French Revolution Through Ottoman Eyes: Ebubekir Ratib Efendi's Observations," *Bulletin of SOAS* 70 (2007): 283-304.

32. Allan Cunningham, "The Ochakov Debate," in *Anglo-Ottoman Encounters in the*

Age of Revolution, ed. Edward Ingram (London: F. Cass, 1993), 1-31; Nathaniel Jarrett, "The Specter of Ochakov: Public Diplomacy in Britain, 1791-1792," in *Selected Papers of the Consortium on the Revolutionary Era* (2014), 55-77.

33. Mehmet Alaaddin Yalçınkaya, *The First Permanent Ottoman Embassy in Europe: The Embassy of Yusuf Agah Efendi to London (1793-1797)* (Constantinople: Isis Press, 2010).

34. Katherine E. Fleming, *The Muslim Bonaparte: Diplomacy and Orientalism in Ali Pasha's Greece* (Princeton, NJ: Princeton University Press, 1999).

35. 흥미로운 논의는 Virginia H. Aksan, "Ottoman-French Relations 1739-1768," in *Studies on Ottoman Diplomatic History*, ed. Sinan Kuneralp (Constantinople: Isis Press, 1987), 41-58을 보라.

36. 오스만 정부는 프랑스의 준비 태세를 알고 있었고 프랑스 원정군이 오스만 영토를 노릴 수도 있다는 정보를 러시아 쪽을 통해 들었다. 알바니아와 이오니아 제도에서 프랑스의 간섭을 알고 있던 오스만 정부는 처음에 프랑스 원정군이 그곳으로 출항할 거라 예상했지만 프랑스 정부와 상황을 명확하게 정리하고자 했다. 7월에 오스만 대사 세이드 메메드 에민 바이드 에펜디는 프랑스 외무장관 탈레랑과 만났고, 탈레랑은 프랑스는 자국의 오랜 맹방을 소중히 여기며 오스만튀르크에 적대적인 의사를 전혀 품고 있지 않다고 대사를 안심시켰다. 자세한 내용은 İsmail Soysal, *Fransız Ihtilali ve Türk-Fransız Diplomasi Münasebetleri (1789-1802)* (Ankara: Türk Tarih Kurumu, 1999), 204-5; Ercüment Kuran, *Avrupa'da Osmanlı İk amet Elçiliklerinin Kurulusu ve İlk Elçilerin Siyasi Faaliyetleri, 1793-1821* (Ankara: Türk Kültürünü Araştırma Enstitüsü Yayınları, 1988), 30; Azmi Süslü, "Ambassadeurs Turcs envoyés en France et Vahîd Pacha," in *Tarih Araştırmaları Dergisi*, no. 60 (2016):195-211.

37. Ie. Metaxa, *Zapiski flota kapitan-leitenanta Iegora Metaksy, zakliuchayushchiie v sebe povestvovaniie o voiennykh podvigakh Rossiiskoi eskadry, pokorivshei pod nachal stvom admiral Fiodora Fiodorovicha Ushakova Ionicheskiie ostrova pri sodeistvii Porty Ottomanskoi v 1798 i 1799 godakh* (Petrograd, 1915), 12-14; Henri Dehérain, "La rupture du gouvernement Ottoman avec la France en l'an VI," *Revue d'histoire diplomatique* 39 (1925): 9-43.

38. P. Pisani, "L'expédition Russo-Turque aux îles ioniennes en 1789-1799," *Revue d'Histoire diplomatique* 2 (1888): 190-222; James L. McKnight, "Admiral Ushakov and the Ionian Republic: The Genesis of Russia's First Balkan Satellite," Ph.D. diss., University of Wisconsin, 1965, 32-35; Saul, *Russia and the Mediterranean 1797-1807*, 59-69, 73-74.

39. Hutchinson to Elgin, April 25, 1801, FO Turkey 32; Hutchinson to Dundas, April 20, 1801; Hutchinson to Hobart, June 2 and 29, 1801, WO 1, 345.

40. 제임스 필립 모리어는 오스만 제국에 파견된 영국 대사인 엘긴 백작 토머스 브루

스의 개인 비서였다. 그는 영국 침공에 관한 흥미로운 기록을 남겼다. *Memoir of Campaign with the Ottoman Army in Egypt, from February to July 1800* (London: J. Debrett, 1801).

41. Morier's Memorandum, July 7, 1801, FO Turkey 32.

42. William Hamilton, *Remarks on Several Parts of Turkey. Part I. Ægyptiaca, or, Some Account of the Ancient and Modern State of Egypt, as Obtained in the Years 1801, 1802* (London: T. Payne, 1809), 6–8; Louis Pantaléon Jude Amédée Noé, *Mémoires relatifs à l'expédition anglaise: partie du Bengale en 1800 pour aller combattre en Égypte l'armée d'orient* (Paris: Imprimerie royale, 1826), 216–42.

43. Elgin to Hawkesbury, January 15, 1803, FO Turkey 38.

44. Napoleon to Talleyrand, August 29, 1802; Napoleon to Sebastiani, September 5, 1802, in *Correspondance de Napoléon*, VIII:9–10, 25–26.

45. Elgin to Hawkesbury, November 14, 1802, FO Turkey 36.

46. Hamilton, *Remarks on Several Parts of Turkey*, viii–ix.

47. 이 논의의 많은 부분은 AE "Turquie," 204에 의존한다. 아미앵 조약에서 오스만 사항의 추가는 Act of Accession of May 13, 1802, in Gabriel Noradounghian, ed., *Recueil d'actes internationaux de l'Empire ottoman* (Paris: F. Pichon, 1900), II:50–52를 보라.

48. 이 조약의 전문은, Definitive Treaty of Peace Between the French Republic and the Sublime Ottoman Porte, http://www.napoleon-series.org/research/government/diplomatic/c_ottoman.html을 보라. 조약의 제6조는 "전쟁 동안 소유물이 압류되거나 몰수된 양국의 대리인이나 시민, 신민에게 복구와 배상"을 요구했다. 협상 과정에서 나폴레옹은 민간인의 손실만 배상해야 한다고 주장하며 강경한 자세를 보였다. 그와 동시에 이집트에서 오스만 민간인들이 입은 손실은 고려하지 않으면서도 전쟁 동안 억류되었던 (그리고 재산이 몰수당한) 1800명이 넘는 프랑스 민간인에게 오스만 정부가 보상해야 한다고 요구했다. 오스만 민간인들은 프랑스에 억류된 적이 없었으므로 오스만튀르크 측이 분명하게 불리한 입장이었다. 궁극적으로 일 년 반이 넘게 협상을 했지만 양측은 끝내 일반적 합의에 도달하지 못했다.

49. 자세한 내용은 E. 강맹(콘스탄티노플 주재 프랑스 대사관 서기)과 A. 로보(스미르나의 프랑스의 대리인), V. 푸르사드(크레타 섬의 전직 부영사)의 보고서, AE "Turquie," 204; AE Mémoires et Documents, "Turquie," 14, 64를 보라.

50. Markov to Vorontsov, March 17, 1803, in *SIRIO* (1891), LXXVII:69. Emperor Alexander to Semen Vorontsov, January 20, 1803, in *Arkhiv Vorontsova*, X:304–5 도 보라.

51. Albert Vandal, *Napoléon et Alexandre 1er: l'alliance russe sous le 1er Empire* (Paris: Plon-Nourrit, 1894), I:4.

52. Hawkesbury to Warren, February 1, 1803; Russian note of March 12, 1803, FO

Russia 52.

53. Francis to Cobenzl, March 31, 1801, in Beer, *Die oreintalische politik Oesterreichs seit 1774*, 771-72. 프란츠의 표현으로는 오스트리아가 받을 가능성이 큰 오스만 속주들은 전부 다 산악지대이고 일체의 외부의 간섭에 저항할 "광신적이고 과격한" 주민들이 사는 곳이었다.

54. AE "Turquie," 205.

55. AE "Turquie," 205. 알리 파샤의 반反프랑스 활동에 관해서는 Frédéric François Guillaume Vaudoncourt, *Memoirs on the Ionian Islands* (London: Baldwin, Cradock, and Joy, 1816), 240-53; Auguste Boppe, *L'Albanie et Napoléon, 1797-1814* (Paris: Hachette, 1914), 19-43을 보라.

56. Declaration of Neutrality, September 20, 1803, in Noradounghian, *Recueil d'actes internationaux de l'Empire ottoman*, 69-70.

57. Czartoryski's memorandum, February 29, 1804, in *SIRIO*, 77:486-98.

58. Garlike to Warren, January 3, 1804; Warren to Hawkesbury, February 3, 1804, FO Russia 54; Vorontsov to Czartoryski, June 29, 1804, in *Arkhiv Vorontsova*, XV:230-33.

59. The Constantinople Convention, April 2, in *PSZ*, no. 19336, XXVI:88-92.

60. Kahraman Sakul, "Ottoman Attempts to Control the Adriatic Frontier in the Napoleonic Wars," in *Proceedings of the British Academy* 156 (2009): 253-70.

61. 1797년 8월 보나파르트 장군은 총재정부에 이오니아제도가 이탈리아 반도 전체보다 프랑스에 더 큰 이익인데 그곳을 장악하면 프랑스가 오스만 사안에 직접 개입할 수 있기 때문이라고 보고했다. *Correspondance de Napoléon*, III:235.

62. 자세한 내용은 A. M. Stanislavskaia, *Rossiia i Gretsiia v kontse XVIII-nachale XIX veka: Poltika Rossii v Ionicheskoi respublike, 1798-1807 g.g* (Moscow: Nauka 1976); J. L. McKnight, "Russia and the Ionian Islands, 1798-1807: The Conquest of the Islands and Their Role in Russian Diplomacy," MA thesis, University of Wisconsin, 1962을 보라.

63. Alexander to V. S. Tomara, January 14 and February 27, 1802; Alexander to G. D. Mocenigo, March 12, 1802, in *VPR*, I:167-68, 175-76, 182-83. 프랑스의 위협에 관한 논의는 *SIRIO*, 77:410-17의 러시아 외교 서신; *Arkhiv Vorontsova*, XX:292-94; *VPR*, I:433, 513-17, 530-31, 557을 보라.

64. Czartoryski to G. D. Mocenigo, August 12, 1804, *VPR*, II:111.

65. "Article pour l'arrangment des affaires de l'Europe a la suite d'une guerre heureuse (1804)" in Czartoryski, *Mémoires*, II:65-66. 차르토리스키는 "오스만의 살이 썩고 중요 신체 기관에 괴저가 생기면 우리는 그곳의 운명이 어떤 식으로든 러시아의 주요 이해관계에 반하여 결정되는 것을 좌시하지 않을 것"이라고 경고했다. Czartoryski to Semen Vorontsov, October 25, 1804 in *Arkhiv Vorontsova*, XV:277-79. "Imperial Instructions to N. Novosiltsev," September

23, 1804, in *VPR*, II:138–46도 보라.

66. 1804년 12월 25일 N. N. 노보실체프와 피트 총리 간 면담 기록, *VPR*, II:226–27.

67. F. de Martens, *Recueil des traités et conventions conclus par la Russie avec les puissances étrangères* (St. Petersburg: A. Böhnke, 1895), XI:98–99.

68. Instructions to Gower, October 10, 1804, FO Russia 56.

69. Declaration of Alliance, November 6, 1804, *VPR*, II:175–76.

70. Czartoryski to Alexander Vorontsov, December 2, 1804 in Czartoryski, *Mémoires*, II:58. 1799년에 조인된 동맹 조약은 6년간 유효할 예정이었지만 1803년 1월에 술탄은 영국을 추가해 조약을 갱신할 것을 요구했다. 러시아는 처음에 조약을 갱신하지 않으려 했다. 동맹 조약의 내용을 영국 정부에 전달할 때 차르토리스키는 "러시아 정부가 동방정책을 훨씬 더 잘 이해하고 있는데, 세인트제임스궁보다는 우리가 그 지역에 더 가깝기 때문이다. 따라서 우리는 우리의 조언을 듣고, 우리의 지도를 따르며, 우리의 작전에 간섭하거나 사전 협의 없이 어떤 조치도 취하지 말 것을 요청한다"라고 주지시켰다. Czartoryski to Semen Vorontsov, May 15, 1805, *Arkhiv Vorontsova*, XV:301.

71. Czartoryski to Vorontsov, August 30, 1804, in *VPR*, II:120.

72. 조약의 초안은 *VPR*, II:677–78; Armand Goşu, *La troisième coalition antinapoléonienne et la Sublime Porte 1805* (Constantinople: Isis, 2003), 129–33을 보라.

73. 1805년 9월, 콘스탄티노플 주재 영국 대사 찰스 아버스넛과 외무부 장관 멀그레이브 경 헨리 핍스 간의 서신, FO Turkey 46을 보라.

74. Arbuthnot to Mulgrave, September 10, 1805, FO Turkey 46.

75. Goşu, *La troisième coalition antinapoléonienne et la Sublime Porte*, 25–42; E. Verbitskii, "Peregovory Rossii i Osmanskoi imperii o vozobnovlienii soyuznogo dogovora 1798 (1799) g.," in *Rossiia i Iugo-Vostochnaia Evropa*, ed. A. Narochnitskii (Kishinev: Shtiintsa, 1984), 60–67.

76. 조약 전문은 Noradounghian, *Recueil d'actes internationaux de l'Empire ottoman*, II:70–77을 보라.

77. AE "Turquie," 207.

78. Napoleon to Brune, March 14, 1804, in Ignace de Testa, ed., *Recueil des traités de la Porte Ottomane, avec les puissances étrangères* (Paris: Amyot, 1864), II:255.

79. AE "Turquie," 208.

80. Brune to Napoleon, May 22, 1804; Selim III to Napoleon, May 18, 1804, in Testa, *Recueil des traités de la Porte Ottomane*, II:256–69.

81. AE "Turquie," 206.

82. 자세한 내용은 Edouard Driault, *Napoléon et l'Europe: Austerlitz, la fin du Saint-empire (1804-1806)* (Paris: F. Alcan, 1912), 80–90을 보라.

83. 러시아와 영국의 각서는 Testa, ed., *Recueil des traités de la Porte Ottomane*,

II:346-47을 보라.

84. 이 문제에 관한 서신은 Testa, ed., *Recueil des traités de la Porte Ottomane*, II:339-52. Also see Enver Ziya Karal, *Halet efendinin Paris Büyük elçiliği (1802-1806)* (Istanbul: Kanaat Basımevi, 1940), 68-74를 보라.

85. P. Coquelle, "L'ambassade du maréchal Brune à Constantinople (1803-1805)," in *Revue d'histoire diplomatique* 18 (1904): 71; Italinskii to the Ottoman government, October 8 and December 15, 1804, in *VPR*, II:156-58, 204-6.

86. 브륀의 해명 편지는 Testa, ed., *Recueil des traités de la Porte Ottomane*, II:349-50 을 보라.

87. Napoleon to Selim III, January 30, 1805, in *CN*, no. 8298, X:130. 나폴레옹 은 또한 양 해협을 통과해 이오니아제도와 코르푸섬으로 러시아의 군사적 움직임이 계속되고 있는데도 오스만 정부가 아무것도 안 한다고 불평했다. Napoleon to Brune, July 27, 1807, in Testa, ed. *Recueil des traités de la Porte Ottomane*, II:270-71. 오스만 위협이라고 생각하는 것에 위협으로 맞대응하려고 작심한 나폴레옹은 "러시아와 오스트리아에 통렬한 일격을 날리는 최상의 방법"으로서 오스만 제국을 분할하는 가능성도 고려했다. 프랑스 외무대신이 작성한 각서 중에는 그리스의 봉기를 촉발하여, "동방 그리스 제국"의 부활이라는 목표를 띠고 오스만 제국의 유럽 영토에 프랑스 군대를 파견하는 내용도 있었는데, 그렇게 수립된 그리스 제국은 다른 열강들에 "도저히 넘을 수 없는 장벽"이 될 터였다. AE "Turquie," 210.

88. Arbuthnot to Mulgrave, February 6, 1806, FO Turkey 49.

89. 뤼팽의 보고서는 AE "Turquie," 210, 211을 보라.

90. Enver Ziya Karal, *Selim III. ün Hatt-i Humayunlari* (Ankara: Türk Tarih Kurumu basımevi, 1942), 91.

91. 포르테 정부에 보낸 이탈린스키의 각서, *VPR*, III:37-38을 보라. 1806년 2월 6일 아버스넛이 멀그레이브에게 보낸 서신(2월 4일자 각서가 동봉되어 있다), FO Turkey 49도 보라.

92. Nihat Karaer, "Abdürrahim Muhib Efendi'nin Paris Büyükelçiliği (1806-1811) ve Döneminde Osmanlı Fransız Diplomasi Đlişkileri," *Osmanlı Tarihi Aras tırma ve Uygulama Merkezi Dergisi*, no. 30 (2011): 4-5.변화를 내다본 탈레랑은 실은 믿음직한 비서를 콘스탄티노플에 특사로 파견했다. 특사는 오스만 정부에 나폴레옹의 선의를 확인시키고, 친프랑스파로 여겨지며 프랑스 대리대사 피에르 뤼팽과 관계가 좋은 케튀다 이브라힘 네심 에펜디에게 프랑스에 유리하도록 오스만 정책에 영향력을 행사해달라고 촉구했다. 케튀다는 대재상의 보좌관으로서 내정과 군사 문제에서 막강한 권한을 행사하는 포르테 정부에서 두 번째로 중요한 직위였다.

93. Driault, *Napoléon et l'Europe: Austerlitz*, 404-5; Vernon J. Puryear, *Napoleon and the Dardanelles* (Berkeley: University of California Press, 1951), 58-59.

나폴레옹은 오스만튀르크의 환심을 사려는 노력의 일환으로 자신의 유명한 공보와 여타 선전물을 터키어로 번역시켜 콘스탄티노플로 보냈다. Napoleon to Cambaceres, December 11, 1806, in *CN*, XIV:64.

94. Napoleon to Selim III, June 20, 1806, in *CN*, XII:474.

95. Italiinskii to Czartory, March 14, 1806, *VPR*, III:82-83; 아버스넛의 3월 21일 보고서에 동봉된 셀림이 알렉산드르에게 보낸 편지, FO Turkey 49.

96. Karadjordje to Emperor Francis I, January 24, 1806; Francis I to Selim III, March 12, 1806; Selim III to Francis I, April 25, 1806, in *Spisi bĕckih arhiva o prvom srpskom ustanku*, III:16-19, 69-71, 120-21; Beer, *Die orientalische Politik Österreichs seit 1774*, 193-95.

97. Notes of the January 1806 Meeting of the State Council, in *SIRIO* (1892), LXXXII:240.

98. 프랑스 영사의 보고서는 AE Correspondance consulaire et commerciale, "Jassy," 1; "Bucarest," 2. 부쿠레슈티 보고서 가운데 일부, 특히 1809년 이후 보고서는 *Documente privitoare la Istoria Românilor. Corespondentă diplomatica și rapoarte consulare franceze: (1603-1824)* (Bucharest: Acad. Rom. și Ministerul Cultelor și Instrucțiunii Publice, 1912), XVI:652ff를 보라.

99. Italiinskii to Czartoryski, April 12, 1806, *VPR*, III:110-14.

100. Gower to Mulgrave, March 2, 1806, FO Russia 62.

101. Memorandum of early January 1806, in *VPR*, III:11.

102. Memorandum of January 23, 1806 (no. 76), in *SIRIO* (1892), LXXXII:254에서 차르토리스키의 다른 비망록도 보라. *SIRIO* (1892), LXXXII:265-75, 315-16, 322-24

103. Memorandum of January 23, 1806 (no. 77), in *SIRIO*, 82:265.

104. Paul Pisani, *La Dalmatie de 1797 à 1815* (Paris: A. Picard et fils, 1893), 160-65.

105. Grand Duke Nikolai Mikhailovich, *Graf Pavel Aleksandrovich Stroganov (1774-1817)* (St. Petersburg: Eksp. Zag. Gos. Bumag, 1903), III:1-3.

106. Czartoryski to Stroganov, February 6, 1806, in Nikolai Mikhailovich, *Graf Pavel Aleksandrovich Stroganov*, III:9-12; Semen Vorontsov to Czartoryski, March 31, 1806, in *Arkhiv Vorontsova*, XV:389-95.

107. Fox to Gower, April 29, 1806, FO Russia 62.

108. Arbuthnot to Mulgrave, January 20 and February 15, 1806, F.O. Turkey 49. 1806년 5월 25일 차르토리스키의 각서, Mikhailovich, *Graf Pavel Aleksandrovich Stroganov*, III:18-22도 보라.

109. 영국에서 좌절을 겪은 뒤 러시아 정부는 다른 접근법을 채택하여 나폴레옹과의 거래를 고려했다. 프랑스가 오스만 제국을 침범하거나 그곳에서 우세한 영향력을 획득할 의도를 공식 부인하는 조건으로 러시아는 이탈리아에서 나폴레옹의

영향력을 묵인할 용의가 있었다. Memorandum of March 7, 1806(no. 85), in *SIRIO* (1892), LXXXII:320-21.

110. Nihat Karaer, "Abdürrahim Muhib Efendi'nin Paris Büyükelçiliği (1806-1811) ve Döneminde Osmanlı-Fransız Diplomasi İlişkileri," *Osmanlı Tarihi Araştırma ve Uygulama Merkezi Dergisi*, no. 30 (2011): 4-6.

111. Ruffin to Talleyrand, March 27, 1806, *Documente privitoare la Istoria Românilor* (Bucharest: I. V. Socecŭ, 1885), II:334-35. Bekir Günay, *Paris'te bir Osmanlı: Seyyid Abdurrahim Muhib Efendi'nin Paris sefirliği ve Büyük Sefaretnaesi* (İstanbul: Kitabevi, 2009)도 보라.

112. 치외법권과 대외무역의 역할에 관한 흥미로운 논의는 Mehmet Bulut, *Ottoman-Dutch Economic Relations in the Early Modern Period* (Hilversum: Verloren, 2001), 54-59를 보라.

113. P. Coquelle, "Sébastiani, ambassadeur à Constantinople, 1806-1808," *Revue d'histoire diplomatique*, 18 (1904): 579-80, 594. 코켈은 프랑스가 호스포다르들의 해임에 대한 대가로 여기에 동의했다고 주장한다.

114. Czartoryski to Italiinskii, June 13, 1806, in *VPR*, III:189-91. 1806년 5월 12일 대對프랑스 러시아 전권대사 피에르 두브릴에게 보내는 지침, *VPR*, III:134-36도 보라. 두브릴은 오스만 제국에서 러시아의 권리를 제한하거나 폐지할 어떠한 조건도 수용하지 말라는 명시적 지시를 받았다.

115. 조약 본문은 *The Annual Register...for the Year 1806* (London, 1808), 796-97을 보라.

116. 관련 서한은 *VPR*, III:42, 45, 58-61을 보라.

117. 선언의 전문은 *VPR*, III:231-33을 보라.

118. P. Coquelle, "Sébastiani, ambassadeur à Constantinople, 1806-1808," *Revue d'histoire diplomatique*, 18 (1904): 576-78; Nihat Karaer, "Abdürrahim Muhib Efendi'nin Paris Büyükelçiliği (1806-1811) ve Döneminde Osmanlı-Fransız Diplomasi İlişkileri," *Osmanlı Tarihi Araştırma ve Uygulama Merkezi Dergisi*, no. 30 (2011): 7-8.

119. 호스포다르는 왈라키아와 몰다비아의 현지 제후로서, 일반적으로 파나리오트 출신이었다. 파나리오트는 그리스계와 그리스화한 루마니아와 알바니아인 가문으로 구성된 소집단으로, 콘스탄티노플의 파나르, 즉 등대 구역에서 따온 이름이다. 베사라비아, 왈라키아, 몰다비아의 현지 정치에 대한 자세한 논의는 George Jewsbury, "Russian Administrative Policies Toward Bessarabia, 1806-1828," Ph.D. diss., University of Washington, 1970을 보라. 비교 연구는 Keith Hitchins, "Small Powers: Wallachia and Georgia Confront the Eastern Question, 1768-1802," in *The Balkans and Caucasus: Parallel Processes on the Opposite Sides of the Black Sea*, ed. I. Biliarsky, O. Cristea, and A. Oroveanu (Cambridge: Cambridge Scholars, 2012), 12-28을 보라.

120. Instructions to Italiinskii, May 28 and July 30, 1806, in *VPR*, III:180, 252–53. Also see Italiinskii's reports of August 23–30 in *VPR*, III:263–66, 284–87.

121. 1802년의 하트-이 세리프는 술탄의 칙령 형식을 띠었지만 구속적인 협약으로 간주되었다. 오스만튀르크는 칙령이 포르테 정부로부터 나왔기 때문에 포르테 정부에 의해 마찬가지로 폐지될 수 있다는 논변을 폈지만 러시아는 그러한 해명을 거부했다. 칙령 본문은 Noradounghian, ed., *Recueil d'actes internationaux de l'Empire ottoman*, II:55–67을 보라.

122. Alexander to Italiinskii, March 8, 1806; Budberg's memorandum, c. December 1806, in *SIRIO* (1892), LXXXII:325–28, 488–94.

123. Czartoryski to Emperor Alexander, March 7, 1806, in *SIRIO* (1892), LXXXII:315–19.

124. 8월 28일에 제시된 각서에서 러시아 대사는 시정이 필요한 불만 사항을 길게 나열했는데, 여기에는 러시아에 대한 무역 장벽, 베라트 억제, 관세 위반, 엡타니소스 공화국과 관련한 1800년 협약 불이행, 도나우강 유역의 오스만 명사들의 권력 오남용, 러시아 전함의 해협 통행에 대한 포르테 정부의 명시적 금지 등이 있었다. *VPR*, III:273–76.

125. 오스만 정부의 토의 내용에 관한 자세한 서술은 아버스넛의 공문(FO Turkey 51)에서 볼 수 있으며, 이 공문에는 10월 12–13일 오스만 국무회의에 참석을 허락받은 영국 외교관 윌리엄 웰즐리 폴의 보고 내용도 담겨 있다.

126. Alexander to Michelson, October 27–28 and November 4, 1806, in A. Petrov, *Voina Rossii s Turtsiei, 1806–1812* (St. Petersburg: Voenn. Tip., 1885), I:375–81. 술탄은 1807년 1월 3일 러시아에 선전포고를 했다. Noradounghian, *Recueil d'actes internationaux de l'Empire ottoman*, II:79–80에서 외국 대사관에 보내는 회람을 보라.

127. Alexander I to Kamensky, December 27, 1806; Budberg to Italiinskii, November 27, 1806, in *VPR*, III:381–84, 387–88, 439–41.

128. Petrov, *Voina Rossii s Turtsiei*, 54–121.

129. 1806년 12월 23일 오스만 국무회의는 선전포고 결정을 내렸고, 이틀 뒤 그 결정을 확인했다. 전쟁은 12월 27일에 정식으로 선포되었고 이 소식은 1807년 1월 3일에 공식적으로 전달되었다. Noradounghian, ed., *Recueil d'actes internationaux de l'Empire ottoman*, II:79–80에서 외국 대사관에 보내는 회람을 보라.

130. Napoleon to Fouche, December 31, 1806, in *New Letters of Napoleon I*, ed. Mary Lloyd (New York: D. Appleton, 1897), 35–36.

131. Napoleon to Selim III, January 1, 1807, in *CN*, XIV:128. XIV:220에서 1월 20일자 유사한 편지를 보라.

132. Napoleon to Sebastiani, January 20, 1807; Napoleon to Marmont, January 29, 1807, in Testa ed., *Recueil des traités de la Porte Ottomane*, II:290–93. Nihat Karaer, "Abdürrahim Muhib Efendi'nin Paris Büyükelçiliği (1806–1811) ve

Döneminde OsmanlıFransız Diplomasi Đlişkileri," *Osmanlı Tarihi Araştırma ve Uygulama Merkezi Dergisi*, no. 30 (2011), 6도 보라.

133. Alexander Mikhailovsky-Danilevsky, *The Russo-Turkish War of 1806-1812*, trans. and ed. Alexander Mikaberidze (West Chester, OH: Nafziger Collection, 2002), I:26-48.

134. Karal, *Selim III'ün hatt-i hümayunları*, 97-98.

135. William Clark Russell, *The Life of Admiral Lord Collingwood* (London: Methuen, 1901), 202-18; Max Adams, *Trafalgar's Lost Hero: Admiral Lord Collingwood and the Defeat of Napoleon* (Hoboken, NJ: John Wiley & Sons, 2005), 230-40.

136. Grenville to the Marquis of Buckingham, November 25, 1806, in *Memoirs of the Court and Cabinets of George III* (London: Hurst and Blackett, 1855), IV:101.

137. Lord Collingwood to Duckworth, January 13, 1807, in Robert Stewart, *Correspondence, Despatches, and Other Papers...of Viscount Castlereagh* (London: William Shoberl, 1848-1853), VI:151-53.

138. Nicholas Tracy, ed., *The Naval Chronicle: The Contemporary Record of the Royal Navy at War* (London: Stackpole Books, 1999), IV:12-35.

139. 1월 27일과 30일 세바스티아니의 보고서, Talleyrand to Napoleon, March 4, 1807, in *Lettres inédites de Talleyrand à Napoléon*, ed. Pierre Betrand (Paris: Perrin, 1889), 321-23에서 인용. 1월 29일, 영국 대사 아버스넛은 영국 거류민들을 영국 전함에서 열리는 만찬에 초대했는데, 전함은 만찬 손님들을 모두 태운 채 술잔이 돌고 대화가 오가는 와중에 조용히 돛을 펼치고 콘스탄티노플 항구를 빠져나갔다.

140. Henry Richard Vassall Holland, *Memoirs of the Whig Party During My Time* (London: Longman, Brown, Green, and Longmans, 1854), II:106.

141. Henry Blackwood to Lord Castlereagh, March 6, 1807, in *Memoirs and Correspondence of Viscount Castlereagh*, VI:165-66.

142. AE "Turquie," 213에서 프랑스 보고서를 보라. 세바스티아니의 보고서는 에스파냐 대사관과 그 직원들이 방비 작업에 관여했음을 보여준다.

143. Henry Blackwood to Lord Castlereagh, March 6, 1807, in *Memoirs and Correspondence of Viscount Castlereagh*, VI:165-66; AE "Turquie," 213.

144. David Blackmore, *Warfare on the Mediterranean in the Age of Sail* (Jefferson, NC: McFarland, 2011), 258; John William Fortescue, *A History of the British Army* (London: Macmillan, 1910), VI:6-7.

145. 1807년, 3월 6일 버거시 경이 부친에게, *Correspondence of Lord Burghersh, Afterwards Eleventh Earl of Westmorland, 1808-1840* (London: J. Murray, 1912), 8.

146. 자세한 내용은 Georges Douin, L'Angleterre et l'Égypte. La campagne de 1807 (Cairo: Institut français d'archéologie orientale du Caire, 1928), i-xxi; Fatih Yeşil, *Trajik Zafer Büyük Güçlerin Doğu Akdeniz'deki Siyasi ve Askeri Mücadelesi (1806-1807)* (İstanbul: Türkiye İş Bankası Kültür yayınları, 2017)을 보라.

147. 관련 서한은 Georges Douin, *L'Égypte de 1802 à 1804: Correspondance des Consuls de France en Égypte* (Cairo: Institut français d'archéologie orientale du Caire, 1925), 40-54를 보라.

148. 이집트에서 활동하던 프랑스와 영국 기관원들에 관한 흥미로운 논의는 Maya Jasanoff, *Edge of Empire: Lives, Culture and Conquest in the East, 1750-1850* (New York: Vintage Books, 2005), 226-29를 보라.

149. *Gentleman's Magazine*, October 7, 1803; *Morning Herald*, October 8-November 1, 1803; London *Times*, October 10-December 17, 1803; *Morning Post*, October 17-November 9, 1803.

150. Afaf Lutfi Sayyid-Marsot, *Egypt in the Reign of Muhammad Ali* (Cambridge: Cambridge University Press, 1984), 38-41.

151. Sayyid-Marsot, *Egypt in the Reign of Muhammad Ali*, 46에서 인용.

152. Henry Dodwell, *The Founder of Modern Egypt: A Study of Muhammad 'Ali* (Cambridge: Cambridge University Press, 1931), 17-19; Khaled Fahmy, *Mehmet Ali: From Ottoman Governor to Ruler of Egypt* (Oxford: Oneworld, 2009), 22-26, 29-31.

153. Sayyid-Marsot, *Egypt in the Reign of Muhammad Ali*, 42-74; 메메트 알리의 성격을 훌륭히 묘사한 부분은 24-35이다.

154. 셀림 3세는 메메트 알리를 고작 1년 뒤에 제거하려고 했다. 1806년 6월에 술탄은 이집트 총독과 자리를 맞바꾸라는 명령과 함께 테살로니키의 왈리 무사 파샤를 보냈다. 카이로에 도착하자마자 무사 파샤는 술탄의 명을 강제할 만큼 충분한 군사력이 자신에게는 없음을 깨달았다.

155. 자세한 내용은 Douin, *L'Angleterre et l'Égypte. La campagne de 1807*, 1-115; Fortescue, *A History of the British Army*, VI:8-28을 보라.

156. 프랑스 영사 드로베티의 개입에 관해서는 Édouard Driault, *Mohamed Aly et Napoléon (1807-1814): Correspondance des consuls de France en Égypte* (Cairo: Institut française d'archéologie orientale, 1925), 65-66을 보라.

157. 수포로 돌아간 간섭 작전에서 영국 기관원 미세트의 역할에 관해서는 Muḥammad Shafiq Ghurbal, *The Beginnings of the Egyptian Question and the Rise of Mehemet Ali* (London: George Routledge & Sons, 1928), 248-51을 보라.

158. Fortescue, *A History of the British Army*, VI:28. John Marlow, *Perfidious Albion: The Origins of Anglo-French Rivalry in the Levant* (London: Elek Books, 1971), 121도 보라.

159. 흥미로운 논의는 Kenneth M. Cuno, *The Pasha's Peasants: Land, Society, and*

Economy in Lower Egypt, 1740-1858 (Cambridge: Cambridge University Press, 1991); Khaled Fahmy, *All the Pasha's Men: Mehmet Ali, His Army, and the Making of Modern Egypt* (Cairo: American University in Cairo Press, 2002); Edouard Driault, *La formation de l'empire de Mohamed Aly de l'Arabie au Soudan (1814-1823): correspondance des consuls de France en Égypte* (Cairo: Institut français d'archéologie orientale du Caire, 1927)를 보라.

160. Aksan, *Ottoman Wars*, 246ff.; Yaycioglu, *Partners of the Empire*, 157ff. 예니체리 반란 지도자에 관해서는 Ahmet Refik and Enfel Doğan, *Kabakçı Mustafa* (İstanbul: Heyamola Yayınları, 2005)를 보라.

161. Stanford J. Shaw, *History of the Ottoman Empire and Modern Turkey* (Cambridge: Cambridge University Press, 1977), II:1-2; Yaycioglu, *Partners of the Empire*, 189-90.

162. Yaycioglu, *Partners of the Empire*, 203-4, 219-22; Mehrdad Kia, *The Ottoman Empire* (Westport CT: Greenwood, 2008), 104; Shaw, *History of the Ottoman Empire*, II:2-3.

163. Shaw, *History of the Ottoman Empire*, II:4-5.

164. Savary to Napoleon, November 4, 1807, in *SIRIO* (1892), LXXXIII:184.

165. 틸지트 조약의 본문은 www.napoleon-series.org/research/government/diplomatic/c_tilsit.html을 보라.

166. Savary to Napoleon, September 23, October 9, and November 15, 1807; Guilleminot to Savary, September 28, 1807; Alexander to Napoleon, November 15, 1807, in *SIRIO* (1892), LXXXIII:78-82, 85, 122-23, 192-94, 220-34, 294-95; Rumyantsev to Tolstoy, November 6, 1807, in *SIRIO* (1893), LXXXIX:218-19. Also see Nihat Karaer, "Abdürrahim Muhib Efendi'nin Paris Büyükelçiliği (1806-1811) ve Döneminde Osmanlı-Fransız Diplomasi Ilişkileri," *Osmanlı Tarihi Araştırma ve Uygulama Merkezi Dergisi*, no. 30 (2011): 11-12.

167. Savary to Napoleon, November 4, 1807, in *SIRIO* (1892), LXXXIII:180.

168. Instructions to Count Tolstoy, September 26, 1807, in *SIRIO* (1893), LXXXIX:106-12.

169. Napoleon to Savary, October 6, 1807, in *Correspondance de Napoléon*, XVI:74. Also see Champagny to Caulaincort, April 2, 1808, in *SIRIO* (1893), LXXXVIII:594.

170. 알렉산드르 황제와 루미얀체프, 프랑스 대사 콜랭쿠르 간 대화를 받아 적은 기록은 Serge Tatistcheff, *Alexandre I et Napoléon: d'après leur correspondance inédite 1801-1812* (Paris: Perrin, 1891), 303-78을 보라.

171. http://www.napoleon-series.rog/research/government/diplomatic/c_erfurt.html에서 에르푸르트 협약의 제8조, 제9조, 제11조를 보라.

172. AE "Turquie," 217의 서신을 보라. Karaer, "Abdürrahim Muhib Efendi'nin Paris Büyükelçiliği," 15-16도 보라.

173. Herbert Randolph, *Life of General Sir Robert Wilson…from Autobiographical Memoirs, Journals, Narratives, Correspondence, Etc.* (London: J. Murray, 1862), II:436-37.

174. 조약 본문은 Noradounghian, ed., *Recueil d'actes internationaux de l'Empire ottoman*, II:81-85. 협상에 관한 자세한 내용은 Robert Adair, *The Negotiations for the Peace of the Dardanelles in 1808-9, with Dispatches and Official Documents* (London: Longman, Brown, Green, and Longman, 1845), 2 vols. 조약 본문은 I:118-23에 있다.

175. Adair to Canning, March 19, 1809, in Adair, *The Negotiations for the Peace of the Dardanelles in 1808-9*, 151.

176. "Discours a l'ouverture de la session du Corps Législatif," December 3, 1809, in *Correspondance de Napoléon*, XX:50.

177. Metternich to Stadion, August 17, 1808, in *Mémoires, documents et écrits divers laissés par le prince de Metternich* (Paris: Plon, 1881), II:197.

178. 프랑스 작가 알퐁스 드 라마르틴이 알-사예그의 원고를 입수하여 1835년에 프랑스어로 번역했다. 영역본은 *Narrative of the Residence of Fatalla Sayeghir: Among the Wandering Arabs of the Great Desert* (Philadelphia: Carey, Lea, and Blanchard, 1836). 비평판은 *Le desert et la gloire: les memoires d'un agent syrien de Napoleon*, trans. and ed. Joseph Chelhod (Paris: Gallimard, 1991)을 보라.

179. 비판적인 평가는 George M. Haddad, "Fathallah al-Sayegh and His Account of a Napoleonic Mission Among the Arab Nomads: History or Fiction?," *Studia Islamica* 24 (1966): 107-23을 보라.

180. Napoleon to Champagny, October 13, 1810, *Correspondance de Napoléon*, XXI:213-14. XXI:303에 실린 1810년 12월 6일자 서신에서 나폴레옹은 영사들에게 재차 명령했다.

181. Miroslav R. Đorđević, *Oslobodilački rat srpskih ustanika, 1804-1806* (Belgrade: Vojnoizdavački zavod, 1967), 372-75.

182. *VPR*, IV:367-68, 439-40, 456-58에서 서신을 보라.

183. 한 러시아 군사사가는 프로조롭스키가 "여전히 1769년 전역의 전술을 실시"했다고 적절하게 지적했다. A. Petrov, V*lianie Turetskikh voin s polovini proshlogo stoletia na razvitie Russkago voennago iskusstva* (St. Petersburg, 1894), 227.

184. Petrov, *Voina Rossii s Turtsiei*, II:218-28. 자세한 내용은 Alexander Langeron, "Zapiski Grafa Langerona. Voina s Turtsiei v 1806-1812 gg.," in *Russkaya starina* 132 (1907); 153-66; 133 (1908); 711-26; 134 (1908): 225-40을 보라. 러시아군은 전사로 2,229명, 부상으로 2,550명을 잃었다. 일부 러시아 연대의 사상자 비율은 거의 90퍼센트에 달했다. 제13 예거 연대는 1,100명 가운

데 900명을 잃었다. 한 당대인은 공세가 잘못 돌아가자 "프로조롭스키 공은 절망에 빠졌다. 그는 털썩 주저앉아 울면서 머리를 쥐어뜯었다. 쿠투조프는 평소대로 침착하게 근처에 서 있었다. 원수를 달래기 위해 쿠투조프는 말했다. '때로는 이보다 더 나쁜 일도 생긴다오. 나는 유럽의 운명을 결정한 아우스터리츠 전투를 졌지만 그래도 울지는 않았소'"라고 회상했다. 이 패배로 자리를 보전할 수 있을지 걱정한 프로조롭스키는 쿠투조프를 위협으로 여기고 공세 실패를 그와 다른 러시아 고위 장교들 탓으로 돌렸다. 쿠투조프는 군대에서 소환되었고 나중에 빌나 총독으로 재직했다.

185. 프로조롭스키는 나이 탓에 상황을 올바르게 파악하지 못했던 것 같다. 7월 1일 그는 세르비아인들에게 러시아는 외교적, 물적 지원만 약속했었으며 따라서 러시아군은 세르비아를 방어하지 않을 것이라고 알렸다. 프로조롭스키는 "도나우강 너머로 러시아군의 진군을 기다리라"고도 충고했다. 하지만 이사예프의 분견대는 이미 지난 2년 동안 세르비아인들과 협력해왔다. 게다가 오스만군이 베오그라드를 향해 진군하고 있음을 고려할 때 러시아군의 진군을 기다리라는 프로조롭스키의 제안은 냉소적이었다. 1809년 7월 1일, 프로조롭스키가 세르비아 전국 협의회에, Petrov, *Voina Rossii s Turtsiei*, II:275.

186. *Spisi beçkih archiva o Prvom sprskom ustanku* (Belgrade, 1936-1973), VI:294, 301-5; Grgur Jaksic, *Evropa i vaskrs Srbije, 1804-1834* (Belgrade: Narodna misao, 1927), 129-33; Petrov, *Voina Rossii s Turtsiei*, II:216, 274-75, 289-300; Dragoslav Jankovic, *Fracuska štampa o prvom srpskom ustanku* (Belgrade: Nauč no delo, 1959), 292-303. 양측은 대단히 잔혹하게 싸웠다. 한번은 오스만 지휘관이 세르비아인 수백 명을 참수하여 그들의 두개골을 박아 넣은 "해골탑"을 쌓았다. 니시에 있는 이 해골탑의 잔해는 1970년대에도 여전히 볼 수 있었다. Lawrence Meriage, "Russia and the First Serbian Revolution," Ph.D. diss., Indiana University, 1975, 193n.; Wayne Vucinich, "The Serbian Insurgents and the Russo-Turkish War of 1809-1812," in *The First Serbian Uprising, 1804-1813*, ed. Wayne Vucinich (New York: Brooklyn College, 1982), 141.

187. Vigel. *Vospominaniya F.F. Vigelya*, III:90.

188. Karadjordje to Isaev, September 16, 1809, *Voennyi sbornik* 11 (1864): 267-68. 바그라티온은 로도피니킨에게 이 편지에 답장을 쓰라고 지시했다. Rodofinikin to Karadjorje, October 5, 1809, *VPR*, V:238-39; *Voennyi sbornik* 11 (1864): 268-70.

189. Rodofinikin to Karadjordje, October 5, 1809, *VPR*, V:238-39; Lazar Arsenijevic-Batalaka, *Istorija Prvog Srpskog Ustanka* (Belgrade, 1898-99), 702-3. Karadjordje to Isaev, September 16, 1809, *Voennyi sbornik* 11 (1864): 266-72 도 보라.

190. Bagration to Rodofinikin, December 18, 1809, *VPR*, V:684; Nikolay Dubrovin, "Materials for the History of Reign of Alexander," *Voennyi sbornik* 2

(1865): 223-24.

191. Rodofinikin to Bagration, October 24, 1809, *VPR*, V:225. 두브로빈은 카라조 르제가 위협을 과장하는 경향이 있었고, 1808-1809년의 러시아의 행동을 오 해했다고 지적한다. 프랑스와의 협상 과정에서 세르비아 대표단은 러시아가 약 속을 이행하지 않았다고 불만을 표시했다. Meriage to Champagny, February 21, 1810, in Ogis Bop [Auguste Boppe], ed., "Karadjordje i Francuska. Dokumenti o dogadjajima Srbije sa Napoleonom I (1809-1814)," *Otadžbina*, XIX (1888): 336-38.

192. Karadjordje to Ledoulx, August 16, 1809, in Bop, ed., "Karadjordje i Francuska," 118-20.

193. 관련 편지는 Bop, ed., "Karadjordje i Francuska," 122-24, 336-38을 보라.

194. 메테르니히의 동방 정책에 관한 자세한 설명은 Vasilj Popović, *Meternihova politika na Bliskom Istoku* (Belgrade: Srpska kraljevska akademija, 1931)을 보라.

195. Metternich to Emperor Francis, July 9, 1810, in *Mémoires, documents et écrits divers laissés par le prince de Metternich*, II:361; II:369-80에서 7월 28일자 그의 보고서도 보라.

196. Metternich to Emperor Francis, July 28, 1810, in *Mémoires, documents et écrits divers laissés par le prince de Metternich*, II:369-71.

197. Martens, *Recueil des traités et conventions conclus par la Russie*, III:73-77.

198. Meriage, *Russia and the First Serbian Revolution*, 197-98; Vucinich, "The Serbian Insurgents and the Russo-Turkish War of 1809-1812," 146-51; Miroslav Djordjevic, *Politiçka istorija Srbije XIX i XX veka* (Belgrade: Prosveta, 1956), 263-65.

199. Canning to Wellesley, October 4, 1810, in Čeda Mijatović, ed., "Prepisi iz zvaničnih I poverljivih izveštaja engleske ambasade u Carigradu od 1804-1814," *Spomenik* 52 (1922): 80.

200. Mijatović, ed., "Prepisi iz zvaničnih," 81.

201. Grgur Jakšić and Vojislav Vuc'ković, *Francuski dokumenti o prvom i drugom ustanku (1804-1830)* (Belgrade: Nauc'no delo, 1957), 71-72.

202. Canning to Wellesley, October 4, 1810, in Mijatović, ed. "Prepisi iz zvaničnih," 81.

203. Karadjordje to Stevan Jevtić, September 21, 1810, in *Josef Freiherr von Simbschen und die Stellung Österreichs zur serbischen Frage (1807-1810)*, ed. Franz Xaver Krones (Vienna: In Commission bei F. Tempsky, 1890), 128-31.

204. Bagration to Rodofinikin, December 1, 1809; Rofodinikin to Bagration, December 12, 1809, Bagration to Rumyantsev, December 25, 1809, January 10, 1810, *VPR*, V:313, 325-26, 343, 682; Arsenijevic-Batalaka, *Istorija Prvog Srpskog Ustanka*, 786-87; Djordjevic, *Politiçka istorija Srbije*, 265-71.

205. Hurshid Pasha to Karadjordje, November 21, 1809, *Voennyi sbornik* 2 (1865): 261-62.

206. Arsenijevic-Bataláka, *Istorija Prvog Srpskog Ustanka*, 716-22; Djordjevic, *Politiçka istorija Srbije*, 270-72.

207. Bagration to Rumyantsev, January 10, 1810, *VPR*, V:344. Also, Voennyi sbornik 2 (1865): 233. 아르키만드리테 멜렌티예는 900루블 값어치의 다이아 몬드 반지를, 밀란 오브레노비치와 페타르 도브르니아치는 용기의 명문이 새 겨진 황금 검을, 대표단의 서기와 여타 일원들은 상당한 액수의 돈을 받았다. 유력한 세르비아 성직자 레온티예 대주교에게는 자수를 놓은 제의(祭衣)와 황 금 십자가를 선물하여 달랬다. Dubrovin, "Materials for the History of Reign of Alexander," 233-34; Bagration to Rumyantsev, January 10, 1810, *VPR*, V:344-45.

208. Bagration to Rodofinikin, January 5, 1810, *VPR*, V:335. 그보다 앞서 1809년 11월 24일 날짜의 지령도 있지만 기록보관소에 남아 있지 않다. 하지만 바그라 티온은 로도피니킨에 보내는 다음 메시지에서 앞선 지령의 내용 일부를 되풀이 했다.

209. Petrov, *Voina Rossii s Turtsiei*, II:475-76.

210. Bagration to Rodofinikin, January 5, 1810, *VPR*, V:336.

211. Vigel, *Vospominaniya F.F. Vigelya*, III:91.

212. Mikhailovsky-Danilevsky, *Russo-Turkish War of 1806-1812*, II:9-59.

213. Otto to Maret, March 6, 1811, in Jakšić and Vučković, *Francuski dokumenti o prvom i drugom ustanku*, 72-73; Beer, *Die orientalische Politik Österreichs seit 1774*, 253.

214. 라데츠키 장군 각서의 자세한 내용은 Beer, *Die orientalische Politik Österreichs seit 1774*, 254를 보라.

215. Beer, *Die orientalische Politik Österreichs seit 1774*, 225-29.

216. P. Shuvalov to Rumyantsev, February 9, 1811, *VPR*, VI:44-48.

217. Martens, *Recueil des traités et conventions conclus par la Russie*, III:77.

218. Martens, *Recueil de traités et conventions conclus par la Russie*, III:78.

219. *VPR*, VI:48-50, 692-93.

220. Petrov, *Voina Rossii s Turtsiei*, III:249-77.

221. 조약 본문은 Noradounghian, ed., *Recueil d'actes internationaux de l'Empire ottoman*, II:86-92; VPR, VI:406-17을 보라.

17장 카자르 커넥션 : 이란과 유럽 열강, 1804-1814

1. Jacob Coleman Hurewitz, *Diplomacy in the Near and Middle East: A Documentary Record* (Princeton, NJ: Van Nostrand, 1956), I:68-70. R. Greaves, "Iranian Rela-

tions with Great Britain and British India," *Cambridge History of Iran* VII:375-79; M. Igamberdyev, *Iran v mezhdunarodnykh otnosheniyakh pervoi treti XIX veka* (Samarkand: Izd-vo Samarkandskogo Gos. Univ., 1961)도 보라.

2. Malcolm Yapp, *Strategies of British India: Britain, Iran and Afghanistan*, 1798-1850 (Oxford: Clarendon Press, 1980), 36-38.

3. Donald Rayfield, *Edge of Empires: A History of Georgia* (London: Reaktion, 2012), 250-64; Ronald Grigor Suny, *The Making of the Georgian Nation* (Bloomington: Indiana University Press, 1994), 59-69; V. Togonidze, *Kartlis mtianetis glekhta ajanyeba (1804 ts.)* (Tbilisi: Sakhelgami, 1951).

4. Alexander to Tsitsianov, September 20, 1802, in *Akty*, II:3-4. 알렉산드르는 러시아의 조지아 병합이 계몽주의의 원칙들과 근대성을 그가 후진적이라고 여기는 민족에게 도입할 기회라고 여겼다. Imperial Instructions to the Legal Commission, May 27, 1802, in *Akty*, VI, pt. 1, 78을 보라.

5. 훌륭한 개관은 Nikolas Gvosdev, *Imperial Policies and Perspectives Towards Georgia, 1760-1819* (London: Palgrave Macmillan, 2000), 99-116을 보라.

6. Nikolai Dubrovin, *Istoriia voiny i vladychestva russkikh na Kavkaze* (St. Petersburg: Typ. I. N. Skorokhodov, 1886), IV:1-25, 339-60, 491-528; Gvosdev, *Imperial Policies and Perspectives Towards Georgia*, 102-6; Vladimir Lapin, *Tsitsianov* (Moscow: Molodaya gvardiya, 2011).

7. *Akty*, I:413-508에서 관련 문서를 보라.

8. "지구가 네 구역으로 나뉜 이래로 [조지아는] 이란 국가에 속했다"고 파트 알리 샤의 대재상 하지 이브라힘은 말했다. "선대先代의 이란 샤 시절에 [조지아의] 주민들은 언제나 [샤]의 칙령을 복종하고 준수했지 결코 러시아 영토의 일부가 아니었다." Hajji Ibrahim to Kavlenskii, 날짜 미상 [1800], in *Akty*, I:97.

9. 예를 들어, 아가 무함마드 칸은 1795년 조지아 전역을 수행한 뒤에야 샤를 자처했는데 이 전역 덕분에 이전 조지아 봉토와 이웃 영토들을 수복했다고 주장할 근거가 생겼기 때문이었다. 그는 1796년 3월에 샤로 공식 선언되었다. Gavin Humbly, "Agha Muhammad Khan and the Establishment of the Qajar Dynasty," in *The Cambridge History of Iran: From Nadir Shah to the Islamic Republic*, ed. Peter Avery et al. (Cambridge: Cambridge University Press, 1991), VII:129, 146-47; J. R. Perry, "Āġā Moḥammad Khan Qājār," *Encyclopaedia Iranica* (online ed., 1982), www.iranicaonline.org/articles/aga-mohammad-khan을 보라. 카자르 왕조로의 영토 통합이라는 정치적 현실에 관한 흥미로운 논의는 Firoozeh Kashani-Sabet, *Frontier Fictions: Shaping the Iranian Nation, 1804-46* (Princeton NJ: Princeton University Press, 1999)를 보라. 13세기 이래로 진화해온 "이란의 경계 영역" 관념은 Ahmad Ashraf, "Iranian Identity. III: Medieval Islamic Period," in *Encyclopaedia Iranica* (online ed., 1982), www.iranicaonline.org/articles/iranian-identity-iii-medieval-islamic-period를 보라.

10. Edward Ingram, *Britain's Persia Connection, 1798-1828: Prelude to the Great Game* (Oxford: Clarendon Press, 1992), 80-82. "평화 시에 어떠한 약속도 하길 싫어하는 영국의 태도는 나폴레옹 전쟁이 끝난 뒤 25년 동안 페르시아 카자르 정권이 영국에 이것저것 요구해오면서 쌓인 불만으로 강화되었을지도 모른다" 라고 잉그램은 지적한다. "영국과 외국 사이 유사한 많은 협정과 마찬가지로 그 것이 남긴 유산은 실망과 원망이었다. 영국은 도움을 제공받길 기대하면서 도움 을 요청받는 것은 싫어했다. 그들은 오스트리아인 마지막 한 명까지 나폴레옹과 싸울 것을, 페르시아인 마지막 한 명까지 인도를 방어할 것을 기대했다." (2).

11. Tsitsianov to Kochubei, October 12, 1804; Tsitsianov to Czartoryski, June 29 and August 25, 1805, in *Akty*, II:812-13, 831, 847.

12. Z. Grigoryan, *Prisoedinenie Vostochnoi Armenii k Rossii v nachale XIX veka* (Moscow: Izd-vo sotsialno-ekonomicheskoi lt-ry, 1959), 66-76.

13. Dubrovin, *Istoriia voiny i vladychestva russkikh na Kavkaze*, IV:339-69, 392-400, 419-31, 466-77; Kh. Ibragimbeili, *Rossiya i Azerbaijan v pervoi treti XIX veka* (Moscow: Nauka, 1969), 64-65; Günal Teymurova, "1806-1812 Osmanli-Rusya Savaşi ve Azerbaycan," *Journal of Ottoman Civilization Studies*, no. 2 (2016): 48-49. Also see A. Ionnisian, *Prisoedinenie Zakavkaziya k Rossii i mezhdunarodnye otnosheniya v nachale XIX stoletiya* (Yerevan: Izd-vo AN Armyanskoi SSR, 1958); Vasilii Potto, *Kavkazskaia voina* (St. Petersburg: Tip. E. Evdokimova, 1887), volume 1; Y. Mahmudov and K. Şükürov, *Azerbaycan: Beynelhalq Münasibetler VeDiplomatiya Tarihi. 1639-1828* (Baku: 2009), I:356-63.

14. Dubrovin, *Istoriia voiny i vladychestva russkikh na Kavkaze*, IV:489-90.

15. "그는 수준 높은 행정 능력을 갖췄고, 여기에 공격적이고 거만한 기질까지 있었 다. 그런 기질이 기독교도든 무슬림이든 현지 군주들을 상대할 때 대단히 도움 이 되긴 했지만 한편으로 그 자신과 그가 가장 아낀 부하의 비극적 운명에 기여 했을 것이다 (…) [그의 재치 때문에] 그에게는 강적들도 있었지만 재치와 군인 다운 자질을 갖춘 것은 물론 아랫사람들도 잘 챙겨서 장병들로부터 사랑, 아니 거의 흠모를 받았다." J. Baddeley, *The Russian Conquest of the Caucasus* (London: Longmans, Green, 1908), 61-62. 훌륭한 논의는 Muriel Atkin, *Russia and Iran, 1780-1828* (Minneapolis: University of Minnesota Press, 1980), 71-81; Gvosdev, *Imperial Policies and Perspectives Towards Georgia*, 103-16을 보라.

16. Dubrovin, *Istoriia voiny i vladychestva russkikh na Kavkaze*, V:61-83.

17. Gudovich to Alexander, September 27, 1807; Gudovich to Rumiantsev, September 27, 1807; Tormasov to Barclay de Tolly, January 28, 1811, in *Akty*, III:100, 707, IV:187-89; N. Beliavskii and Vasilii Potto, *Utverzhdenie Russkago vladychestva na Kavkaze* (Tiflis, 1901), I:197, II:270-71; Dubrovin, *Istoriia voiny i vladychestva russkikh na Kavkaze*, IV:436-37, V:19, 228-29, 234. 캅카스 지방 에 배치된 러시아군의 실력에 관한 논의는 Atkin, *Russia and Iran*, 104-7을 보라.

18. Tsitsianov to Admiral Pavel Chichagov; Tsitsianov to Pevtsov, February 10, 1805, in *Akty*, II:735-37.

19. Caulaincourt to Napoleon, August 12, 1808, in Vel. Kn. Nikolay Mikhailovich, *Diplomaticheskie snoshenia Rossii i Frantsii po doneseniyam poslov Imperatorov Aleksandra i Napoleona, 1808-1812* (St. Petersburg: Ekspeditsia zagotovleniya gosudarstvennykh bumag, 1905), II:280. *VPR*, III:726-27에서 파트 알리 샤와의 협상에 관한 러시아의 각서도 보라.

20. 파트 알리 샤와의 협상(1806)에 관한 러시아쪽 각서는 *VPR*, III:726-27을 보라.

21. Arbuthnot to Adair, August 16, 1806, cited in Ingram, *Britain's Persian Connection*, 82.

22. Alexander to Gudovich, October 16, 1806, in *Akty*, III:420-21.

23. *Akty*, III:435.

24. *Akty*, III:437-38.

25. Alfred de Gardane, *La mission du Général Gardane en Perse sous le premier Empire* (Paris: Librarie de Ad. Laine, 1865), 24. 가르단은 러시아 사절을 "이스티파노프"로 잘못 소개한다. 사실 그의 이름은 스테파노프이고 구도비치의 부관 중 한 명이었다. 타브리즈에서 20일 동안 발이 묶였던 스테파노프는 압바스 미르자 왕세자를 1807년 1월 4일에 만났다. 이란 사절이 폴란드에서 프랑스와 한창 협상 중일 때였다. 다시금 3주 간 발이 묶인 끝에 그는 테헤란으로 가는 것을 허락받았지만 거기서 샤를 만나지는 못한 채 거의 6개월간 붙들려 지냈다.

26. AE "Turquie," 207; Napoleon to Talleyrand, September 28, 1803, in *CN*, IX:4.

27. Henri Dehérain, *La vie de Pierre Ruffin, Orientaliste et diplomate, 1742-1824* (Paris: P.Geuthner, 1930), II:25ff; Napoleon to Talleyrand, May 21, 1804, March 20, 1805, in *CN*, IX:357, X:238.

28. Napoleon to Talleyrand, June 9, 1806, in *CN*, XII:449-50.

29. Napoleon to Talleyrand, March 19 and April 7, 1805, in *CN*, X:237, 292-93.

30. N. Gotteri, "Antoine-Alexandre Romieu (1764-1805), général et diplomate," *Revue dromoise* 88, no. 468 (1993): 411-56; 88, no. 469 (1993): 476-564; Iradj Amini, *Napoleon and Persia: Franco-Persian Relations Under the First Empire* (Richmond, Surrey: Curzon, 1999), 65-75; Ch. de Voogd, "Les Français en Perse (1805-1809)," *Studia Iranica* 10, no. 2 (1981): 249.

31. Dehérain, *La vie de Pierre Ruffin*, II:30-31.

32. Alexander Stratton to Harford Jones, June 14, 1805, in *Correspondence, Despatches, and Other Papers of Viscount Castlereagh, Second Marquess of Londonderry*, ed. Charles William Vane (London: William Shoberl, 1851), V:420.

33. Napoleon to Fath Ali Shah, February 16, 1806, in *CN*, X:148-49.

34. B. Balayan, *Diplomaticheskaya istoriya Russko-iranskikh voin i prisoedineniya Vostochnoi Armenii k Rossii* (Yerevan: Izd.-vo AN Armyanskoi SSR, 1988), 45-

46; Vernon J. Puryear, *Napoleon and the Dardanelles* (Berkeley: University of California Press, 1951), 57.

35. 로미외의 보고서는 AE Correspondance Politique, "Perse," IX에 있다. 보고서의 요약문은 Amini, *Napoleon and Persia*, 72ff에 인용되어 있다. 로미외의 보고서는 나중에 장 루소의 더 영향력 있는 〈현대 페르시아 풍경 *Tableau General de la Perse modern*〉으로 합쳐졌는데, 이 장문의 원고는 나폴레옹에게 이란의 역사, 지리, 정치, 전통 등등에 관한 상세한 정보를 제공하여 프랑스의 이란 정책 형성에 기여했다. 깊이 있는 논의는 Irene Natchkebia, "Unrealized Project: Rousseau's Plan of Franco-Persian Trade in the Context of the Indian Expedition (1807)," in *Studies on Iran and the Caucasus*, ed. Uwe Bläsing et. al. (Leiden: Brill, 2015), 115-25.

36. Pierre-Amédée Jaubert, *Voyage en Arménie et en Perse: fait dans les années 1805 et 1806* (Paris: Pelicier, 1821), 17-68; Puryear, *Napoleon and the Dardanelles*, 46-52, 55-56, 155-57. 아르메니아 역사가 발라얀은 영국 기관원들이 바야지드의 마무드 파샤를 설득해 프랑스 사절을 억류시켰다고 주장한다. Balayan, *Diplomaticheskaya istoriya Russko-iranskikh voin*, 47.

37. Fath Ali Shah to Napoleon, December 1806, AN AE/III/215; Amini, *Napoleon and Persia*, 76-89.

38. Napoleon to Talleyrand, March 13, 1807, in *CN*, XIV:437.

39. 관련 문서는 Treaty of Defensive Alliance, May 4, 1807, AN AE/III/54/a; Napoleon to Fath Ali Shah, January 17 and April 3, 1807; Napoleon to Talleyrand, April 27, 1807, in CN, XIV:207, XV:15, 152를 보라.

40. Napoleon to Fath Ali Shah, January 17, 1807, in *CN*, XIV:207.

41. Treaty of Defensive Alliance, May 4, 1807, AN AE/III/54/b; Edouard Driault, *La politique orientale de Napoleon: Sébastiani et Gardane, 1806-1808* (Paris: Alcan, 1904), 170ff.; Amini, *Napoleon and Persia*, 205-8.

42. 가르단은 18세기 초에 사파비 왕조 궁정에 루이 14세의 사절로 파견된 앙주 드 가르단의 손자였다. 조베르의 출발과 가르단의 도착 사이에 다른 여러 프랑스 사절들—조제프-마리 주아넹, 오귀스트 드 봉탕-르포르, 장-바티스트-루이-자크 루스, 자비에르 드 라 블랑슈—이 이란을 방문하여 이 지역에 대한 나폴레옹의 관심의 범위를 반영했다.

43. Instructions pour le Général Gardane, May 10, 1807, *CN*, XV:210-14; Gardane, *La mission du Général Gardane en Perse*, 27-29, 81-99. Napoleon to Fath Ali Shah, April 20 and May 5, 1807, in *CN*, XV:119-20, 191도 보라.

44. 프랑스 사절단은 통역관 6명, 의사 6명, 선교사 3명, 군인 13명(공병 대위 4명, 보병 대위 1명, 기병 대위 1명, 포병 중위 2명, 공학-지리학자 중위 2명, 선임하사 3명)을 비롯해 대략 35명 정도였다. Gardane, *La mission du Général Gardane*, 103-5; de Voogd, "Les Français en Perse (1805-1809)," 253; Amini, *Napoleon*

and Persia, 104-5.

45. Dubrovin, *Istoriia voiny i vladychestva russkikh na Kavkaze*, V:127-79. Nikoloz Kortua, *Sakartvelo 1806-12 tslebis Ruset-Turketis omshi: rusi da kartveli xalxebis sabrdzolo tanamegobrobis istoriidan* (Tbilisi: Tsodna, 1964)도 보라.

46. Abbas Mirza's letter in *Akty*, III:436-37.

47. Gardane, *La mission du Général Gardane en Perse*, 106-9; Henri Dehérain, "Lettres inédites de membres de la mission Gardane en Perse (1807-9)," *Revue de l'histoire des colonies françaises* XVI (1923): 249-82.

48. AE "Perse," IX. Also see Gardane, *La mission du Général Gardane en Perse*, 106-7.

49. Harford Jones, *An Account of the Transactions of His Majesty's Mission to the Court of Persia in the Years 1807-11* (London: James Bohn, 1834), I:256. Steven R. Ward, *Immortal: A Military History of Iran and Its Armed Forces* (Washington, DC: Georgetown University Press, 2009), 74-75도 보라.

50. 파트 알리 샤가 나폴레옹에게, 날짜 미상 [1806년경], Atkin, *Russia and Iran*, 126에서 인용. 프랑스에서 이란으로 머스킷 소총 인도와 관련해 1808년 1월 21일 프랑스와 이란 간에 체결된 협약, AE/III/55도 보라.

51. Amini, *Napoleon et la Perse*, 195f.

52. 조약의 제4조, Amini, *Napoleon and Persia*, 206.

53. AE, "Perse," IX.

54. 자세한 내용은 샤 알현에 관한 가르단의 보고와 외무부에 올린 보고가 담긴 AE "Perse," IX와 X를 보라. Gardane, *La mission du Général Gardane en Perse*, 167-70, 275-77도 보라. 깊이 있는 논의는 Driault, *La politique orientale de Napoleon*, 126, 135, 142-48, 152를 보라.

55. Caulaincourt to Napoleon, August 12, 1808, in Grand Duke Nikolai Mikhailovich, *Diplomaticheskie snosheniya Rossii i Frantsii*, II:280.

56. 1806년 9월 29일 구도비치가 부드베르크에게(카자르 고관의 편지를 동봉); 1806년 10월 16일, 알렉산드르가 구도비치에게, *Akty*, III:419-21.

57. 구도비치가 알렉산드르 황제와 루미얀체프 재상 및 여타 고관들과의 주고받은 서신은 *Akty*, III:425-26, 429-30, 433-46, 449-51, 456-64, 485-86을 보라.

58. Lord Minto to Colonel Barry Close, October 11, 1807, in Gilbert Elliot-Murray-Kynynmound, Earl of Minto, *Lord Minto in India: Life and Letters of G. Elliot from 1807 to 1814* (London: Longmans, Green, 1880), 51.

59. Minto, *Lord Minto in India*, 110-11. For Minto's fears of the French invasion, see 101-10.

60. John William Kaye, *The Life and Correspondence of Major-General Sir John Malcolm, Late Envoy to Persia and Governor of Bombay* (London: Smith, Taylor, 1856), I:420-21.

61. Amini, *Napoleon and Persia*, 140-46.

62. AE "Perse," X.

63. AE "Perse," X.

64. AE "Perse," X.

65. 라자르의 임무에 관한 간략한 논의는 Amini, *Napoleon and Persia*, 153-56을 보라.

66. Journal of the Russian Operations, in RGVIA, f. VUA, d. 4265, ll. 41-102; Dubrovin, *Istoriia voiny i vladychestva russkikh na Kavkaze*, V:200-227.

67. "O deistviyakh frantsuzskoi missii v Persii," November 23, 1808; RGVIA, f. VUA, d. 4265, ll. 41-43; Rumyantsev to Alexander I, December 1808, RGVIA, f. VUA, d. 4265, ll. 44-54b.

68. Gudovich to Major-General Akhverdov, November 6, 1808; Gudovich to Alexander, December 23, 1808 in *Akty*, III:241, 252-64; Nikolay Beliavskii and Vasilii Potto, *Utverzhdenie Russkago vladychestva na Kavkaze* (Tiflis: Izd. Voenno-istoricheskago otd. Pri Shtabe Kavkaz. Voen. Okruga, 1901), I:251-57, 303-8. Caulaincourt to Napoleon, February 22, 1809, in Grand Duke Nikolai Mikhailovich, *Les Relations diplomatiques de la Russie et de la France d'apres les rapports des ambassadeurs d'Alexandre et de Napoleon, 1808-12* (St. Petersburg, 1905-1914), III:100-101도 보라.

69. AE, "Perse," X에서 가르단, 펠릭스 라자르(가르단 사절단에서 3급 서기관), 조제프 주아냉의 보고서를 보라.

70. Gardane, *La mission du Général Gardane en Perse*, 234; Amini, *Napoleon and Persia*, 157-59.

71. Gardane, *La mission du Général Gardane en Perse*, 235-36.

72. AE "Perse," X.

73. Amini, *Napoleon and Persia*, 170-79.

74. AE "Perse," XI.

75. Charles Umpherston Aitchison, *A Collection of Treaties, Engagements, and Sunnuds Relating to India and Neighbouring Countries* (Calcutta: O. T. Cutter, 1865), VII:117-20. 예지 조약은 1812년 3월에 우호와 동맹의 조약으로 공식화되었다. Aitchison, *A Collection of Treaties*, VII:122-26을 보라. Jones, *An Account of the Transactions of His Majesty's Mission*, I:185-200; R. M. Savory, "British and French Diplomacy in Persia, 1801-1810," *Iran* 10 (1972): 34-40 도 보라.

76. Jones, *An Account of the Transactions of His Majesty's Mission*, I:200ff.

77. Tormasdov to A. Prozorovskii, April 17, 1809, in *Akty*, IV:631-32.

78. Tormasov to Rumyantsev, June 10, 1809, RGVIA, f. VUA, d. 6184, ll. 38-45; Tormasov to Arakcheyev, September 22, 1809, RGVIA, f. VUA, d. 4267, ll. 1-8b; Tormasov to Rumyantsev, September 22, 1809 in *Akty*, IV:693-96. Also see Günal Teymurova, "1806-1812 Osmanli-Rusya Savaşi ve Azerbaycan,"

Journal of Ottoman Civilization Studies, no. 2 (2016): 51-54.

79. Tormasov to Arakcheyev, September 22, 1809, RGVIA, f. VUA, d. 4267, ll. 1-8b; Tormasov to Rumyantsev, September 22, 1809 in *Akty*, IV:693-96. Nikoloz Kortua, *Sakartvelo 1806-12 tslebis Ruset-Turketis omshi: rusi da kartveli xalxebis sabrdzolo tanamegobrobis istoriidan* (Tbilisi: Tsodna, 1964)도 보라.

80. N. Berdzenishvili, *Sakartvelos istoria* (Tbilisi, 1958), I:407-8; G.V. Khacha-puridze, *K istorii Gruzii pervoi poloviny XIX veka* (Tbilisi, 1950), 98-99. Petr Butkov, *Materially dlia novoi istorii Kavkaza s 1722 po 1803 god* (St. Petersburg: Tip. Imp. Akademii nauk, 1869), III:392-93; Nikolay Dubrovin, *Istoriia voiny i vladychestva russkikh na Kavkaze* (St. Petersburg: Tip. Departamenta udelov, 1887), V, 252-318도 보라.

81. AE "Perse," t. XIII, 1810, f. 322.

82. A. Villemain, *Souvenirs contemporains d'histories et de littérature* (Paris: Didier, 1854), I:175-80. 프랑스-조지아 외교에 대한 폭넓은 시각은 Ilia Tabagoua, "La Géorgie dans les plans de Napoléon," *Bedi Kartlisa: Revue de Kartvélologie* XXIX (1972): 106-18; Ilia Tabagoua, *Sakartvelo-safrangetis urtiertobis istoriidan (XVIII s. mitsuruli-XIX s. dasatskisi)* (Tbilisi: Metsniereba, 1974); Nebi Gümüş, "Son Gürcü Krali II. Solomon'un Ruslara Karşi Mücadelesi ve Osmanli Devleti İle İlişkileri," *Necmettin Erbakan Üniversitesi Ilahiyat Fakültesi Dergisi*, no. 22 (2006): 105-18; Alexander Mikaberidze, "Franco-Georgian Diplomatic Relations, 1810-1811," The Napoleon Series, http://napoleon-series.com/research/government/diplomatic/c_georgia1.html을 보라.

83. Tormasov to Barclay de Tolly, May 26, 1810, RGVIA, f. VUA, d. 6186, ll. 19-24.

84. Beliavskii and Potto, *Utverzhdenie Russkago vladychestva*, II:191-206, 243-68; A. Petrov, *Voina Rossii s Turtsiei, 1806-1812* (St. Petersburg: Voenn. Tip., 1885), III:207-29; Günal Teymurova, "1806-1812 Osmanli-Rusya Savaşi ve Azerbay-can," *Journal of Ottoman Civilization Studies*, no. 2 (2016): 54-55.

85. Tormasov to Barclay de Tolly, September 12, 1811, RGVIA, f. VUA, d. 6192, ll. 96-102.

86. Beliavskii and Potto, *Utverzhdenie Russkago vladychestva*, II:269-86.

87. Paulucci to Barclay de Tolly, November 7, 1811, RGVIA, f. VUA, d. 6192, ll. 116-19; Paulucci to Alexander, April 8, 1812; Paulucci to Barclay de Tolly, March 15, 1812 in *Akty*, V:177-80, 191-92; Dubrovin, *Istoriia voiny i vlady-chestva russkikh na Kavkaze*, V:435-37; Beliavskii and Potto, *Utverzhdenie Russ-kago vladychestva*, II:287-315.

88. Ingram, *Britain's Persian Connection*, 164-67.

89. 러시아는 탈리시 칸국을 두 제국 간 완충지대 역할을 할 중립 지역으로 인정하

겠다고 제안했다. 하지만 이 제의를 받아들인다 해도 테헤란은 여전히 조지아와 동부 캅카스 상당 부분의 상실을 수용해야 했을 것이다. 관련 문서는 *Akty*, V:662-70.

90. 1812년 3월에 가레지, 마흐카니, 카카베티, 베지니, 제가니와 여타 마을 주민들한테서 나온 불만은 Shota Khantadze, ed., *Dokumentebi kakhetis 1812 tslis ajankebis istoriisatvis* (Tbilisi: Tbilisi University Press, 1999); 30, 41-42, 47, 54, 57-58, 67, 84, 89, 103-4를 보라. 러시아 민정民政과의 마찰에 관한 논의는 V. Ivanenko, *Grazhdanskoe upravlenie Zakavkaziem ot prisoedineniya Gruzii do namestnichestva Velikago Kniazya Mikhaila Nikolayevicha* (Tiflis: Tip. Kantselyarii Glavnonachalstvuyuschego grazhdanskoi chastyu na Kavkaze, 1901), 76ff를 보라.

91. Akaki Gelashvili, *Kakhetis 1812 tslis ajankeba* (Tbilisis: Artanuji, 2010); Durmishkhan Tsintsadze, *Dokumentebi kakhetis 1812 tslis ajankebis istoriisatvis* (Tbilisi: Tbilisi State University Press, 1999).

92. Beliavskii and Potto, *Utverzhdenie Russkago vladychestva*, II:304-8.

93. Rtischev to Alexander, November 12, 1812, in *Akty*, V:684-86; Beliavskii and Potto, *Utverzhdenie Russkago vladychestva*, II:459-70; V. Sollogub, *Biografiya generala Kotlyarosvkogo* (St. Petersburg: Tip. K. Kraya, 1836), 116-22; Baddeley, *The Russian Conquest of the Caucasus*, 88-89.

94. Dubrovin, *Istoriia voiny i vladychestva russkikh na Kavkaze*, VI:39-100. *Akty*, V:697-700, 702-3, 710-11도 보라.

95. Ouseley to Castlereagh, July 10, 1813, cited in Atkin, *Russia and Iran*, 141.

96. Rtischev to Rumyantsev, December 1, 1813, in *Akty*, V:739-47.

97. 조약 본문은 Hurewitz, *The Middle East and North Africa in World Politics*, I:197-99를 보라.

98. Mansoureh Ettehadieh Nezam-Mafi, "Qajar Iran (1795-1921)," in *The Oxford Handbook of Iranian History*, ed. Touraj Daryaee (Oxford: Oxford University Press, 2012), 323.

99. 이 새로운 부니차bunichah 시스템으로 아바스 미르자는 일종의 징병제를 실시하여 각 지방은 특정한 수의 신병을 제공해야 했다. 할당 인원은 경작지의 양을 근거로 계산되었고, 자원 입대자와 소규모 부족 분견대로 보충되었다.

18장 영국의 해외 원정, 1805-1810

1. 500톤 이상의 범선 용적 톤수를 근거로 한다. J. Glete, *Navies and Nations: Warships, Navies and State Building in Europe and America, 1500-1860* (Stockholm: Almqvist & Wiksell International, 1993), app. 2, II:553-695의 데이터를 보라.

2. Leonard Monteath Thompson, *A History of South Africa* (New Haven, CT: Yale University Press, 1990), 35-36; Richard Elphick and Hermann Giliomee, eds., *The Shaping of South African Society, 1652-1840* (Middletown, CT: Wesleyan University Press, 1979), 93-100, 136-38.

3. Ben Hughes, *The British Invasion of the River Plate 1806-1807: How the Redcoats Were Humbled and a Nation Was Born* (Barnsley, UK: Pen & Sword Military, 2013), 12-21.

4. Thompson, *A History of South Africa*, 54-56. William M. Freund, "The Cape Under the Transitional Governments, 1795-1814," in *The Shaping of South African Society 1652-1840*, ed. Richard Elphick and Hermann Giliomee (Middletown, CT: Wesleyan University Press, 1979), 329-30도 보라.

5. John Rydjord, *Foreign Interest in the Independence of New Spain* (New York: Octagon Books, 1972), 154, 202-3을 보라. 앞선 시기는 William Kaufmann, *British Policy and the Independence of Latin America, 1804-1828* (New Haven CT: Yale University Press, 1951), 1-17을 보라.

6. William Spence Robertson, *The Life of Miranda* (Chapel Hill: University of North Carolina Press, 1929), I:282-83.

7. Rydjord, *Foreign Interest in the Independence of New Spain*, 235.

8. Robertson, *The Life of Miranda*, I:293-327; Karen Racine, *Francisco de Miranda: A Transatlantic Life in the Age of Revolution* (Wilmington, DE: Scholarly Resources, 2003), ch. 5.

9. 포펌에 관해서는 Hugh Popham, *A Damned Cunning Fellow: The Eventful Life of Sir Home Popham* (Tywardreath, UK: Old Ferry, 1991)을 보라.

10. Popham to Secretary of the Admiralty Marsden, April 30, 1806, in Theodore Edward Hook, *The Life of General, the Right Honourable, Sir David Baird* (London: Richard Bentley, 1832), II:142-43. 훗날 포펌은 1805년에 "남아메리카 원정의 원래 계획과 관련하여 [피트 총리]와 긴 대화를 나누었는데 그 대화 도중에 피트 씨가 내게 당시의 유럽 정세와, 프랑스에 맞서 어느 정도 결성되었고 또 계속 결성 중이던 동맹을 고려할 때, 우호적인 협상을 통해서 에스파냐를 그 나라[프랑스]와의 연계로부터 떼어놓기 위해 노력해야 한다는 의견이 강하며, 그러한 시도의 결과가 나타날 때까지는 남아메리카에서 일체의 적대적인 작전을 유예하는 게 바람직하지만 이 목적을 달성하지 못한다면 원래의 계획에 착수한다는 것이 자신의 생각이라고 밝혔다"라고 기록했다. *Minutes of a Court Martial, Holden on Board His Majesty's Ship Gladiator in Portsmouth Harbor ...* (London: Longman, 1807), 80.

11. Alexander Gillespie, *Gleanings and Remarks Collected During Many Months of Residence at Buenos Ayres and Within the Upper Country* (Leeds: B. Dewhirst, 1818), 28-29. 원정에 관한 훌륭한 개관은 Hughes, *The British Invasion of the*

River Plate 1806-1807, 24-25; James Davey, "The Atlantic Empire, European War and the Naval Expeditions to South America, 1806-1807," in T*he Royal Navy and the British Atlantic World, 1750-1820*, ed. John McAleer and Christer Petley (Basingstoke: Palgrave Macmillan, 2016), 147-72를 보라.

12. Popham to the Mayor and Corporation of Birmingham, July 1, 1806, in *The British Trident, or Register of Naval Actions*, ed. Archibald Duncan (London: James, Cundee, 1806), V:349; *The Naval Chronicle for 1806* (London: Joyce Gold, 1806), XVI:373-74. Robertson, *The Life of Miranda*, 323-24에서 1806 년 7월 20일 미란다에게 보낸 포펌의 편지도 보라.

13. 부에노스아이레스의 경제 여건에 관한 흥미로운 논의는 Lyman L. Johnson, *Workshop of Revolution: Plebeian Buenos Aires and the Atlantic World, 1776-1810* (Durham, NC: Duke University Press, 2011)을 보라.

14. *A la reconquista de la capital de Bueno Aires por las tropas de mar y tierra, á las órdenes del capitan de Navio, Don Santiago Liniers, el 12 de agosto de 1806* (Buenos Aires: Niños Expósitós, 1806). 영어권 연구는 Hughes, *The British Invasion of the River Plate 1806-1807*; Ian Fletcher, T*he Waters of Oblivion: The British Invasion of the Rio de la Plata, 1806-07* (Staplehurst, UK: Spellmount, 1991); John D. Grainger, *British Campaigns in the South Atlantic 1805-1807* (Barnsley, UK: Pen & Sword Military, 2015); John D. Grainger, *The Royal Navy in the River Plate, 1806-1807* (Aldershot: Scolar Press, 1996)을 보라.

15. Alberto Mario Salas, *Diario de Bueno Aires, 1806-1807* (Buenos Aires: Editorial Sudamericana, 1981), 476-510; Francisco Saguí, *Los últimos cuatro años de la dominación española en el antiguo vireinato del Rio de la Plata desde 26 de junio de 1806 hasta 25 de mayo 1810: memoria histórica familiar* (Buenos Aires: Imprenta Americana, 1874), 65-88, 484-512; José Juan Biedma, *Documentos referents de la Guerra de la indepencia de América a emancipación politica de la República Argentina y de otras secciones de América a qye cooperó desde 1810 a 1828*, tome 2, *Antecedentes popoliticos, económicos y administrativos de la revolución de Mayo de 1810* (Buenos Aires: Archivo General de la Nación Argentina, 1914), 611-23; Bernardo Lozier Almazán, *Liniers y su tiempo* (Buenos Aires: Emcé Editores, 1990), 150-61.

16. *1806-1807 Invasiones Inglesas al Río de la Plata: aporte documental* (Buenos Aires: Inst. Histórico de la Ciudad de Buenos Aires, 2006), 50-51에서 문서 464를 보라.

17. 자세한 내용은 Carlos Pueyrredón, *1810. La revolución de Mayo segun amplica documentación de la época* (Buenos Aires: Ediciones Peusar, 1953), 35-36; Salas, Diario de Bueno Aires, 371-72; Biedma, *Documentos referents de la Guerra de la indepencia*, II, 440-50; Instituto de Estudios Historicos, *La reconquista y*

defensa de Buenos Aires, 1806-1807 (Buenos Aires: Editores Peuser, 1947), 476 을 보라.

18. Johnson, *Workshop of Revolution*, 262-71.

19. 정부는 영국군의 "현명하고 유능하고 기백 있는 행동"을 인정하나 공격 자체는 정부의 승인을 받지 않고 단행되었으므로 옳지 않다고 여긴다고 밝혔다. *Minutes of a Court Martial*, 54-56, 69-70.

20. Grenville to Lord Auckland, June 5, 1806, in *Dropmore Papers*, VIII:179.

21. Auckland to Grenville, September 1 and 14, November 25, 1806, *Dropmore Papers*, VIII:302, 332, 441-42.

22. Howick to Morpeth, September 24, 1806, cited in George M. Trevelyan, *Lord Grey of the Reform Bill* (London: Longmans, Green, 1920), 151.

23. Windham to Grenville, September 11, 1806, *Dropmore Papers*, VIII:321.

24. 자세한 내용은 Grenville to Buckingham, October 3, 1806, *Memoirs of the Court and Cabinets of George III*, IV:79-80; Arthur Wellesley's Memoranda, November 2-21, 1806, *Dropmore Papers*, IX:481-92. Also see *Dropmore Papers*, VIII:386-87, 418-20; *Supplementary Despatches and Memoranda of Field Marshal Arthur, Duke of Wellington* (London: John Murray, 1860), VI:35-39, 40-55를 보라.

25. Wellesley's Memorandum, November 20, 1806, *Supplementary Despatches and Memoranda*, VI:50.

26. 서인도제도와 대서양에서 일어난 사건들에 관한 논의는 주로 Kenneth Johnson, "Napoleon's War at Sea," in *Napoleon and the Operational Art of War*, ed. Michael V. Leggiere (Leiden: Brill, 2016), 387-475; William Laird Clowes et al., *The Royal Navy: A History from the Earliest Times to 1900* (London: Chatham, 1997), vol. 5; Louis Edouard Chevalier, *Histoire de la marine française sous le consulat et l'empire* (Paris: L. Hachette, 1886); Robert Gardiner, *The Campaign of Trafalgar* (London: Caxton Editions, 2001); Robert Gardiner, *The Victory of Seapower: Winning the Napoleonic War, 1806-1814* (London: Caxton Editions, 1998); William James, T*he Naval History of Great Britain* (London: Conway Maritime Press, 2002), vols. 3-5를 바탕으로 한다.

27. WO 1/146 West Indies and South America, ix Surinam Volume I (1810-1802년 총독의 공문; 1804년 탈환 관련 공문). 1804년 수리남 함락에 관한 상세한 연구 내용(과 문서 사본)을 공유해준 마르테인 빙크에게 매우 감사드린다.

28. Kevin D. McCranie, "Britain's Royal Navy and the Defeat of Napoleon," in *Napoleon and the Operational Art of War*, ed. Leggiere, 476에서 인용.

29. 영국 해군을 요리조리 피하는 사이, 알망은 영국 전함 1척과 더 작은 배 3척, 상선 40척 이상을 포획한 뒤 1805년에 로슈포르로 당당히 귀환했다. Chevalier, *Histoire de la marine française sous le consulat et l'empire*, 240-41.

30. Chevalier, *Histoire de la marine française sous le consulat et l'empire*, 260-63.

31. Johnson, *Napoleon's War at Sea*, 430.

32. Chevalier, *Histoire de la marine française sous le consulat et l'empire*, 264-66.

33. James, *The Naval History of Great Britain*, IV:190-203; Chevalier, *Histoire de la marine française sous le consulat et l'empire*, 251-55.

34. Napoleon to Berthier, March 31, 1806, in *CN*, XII:246-47.

35. Johnson, *Napoleon's War at Sea*, 434. 이 순항 작전으로 프랑스는 다해서 전함 7척, 프리깃함 6척, 브리그나 코르벳 7척을 잃고, 1700명이 죽거나 다쳤으며, 4800명이 포로로 잡혔다.

36. Johnson, *Napoleon's War at Sea*, 437.

37. Piers Mackesy, *The War in the Mediterranean, 1803-1810* (London: Longmans, Green, 1957), 249-54.

38. Robert Castlereagh, *Correspondence, Despatches, and Other Papers of Viscount Castlereagh*, ed. Charles Vane (London: William Shorberl, 1851), VIII:87.

39. 퀴라소에 관해서는 P. A. Euwens, "Een Engelsch gourveneur van Curaçao," *De West-Indische Gids*, 1924-1925, 461-64; P. A. Euwens, "De eerste dagen van het Engelsche bewind op Curaçao in 1807," *De West-Indische Gids*, 1924-1925, 575-81; B. De Gaay Fortman, "De Kolonie Curaçao Onder Engelsch Bestuur Van 1807 Tot 1816," *De West-Indische Gids*, 1944-1945, 229-46을 보라. 영국의 상크트토마스, 상크트얀, 상크트크루아 침공의 영향은 N. A. T. Hall, *Slave Society in the Danish West Indies: St. Thomas, St. John and St Croix* (Mona, Jamaica: University of the West Indies Press, 1992)를 보라.

40. James Lucas Yeo to the Admiralty, January 15, 1809, *The Naval Chronicle*, XXI, 337-41; James, *The Naval History of Great Britain*, V:209-13.

41. Kenneth Gregory Johnson, "Louis-Thomas Villaret de Joyeuse: Admiral and Colonial Administrator (1747-1812)," Ph.D. diss., Florida State University, 2006, 246-65. 포르 드세 포위전 동안 영국군은 폭탄 8천 개, 포탄 2천 개, 포환 4천 개 이상을 발사하여 요새와 주변 지역을 전파하다시피 했다.

42. Alan Burns, *History of the British West Indies* (London: George Allen & Unwin, 1965), 586-87.

43. 프랑스가 매우 능률적으로 선박을 꾸준히 내놓자, 한 영국 해군 지휘관은 "마치 마법처럼 숲에서 바닷가로 또 다른 해군이 [뛰어나오는] 것 같다"고 말했다. Edward P. Brenton, *The Naval History of Great Britain from the Year 1783 to 1836* (London: H. Coburn, 1837), II:112.

44. *The Monthly Magazine or British Register* XXXII (1811), part II, 73. *The Naval Chronicle*, XXVI, 158; Richard Glover, "The French Fleet, 1807-1814: Britain's Problem and Madison's Opportunity," *Journal of Modern History* 39, no. 3 (1967): 233-52도 보라.

45. 흥미로운 논의는 Janet Macdonald, *The British Navy's Victualling Board, 1793–1815* (Woodbridge: Boydell Press, 2010); James Davey, *In Nelson's Wake: The Navy and the Napoleonic Wars* (New Haven, CT: Yale University Press, 2015), 160–206을 보라.

46. Robert G. Albion, *Forests and Sea Power: The Timber Problem of the Royal Navy, 1652–1852* (Cambridge, MA: Harvard University Press, 1926), 20–32; James Davey, T*he Transformation of British Naval Strategy: Seapower and Supply in Northern Europe, 1808–1812* (Woodbridge: Boydell Press, 2012), 55–73, 173–92; J. Ross Dancy, *The Myth of the Press Gang: Volunteers, Impressment and the Naval Manpower in the Late Eighteenth Century* (Woodbridge: Boydell Press, 2015), 28–29; Clowes et al., *The Royal Navy: A History*, V:10을 보라. 전열함의 수는 1803년 111척에서 1806년 120척으로, 1809년 127척으로 증가했다가 1814년 118척으로 감소했다.

47. 이러한 성공들 대다수는 1809년의 전적으로서, 이 해에 영국 해군은 바스크 정박지(에 정박지로도 알려져 있다)에서 화선 공격을 감행해 프랑스 전열함 3척을 파괴했다. 1809년 4월에는 서인도제도에서 프랑스 전열함 도푸호가 포획된 한편, 지중해에서는 조지 마틴 제독이 1809년 10월에 전열함 2척을 파괴할 수 있었다. 3년 뒤인 1812년 2월에 프랑스는 아드리아해 북부에서 첫 출항한 74문포함 리볼리호도 잃었다.

48. Thomas Barnes Cochrane Dundonald and H. R. Fox Bourne, *The Life of Thomas, Lord Cochrane, Tenth Earl of Dundonald* (London, R. Bentley, 1869), I:12.

49. David Cordingly, *Cochrane: The Real Master and Commander* (New York: Bloomsbury, 2007).

50. Cochrane Dundonald and Fox Bourne, *The Life of Thomas, Lord Cochrane*, 16.

51. 코크런은 갬비어에게 공격을 계속할 것을 촉구했지만 오히려 전황을 설명하는 공문을 갖고 영국으로 출항하라는 지시를 받았다. 런던으로 돌아온 코크런은 영웅으로 칭송받고 기사 작위를 받았지만 프랑스 해군을 전멸시킬 기회를 날린 갬비어에 대한 불만을 공개적으로 표출했다. 이 일로 코크런은 더 이상 지휘권을 받지 못했고 일선으로 복귀가 막혔기 때문에 그의 경력은 사실상 끝이 나고 말았다.

52. Noel Mostert, *The Line upon a Wind: The Great War at Sea, 1793–1815* (New York: W. W. Norton, 2007), 569.

53. 자세한 내용은 Jahleel Brenton, *Memoir of the Life and Services of Vice Admiral Sir Jahleel Brenton*, ed. Henry Raikes (London: Hatchard, 1846), 319–72를 보라.

54. Edward Osler, *The Life of Admiral Viscount Exmouth* (London: Geo. Routledge, 1854), 173.

55. "3층 갑판 전함[대포를 100문 이상 탑재한 전함] 1척과 2층 갑판 전함[64–80문을 탑재한 전함] 1척 간 상대적 가치를 가장 높게 평가한 사람은 저비스[제독]

로서, 그는 상비센테곶 해전이 끝난 뒤 포획한 에스파냐 1등급함 2척이 프랑스의 2층 갑판 전함 6척만한 가치가 있다고 여겼다." Mackesy, *The War in the Mediterranean*, xiii.

19장 영국의 동방 제국, 1800-1815

1. 인도에서 영국 제국주의에 관한 문헌은 방대하다. 나의 논의는 주로 P. J. Marshall, ed., *The Oxford History of the British Empire, vol. 2, The Eighteenth Century* (Oxford: Oxford University Press, 1998); H. V. Bowen, *The Business of Empire: The East India Company and Imperial Britain, 1756-1833* (Cambridge: Cambridge University Press, 2006); Ian Watson, *Foundation for Empire: English Private Trade in India, 1659-1760* (New Delhi: Vikas, 1980); C. A. Bayly, *Indian Society and the Making of the British Empire* (Cambridge: Cambridge University Press, 1988); K. N. Chaudhuri, *The Trading World of Asia and the East India Company, 1660-1760* (Cambridge: Cambridge University Press, 1978)에 의존한다.

2. John Robert Seeley, *The Expansion of England: Two Courses of Lectures* (1883; repr., Cambridge: Cambridge University Press, 2010), 8.

3. 제국 팽창의 주요 동기에 관해서는 Bernard Porter, *The Absent-Minded Imperialists: Empire, Society, and Culture in Britain* (Oxford: Oxford University Press, 2004); Timothy H. Parsons, *The Rule of Empires: Those Who Built Them, Those Who Endured Them, and Why They Always Fall* (Oxford: Oxford University Press, 2010); Piers Brendon, *The Decline and Fall of the British Empire, 1781-1797* (New York: Alfred A. Knopf, 2007)을 보라.

4. 영국 동인도회사의 통사는 Antony Wild, *The East India Company: Trade and Conquest from 1600* (New York: Lyons Press, 2000)을 보라.

5. Parsons, *The Rule of Empires*, 173.

6. Anthony Webster, *The Twilight of the East India Company: The Evolution of Anglo-Asian Commerce and Politics, 1790-1860* (Woodbridge: Boydell Press, 2009); Sudipta Sen, *Empire of Free Trade: The East India Company and the Making of the Colonial Marketplace* (Philadelphia: University of Pennsylvania Press, 1998); Philip Lawson, *The East India Company: A History* (London: Longman, 1993).

7. Peter A. Ward, *British Naval Power in the East, 1794-1805: The Command of Admiral Peter Rainier* (Oxford: Boydell Press, 2013), 2.

8. P. J. Marshall, *The New Cambridge History of India*, vol. II, part 2, *Bengal: The British Bridgehead* (Cambridge: Cambridge University Press, 1987), 77-92; Daniel Baugh, *The Global Seven Years' War, 1754-1763: Britain and France in a Great Power Contest* (London: Longman, 2011), 282-97; P. J. Marshall, *East*

Indian Fortunes: The British in Bengal in the Eighteenth Century (Oxford: Oxford University Press, 1976).

9. Holden Furber, "The East India Directors in 1784," *Journal of Modern History* 5, no. 4 (1933): 479-95; C. H. Philips, "The East India Company 'Interest' and the English Government, 1783-4," *Transactions of the Royal Historical Society (Fourth Series)* 20 (1937): 83-101.

10. *The Parliamentary Register or History of the Proceedings and Debates of the House of Commons* (London: J. Debrett, 1788), XXIII:301; *Cobbett's Parliamentary History of England* (London: T. C. Hansard, 1815), XXIV:1094. 인도 운영위원회는 영국의 국무장관과 재무장관을 비롯해 6인으로 구성되었다. 비밀위원회는 단 3인으로 이루어져 있었다. William Foster, "The India Board (1784-1858)," *Transactions of the Royal Historical Society (Third Series)* 11 (1917): 61-85; C. H. Philips, "The Secret Committee of the East India Company, 1784-1858," in *Bulletin of the School of Oriental and African Studies* 10, no. 3 (1940): 699-700.

11. Nicholas B. Dirks, *The Scandal of Empire: India and the Creation of Imperial Britain* (Cambridge, MA: Belknap Press, 2006); H. V. Bowen, *The Business of Empire: The East India Company and Imperial Britain, 1756-1833* (Cambridge: Cambridge University Press, 2006).

12. C. A. Bayly, *The Birth of the Modern World, 1780-1914: Global Connections and Comparisons* (Malden, MA: Blackwell, 2004).

13. 제프리 파커에 따르면 서구 열강의 전술과 무기를 채택함으로써 그들을 따라잡으려는 인도의 노력은 너무 적고 너무 늦은 감이 있었다. R. G. S. 쿠퍼는 인도의 패배는 대체로 엉성한 통솔 구조와 제도화된 장교단의 부재 탓이라고 주장한다. Geoffrey Parker, *The Military Revolution: Military Innovation and the Rise of the West, 1500-1800* (Cambridge: cambridge University Press, 1988), 136; Randolf G. S. Cooper, "Wellington and the Marathas in 1803" *International History Review* 11 (1989): 38.

14. 자세한 내용은 Maistre de La Touche, *The History of Hyder Shah, Alias Hyder Ali Khan Bahadur* (Calcutta: Sanders, Cones, 1848); Praxy Fernandes, *The Tigers of Mysore: A Biography of Hyder Ali and Tipu Sultan* (New Delhi: Viking, 1991)을 보라.

15. K. G. Pitre, *The Second Anglo-Martha War, 1802-1805: A Study in Military History* (Poona: Dastane Ramchandra, 1990), 135. 영국 역사가 P. J. 마셜이 판단하듯이 "1803년 아시에서 장래 웰링턴 공작의 승리는 1509년 디우에서 프란시스쿠 드 알메이다의 승리와 마찬가지로 우월한 서구 기술력의 손쉬운 승리가 결코 아니었다." P. J. Marshall, "Western Arms in Maritime Asia in the Early Phases of Expansion," in *Warfare, Expansion and Resistance*, ed. Patrick Tick

(London: Routledge, 2001), V:133.

16. Jeremy Black, *Britain as a Military Power, 1688-1815* (London: University College London Press, 1999), 132. Black, *The British Seaborne Empire* (New Haven, CT: Yale University Press, 2004), 139-40; Black, *European Warfare 1660-1815* (London: University College London Press, 1994)도 보라.

17. Nicholas B. Dirks, *The Scandal of Empire: India and the Creation of Imperial Britain* (Cambridge, MA: Harvard University Press, 2006)의 1~3장을 보라.

18. 자세한 내용은 Dharma Kumar and Meghnad Desai, *The Cambridge Economic History of India, vol. 2, c. 1757-c. 1970* (Cambridge: Cambridge University Press, 1983), 3-35, 242-352를 보라.

19. Wellesley "found the East India Company a trading body, but left it an imperial power." *Encyclopedia Britannica*, 11th ed. (1910-1911), XXVIII:506.

20. 시크 제국(인도 북서부)의 만만찮은 란지트 싱(재위 1801-1839년)이 다음 두 세대 동안 영국을 저지할 수 있었다. J. S. Grewal, *The New Cambridge History of India*, vol. II, part 3, *The Sikhs of the Punjab* (Cambridge: Cambridge University Press, 1998), 99-127. Pradeep Barua, "Military Developments in India, 1750-1850," *Journal of Military History*, 58, no. 4 (1994): 610-13. 도 보라.

21. Michael Duffy, "World Wide War, 1793-1815," in *The Oxford History of the British Empire: The Eighteenth Century*, ed. P. J. Marshall (Oxford: Oxford University Press, 1998), II:202.

22. 뛰어난 논의는 Peter A. Ward, *British Naval Power in the East, 1794-1805: The Command of Admiral Peter Rainier* (Oxford: Boydell Press, 2013)를 보라.

23. Castlereagh to Wellesley, March 16, 1803, in *The Despatches, Minutes, and Correspondance, of the Marquess Wellesley During His Administration in India*, ed. Montgomery Martin (London: W. Allen, 1837), III:290.

24. Thomas George Percival Spear, *The Oxford History of Modern India, 1790-1975* (Delhi: Oxford University Press, 1978), 114. 인도 주둔 영국 정규군은 1796년 1만 700명에서 1801년 2만 6천 명으로 두 배로 뛰었다. John William Fortescue, *A History of the British Army* (London: Macmillan, 1910), IV:719-20, 938-39.

25. James W. Hoover, *Men Without Hats: Dialogue, Discipline, and Discontent in the Madras Army 1806-1807* (New Delhi: Manohar, 2007); P. Chinnian, *The Vellore Mutiny, 1806: The First Uprising Against the British* (Madras: n.p., 1982); Maya Gupta, *Lord William Bentinck in Madras and the Vellore Mutiny, 1803-7* (New Delhi: Capital, 1986).

26. Mountstuart Elphinstone, *An Account of the Kingdom of Caubul, and Its Dependencies in Persia, Tartary, and India* (London: Longman, 1815), 1. 유사한 정서가 헨리 던다스에게도 반영되어 있는데, 던다스는 "우리의 인도 영토에 맞서 상당한 병력을 돌릴 만한 (…) 수단을 제공할 수 있는 (…) 아시아의 속령이

나 연락 지점들에서 프랑스 세력을 모조리 제거"하기를 원했다. Edward Ingram, *In Defense of British India: Great Britain in the Middle East, 1775-1842* (London: Frank Cass, 1984), 132에서 인용.

27. 민토의 외교 정책에 관한 뛰어난 논의는 Amita Das, *Defending British India Against Napoleon: The Foreign Policy of Governor-General Lord Minto, 1807-1813*, ed. Aditya Das (London: Boydell and Brewer, 2016)를 보라.

28. Ingram, *In Defense of British India*, 130-49; T. E. Colebrook, *Life of the Honourable Mounstuart Elphinstone* (London: John Murray, 1884), I:187-229; Robert D. Crews, *Afghan Modern: The History of a Global Nation* (Cambridge, MA: Harvard University Press, 2015), 58-59.

29. 이에 대한 통찰은, K. N. Chaudhuri, *Trade and Civilisation in the Indian Ocean: An Economic History from the Rise of Islam to 1750* (Cambridge: Cambridge University Press, 1985); Pedro Machado, *Ocean of Trade: South Asian Merchants, Africa and the Indian Ocean, c. 1750-1850* (Cambridge: Cambridge University Press, 2014)을 보라.

30. Yasuko Suzuki, *Japan-Netherlands Trade 1600-1800: The Dutch East India Company and Beyond* (Kyoto: Kyoto University Press, 2012).

31. W. G. Beasley, "The Foreign Threat and the Opening of the Ports," in *The Cambridge History of Japan*, vol. 5, *The Nineteenth Century*, ed. Marius B. Jansen (Cambridge: Cambridge University Press, 1989), 261.

32. 흥미로운 세부 사항은 Hendrik Doeff, *Herinneringen uit Japan* (Haarlem: Francois Bohn, 1833)을 보라. 두프는 1804년부터 1817년까지 일본의 네덜란드 수석 주재원이었다.

33. W. G. Aston, "H.M.S. 'Phaeton' at Nagasaki in 1808," *Transactions of the Asiatic Society of Japan* 7, no. 1 (February 1879): 329.

34. Doeff, *Herinneringen uit Japan*, 161-64; Aston, "H.M.S. 'Phaeton' at Nagasaki in 1808," 330-40; Noell Wilson, "Tokugawa Defense Redux: Organizational Failure in the 'Phaeton' Incident of 1808," *Journal of Japanese Studies* 36, no. 1 (2010): 15-16. Also see W. G. Beasley, *Great Britain and the Opening of Japan, 1834-1858* (London: Luzac, 1951), 5-7.

35. Stamford Raffles, "Extract from the Secret Report of Mr. Henry Doeff Concerning the Occurrences with the English Frigate the Phaeton in the Bay of Nangasacky...," in *Report on Japan to the Secret Committee of the English East India Company, 1812-1816*, ed. Montague Paske-Smith (Kobe: Thompson, 1929), 142-43.

36. Wilson, "Tokugawa Defense Redux," 1-32.

37. 이 법령의 첫 주요 시험대는 미국 상선 모리슨호가 연루된 모리슨호 사건으로서, 미국 상선은 1837년 일본 연안 해역에 진입했다가 일본 방어 시설의 포격을 받았다.

39. George Alexander Lensen, "Early Russo-Japanese Relations," *Far Eastern Quarterly* 10, no. 1 (1950): 3-9.

40. "A Memorandum from Count Alexander Vorontsov and Count Alexander Bezborodko Concerning Russia's Rights to the Islands and Coasts of North America Which Were Discovered by Russian Seafarers," in Basil Dmytryshyn, *Russian Penetration of the North Pacific Ocean, 1700-1797* (Portland: Oregon Historical Society, 1988), II:321-24.

41. Gertrude Atherton, "Nicolai Petrovich Rezanov," *North American Review* 189, no. 642 (1909): 651-57; William McOmie, "With All Due Respect: Reconsidering the Rezanov Mission to Japan," *Proceedings of the Japan Society*, 148 (2011): 71-154.

42. A. Sgibnev, "Popytki russkikh k zavedeniu torgovykh snoshenii s Iaponieiu (v XVIII i nachale XIX stoletii)," *Morskoi sbornik uchenago otdelenia morskogo tekhnicheskago komiteta*, 1869, 58.

43. Glynn Barratt, *Russia in Pacific Waters, 1715-1825* (Vancouver: University of British Columbia Press, 1981), 143-46; George Alexander Lensen, *The Russian Push Toward Japan: Russo-Japanese Relations, 1697-1875* (Princeton, NJ: Princeton University Press, 1959), 161-69; W. G. Aston, "Russian Descents in Saghalin and Itorup in the Years 1806 and 1807," *Transactions of the Asiatic Society of Japan* 1 (1874): 86-95.

44. L. M. Cullen, *A History of Japan, 1582-1941: Internal and External Worlds* (Cambridge: Cambridge University Press, 2003), 147-48.

45. Wilson, "Tokugawa Defense Redux," 27.

46. 화물 관리인은 동인도회사의 위임을 받아 중국 상인들과 무역할 수 있는 상인이었다.

47. Pei-kai Cheng and M. Lestz, with J. Spence, eds., *The Search for Modern China: A Documentary History* (New York: W. W. Norton, 1999), 106.

48. Hosea Ballou Morse, *The Chronicles of the East India Company Trading to China, 1635-1834* (Oxford: Oxford University Press, 1926), II:68. 마카오의 포르투갈인들에 관한 논의는 A. M. Martins do Vale, *Os Portugueses em Macau (1750-1800)* (Lisbon: Instituto Português do Oriente, 1997); Shantha Hariharan, "Macao and the English East India Company in the Early Nineteenth Century: Resistance and Confrontation," *Portuguese Studies* 23, no. 2 (2007): 135-52를 보라.

49. Shantha Hariharan, "Luso-British Cooperation in India: A Portuguese Frigate in the Service of a British Expedition," *South Asia Research* 26, no. 2 (2006): 133-43.

50. Shantha Hariharan, "Relations Between Macao and Britain During the

Napoleonic Wars: Attempt to Land British Troops in Macao, 1802," *South Asia Research* 30, 2 (2010): 193.

51. M. C. B. Maybon, "Les Anglais à Macao en 1802 et en 1808," in *Bulletin de l'École française d'Extrême-Orient* 6 (1906): 302; Wensheng Wang, *White Lotus Rebels and South China Pirates* (Cambridge, MA: Harvard University Press, 2014), 235–36; Fei Chengkang, *Macao 400 Years* (Shanghai: Shanghai Academy of Social Sciences, 1996), 179–80.

52. Wellesley to James Drummond, November 20, 1801, in *The Despatches, Minutes, and Correspondence, of the Marquess Wellesley*, II:611–14; Wellesley to the Viceroy of Goa, January 17, 1802, in *Journal of the Bombay Branch of the Royal Asiatic Society* XIII (1877): 118–19; Shantha Hariharan, "Relations Between Macao and Britain During the Napoleonic Wars: Attempt to Land British Troops in Macao, 1802," *South Asia Research* 30, no. 2 (2010): 185–96; Austin Coates, *Macao and the British, 1637–1842: Prelude to Hong Kong* (Hong Kong: Hong Kong University Press, 2009), 92.

53. Maybon, "Les Anglais à Macao," 305–6.

54. Maybon, "Les Anglais à Macao," 307–9; Frederic Wakeman, "Drury's Occupation of Macau and China's Response to Early Modern Imperialism," *East Asian History*, no. 28 (2004): 28–29.

55. Peter A. Ward, *British Naval Power in the East, 1794–1805: The Command of Admiral Peter Rainier* (Oxford: Boydell Press, 2013), 82–83.

56. Hosea Ballou Morse, *The Chronicles of the East India Company, Trading to China 1635–1834* (Oxford: Clarendon Press, 1926), III:85–88; Wang, *White Lotus Rebels and South China Pirates*, 237–40.

57. 영국 사고방식의 요점은 영국 도서관, 인도성 기록보관소에 보존된 컬렉션의 제목으로 짐작할 수 있다: "프랑스의 점령 가능성을 방지하기 위해 1808년 9월 인도에서 마카오로 파견한 해군과 육군 합동 원정대 관련 문서", IOR/F/4/307/7025.

58. 1809년 3월 30일 비밀위원회에 제출한 선임위원회 보고, Morse, *The Chronicles of the East India Company*, III:96. 화물 관리인들로 구성된 선임위원회의 주요 기능은 무역 시즌이 시작될 때 영국과 인도에서 온 상선의 편의를 도모하고, 영국 상품을 판매하고, 회송 화물로 중국 상품을 구입하고, 무역 시즌이 끝날 때 배가 순조롭게 귀환할 수 있게 하는 것이었다.

59. Select Committee's report to the Secret Committee, August 16, 1808, in Morse, *The Chronicles of the East India Company*, III:87.

60. 프란시스쿠 안토니우 다 베이가 카브랄 부왕은 1806년에 인도를 떠나서 로렌과 실베이라의 베르나르두 주제 마리아로 교체되었는데, 신임 부왕의 손발은 고아에서 강력한 영국군의 존재로 묶여 있었다. 웰즐리는 고아를 프랑스의 손아귀에서 지킨다는 구실로 영국군의 점령을 카브랄에게 강요했다.

61. Cyril N. Parkinson, *War in the Eastern Seas, 1793-1815* (London: G. Allen and Unwin, 1954), 321-22에서 인용.

62. 자세한 내용은 "Papers regarding the combined Naval and Military Expedition sent from India to Macao in September 1808 to forestall a possible French occupation," IOR/F/4/307/7025를 보라.

63. Christopher Goscha, Vietnam: A New History (New York: Basic Books, 2016), 41-46; David Joel Steinberg, ed., *In Search of Southeast Asia* (Honolulu: University of Hawaii Press, 1987), 128; Maybon, "Les Anglais à Macao," 313-15; Alastair Lamb, *The Mandarin Road to Old Hué: Narratives of Anglo-Vietnamese Diplomacy from the 17th Century to the Eve of the French Conquest* (London: Chatto & Windus, 1970), 175, 189-95. 흥미로운 비교 연구는 Victor Lieberman, *Strange Parallels: Southeast Asia in Global Context, c. 800-1830* (Cambridge: Cambridge University Press, 2003), 25, 60, 352를 보라.

64. Maybon, "Les Anglais à Macao," 313-15; Zeeman and Bletterman to Felix de St. Croix, February 25, 1809, AE MD Asie XX (Indes Orintales, Chine, Cochinchine); Antonio Da Silva Rego, *O Ultramar português no século XVIII (1700-1833)* (Lisbon: Agência Geral do Ultramar, 1970), 336-37; Magalhäes, "As tentativas de Recuperação Asiática," 58; Coates, *Macao and the British*, 97-98; Shantha Hariharan and P. S. Hariharan, "The Expedition to Garrison Portuguese Macao with British Troops: Temporary Occupation and Re-Embarkation, 1808," *International Journal of Maritime History* 25, no. 2 (2013): 90-92도 보라.

65. Hariharan and Hariharan, "The Expedition to Garrison Portuguese Macao with British Troops," 91-92; Zeeman and Bletterman to Felix de St. Croix, February 25, 1809, AE Mémoires et Documents, Asie XX (Indes Orintales, Chine, Cochinchine). 포르투갈인들이 여전히 마카오 행정을 담당했고, 영국 선박과 병력의 이동은 그들의 승인을 받아야 했다. 영국군의 주둔은 2년 안으로 포르투갈 국왕이나, 1년 안으로 포르투갈 부왕의 승인을 받아야 했다.

66. Henry Beveridge, *A Comprehensive History of India, Civil, Military, Social, from the First Landing of the English to the Suppression of the Sepoy Rebellion* (London: Blackie & Son, 1862), II:846. 포르투갈 쪽 시각은 Joaquim Magalhäes, "As tentativas de Recuperação Asiática," in *História da expansão portuguesa*, ed. Francisco Bethencourt and K. Chaudhuri (Lisbon: Círculo de Leitores, 1999), II:58을 보라.

67. Drury to Chinese governor general, October 14, 1808, cited in Hariharan and Hariharan, "The Expedition to Garrison Portuguese Macao with British Troops," 95.

68. Wang, *White Lotus Rebels and South China Rebels*, 242; Morse, *The Chronicles of*

the East India Company, III:87-88; Maybon, "Les Anglais à Macao," 316.

69. Select Committee to Drury, October 23, 1808, cited in Hariharan and Hariharan, "The Expedition to Garrison Portuguese Macao with British Troops," 95.

70. Zeeman and Bletterman to Felix de St. Croix, February 25, 1809, AE MD Asie XX (Indes Orintales, Chine, Cochinchine). Parkinson, *War in the Eastern Seas*, 328-30도 보라.

71. Morse, *The Chronicles of the East India Company*, III:89-90.

72. Lo-Shu Fu, ed., *A Documentary Chronicle of Sino-Western Relations (1644-1820)* (Tucson: University of Arizona Press, 1967), 369-70. Also see Wang, *White Lotus Rebels and South China Rebels*, 243-44; Maybon, "Les Anglais à Macao," 317; Morse, *Chronicles of the East India Company*, III:87-91.

73. 마카오의 네덜란드 상인들은 1808년 9-12월의 사건을 묘사하면서 "우스꽝스러운 영국군 원정"이라고 불렀다. Zeeman and Bletterman to Felix de St. Croix, February 25, 1809, AE MD Asie XX (Indes Orintales, Chine, Cochinchine).

74. Hariharan and Hariharan, "The Expedition to Garrison Portuguese Macao with British Troops," 108-9에서 인용.

75. Maybon, "Les Anglais à Macao," 325.

76. 흥미로운 논의는 K. N. Chaudhuri, *The Trading World of Asia and the English East India Company: 1660-1760* (Cambridge: Cambridge University Press, 1978), 1-40, 79-130을 보라.

77. Javier Cuenca Esteban, "The British Balance of Payments, 1772-1820: India Transfers and War Finance," *Economic History Review* 54, no. 1 (2001): 58-86.

78. Henri Prentout, *L'Île de France sous Decaen, 1803-1810* (Paris: Hachette, 1901), 61-267.

79. Beatrice Nicolini, *Makran, Oman, and Zanzibar: Three-Terminal Cultural Corridor in the Western Indian Ocean (1799-1856)* (Leiden: Brill, 2004), 94; J. B. Kelly, *Britain and the Persian Gulf, 1795-1880* (Oxford: Clarendon Press, 1991), 75; Prentout, *L'Île de France sous Decaen*, 332-34.

80. Jerome A. Saldanha, *The Persian Gulf Précis: Précis of Correspondence Regarding the Affairs of the Persian Gulf, 1801-1853* (Gerrards Cross: Archive Editions, 1986), 29.

81. André Auzoux, "La France et Mascate aux XVIIIe et XIXe siècles," *Revue d'histoire diplomatique*, 1910, 234-55; Prentout, *L'Île de France sous Decaen*, 335-40.

82. 무스카트와 상대하는 동안 드캉은 예멘으로도 관심을 돌렸는데, 1804년에 예멘의 주요 항구 가운데 하나인 모카에서 파견한 사절단이 드캉을 찾아왔었다. 프랑스 장군은 이 기회를 이용해 아라비아 반도 서남단의 정치적, 경제적 상황에

관해 많은 것을 배울 수 있었다. 예를 들어 그는 짧막한 페림섬 점령 동안 영국군이 직면했던 문제들에 관해 전해 들었다. Prentout, *L'Île de France sous Decaen*, 342-43.

83. Kelly, *Britain and the Persian Gulf*, 77.

84. Parkinson, *War in the Eastern Seas*, 221-35.

85. William Laird Clowes et al., *The Royal Navy: A History from the Earliest Times to 1900* (London: Chatham, 1997), V:339.

86. Parkinson, *War in the Eastern Seas*, 236-75.

87. Parkinson, *War in the Eastern Seas*, 277.

88. 리누아 휘하에 있던 단 여섯 척의 배 가운데 한 척은 1804년 프랑스로 귀환하라는 명령을 받았고, 또 한 척은 네덜란드 식민지로 파견되었으며, 세 번째 배는 1805년에 난파했고, 네 번째 배는 태평양 복무를 위해 파견돼 1805년 말에 제독에게는 배가 단 두 척밖에 없었다.

89. Kenneth Johnson, "Napoleon's War at Sea," in *Napoleon and the Operational Art of War*, ed. Michael V. Leggiere (Leiden: Brill, 2016), 459.

90. Ingram, *In Defense of British India*, 124에서 인용.

91. Ingram, *In Defense of British India*, 125에서 인용.

92. Minto to Pellew, May 4, 1808, cited in Ingram, *In Defense of British India*, 127.

93. 1807-1808년 시기는 Parkinson, *War in the Eastern Seas*, 276-319를 보라.

94. Jean-Paul Faivre, *Le contre-amiral Hamelin et la Marine française* (Paris: Nouvelles éditions latines, 1962), 80-86; Parkinson, *War in the Eastern Seas*, 364-82; Stephen Taylor, *Storm and Conquest: The Clash of Empires in the Eastern Seas, 1809* (New York: W. W. Norton, 2008), 251-55.

95. Robert Gardiner, *The Victory of Seapower: Winning the Napoleonic War, 1806-1814* (London: Caxton Editions, 1998), 92-96; William James, *The Naval History of Great Britain* (London: Conway Maritime Press, 2002), V:197-98, 271-73.

96. Parkinson, *War in the Eastern Seas*, 383-96; Prentout, *L'Île de France sous Decaen*, 558-79; Taylor, *Storm and Conquest*, 279-300.

97. 프랑스에서 널리 축하 받은 이 승전은 개선문에 기려진 유일한 해전이다.

98. James, *The Naval History of Great Britain*, V:428.

99. Prentout, *L'Île de France sous Decaen*, 592-614; Parkinson, *War in the Eastern Seas*, 397-410; Gardiner, *The Victory of Seapower*, 96-97; Clowes et al., *The Royal Navy*, V:294-95; James, *The Naval History of Great Britain*, V:325-26.

100. 1801년 드캉을 지원하기 위한 나폴레옹의 노력과 관련 자세한 내용은 *CN*, XX:403, 439; XXI:4-5, 83-85, 244-46, 421-22를 보라.

101. Gardiner, *The Victory of Seapower*, 98-99.

102. Johnson, "Napoleon's War at Sea," 461.

103. Bernard Vlekke, *Nusantara: A History of the East Indian Archipelago* (Cambridge, MA: Harvard University Press, 1943), 105-213.

104. 특허장 본문과 관련 문서는 Pieter Mijer, ed., *Verzameling van instructien, ordonnancien en reglementen voor de regering van Nederlandsch Indië* (Batavia: Ter Lands-Drukkerij, 1848), 119-344를 보라.

105. Instructions in Mijer, *Verzameling van instruction*, 345-68.

106. Board of Control to Lord Minto, August 31, 1810, in *Het Nederlandsch gezag over Java en onderhoorigheden sedert 1811. Verzameling van onuitgegeven stukken uit de koloniale en andere arhieven*, ed. Marinus Lodewijk van Deventer (S'Gravenhage: M. Nijhoff, 1891), I:4 n.1.

107. Fortescue, *A History of the British Army*, VII:605-6.

108. 원정은 원래 윌리엄 오브라이언 드루리 부제독이 맡았지만 그는 1811년 3월에 죽었다.

109. *Lord Minto in India: Life and Letters of Gilbert Elliot, First Earl of Minto, from 1807 to 1814* (London: Longmans, Green, 1880), 291.

110. 원정에 관한 자세한 설명은 Janssens's report in Johan Karel Jacob De Jonge, ed., *De opkomst van het Nederlandsch gezag in Oost-Indië* ('S Gravenhage: M. Nijhoff, 1888), XIII:545-49; Parkinson, *War in the Eastern Seas*, 414-17; Bernhard, Duke of Saxe-Weimar-Eisenach, *Précis de la campagne de Java en 1811* (La Haye: T. Lejeune, 1834); G. B. Hooijer, *De krijgsgeschiedenis van Nederlandsch-Indië van 1811 tot 1894* (Batavia: G. Kolff, 1895), I:9-31을 보라.

111. Minto to the Earl of Liverpool, September 2, 1811, in William Thorn, *Memoir of the Conquest of Java, with the Subsequent Operations of the British Forces in the Oriental Archipelago* (London: T. Egerton, 1815), 88-89.

20장 서방문제?: 아메리카 대륙 쟁탈전, 1808-1815

1. 18세기 초에 에스파냐 국왕들은 프랑스의 사례를 따라 신세계의 에스파냐 영토에 감독관 체제를 도입했다. 이 국왕의 관리들은 부왕령 안에 더 작게 나뉜 각자 관할 구역 내에서 광범위한 군사적·행정적·재정적 권한을 보유했고, 부왕이 아니라 마드리드의 군주정 직속이었다. John Lynch, *Bourbon Spain, 1700-1808* (Oxford: Basil Blackwell, 1989), 169, 329-40; David R. Ringrose, *Spain, Europe and the "Spanish Miracle," 1700-1900* (Cambridge: Cambridge University Press, 1997), 257-58; Matthew Restall and Kris E. Lane, *Latin America in Colonial Times* (Cambridge: Cambridge University Press, 2011), 129-232, 255-74. 카빌도의 자치 수준에 관해서는 Jordana Dym, *From Sovereign Villages to National States: City, State and Federation in Central America, 1795-39* (Albuqeurque:

University of New Mexico Press, 2006), 33-64를 보라.

2. Lynch, *Bourbon Spain*, 348-50.

3. 라틴 아메리카 계몽주의에 관해서는 Brian Hamnett, *The Enlightenment in Iberia and Ibero-America* (Cardiff: University of Wales Press, 2017); Owen A. Aldridge, ed., *The Ibero American Enlightenment* (Urbana: University of Illinois Press, 1971); Arthur P. Whitaker, ed., *Latin America and the Enlightenment* (Ithaca, NY: Great Seal Books, 1958)를 보라.

4. 그와 비교해 1770년에 영국령 북아메리카의 총인구는 230만 명이었고, 그 중 180만 명은 백인, 46만 7천 명은 흑인이었다. 북아메리카 원주민에 관한 당대의 통계 수치는 없지만 미시시피 강 동쪽에 거주하던 원주민 인구수는 15만 명 안 팎으로 추정된다. John McCusker and Russell Menard, *The Economy of British America* (Chapel Hill: University of North Carolina Press, 2014), 54.

5. 간략한 논의는 Mark A. Burkholder, *Spaniards in the Colonial Empire: Creoles vs. Peninsulars?* (Malden, MA: John Wiley & Sons, 2013); John Lynch, *The Spanish-American Revolutions, 1808-1826* (New York: Norton, 1973), 18ff. For population data, see Richard Morse, "Urban Development of Colonial Spanish America," in *The Cambridge History of Latin America, ed. Leslie Bethell* (Cambridge: Cambridge University Press, 1984), II:89를 보라.

6. Michael Zeuske, "The French Revolution in Spanish America," in *The Routledge Companion to the French Revolution in World History*, ed. Alan Forrest and Matthias Middell (London: Routledge, 2016), 77-96.

7. Brissot to Miranda, October 13, 1792, in Arístides Rojas, ed., *Miranda dans la révolution française. Recueil de documents authentiques relatifs à l'histoire du général Francisco de Miranda, pendant son séjour en France de 1792 à 1798* (Caracas: Impr. et lith. du Gouvernement national, 1889), 8.

8. Albert Sorel, *L'Europe et la Révolution française* (Paris: Plon Nourrit, 1903), II:422-423.

9. Dumouriez to Lebrun, November 30, 1792, in Sorel, *L'Europe et la révolution française*, III:175. 루이지애나에서 1792년 혁명 계획과 길버트 임레이의 각서는 *Annual Report of the American Historical Association*, 1896, I:945-54. "Documents on the Relations of France to Louisiana, 1792-1795," *American Historical Review* 3 (1898): 491-10도 보라.

10. 1793년 1월 25일 전체국방위원회 모임 기록, François-Alphonse Aulard, *Recueil des actes du Comité de salut public* (Paris: Imprimerie nationale, 1889), II:10. 위원회는 4월 5일 모임에서 다시금 이 쟁점을 논의했다. Aulard, *Recueil*, III:82.

11. Instructions of December 1792, in *Annual Report of the American Historical Association*, 1896, I:957-63.

12. Clark to Genêt, February 5, 1793, in *Annual Report of the American Historical*

Association, 1896, I:967-71.

13. William Hayden English, *Conquest of the Country Northwest of the River Ohio, 1778-1783, and Life of Gen. George Rogers Clark* (Indianapolis: Bowen-Merrill, 1896), II:817-18.

14. 흥미로운 당대의 평가는 French Minister to Philadelphia P. A. Adet's report of February 9, 1796, in *Annual Report of the American Historical Association* (1903), II:826-31을 보라.

15. R. King to Secretary of State, March 29 and June 1, 1801, in *The Life and Correspondence of Rufus King*, ed. Charles R. King (New York: G. P. Putnam's Sons, 1896), III:414-15; 469; *American State Papers: Documents, Legislative and Executive, of the Congress of the United States*, ed. Walter Lowrie and Matthew St. Clair Clarke (Washington, DC: Gales and Seaton, 1832), II:509-10. 오래 되었지만 여전히 대단히 유용한 논의는 Frederick J. Turner, "The Diplomatic Contest for the Mississippi Valley," *Atlantic Monthly* XCIII (1904): 676-91, 807-17을 보라.

16. J. Leitch Wright, *William Augustus Bowles: Director General of the Creek Nation* (Athens: University of Georgia Press, 2010), 96-98; Thomas Perkins Abernethy, *The South in the New Nation, 1789-1819* (Baton Rouge: Louisiana State University Press, 1961), 169-91.

17. King to Secretary of State, April 2, 1803, in *The Life and Correspondence of Rufus King*, IV:241.

18. King to Secretary of State, June 1, 1801, and April 2, 1803, in *The Life and Correspondence of Rufus King*, III:469, IV:241.

19. Thornton to Hawkesbury, May 30, 1803, in James A. Robertson, ed., *Louisiana Under the Rule of Spain, France, and the United States, 1785-1807* (Cleveland: Arthur H. Clark, 1911), II:20-21.

20. King to Secretary of State, April 2, 1803, in *The Life and Correspondence of Rufus King*, IV:241.

21. Lord Hawkesbury to King, May 19, 1803, in *The Life and Correspondence of Rufus King*, IV:26263.

22. 애런 버의 음모는 미의회도서관 토머스 제퍼슨 문서에서 그의 재판 관련 문서를 보라. https://www.loc.gov/collections/thomas-jefferson-papers; Walter Flavius McCaleb, *The Aaron Burr Conspiracy* (New York: Wilson-Erickson, 1936); Thomas Perkins Abernethy, *The Burr Conspiracy* (New York: Oxford University Press, 1954)

23. Wilkinson to Jefferson, March 12, 1807, cited in Isaac J. Cox, "The Pan-American Policy of Jefferson and Wilkinson," *Mississippi Valley Historical Review* 1, no. 2 (1914): 215.

24. Cox, "The Pan-American Policy of Jefferson and Wilkinson," 215.

25. Jefferson to Bowdoin, April 2, 1807, in *The Works of Thomas Jefferson* (New York: G. P. Putnam's Sons, 1905), X:381-82. 제퍼슨의 전작은 http://oll.libertyfund.org/titles/jefferson-the-works-of-thomas-jefferson-12-vols에서 구할 수 있다.

26. *Politicheskii, statisticheskii i geograficheskii zhurnal*, January 1808.

27. 1808-1809년에 상트페테르부르크의 주요 상인 가운데 한 명인 이반 크레머가 남아메리카 원정 계획안을 제출했다. 크레머는 유럽의 정치적·경제적 현실을 논의하면서, 대륙 봉쇄 때문에 영국이 아메리카의 에스파냐와 포르투갈 식민지에 기초 물자와 원자재를 공급할 수 없다는 점에 주목했는데, 이 물자들은 영국이 일반적으로 러시아에서 얻는 것이었다. 그러므로 러시아는 필수 원자재를 판매하고 절실한 식민지 산품을 구입할 수 있는 아메리카 시장에 진출하면 상당한 혜택을 볼 수 있는 입장이었다. 러시아 정부는 이 계획을 승인했고 크레머는 아메리카 대륙으로 가는 장거리 여정을 위해 배 2척을 의장했다. 러시아 상인들만 신세계와 직접 무역을 수립하는 데 희망을 품은 것은 아니었다. 포르투갈 상인들도 북구의 열강과 고수익 무역을 발전시키길 꿈꿨다. 1811-1812년, 잘 나가는 포르투갈 상인 디오니지우 페드루 로페스가 러시아에서 브라질까지 14개월의 험난한 항해를 떠맡아 양국 간 상업적 연계를 증진하고 러시아와 교역하기 위해 신용이 필요한 브라질 상인들에게 편의를 제공했다. Russell H. Bartley, *Imperial Russia and the Struggle for Latin American Independence, 1808-28* (Austin: University of Texas at Austin, 1978), 38-40.

28. Bartley, *Imperial Russia and the Struggle for Latin American Independence*, 42.

29. 1811년 9월에 루미얀체프는 러시아와 에스파냐령 아메리카의 관계에 관한 새로운 각서를 제출했다. 그는 "우리의 상업이, 각종 산품과 심지어 귀금속까지 넘쳐 나지만 우리의 잉여 상품은 부족한 지역과의 직접 교역의 확대로부터 얼마나 혜택을 볼 것인지에 관해서는 의심의 여지가 없다"라고 지적했다.

30. J. Holland Rose, *The Life of Napoleon I* (London: George Bell and Sons, 1907), I:154.

31. José M. Portillo Valdés, *Crisis atlántica: Autonomía e independencia en la crisis de la monarquía Española* (Madrid: Marcial pons, 2006), 56ff.; Antonio Moliner Prada, "El movimiento juntero en la España de 1808," in *1808: La eclosión juntera en el mundo hispano*, ed. Manuel Chust (Mexico City: Fondo de Cultura Económica, 2007), 51-79.

32. 식민지 관리들에게 보낸 샹파니와 아산사의 편지("에스파냐의 신정부"에 관한 아산사의 5월 13일 각서 포함)는 Archives du Ministère des Affaires Étrangères, Correspondance politique, "Espagne," 674에서 보라. 이 문서들은 William S. Robertson, *France and Latin-American Independence* (New York: Octagon Books, 1967), 41-44에서도 논의된다.

33. 이 가운데는 나폴레옹이 남아메리카에 자신의 대리인으로 파견한 사스네 후
    작 클로드 앙리 에티엔도 있었다. Claude Henri Étienne Sassenay, *Napoléon Ier
    et la fondation de la République Argentine; Jacques de Liniers, comte de Buenos-
    Ayres, vice-roi de La Plata, et le marquis de Sassenay (1808-10)* (Paris: E. Plon,
    Nourrit, 1892), 128-84. 나폴레옹이 특사들에게 내린 지침의 실례는 131-34를
    보라.

34. Champagny to Sassenay, May 29, 1808, in Sassenay, *Napoléon Ier et la fondation
    de la République Argentine*, 132. 라플라타 부왕 리니에르를 비롯해 특정한 식
    민 행정관들에게 발송한 공문은 "Espagne," 674-75에 보관되어 있다. 에스파
    냐 식민지 관리들에게 손을 뻗으려는 프랑스의 시도를 더 자세히 살펴보려면
    Robertson, *France and Latin-American Independence*, 49ff를 보라.

35. Rapport de M. de Sassenay, May 23, 1810, in Sassenay, *Napoléon Ier et la
    fondation de la République Argentine*, 251-52. 에스파냐령 아메리카 각지의 반응
    은 Robertson, *France and Latin-American Independence*, 57-60을 보라.

36. "Manifesto Addressed to All Nations by the Supreme Director of Chile, on the
    Motives Which Justify the Revolution of the Country, and the Declaration of
    Its Independence," in *American State Papers: Documents, Legislative and Executive
    of the Congress of the United States* (Washington, DC: Gales and Seaton, 1834),
    IV:322.

37. Brian R. Hamnett, "Mexico's Royalist Coalition: The Response to Revolution
    1808-1821," *Journal of Latin American Studies* 12, no. 1 (1980): 57-62. 베네수
    엘라에서 벌어진 사건은 José Félix Blanco, ed., *Documentos para la historia de la
    vida publica del Libertador de Colombia, Peru y Bolivia* (Caracas: Imprenta de "La
    Opinion Nacional," 1875), II:160-62에서 문서를 보라.

38. *Justa reclamacion: que los representantes de la casa Real de España doña Carlota
    Juaquina de Bourbon Princesa de Portugal y Brazil, y Don Pedro Carlos de Bourbon
    y Braganza, Infante de España, hacen á su alteza Real el Principe Regente de Portugal*
    (1808), https://archive.org/details/justareclamacion00carl; *Respuesta de S.A.R. el
    Principe Regente de Portugal, á la reclamacion hecha por SS. AA. RR. La Princesa del
    Brazil, y el Infante de España don Pedro Carlos,: implorando su proteccion y auxilios
    para sostener sus derechos, conservando los del Rey de España, y demas miembros de la
    Real Familia, arrancada y conducida con violencia á lo interior del Imperio Frances*
    (1808), https://archive.org/details/respuestadesarel00port; *Manifiesto dirigido
    á los fieles vasallos de su Magestad Católica el Rey de las Españas é Indias* (1808),
    https://archive.org/details/manifiesto dirigi00carl.

39. Julián María Rubio, *La infanta Carlota Joaquina y la política de España en América
    (1808-12)* (Madrid: Impr. de E. Maestre, 1920), 42-73; R. A. Humphreys,
    Liberation in South America, 1806-27: The Career of James Paroissien (London:

Athlone Press, 1952), 21-36.

40. William Kaufmann, *British Policy and the Independence of Latin America, 1804-1828* (New Haven, CT: Yale University Press, 1951), 58. John Street, "Lord Strangford and Rio de la Plata, 1808-1815," in *Hispanic American Historical Review* 33, no. 4 (1953): 477-86도 보라.

41. 1858년 토머스 칼라일이 붙인 이 이름은 그 무력 충돌을 촉발한 사건에서 기인한다. 영국 상선의 선장이자 밀수업자로 익히 알려진 로버트 젠킨스는 밀수 행위 중에 에스파냐 전함에 발각되었고, 전함의 지휘관인 훌리오 레온 판디뇨에 의해 귀가 잘렸다. 잘린 귀는 나중에 영국 의회 앞에서 전시돼 의회는 에스파냐의 "영국 신민 유린"을 규탄하고 이 사건을 모욕이자 개전 이유로 간주했다. Harold W. V. Temperley, "The Causes of the War of Jenkins' Ear, 1739," *Transactions of the Royal Historical Society* 3 (1909): 197-36; Edward W. Lawson, "What Became of the man Who Cut off Jenkin's Ear?," *Florida Historical Quarterly* 37, no. 1 (1058): 33-41.

42. Kaufmann, *British Policy and the Independence of Latin America*, 18-37.

43. 1807년 5월 1일 캐슬레이의 각서, Robert Stewart, Viscount Castlereagh, *Correspondence, Despatches and Other Papers of Viscount Castlereagh* (London: William Shoberl, 1851), VII:321. 날짜가 적히지 않은 각서는 "남아메리카 해방은 그 주민들의 소망과 노력을 통해 달성되어야 한다"라는 문장으로 시작하지만 캐슬레이는 그 다음 영국의 간섭 방안의 골자를 설명한다. 오를레앙 공작의 계획("에스파냐령 아메리카와 특히 멕시코 부왕령에 관한 회고")과 뒤무리에 장군의 계획("해군 기지의 수립과 아메리카 국가들에 대한 조사에 관하여")도 보라. 미란다도 에스파냐령 아메리카에 영국의 간섭을 계속 호소했고 캐슬레이는 1807년에 그의 계획을 고려하고 논의했다. *Correspondence, Despatches and Other Papers of Castlereagh*, VII:332-90.

44. 1808년 6월 15일 셰리던의 연설은 *Hansard's Parliamentary Debates*, XI:887-88; Morning Chronicle, June 9, 1808을 보라.

45. Castlereagh to the Duke of Manchester, June 4, 1808, in *Correspondence, Despatches and Other Papers of Castlereagh*, VI:365.

46. Kaufmann, *British Policy and the Independence of Latin America*, 53.

47. Canning to Strangford, April 17, 1808, cited in Alan K. Manchester, *British Preeminence in Brazil, Its Rise and Decline: A Study in European Expansion* (Chapel Hill: University of North Carolina Press, 1933), 78.

48. *Le Moniteur Universal*, December 14, 1809.

49. 자세한 내용은 Robertson, *France and Latin-American Independence*, 62-104; John Rydjord, *Foreign Interest in the Independence of New Spain: An Introduction to the War for Independence* (Durham, NC: Duke University Press, 1935), 259-62, 290-308을 보라. Caracciolo Parra-Perez, *Bayona y la politica de Napoleon en*

America (Caracas: Tipografía americana, 1939)도 보라.

50. 반대로 쿠바와 푸에르토리코 섬은 산토도밍고와 중앙아메리카 지역과 마찬가지로 확고하게 국왕 정부에 충성했는데, 여기에는 강력한 수비대의 주둔과 노예봉기에 대한 두려움을 비롯해 여러 요인이 작용했다.

51. 에스파냐령 아메리카에서 근왕주의의 의미에 대한 흥미로운 논의는 Marcela Echeverri, "Popular Royalists, Empire and Politics in Southwestern New Granada," *Hispanic American Historical Review* 91, no. 2 (2011): 237-69를 보라.

52. 라틴아메리카 독립전쟁을 대서양 양안 에스파냐인들 간 내전으로 논의하는 관점은 Jaime E. Rodríguez O., *The Independence of Spanish America* (Cambridge: Cambridge University Press, 1998)를 보라.

53. Rydjord, *Foreign Interest in the Independence of New Spain*, 272-85; Hugh M. Hamill, "'An 'Absurd Insurrection'? Creole Insecurity, Pro-Spanish Propaganda, and the Hidalgo Revolt," in *The Birth of Modern Mexico, 1780-1824*, ed. Christon I. Archer (Lanham MD: Rowman & Littlefield, 2003), 71-72; Brian R. Hamnett, "Mexico's Royalist Coalition: The Response to Revolution 1808-1821," *Journal of Latin American Studies* 12, no. 1 (1980): 57-62; Francisco A. Eissa-Barroso, "The Illusion of Disloyalty: Rumours, Distrust, and Antagonism, and the Charges Brought Against the Viceroy of New Spain in the Autumn of 1808," *Hispanic Research Journal* 11, no. 1 (2010): 25-36.

54. Timothy E. Anna, *The Fall of the Royal Government in Mexico City* (Lincoln: University of Nebraska Press, 1978), 35-54.

55. Eric van Young, *The Other Rebellion: Popular Violence, Ideology, and the Mexican Struggle for Independence, 1810-21* (Stanford, CA: Stanford University Press, 2001).

56. 자세한 내용은 Timothy J. Henderson, *The Mexican Wars of Independence* (New York: Hill and Wang, 2009), 90-92; Hugh M. Hamill, *The Hidalgo Revolt: Prelude to Mexican Independence* (Gainesville: University of Florida Press, 1966)를 보라.

57. Wilbert H. Timmons, *Morelos: Priest, Soldier, Statesman of Mexico* (El Paso, TX: Western College Press, 1963).

58. Jaime E. Rodríguez, *"We Are Now the True Spaniards": Sovereignty, Revolution, Independence, and the Emergence of the Federal Republic of Mexico, 1808-24* (Stanford, CA: Stanford University Press, 2012), 221-31; Jaime Salazar Adame and Smirna Romero Garibay, *El Congreso de Chilpancingo: 200 anos* (Guerrero, Mexico: Consejo de la Crónica del Estado de Guerrero, 2015).

59. Anthony McFarlane, *War and Independence in Spanish America* (New York: Routledge, 2014), 219-82.

60. Fabrício Prado, *Edge of Empire: Atlantic Networks and Revolution in Bourbon Río*

de la Plata (Berkeley: University of California Press, 2015), esp. 155.

61. 자세한 내용은 Arturo Bentancur, *El puerto colonial de Montevideo* (Montevideo: Universidade de la República; FHCE, 1997), II:15–17을 보라.

62. *Documentos relativos a la Junta Montevideana de Gobierno de 1808* (Montevideo: Museo Histórico Nacional A. Monteverde, 1958), I:210–18; Miguel Angel Cárcano, *La Política Internacional en la Historia Argentina* (Buenos Aires: Editorial Universitaria de Buenos Aires, 1972), I:270; Alfredo Avila and Pedro Pérez Herrero, *Las experiencias de 1808 en iberoamérica* (Mexico City: Universidad Nacional Autónoma de México, Instituto de Investigaciones Históricas, 2008), 543.

63. 자세한 내용은 Ricardo Rodolfo Caillet-Bois, *Mayo documental* (Buenos Aires: Universidad de Buenos Aires, 1961), IX:150–70에서 문서를 보라.

64. 뛰어난 논의는 Bernardo Lozier Almazán, *Martín de Alzaga: historia de una trágica ambición* (Buenos Aires: Ediciones Ciudad, 1998), esp. 194ff.; Jeremy Adelman, *Sovereignty and Revolution in the Iberian Atlantic* (Princeton, NJ: Princeton University Press, 2009), 208–10; Carlos Alberto Pueyrredón, 1810. *La revolución de Mayo* (Buenos Aires: Ediciones Peuser, 1953), 247–49, 278–80 을 보라.

65. 탁월한 개관은 McFarlane, *War and Independence in Spanish America*, 145–80을 보라.

66. Luis Herreros de Tejada, *El teniente general D. Jose Manuel de Goyeneche, primer conde de Guaqui* (Barcelona: Oliva de Vilanova, 1923), 263–84.

67. Prado, *Edge of Empire*, 159–62.

68. Kaufmann, *British Policy and the Independence of Latin America*, 59–60.

69. Pablo Camogli and Luciano de Privitellio, *Batallas por la libertad: todos los combates de la guerra de la independencia* (Buenos Aires: Aguilar, 2005), 166–68.

70. McFarlane, *War and Independence in Spanish America*, 205–7.

71. John Hoyt Williams, *The Rise and Fall of the Paraguayan Republic, 1800–70* (Austin: Institute of Latin American Studies, University of Texas at Austin, 1979), ch. 1.

72. Robert L. Gilmore, "The Imperial Crisis, Rebellion and the Viceroy: Nueva Granada in 1809," *Hispanic American Historical Review* 40, no. 1 (1960): 2–24.

73. David Bethell, "The Independence of Spanish South America," in *The Cambridge History of Latin America*, ed. Leslie Bethell (Cambridge: Cambridge University Press, 1985), III:113.

74. 이 사령관령은 엄밀하게는 누에바그라나다 부왕령의 일부였지만 행정 자치를 누렸다.

75. Kaufmann, *British Policy and the Independence of Latin America*, 49–52.

76. McFarlane, *War and Independence in Spanish America*, 111–44.

21장 전환점, 1812

1. Friedrich Meinecke, *The Age of German Liberation, 1795–1815*, ed. Peter Paret (Berkeley: University of California Press, 1977), 102. Also see James Elstone Dow, *A Good German Conscience: The Life and Time of Ernst Moritz Arndt* (Lanham, MD: University Press of America, 1995); Jon Vanden Heuvel, *A German Life in the Age of Revolution: Joseph Görres, 1776–1848* (Washington, DC: Catholic University of America Press, 2001), chs. 6–7.

2. Martin P. Schennach, "'We Are Constituted as a Nation': Austria in the Era of Napoleon," in *Napoleon's Empire: European Politics in Global Perspective*, ed. Ute Planert (New York: Palgrave Macmillan, 2016), 245–46.

3. 일부는 에스파냐에서 민중 봉기를 나폴레옹과 프랑스에 대한 민족주의적 반응의 두드러진 사례로 거론하기도 하지만 "신, 국왕, 민족"의 세 가지 동기 가운데 마지막 요소는 흔히 에스파냐 지방주의와 전통으로 상쇄되었다. E. Goodman, "Spanish Nationalism in the Struggle Against Napoleon," *Review of Politics* 20, no. 3 (July 1958): 330–46; Charles J. Esdaile, *Outpost of Empire: The Napoleonic Occupation of Andalucia, 1810–12* (Norman: University of Oklahoma Press, 2012).

4. 프랑스-러시아 관계에 관한 자세한 설명은 Albert Vandal, *Napoléon et Alexandre Ier, l'alliance russe sous le premier Empire* (Paris: 1896), III:1–455; Dominic Lieven, *Russia Against Napoleon* (London: Penguin, 2010), chs. 3–4; Michael Adams, *Napoleon and Russia* (London: Hambledon Continuum, 2006), chs. 12–14를 보라.

5. Eugene Tarle, *Sochineniya*, vol. 3, *Kontinentalnaya blokada* (Moscow, 1958), 342–43. 1807년 6월, 틸지트 조약이 체결되기 단 몇 주 전만 해도 영국 상인들은 상트페테르부르크에서 거래되는 상품의 거의 절반을 담당하고 있었고 총 21억 루블어치의 화물을 인도하여, 교역액이 유럽 어느 나라 상인들보다 훨씬 컸는데 이 수치는 러시아 상인들의 교역액 26억 루블에만 못 미쳤다. 고작 두 달 뒤에 영국 상인들의 교역 물량은 급격히 감소해 7월에는 50만 루블어치에 그쳤고, 9월에는 교역 물량이 아예 없었다. 한편, 러시아 수도에서 거래된 화물의 총액은 6월에 49억 루블에서 7월에 27억 루블과 9월에 15억 루블로 감소했다. 1807년 8–11월 *St. Petersburgskie Vedomosti*의 자료를 바탕으로 한다. 깊이 있는 논의는 Mikahil Zlotnikov, *Kontienentalnaya blokada i Rossiya* (Moscow: Nauka, 1966)을 보라. 즐로트니코프의 연구는 대륙봉쇄가 러시아에 미친 영향에 관해 여전히 최상의 분석서다. 저자는 기록보관소의 사료를 광범위하게 이용하여 제2차 세계대전 이전에 원고를 썼으며, 그가 이용한 사료들 가운데 일부는 나중에 전쟁 중에 파괴되었다. 지금까지 그 범위와 상세함 수준에서 이 책에 근접하는 책은 나오지 않았다.

6. Caulaincourt to Napoleon, April 5, 1808, in *SIRIO*, 138:637; Zlotnikov, *Kontinentalnaya blokada i Rossiya*, 142를 보라. 더 폭넓은 논의는 Saulius Antanas

Girnius, "Russia and the Continental Blockade," PhD diss., University of Chicago, 1981을 보라.

7. 러시아의 경제 위기를 완화하려는 프랑스 쪽 노력에 관한 흥미로운 논의는 *SIRIO*, vol. 138에서 프랑스 외교 서신을 보라.

8. 적자 증가의 주요 요인은 1805-1811년 기간 내내 증가한 군비 지출이었다. 프랑스와 전쟁을 끝낸 뒤 러시아는 1808-1811년 동안 스웨덴과 오스만 제국을 상대로 동시에 전쟁을 치른 한편, 영국과도 명목상으로는 전쟁 중이었다(영국-러시아 간 충돌은 발트해에서 몇몇 해전에 국한되었다)

9. 늘어나는 연간 적자는 새로운 지폐 발행으로 메워졌다. 1801년에 정부는 2억 1400만 루블어치의 지폐를 유통시켰고, 경제 문제를 상쇄하기 위해 지폐 발행량을 점차 증가시켰다. 1807년에 정부는 6300만 루블의 지폐를 새로 발행했다. 1808년에는 9500만 루블(나폴레옹 전쟁 동안 최대치), 1809년에는 5580만 루블, 1810년에는 4620만 루블의 지폐를 발행했다. Ivan Bliokh, *Finansy Rossii XIX stoletiya* (St. Petersburg: M. M. Stasyulevich, 1882), I:84.

10. 러시아 정부는 파국을 피하기 위해 실제로 조치를 취했다. 화폐 발행량을 제한하고, 루블화 지폐를 향후 반드시 상환해야 할 국가 부채로 간주하기로 약속했다. 세금을 인상하고, 불필요한 지출을 삭감했으며, 엄청나게 높은 관세로 사치재 수입을 제한했다. 마지막으로 러시아는 중립국 선박이 러시아 항구에서 교역하는 것을 허용하기 시작했는데, 이는 실질적으로 대륙 봉쇄 체제를 약화시켰다.

11. Napoleon to Champagny, Champagny to Kurakin, November 4-December 2, 1810, in *CN*, nos. 17,099 and 17,179, XXI:252-53, 297-98; 유사한 정서는 17,041, 17,071, 17,099, 17,831, and 17,917. Caulaincourt to Champagny, July 16, 1808; Caulaincourt to Champagny, April 18, 1810, Caulaincourt to Champagny, April 30, 1810, Vel. Kn. Nikolay Mikhailovich, *Diplomaticheskie snoshenia Rossii i Frantsii po doneseniyam poslov Imperatorov Aleksandra i Napoleona, 1808-1812* (St. Petersburg: Ekspeditsia zagotovleniya gosudarstvennykh bumag, 1905), II:231; IV:359-66도 보라.

12. Napoleon's memorandum, in Vandal, *Napoléon et Alexandre*, III:222.

13. 근래에 니콜라 토도로프는 180-1812년에 나폴레옹의 영토 병합이 사실 영국을 침공하기 위한 더 큰(그리고 비밀) 계획의 일환이었다고 주장했다. 자세한 내용은 그의 *La Grande Armée à la conquête de l'Angleterre: Le plan secret de Napoléon* (Paris: Éditions Vendémiaire, 2016)을 보라.

14. 1810년 3월 16일 날짜가 적힌 이 보고서는 Nikolai Shilder, *Imperator Aleksandr Pervyi* (St. Petersburg, 1898), III:471-83에 (불어) 전문이 수록되어 있다. 한 달 뒤에 나폴레옹은 프랑스, 스웨덴, 덴마크, 바르샤바 대공국 간 동맹을 수립하자는 샹파니의 제안을 승인했지만 스웨덴과 덴마크가 참여를 꺼리면서 이 계획은 현실화되지 않았다. *CN*. XX:305. 샹파니는 덴마크 주재 프랑스 대사 샤를-프랑수아-뤼스 디들로에게 다음과 같이 썼다. "스웨덴은 이미 러시아를 두려워

합니다. 덴마크도 동일한 두려움을 느끼고 있지요? 공동의 이해관계가 스웨덴과 덴마크, 바르샤바 대공국이 비밀 동맹으로 힘을 합칠 것을 요구하며, 이 동맹은 프랑스에 의해 실제로, 또 절대적으로 보장될 수 있습니다." 덴마크는 결국에 프랑스와 조약을 맺는 데 동의했다. 1812년 3월 7일 나폴레옹은 덴마크 국왕 프레데리크 6세로부터, 영국과(또는) 스웨덴, 러시아 병력의 상륙 가능성을 저지하기 위해 슐레스비히와 홀슈타인 국경지대에 1만 명의 병력을 동원한다는 약속을 받아내 북방 영토 방비를 강화했다. 1812년 3월 7일 체결된 프랑스와 덴마크 간 군사 협약은 Jules de Clercq, ed., *Recueil des traités de la France* (Paris, 1864), II:363-65에서 볼 수 있다.

15. 1810년과 1811년 내내 프로이센 궁정은 호엔촐레른 왕가를 쫓아내겠다고 나폴레옹이 여러 차례 들먹인 위협을 실행할지도 모른다는 두려움에 시달렸다. 따라서 국왕 프리드리히 빌헬름 2세는 공개적으로는 프랑스를 달래면서도 나폴레옹에 맞서 비밀리에 도움을 구하는 이중 정책을 폈다. 그는 이러한 노선을 추구할 때 재상 카를 아우구스트 폰 하르덴베르크와 프로이센 참모총장 게르하르트 요한 다피트 바이츠 폰 샤른호르스트의 영향을 받았다. 1811년 10월 18일 러시아 외무대신 니콜라이 페트로비치 루미안체프와 샤른호르스트는 실제로 프랑스와 전쟁 시 상호 지원을 약속하는 조약을 맺었다. 하지만 프로이센 국왕은 오스트리아도 동맹에 가담하지 않는다면 조약을 비준할 수 없다고 거부했는데 오스트리아 황제 프란츠 1세로서는 아직 그런 동맹에 가담할 뜻이 없었다.

16. 1812년 2월 24일 프랑스-프로이센의 파리 조약은 Clercq, ed., *Recueil des traités de la France*, II:356-63에서 볼 수 있다. Llewellyn Cook, "Prince Schwarzenberg's Crisis in 1812 : In The Service Of Two Emperors," *CRE* (1995), 351-58; Llewellyn Cook, "Prince Schwarzenberg's Mission to St. Petersburg, 1809," *CRE* (1998), 399-410도 보라.

17. 1812년 3월 14일 프랑스-오스트리아의 파리 조약은 Clercq, ed., *Recueil des traités de la France*, II:369-72에서 볼 수 있다. Cook, "Prince Schwarzenberg's Crisis in 1812" and "Prince Schwarzenberg's Mission to St. Petersburg."도 보라.

18. *VPR*, VI:318-28. 상트페테르부르크 조약은 6월 3일 빌나, 8월 30일 오보에서 서명한 추가 협약으로 보충되었다.

19. 러시아는 베사라비아와 서부 조지아 대부분을 받았지만 1807년부터 러시아 군대가 점령해온 몰다비아와 왈라키아를 포기했다. 조약 본문은 *VPR*, VI:406-17을 보라.

20. 1811년 12월 19일에 나폴레옹의 개인 비서 클로드 프랑수아 드 메네발은 황제의 사서 앙투안-알렉상드르 바르비에게 다음과 같이 알렸다. "폐하께 러시아, 특히 리투아니아의 토양의 성격과 더불어 러시아의 습지, 강, 숲, 도로를 살펴보기에 적당한 양서 몇 권을 보내주길 요청합니다. 폐하께서는 또한 폴란드와 러시아에서 칼 12세의 전역을 상세히 묘사한 저작을 얻길 바라십니다. 또 이 지역의 군사 작전에 관해 유용한 책은 뭐든 보내주십시오." *CN*, XXIII:95. 한

달 뒤에 메네발은 다시금 "쿠를란트의 역사"와 관련한 책과 더불어 리가, 리보니아 등등의 역사, 지리, 지형과 관련해 구할 수 있는" 책을 전부 요청했다. *CN*, XXIII:162.

21. *CN*, XXIII:143, 432.

22. 프랑스 수비대가 주둔하고 있던 북독일의 주요 지역은 함부르크(6,375명), 마그데부르크(8,851명), 단치히(20,464명), 슈테틴(8,491명)이었다. 나폴레옹의 준비 과정은 *Correspondance de Napoléon*, vols. 21-23; Louis Joseph Margueron, ed., *Campagne de Russie: préliminaires de la Campagne de Russie, ses causes, sa préparation, organisation de l'armée du 1 Janvier 1810 au 31 Janvier 1812*, 2 vols. (Paris: Lavauzelle 1899)을 보라.

23. Décret du 21 décembre 1811, in Margueron, *Campagne de Russie*, III:427-30.

24. 군대는 보병 약 49만 2천 명, 기병 9만 6천 명, 보조군 약 2만 명으로 구성되었다. 3월 3일 나폴레옹은 대육군의 편제를 군단 8개(프랑스 군단 4개와 외국 군단 4개)와 기병 군단 4개로 정리했다. *CN*, no. 18544, XXIII:277-78.

25. "빌나 기동"이란 용어는 영어권 연구서에서는 좀처럼 사용되지 않지만 러시아와 프랑스 역사 서술에서는 역사가 길다. H. Bonnal, *La manoevre de Vilna* (Paris: Chapelot, 1905); B. Kuznetsov, *Kratkii ocherk podgotovki i razvertyvanie storon v 1812 g. Vilenskaya operatsiya* (Moscow, 1932); V. Kharkevich, *Voina 1812 g. ot Nemana do Smolenska* (Vilna, 1901), 96-158을 보라.

26. Napoleon to Berthier, July 2, 1812, in *CN*, XXIV:7.

27. Berthier to Davout, 8:00 p.m., June 24, 1812, in Gabriel Fabry, *Campagne de Russie, 1812* (Paris: Lucien Gougy, 1900), I:4.

28. Napoleon to Berthier, 5:00 a.m., June 25, 1812, in Fabry, *Campagne de Russie*, I:9.

29. 영국-러시아 조약 본문은 *PSZ*, XXXII:389-90; F. Martens, *Recueil des traités et conventions conclus par la Russie avec les puissances étrangères* (St. Petersburg: A. Böhnke, 1902), XI:162-65를 보라.

30. Treaty of Velikie Luki, July 20, 1812, *VPR*, VI:495-97.

31. 자세한 내용은 V. Roginskii, *Shvetsiya i Rossiya: Soyuz 1812 goda* (Moscow: Nauka, 1978), 118, 158-59를 보라.

32. 영국 상인들은 머스킷 소총 1정당 25루블, 화약 1푸드(러시아의 옛 중량 단위—16kg 안팎이다) 당 29루블을 요구했는데, 전쟁 전에는 머스킷 1정의 가격이 15루블에 못 미쳤으므로 상당한 가격 인상이었다. P. Schukin, ed., *Bumagi otnosyaschiesya do Otechestvennoi voiny 1812 goda* (Moscow: Tip. A. Mamontova, 1903), VII:181-82를 보라.

33. 영국제 무기들은 세스트로레츠키 무기 제조공장에서 갱신되어 상트페테르부르크 무기고에 보관되었다. 12월에 영국제 머스킷 소총 약 3만 정이 새로 편성된 예비 부대의 무장을 갖추기 위해 니제고로드주에 인도되었고 7700정 이

상은 제6사단과 제21사단에 전달되었다. 남은 1만 2240정은 무기고에 보관되엇다가 나중에 민병대에 배포되었다. 영국의 무기 공급에 대한 비판은 Pavel Zhilin, *Kontranastuplenie Kutuzova v 1812 g.* (Moscow: Voennoe izd-vo, 1950), 119-20; L. Zak, Angliya i germanskaya problema. Iz Diplomaticheskoi istorii napoleonovskikh voin (Moscow: Izd-vo Instituta Mezhd. Otnoshenii, 1963), 55-56을 비롯해 소련 역사가들의 저작을 보라. 가장 근래의(그리고 사려 깊은) 논의는 A. Orlov, *Soyuz Peterburga i Londona: Rossiisko-Britanskie otnosheniya v epokhu napoleonovskikh voina* (Moscow: Progress-Traditsiya, 2005), 226-29를 보라.

34. Martens, *Recueil des traités et conventions conclus par la Russie*, XI:166. 상트페테르부르크 주재 영국 대사 윌리엄 캐스카트 백작은 스웨덴과 러시아를 지원하기 위해 50만 파운드가량의 자금을 받았지만 그 액수는 러시아의 군사적 필요에 분명히 못 미쳤다. John M. Sherwig, *Guineas and Gunpowder: British Foreign Aid in the Wars with France, 1793-1815* (Cambridge, MA: Harvard University Press, 1969), 277-81. 영국 정부의 입장에 관한 논의는 *Hansard's Parliamentary Debates* (London: T. C. Hansard, 1812), XXIV:50-66을 보라. 폐허가 된 모스크바 주민들을 돕기 위해 영국 의회가 20만 파운드의 정화와 상품을 제공하는 문제를 토의했을 때 러시아 고위 관리들은 액수가 너무 하찮고—모스크바의 피해 규모는 2500만 파운드로 추산되었다—굴욕적이라고 여겨 원조금을 받지 않으려 했다. 게다가 그들은 "이 원조 제의 배후에 [러시아인들에게] 새로운 습관을 들이고, 오로지 자기들만이 베풀 수 있는 외국의 시혜에 대한 의존성을 서민들에게 퍼트리려는 [영국의] 의도가 숨어 있을 수도 있다"고 걱정했다. 하지만 알렉산드르 황제는 이런 논변을 받아들이지 않았다: 1813년 1월 15일 루미얀체프가 알렉산드르 황제에게; 알렉산드르가 루미얀체프에게, *Russkaya Starina* I (1870): 474-76. 영국 정부는 러시아가 네덜란드 은행가들에게 진 외채와 관련해서 러시아 정부를 돕는 것도 거절했다.

35. Adrian Randall, *Riotous Assemblies: Popular Protest in Hanoverian England* (Oxford: Oxford University Press, 2006), 271-331; John Stevenson, *Popular Disturbances in England, 1700-1870* (London: Longman, 1979), 155-61.

36. 자세한 내용은 Stephan Talty, *The Illustrious Dead: The Terrifying Story of How Typhus Killed Napoleon's Greatest Army* (New York: Random House, 2009)를 보라. 물론 이 책은 러시아 원정의 승패를 결정 짓는 데 티푸스의 역할을 과장하는 경향이 있기는 하다.

37. Heinrich von Roos, *Avec Napoléon en Russie. Souvenirs d'un médecin de la Grande Armée* (Paris, 1913), 51-53.

38. Anton Gijsbert van Dedem de Gelder, *Un général hollandais sous le premier empire. Mémoires du général Bon de Dedem de Gelder* (Paris: Plon Nourrit, 1900), 225-27.

39. 깊이 있는 논의는 Alexander Mikaberidze, *Napoleon Versus Kutuzov: The Battle of Borodino* (London: Pen & Sword, 2007); Christopher Duffy, *Borodino and the War of 1812* (New York: Scribner, 1972); A. Popov and V. Zemtsov, *Borodino: yuzhnyi flang* (Moscow: Kniga, 2009); A. Popov, *Borodino: severnyi flang* (Moscow: Kniga, 2008)을 보라.

40. Alexander M. Martin, *Enlightened Metropolis: Constructing Imperial Moscow, 1762-1855* (Oxford: Oxford University Press, 2013).

41. 자세한 내용은 Alexander Mikaberidze, *Napoleon's Trial by Fire: The Burning of Moscow* (London: Pen & Sword, 2014) and Vladimir Zemtsov, *1812 god: Pozhar Moskvy* (Moscow: Kniga, 2010)을 보라.

42. Mathieu Dumas, *Souvenirs de lieutenant général comte Mathieu Dumas, de 1770-1836* (Paris: Gosselin, 1839), III:454-55.

43. Lieven, *Russia Against Napoleon*, 251.

44. Philippe-Paul Ségur, *History of the Expedition to Russia Undertaken by the Emperor Napoleon in the Year 1812* (London, 1825), 77.

45. Grand Duchess Catherine to Emperor Alexander, September 18, 1812, in *Correspondance de l'Empereur Alexandre Ier avec sa soeur la Grande-Duchess Catherine* (St. Petersburg: Manufacture des papiers de l'État, 1910), letter XXXIII.

46. Jean-Pierre Barrau, "Jean-Pierre Armand Barrau, Quartier-Maître au IVe Corps de la Grande Armée, sur la Campagne de Russie," *Rivista Italiana di Studi Napoleonici* 1 (1979): 91.

47. 자세한 내용은 Iv. Bezsonov, *Bitva v Maloyaroslavtse, 12 oktyabrya 1812 goda* (Kaluga: Tip. Gubernskogo pravleniya, 1912); Aleksei Vasiliev, "Srazhenie za Maloyaroslavets, 12 oktyabrya 1812 goda," in *Yubileinyj sbornik. K 190-letiyu Maloyarslavetskogo srazheniya*, http://www.museum.ru/1812/library/Mmnk/2002_9.html을 보라.

48. Thierry Lentz, *La conspiration du général Malet, 23 octobre 1812: premier ébranlement du trône de Napoléon* (Paris: Perrin, 2012).

49. 깊이 있는 논의는 Alexander Mikaberidze, *Napoleon's Great Escape: The Battle of the Berezina* (London: Pen & Sword, 2010)를 보라.

50. 이 시기 프랑스 지휘부에 관한 뛰어난 논의는 Frederick C. Schneid, "The Dynamics of Defeat: French Army Leadership, December 1812-March 1813," *Journal of Military History* 63, no. 1 (1999): 7-28을 보라. 12월 말에 이르면 맥도널드와 슈바르첸베르크의 군단을 비롯해 대육군의 마지막 잔존 병력이 네만 강을 건넜다. 맥도널드는 12월 18일에 퇴각 명령을 받고 이튿날 2개 종대로 출발했다. 러시아군이 나폴레옹 휘하 주력 군대에 집중했기 때문에 맥도널드는 대체로 방해를 받지 않고 후퇴할 수 있었다. 러시아와 프로이센 국경지대에 위치한 타우로겐에 도달하자마자 프로이센의 장군 한스 다피트 루트비히 폰 요르크

는 유명한 협약을 체결하여 프로이센군은 중립이라고 선언했다. 대육군의 참사 소식을 듣자마자 슈바르첸베르크는 12월 14-18일에 비엘로스토크로 퇴각했다. 장 루이 에베네제 레니에 장군의 작센 군단은 부크강 뒤편에서 그를 따랐다. 오스트리아 군단은 마침내 자국 영토에 도달했지만 레니에는 작센으로 이동했다. 포니아토프스키의 폴란드 군단은 1813년 여름 정전 때까지 오스트리아에 억류되었다.

51. Robert Wilson, *Narrative of Events During the Invasion of Russia by Napoleon Bonaparte* (London: John Murray, 1869), 368.

52. Alexander Mikaberidze, "Napoleon's Lost Legions: The Grande Armée Prisoners of War in Russia," *Napoleonica: La Revue* 3, no. 21 (2014): 35-44, http://www.cairn.info/revue-napoleonica-la-revue-2014-3-page-35.htm.

53. Robert Wilson, *Narrative of Events During the Invasion of Russia by Napoleon Bonaparte* (London: John Murray, 1860), 234. 베니히센과 전략을 두고 논쟁하던 쿠투조프는 유럽에서 러시아의 입지를 약화시킬 만한 불필요한 손실을 반대하는 주장을 거듭 펼쳤다. "우리는 절대 의견 일치를 보지 못할 거요. 당신은 영국에 대한 혜택만 생각만 하고 있지만 나는 그 섬나라가 해저로 가라앉는다 해도 탄식하지 않을 거요." A. Voyeikov, "General Graf Leontii Leontievich Bennigsen," *Russkii Arkhiv* 59 (1868): 1857.

54. Eugène of Württemberg, "Vospominania o kampanii 1812 g v Rossii," *Voennii zhurnal* 3 (1849): 131.

55. Donald R. Hickey, *The War of 1812: A Forgotten Conflict* (Urbana: University of Illinois Press, 2012), 1-3.

56. Turreau to Talleyrand, July 9, 1805, in Archives du Ministère des Affaires Étrangères, Correspondance politique, "Etats-Unis," 58.

57. 미국의 개전 이유들에 대한 논의는 Troy Bickham, *The Weight of Vengeance: The United States, the British Empire and the War of 1812* (Oxford: Oxford University Press, 2012), ch. 1을 보라.

58. Confidential Message, June 1, 1812, in *The Addresses and Messages of the Presidents of the United States to Congress* (New York: Charles Lohman, 1837), 120-24. 더 깊이 있는 논의는 J. C. A. Stagg, *The War of 1812: Conflict for a Continent* (Cambridge: Cambrudge University Press, 2012), 1-47; Reginald Horsman, *The Causes of the War of 1812* (Philadelphia: University of Pennsylvania Press, 1962); Bradford Perkins, *Prologue to War England and the United States, 1805-12* (Berkeley: University of California Press, 1961)를 보라.

59. Thomas Jefferson to James Madison, June 6, 1812, in *The Writings of Thomas Jefferson* (Washington, DC: Taylor & Maury, 1854), VI:58.

60. Gregory Evans Dowd, *A Spirited Resistance: The North American Indian Struggle for Unity, 1745-1815* (Baltimore: Johns Hopkins University Press, 1992);

Timothy D. Willig, *Restoring the Chain of Friendship: British Policy and the Indians of the Great Lakes, 1783–1815* (Lincoln: University of Nebraska Press, 2008); Robert M. Owens, *Mr. Jefferson's Hammer: William Henry Harrison and the Origins of American Indian Policy* (Norman: University of Oklahoma Press, 2007).

61. Matthew S. Seligmann, *Rum, Sodomy, Prayers and the Lash Revisited: Winston Churchill and Social Reform in the Royal Navy, 1900–1915* (Oxford: Oxford University Press, 2018), 1.

62. 영국의 선원 강제 징발과 징모에 관한 비판적인 재평가는 J. Ross Dancy, *The Myth of the Press Gang: Volunteers, Impressment and the Naval Manpower Problem in the Late Eighteenth Century* (Rochester, NY:Boydell Press, 2015). 이 책은 18~19세기 초 영국 해군의 인력 운용에 관한 최초의 통계 연구 가운데 하나로서 80척이 넘는 전함의 등록 명부를 빠짐없이 분석했다. Nicholas Rogers, *The Press Gang: Naval Impressment and its Opponents in Georgian Britain* (London: Continuum, 2007); Brian Detoy, "The Impressment of American Seaman during the Napoleonic Wars," *CRE* (1998), 491–501; Keith Mercer, "Northern Exposure: Resistance to Naval Impressment in British North America, 1775–1815," *Canadian Historical Review* 91, no. 2 (June 2010): 199–232; Hickey, *The War of 1812*, 11도 보라.

63. 더 비판적인 시각은 Donald R. Adams Jr., "American Neutrality and Prosperity, 1793–1808: A Reconsideration," *Journal of Economic History* 40, no. 4 (1980): 713–37을 보라.

64. Spencer Tucker and Frank Reuter, *Injured Honor: The* Chesapeake–Leopard *Affairs, June 22, 1807* (Annapolis, MD: Naval Institute Press, 1996).

65. John Lambert, *Travels Through Lower Canada and the United States of North America in the Years of 1806, 1807 and 1808* (London: Richard Phillips, 1810), II:157.

66. Bradford Perkins, *Prologue to War: England and the United States, 1805–12* (Berkeley: University of California Press, 1961), 210–20.

67. W. Freeman Galpin, "The American Grain Trade to the Spanish Peninsula, 1810–1814," *American Historical Review* XXVIII (1923): 24–25. W. G. & J. 스트럿 컴퍼니가 예시하는 것과 같은 영미 통상에 관한 흥미로운 통찰은 R. S. Fitton, "Overseas Trade during the Napoleonic Wars, as Illustrated by the Records of W. G. & J. Strutt," *Economica* 20, no. 77 (1953): 58-69를 보라.

68. Henry Adams, *History of the United States of America* (New York: C. Scribner's Sons, 1921), V:252–58.

69. Adams, *History of the United States of America*, V:262–315. 수입 금지에 관한 폭넓은 논의는 Herbert Heaton, "Non-Importation, 1806-1812," *Journal of*

Economic History 1, no. 2 (1941): 178-98을 보라.

70. David Milne's report of April 9, 1812, *Report on the Manuscripts of Colonel David Milne Home* (London: His Majesty's Stationery Office, 1902), 155. 미국 선박 데이터는 G. E. Watson, "The United States and the Peninsular War, 1808-1812," *Historical Journal* 19, no. 4 (1976): 870-71을 보라.

71. Wellington to Stuart, March 1, 1811, in *The Dispatches of Field Marshal, the Duke of Wellington*, ed. John Gurwood (London: John Murray, 1838), VII:324.

72. 흥미로운 논의는 Leland R. Johnson, "The Suspense Was Hell: The Senate Vote for War in 1812," *Indiana Magazine of History* 65 (December 1969): 247-67을 보라.

73. 공급 루트에 관한 논의는 Philip Lord Jr., "The Mohawk/Oneida Corridor: The Geography of the Inland Navigation Across New York," in *The Sixty Years' War for the Great Lakes, 1754-1814*, ed. David Curtis Skaggs and Larry L. Nelson (East Lansing: Michigan State University Press, 2001), 275-90을 보라.

74. Bickham, *The Weight of Vengeance*에서 인용.

75. John K. Mahon, "British Command Decisions in the Northern Campaigns of the War of 1812," *Canadian Historical Review* 46 (September 1965): 219-37.

76. 전쟁 목표에 관한 논의는 Reginald Horsman, "Western War Aims, 1811-1812," *Indiana Magazine of History* 53 (March 1957): 1-18을 보라. 나라를 전쟁으로 이끌고 간 "매파"의 역할에 관해서는 Harry W. Fritz, "The War Hawks of 1812," *Capitol Studies* 5 (Spring 1977): 25-42를 보라. 텐스크와타와 테쿰세에 관해서는 R. David Edmunds, "Tecumseh, the Shawnee Prophet, and American History: A Reassessment," *Western Historical Quarterly* 14 (July 1983): 261-76; Alfred A. Cave, "The Shawnee Prophet, Tecumseh, and Tippecanoe: A Case Study of Historical Myth-Making," *Journal of the Early Republic* 22 (Winter 2002): 637-73을 보라.

77. Robert V. Remini, Henry Clay, *Statesman for the Union* (New York: W. W. Norton, 1991), 60에서 인용.

79. Jeffrey Kimball, "The Fog and Friction of Frontier War: The Role of Logistics in American Offensive Failure During the War of 1812," *Old Northwest* 5 (Winter 1979): 323-43.

80. Robert B. McAfee, *History of the Late War in the Western Country* (Bowling Green, OH: Historical Publications, 1919), 121.

81. Jon Latimer, *1812: War with America* (Cambridge, MA: Belknap Press, 2007), 76-83; Theodore J. Crackel, "The Battle of Queenston Heights, 13 October, 1812," in *America's First Battles, 1776-1965*, ed. Charles E. Heller and William A. Sofft (Lawrence: University Press of Kansas, 1986): 33-56.

82. John Robert Elting, *Amateurs, to Arms! A Military History of the War of 1812*

(Chapel Hill, NC: Algonquin Books of Chapel Hill, 1991), 50-51. 그와는 별개로 인디애나 준주의 주지사인 윌리엄 헨리 해리슨 장군은 그 지역에 미군을 재건할 수 있었고 인디애나 준주의 웨인 요새와 해리슨 요새를 공격했던 마이애미 인디언들을 상대로 11월에 대규모 공세를 단행했다. 이 전역은 미시시네와(오늘날의 앨라배마)에서 교전으로 절정에 달했는데, 여기서 미군은 두세 군데의 정착지를 함락하고 12월 18일에 아메리카 원주민의 반격을 격퇴했다가 추위와 병력 손실 탓에 결국 물러날 수 없었다. 그래도 이 원정으로 해리슨의 측면은 아메리카 원주민의 공격에 더는 시달리지 않게 되었다.

83. 영국 해군을 괴롭힌 문제들에 관해서는 Barry J. Lohnes, "British Naval Problems at Halifax during the War of 1812," *Mariner's Mirror* 59 (August 1973): 317-33을 보라.

84. 자세한 논의는 Kevin D. McCranie, *Utmost Gallantry: The U.S. and Royal Navies at Sea in the War of 1812* (Annapolis, MD: Naval Institute Press, 2011)을 보라.

85. 뛰어난 논의는 Brian Arthur, *How Britain Won the War of 1812: The Royal Navy's Blockades of the United States, 1812-15* (Rochester, NY: Boydell Press, 2011); Wade Dudley, *Splintering the Wooden Wall: The British Blockade of the United States, 1812-15* (Annapolis, MD: Naval Institute Press, 2003)을 보라.

86. 9월, 나폴레옹이 모스크바를 막 점령하려고 할 때 러시아 정부는 상트페테르부르크 주재 미국 대사 존 퀸시 애덤스에게 미영 간 갈등에 러시아의 중재를 받아들일 용의가 있는지 물었다. 애덤스는 재빨리 이 소식을 매디슨 대통령에게 전달했고, 매디슨은 1813년 초에 제의를 수용해 러시아의 조정관들의 도움을 받아 협상을 수행할 대표 두 명(재무장관 앨버트 갤러틴과 델라웨어주 상원의원 제임스 베어드)을 임명했다. 하지만 이 대표단은 아무런 성과도 내지 못했는데, 영국 정부가 미국과의 분쟁은 내부 쟁점들이 얽인 것으로서 외국이 끼어들 사안이 아니라는 논거로 러시아의 중재를 거절했기 때문이다. 하지만 영국이 중재를 거절한 진짜 이유는 러시아가 교전국의 권리는 좁게, 중립국의 권리는 넓게 해석하는 미국식 해상법 개념을 지지할까봐 걱정했기 때문이다. 영국은 미국 협상가들이 전후 협상장에서 이 쟁점을 들고 나올 것이라고 예상했고, 러시아의 중재는 미국 쪽에 절실한 힘을 실어줬을 수도 있다. *State Papers and Public Documents of the United States* (Boston: T. B. Wait and Sons, 1817), IX:358.

87. Wellington to Lt. Gen. Sir T. Graham, May 8, 1812, in *The Dispatches of Field Marshal, the Duke of Wellington*, IX:129-30.

88. Wellington to Stuart, May 3, 1812, in *The Dispatches of Field Marshal, the Duke of Wellington*, X:342-45. 웰링턴은 바바리 국가, "북아메리카의 영국 정착지", "서부 제도[아조레스제도를 가리키는 듯하다]", 멕시코를 비롯해 가능성 있는 여러 공급처를 모색했고, 그 지역들이 "틀림없이 얼마간 공급을 해줄 수 있을 것"이라고 생각했다. 형제인 헨리에게 쓴 편지에서 그는 "교활한 이 미국인들한테 판세를 뒤집고, 그 항구들[카디스와 리스본]에서 그들이 일체 교역을 못하게 하

는 것이 무엇보다 중요하다"라고 지적하며 미국에 대한 거슬리는 심경을 드러냈다. Wellington to Sir Henry Wellesley, May 10, 1812, in *The Dispatches of Field Marshal, the Duke of Wellington*, IX:132-33.

89. 예를 들어 허버트 소여 제독이 발행한 면허를 비롯해 *Julia, Luce, Master* case of 1814, in *Report of Cases Argued and Decided in the Supreme Court of the United States* (Rochester, NY: Lawyers Cooperative Publishing, 1910), 3:181에서 관련 문서를 보라.

22장 프랑스 제국의 몰락

1. F. Martens, *Recueil des traités et conventions conclus par la Russie avec les puissances étrangères* (St. Petersburg: A. Böhnke, 1902), VII:60-62. 나폴레옹의 고압적인 자세는 프로이센을 러시아의 품으로 몰아넣을 뿐이었다. 그는 프로이센 국왕이 프랑스와 동맹을 지속하는 대가로 특정 영토의 반환과 군수품과 관련해 프랑스가 베를린에 지고 있는 부채의 상환을 요청했을 때 거절했는데, 이는 1813년에 황제가 저지른 많은 실수들 가운데 하나일 뿐이다.

2. Jean D'Ussel, *Études sur l'année 1813. La défection de la Prusse (décembre 1812-mars 1813)* (Paris: Plon-Nourrit, 1907), 1-150; Martens, *Recueil des traités et conventions*, VII:57-62. 또 다른 프로이센 장군 뷜로는 러시아와 협약 체결을 거부했지만 그들이 오데르강을 향해 진군하도록 허용했다. Michael V. Leggiere, "The Life, Letters and Campaigns of Friedrich Wilhelm Graf Bülow von Dennewitz, 1755-1816," PhD diss., Florida State University, 1997, 190-220.

3. Martens, *Recueil des traités et conventions*, VII:62-86; Philipp Anton Guido von Meyer, *Corpus iuris Confoederationis Germanicae oder Staatsacten für Geschichte und öffentliches Recht des Deutschen Bundes* (Frankfurt am Main: Brönner, 1858), I:135-39.

4. Kutuzov to Wintzingerode, Kalisch, April 5, 1813, RGVIA, f. VUA, op. 16, d. 3921, ll.133b-134b. 관련 논의는 Michael V. Leggiere, *Napoleon and the Struggle for Germany: The Franco-Prussian War of 1813* (Cambridge: Cambridge University Press, 2015), I:127-32; Dominic Lieven, *Russia Against Napoleon* (London: Penguin, 2010), 290-91을 보라.

5. Meyer, *Corpus iuris Confoederationis Germanicae*, I:139.

6. 위의 책, I:146-47.

7. 토마스 니퍼다이는 메테르니히가 "오스트리아의 존재 전체는 조약들의 불가침성에 의존함"을 알고 있었다고 적절히 지적한다. Thomas Nipperday, *German from Napoleon to Bismarck 1800-1866*, trans. Daniel Nolan (Dublin: Gill & Macmillan, 1996), 70.

8. Martens, *Recueil des traités et conventions*, III:89-91.

9. 월폴의 빈 파견 임무에 관한 온전한 설명은 Charles Buckland, *Metternich and the British Government from 1809 to 1813* (London: Macmillan, 1932), 407-38 을 보라. Francis Peter Werry, *Personal Memoirs and Letters of Francis Peter Werry, Attaché to the British Embassies at St. Petersburgh and Vienna in 1812-15* (London: Charles J. Skeet, 1861), 163-73도 보라.

10. 상세한 논의는 Jean D'Ussel, *Études sur l'année 1813: L'intervention de l'Autriche (décembre 1812-mai 1813)* (Paris: Plon-Nourrit, 1912), 172-289, 329-59를 보라.

11. *Correspondance de Napoléon*, XXIV:342.

12. Napoleon to Frederick VI of Denmark and Norway, January 5, 1813, in *Correspondance de Napoléon*, XXIV:369.

13. Napoleon to Eugene, January 29, 1813, in *Correspondance de Napoléon*, XXIV:468.

14. Michael V. Leggiere, "Prometheus Chained, 1813-1815," in *Napoleon and the Operational Art of War*, ed. Michael V. Leggiere (Leiden: Brill, 2016), 320-21.

15. Napoleon to King Frederick of Württemberg, April 24, 1813, in *Correspondance de Napoléon*, XXV:226.

16. See Leggiere, *Napoleon and the Struggle for Germany*, I:70-119.

17. 아우구스트 폰 그나이제나우의 보고는 Leggiere, *Napoleon and the Struggle for Germany*, I:262에서 인용.

18. 나폴레옹의 전략에서 베를린의 역할은 Michael V. Leggiere, *Napoleon and Berlin: The Franco-Prussian War in North Germany, 1813* (Norman: University of Oklahoma Press, 2002)을 보라.

19. Leggiere, *Napoleon and the Struggle for Germany*, I:298-377; 네의 행동에 관해서는 I:347-49를 보라.

20. Leggiere, *Napoleon and the Struggle for Germany*, I:382-422.

21. Leggiere, *Napoleon and the Struggle for Germany*, I:142.

22. London Gazette, March 30, 1813, in *The Royal Military Chronicle or British Officer's Monthly Register*, 1813, VI:248-49. 러시아 장교 발데마르 로베른슈테른은 회고록에서 휘하 분견대가 함부르크 외곽의 소읍 블랑케네제를 점령하자마자 영국 영사 미첼이 접근해와 대륙에서 영국의 통상을 허용해줄 것을 촉구했다고 말한다. *Mémoires du général-major russe baron de Löwernstern (1776-1858)* (Paris: A. Fontemoing, 1903), II:268-69.

23. 정전 협정 본문은 Agathon Jean François Fain, *Manuscrit de 1813, contenant le précis des évènemens de cette année* (Paris: Delaunay, 1825), I:484-89를 보라.

24. Napoleon to General Clarke, June 2, 1813, in *Correspondance de Napoléon*, XXV:346-47.

25. Fain, *Manuscrit de 1813*, I:430.

26. Paul W. Schroeder, *The Transformation of European Politics, 1763-1848* (New York: Oxford University Press, 1994), 461-63.

27. 1813년 4-11월에 영국의 외교적 노력은 영국 대표들이 동맹세력의 본부에서 영향력을 행사할 만큼 무게감 있는 인사가 아니었다는 사실로 차질을 빚었다. 각각 러시아와 프로이센 본부에 배속된 캐스카트 자작과 찰스 스튜어트 경(캐슬레이의 이복동생)은 훌륭한 군인이었지만 더 노련한 외교관들과 경쟁할 수 있을 만한 인물들은 아니었다. 오스트리아에 파견된 애버딘 백작은 메테르니히 같은 인물을 상대하기엔 너무 젊고 경험이 없었다. 1813년 11월 프랑크푸르트 제안서는 이를 너무도 분명히 드러냈다. 1813년 전역 내내 동맹세력 상호 간 조약들은 일반적으로 영국 대표들이 내용을 온전히 알기 전에 기안되어 체결되었다. 영국과의 합의 내용은 전후 합의라는 더 중요한 쟁점보다는 대체로 보조금과 전쟁 수행 노력에 국한되었다.

28. Castlereagh to Cathcart, January 15, 1813, in Robert Stewart, Viscount Castlereagh, *Correspondence, Despatches and Other Papers of Viscount Castlereagh* (London: William Shoberl, 1851), VIII:304; John M. Sherwig, *Guineas and Gunpowder: British Foreign Aid in the Wars with France, 1793-1815* (Cambridge, MA: Harvard University Press, 1969), 283-84.

29. Protocol of the Meeting of the Secret Financial Committee, December 21, 1812, and Alexander to Lieven, February 1, 1813, in *VPR*, VI:629; VII:37-39, 709. Charles Stewart to Castlereagh, May 18, 1813, in *Memoirs and Correspondence of Viscount Castlereagh*, IX:15-16도 보라.

30. Martens, *Recueil des traités et conventions*, XI:179. 러시아와 영국은 보조금 액수와 특별 보증 지폐인 "연합 지폐(federative paper)"의 지불 방식에 궁극적으로 합의했다. 1813년 3월 늦게 영국은 보조금 133만 3334파운드는 은으로, 333만 3334파운드는 "연합 지폐"로 지급하기로 합의했다. 50만 파운드의 은은 아직도 영국에 억류 중이었던 드미트리 세니야빈 전대를 위해 따로 떼어두었다. 이 같은 합의 내용은 1813년 6월 15일에 라이헨바흐에서 영국-러시아 협약으로 공식화되었다. "연합 지폐"에 대한 개별 협약은 1813년 9월 30일에 런던에서 서명되었다. 하지만 이 돈 가운데 실제로 러시아로 간 것은 적어서 러시아는 1813년 전역 말까지 100만 파운드를 조금 더 받았을 뿐이다. the March Agreement in *VPR*, VII:136-37; the September Convention in Martens, *Recueil des traités et conventions*, XI:189-95를 보라. 전체적은 논의는 Sherwig, *Guineas and Gunpowder*, 289-92; A. Orlov, *Soyuz Peterburga i Londona: rossiisko-britanskie otnosheniya v epokhu napoleonovskikh voin* (Moscow: Progress-Traditsia, 2005), 255-59, 263-65를 보라.

31. 자세한 내용은 Rory Muir, *Britain and the Defeat of Napoleon, 1807-1815* (New Haven: Yale University Press, 1996), 243-61, 280-98; Muriel E. Chamberlain, *"Pax Britannica"? British Foreign Policy, 1789-1914* (London: Routledge, 1999),

41-59; R. W. Seton-Watson, *Britain in Europe, 1789-1914* (New York: Howard Fertig, 1968), 31-37; Adolphus W. Ward and George P. Gooch, *The Cambridge History of British Foreign Policy, 1783-1919*, vol. 1, *1783-1815* (Cambridge: Cambridge University Press, 1922), 392-428을 보라.

32. 본문은 Wilhelm Oncken, *Oesterreich und Preussen im Befreiungskriege: urkundliche Aufschlüsse über die politische Geschichte des Jahres 1813* (Berlin: G. Grote, 1879), II:636-37을 보라.

33. "Une paix continentale bonne," in Oncken, *Oesterreich und Preussen im Befreiungskriege*, II:644.

34. "Le Minimum des pretentions" in Oncken, *Oesterreich und Preussen im Befreiungskriege*, II:644.

35. *Mémoires, documents and écrits divers...de Prince de Metternich*, I:135-54; Enno E. Kraehe, *Metternich's German Policy* (Princeton, NJ: Princeton University Press, 1983), I:176-78; Schroeder, *The Transformation of European Politics*, 470-72; Martens, *Recueil des traités et conventions*, III:92-100; VPR, VII:237-38, 259-63, 275-76, 733-37; Oncken, *Oesterreich und Preussen im Befreiungskriege*, II:649-79.

36. *Mémoires, documents and écrits divers...de Prince de Metternich*, I:147; Fain, *Manuscrit de 1813*, II:34-44.

37. 라이헨바흐 의정서는 바르샤바 대공국에 대한 프랑스의 지배 종식과 대공국 분할, 프로이센의 복귀와 동부로의 영토 확장, 오스트리아로 아드리아해 연안 지역 (일리리아) 반환, 북독일에서 한자 도시들의 독립을 요구했다. 나폴레옹이 이 조건들을 거부한다면 오스트리아는 최소 15만 병력을 동원하여 제6차 대불동맹에 가담하고 하르덴베르크와 네셀로데가 정식화한 더 가혹한 요구 조건이 담긴 최대주의 프로그램을 지지해 싸우기로 했다.

38. The BEIC Secret Committee to the Governor General at Bengal, East India House, June 18, 1798, cited in Mubarak Al-Otabi, "The Qawasim and British Control of the Arabian Gulf," PhD diss., University of Salford, 1989, 65.

39. Schroeder, *Transformation of European Politics*, 460, 472.

40. Karl Nesselrode, "Zapiski grafa K.V. Nesselrode," in *Russkii vestnik* 59 (1865), 559. Also see Napoleon to Ney, August 4, 1813, in *Correspondance de Napoléon*, XXVI:2-3; Adam Zamoyski, *Rites of Peace: The Fall of Napoleon and the Congress of Vienna* (London: Harper Perennial, 2007), 82; Albert Sorel, *L'Europe et la revolution Française* (Paris: Plon-Nourrit, 1904), VIII:154. 더 깊이 있는 논의는 Martens, *Recueil des traités et conventions*, III:110-15; VPR, VII:283-92, 299, 324-30, 343-45, 740-43, 746-47, 748, 754를 보라.

41. 회고록에서 메테르니히는 자신을 교묘하고 선견지명이 있는 외교를 통해 나폴레옹을 파멸로 이끈 인물로 그린다. 이 판본에 따르면 오스트리아의 강화 협상

은 진심이 아니라 오로지 오스트리아의 병력 동원을 완료할 시간을 벌고, 나폴 레옹을 전쟁광으로 낙인찍기 위한 것이었다. 하지만 1813년 봄과 여름의 오스트 리아 외교 서신들은 메테르니히가 진심으로 협상에 의한 평화를 도출하려고 했 음을 보여주며, 그러한 강화는 일정한 제한이 따르겠지만 프랑스에서 나폴레옹 정권의 존속을 가능케 했을 것이다.

42. 나폴레옹이 동맹 세력의 제안에 답변을 미룬 이유 중 하나는 마리-루이즈 황후 를 보기 위해 열흘 간(7월 25일-8월 4일) 마인츠를 방문했기 때문이다. 이 방 문의 목적은 그가 콜랭쿠르에게 설명한 대로 "황후에게 아이를 하나 더 안겨주 기" 위한 것이었다. 나폴레옹이 아내와 내밀한 시간을 보내기 위해 결정적인 협 상 테이블을 떠난 것이 놀랍긴 해도 부부 간의 이 만남에는 중요한 정치적 목적 이 있었다. "둘째 남아南兒 계승자는 그의 외교적 입지를 강화했을 것이다. 나폴 레옹의 진짜 목적은 협상으로부터 자신의 독립성을 주장함과 동시에 다른 열강 에 막판 양보를 하도록 압력을 부과하는 것이었다." Munro Price, *Napoleon: The End of Glory* (Oxford: Oxford University Press, 2014), 98.

43. Andrew Roberts, *Napoleon: A Life* (New York: Viking, 2014), 659.

44. 자세한 내용은 Price, *Napoleon*, 93-94, 109-10을 보라.

45. 바르샤바 대공국은 해체되어 러시아, 오스트리아, 프로이센 사이에 분할될 예정 이었고, 프로이센은 단치히도 받을 계획이었다. 함부르크와 뤼베크는 독립 도시 가 되며, 프랑스가 정복한 나머지 북독일 영토는 전면 강화가 체결되면 반환될 예정이었다. 또한 프랑스는 라인연방의 보호자 지위를 공식 포기하고, 프로이센 은 엘베 강변에 방어 가능한 국경선을 수립해 영토가 확대되고, 오스트리아는 일리리아를 재수복하고, 크고 작은 다른 유럽 국가들은 상호 방위를 보장하는 조약에 서명할 것이었다. Sorel, *L'Europe et la Révolution française*, VIII:171-72.

46. 나폴레옹과 콜랭쿠르가 1812년 12월에 스모르고니에서 파리로 이동하면서 나 눈 대화. Gneral Armand de Culaincourt, *With Napoleon in Russia* (New York: William Morrow, 1935), 298.

47. 정전 조건은 10일에 기한이 만료된 뒤에도 각 군대가 전쟁을 준비할 수 있게 다 음 1주일 동안 적대행위를 재개하지 않도록 허용했다. 나폴레옹은 동맹 세력이 그 기한 동안 자신의 답변을 고려해볼 것이라고 믿었다. 메테르니히는 8월 10일 에 프랑스 쪽 답변을 전해 들었지만 나폴레옹의 공식 답변서가 이튿날 도착할 때까지 동맹 세력의 다른 대표들에게 그 사실을 감췄다.

48. Kraehe, *Metternich's German Policy*, I:183-84.

49. Austrian Declaration of War, August 12, 1813, in *British and Foreign State Papers* (London: James Ridgway and Sons, 1841) I, part 1, 810-22.

50. Charles Oman, *A History of the Peninsular War*, vol. 6, *September 1, 1812-August 5, 1813* (Oxford: Clarendon Press); José Gregorio Cayuela Fernández and José Ángel Gallego Palomares, *La Guerra de la independencia: historia bélica, pueblo y nación en España (1808-1814)* (Salamanca: Universidad de Salamanca, 2008),

471-92; Rory Muir, *Wellington: The Path to Victory, 1769-1814* (New Haven, CT: Yale University Press, 2013): 517-32, 537-65.

51. 네 번째 동맹 군대인 베네히센 장군 휘하 폴란드군(5만 7천 병력)은 여전히 구성 중이었지만 9월이면 전역에 참가할 수 있을 것으로 기대되었다.

52. 크라헨베르크 계획에 관해서는 Leggiere, *Napoleon and the Struggle for Germany*, II:23-60; Alan Sked, *Radetzky: Imperial Victor and Military Genius* (London: I. B. Tauris, 2011), 40-43; F. Loraine Petre, *Napoleon's Last Campaign in Germany, 1813* (London: John Lane, 1912), 181-84; E. Glaise von Horstenau, *La campagne de Dresde, Geschichte der Kämpfe Österreichs. Kriege unter der Regierung des Kaisers Franz. Befreiungskrieg 1813 und 1814* (Vienna: L. W. Seidel und Sohn, 1913), III:3-6을 보라.

53. Leggiere, *Napoleon and Berlin*, 160-76; Kyle O. Eidahl, "The Military Career of Nicolas Charles Oudinot (1767-1847)," PhD diss., Florida State University, 1990, 349-56; Eidahl, "Napoleon's Faulty Strategy: Oudinot's Operations against Berlin, 1813," *CRE* (1995), 395-403.

54. Leggiere, *Napoleon and the Struggle for Germany*, II:235-86.

55. David Chandler, *The Campaigns of Napoleon* (New York: Macmillan, 1966), 904-11.

56. 날짜 미상, 모로가 아내에게, *A Selection from the Letters and Despatches of the First Napoleon*, ed. D. Bingham (London: Chapman and Hall, 1884), III:266.

57. Leggiere, *Napoleon and Berlin*, 189-211; Chandler, *The Campaigns of Napoleon*, 911-15; Modest Bogdanovich, *Istoriya voiny 1813 goda za nezavisimost Germanii* (St. Petersburg: Tip. Shtaba voenno-uchebnykh zavedenii, 1863), II:195-279.

58. Leggiere, *Napoleon and the Struggle for Germany*, II:605-18.

59. Leggiere, *Napoleon and Berlin*, 275.

60. 전투에 관한 깊이 있는 서술은 Bruno Colson, *Leipzig: La Bataille des Nations, 16-19 Octobre 1813* (Paris: Perrin, 2013); Leggiere, *Napoleon and the Struggle for Germany*, II:624-58을 보라. 더 간략한 설명은 Stéphane Calvet, *Leipzig, 1813: La guerre des peuples* (Paris: Vendémiaire, 2015); F. Maude, *The Leipzig Campaign* (New York: Macmillan, 1908), 254-64; Peter Hofschröer, *Leipzig, 1813: The Battle of the Nations* (Oxford: Osprey, 1993); Digby Smith, *1813, Leipzig: Napoleon and the Battle of the Nations* (London: Greenhill, 2001)를 보라. 혼란스러운 퇴각의 와중에 프랑스 장군 샤토는 "특이하게 차려 입고 소규모 수행원만 대동한 한 사람을 알아차렸다. 그는 '말버러는 전쟁에 나간다네'[인기 있는 프랑스 민요]의 곡조를 휘파람으로 불고 있었지만 생각에 푹 빠져 있었다. 샤토는 그가 부르주아라고 생각했고 그에게 다가가 뭘 물어보려고 했다 (…) 하지만 그 사람은 다름 아닌 황제였고, 늘 그렇듯이 침착한 황제는 자신을 둘러싼 파괴의 현장에 완전히 무심한 듯했다." Henri de Jomini, *Précis politique et*

militaire des campagnes de 1812 à 1814 (Lausanne: B. Benda, 1886), II:207n.

61. 협정은 파견 병력의 절반은 일선 병사들로, 절반은 란트베어나 민병대로 구성되어야 한다고 명시했다. 여기에 추가로 자원병 군단을 편성하기로 하고, 비상조치가 필요하다고 여겨지는 지방마다 란트슈투름Landsturm(향토방위대)이 조직되었다. 자세한 내용은 *VPR*, VII:453-66; Martens, *Recueil des traités et conventions*, VII:136-37, 140-52를 보라.

62. Kraehe, *Metternich's German Policy*, 219-49; Schroeder, *Transformation of European Politics*, 478-84; *VPR*, VII:452-66, 483, 486-91; Martens, *Recueil des traités et conventions*, VII:115-36.

63. "보나파르트는 악당이다. 그는 죽어야만 한다"라고 베르나토르는 말했다고 한다. "살아 있는 한 그는 이 세상의 저주가 될 것이다. 황제 따위는 없어야 한다. 황제는 프랑스에 맞는 칭호가 아니다. 프랑스에는 왕이, 하지만 군인 같은 종류의 왕이 필요하다. 부르봉 왕조는 수명이 다했고 결코 복귀하지 못할 것이다. 나보다 프랑스인들에게 적합한 이가 또 어디 있겠는가?" Sorel, *L'Europe et la Révolution française*, VIII:190. L. Pingaud, *Bernadotte, Napoléon et les Bourbons, 1797, 1844* (Paris: L. Plon, 1901), 220-303을 보라.

64. Leggiere, *Napoleon and Berlin*, 293-94.

65. Agathon Jean François Fain, *Memoirs of the Invasion of France by the Allied Armies and of the Last Six Months of the Reign of Napoleon* (London: H. Colburn, 1834), 7.

66. Anne-Jean-Marie-René Savary, duc de Rovigo, *Mémoires du Duc de Rovigo: pour servir à l'histoire de l'empereur Napoléon* (Paris: A. Bossange, 1828), VI:239. 나폴레옹은 자체적으로 몇 가지 외교적 술책을 시도했다. 1813년 11월에 그는 느닷없이 페르난도 7세의 복위를 발표했지만 나라를 지배하고 있던 에스파냐 코르테스가 전쟁에서 발을 빼야 한다는 조건을 내걸었다. 12월에 나폴레옹은 교황 피우스 7세도 석방했는데 교황이 이탈리아로 복귀하면 불화를 야기하고 반도를 다시 차지하려는 오스트리아의 계획을 꼬이게 할 것이라 기대해서였다. 하지만 어느 술책도 통하지 않았다.

67. 1805년 1월 19일 런던 주재 러시아 대사에 대한 공식 전문은 Charles K. Webster, *British Diplomacy, 1813-1815* (London: G. Bell and Sons, 1921), 389-94를 보라.

68. Cabinet Memorandum, December 26, 1813, in W. Alison Phillips, *The Confederation of Europe: A Study of the European Alliance, 1813-1823* (London: Longmans, Green, 1914), 65-66.

69. "우리는 물론 그 자신의 이해관계를 위해서도 [러시아] 황제에게 전체 협상에서 일체의 해상 쟁점을 단호히 배제할 필요성을 상기시키는 것이 얼마나 중요한지 재차 강조하지 않을 수 없군요. 그가 이 점을 상기하지 않는다면 열강들 사이에 유사한 오해를 불러일으킬 소지가 있으며, 열강의 단합에 지금 유럽의 안위가

걸려 있습니다. 영국이 회의에서 밀려난다 하더라도 그 해상 권리들은 결코 밀려나지 않을 것이며, 만약 대륙 열강이 자신들의 이해관계를 알고 있다면 그런 위험을 결코 무릅쓰지 않을 것입니다." Castlereagh to Cathcart, July 14, 1813, in Webster, *British Diplomacy, 1813-1815*, 14.

70. 이를 들여다보려면 Webster, *British Diplomacy, 1813-1815*에서 캐슬레이의 서신을 보라. 이에 관한 분석은 Bew, *Castlereagh, 319-51*; Paul W. Schroeder, "An Unnatural 'Natural Alliance': Castlereagh, Metternich and Aberdeen in 1813," *International History Review* 10, no. 4 (1988): 522-40을 보라.

71. 온전한 인용문은 Charles William Vane Marquis of Londonderry, *Narrative of the War in Germany and France in 1813 and 1814* (London: Henry Colburn and Richard Bentley, 1830), 255-56을 보라.

72. 나폴레옹은 당연히 이 소식에 펄펄 뛰었다. "나폴리 왕의 처신은 파렴치하고 [카롤린] 왕비의 처신은 이루 말할 수가 없다. 나와 프랑스가 당한 그런 끔찍한 배은망덕과 모욕에 복수할 수 있게 오래 살고 싶다." Napoleon to Fouché, February 13, 1814, in *Correspondance de Napoléon*, XXVII:157.

73. Michael V. Leggiere, *The Fall of Napoleon*, vol. 1, *The Allied Invasion of France, 1813-1814* (Cambridge: Cambridge University Press, 2017), 269-333; Maurice Henri Weil, *La Campagne de 1814* (Paris: Librairie Militaire de L. Baudoin, 1891), I:33-341; Muir, *Wellington: The Path to Victory*, 552-65; Alexandre Benckendorf, "The Liberation of the Netherlands (November-December 1813): From the Mémoires du comte Alexandre Benckendorf," ed. and trans. Alexander Mikaberidze, in The Napoleon Series, http://www.napoleon-series.org/research/russianarchives/c_netherlands.html.

74. 마리 루이즈들을 예찬하는 시각은 Henry Houssaye, *Napoleon and the Campaign of 1814* (London: Hugh Rees, 1914), 24를 보라. Houssaye의 시각에 대한 비판적인 평가는 Charles J. Esdaile, *Napoleon, France and Waterloo: The Eagle Rejected* (Barnsley: Pen & Sword, 2016), 83-84를 보라.

75. Étienne-Denis Pasquier, *Histoire de mon temps. Mémoires du chancelier Pasquier* (Paris: E. Plon, Nourrit, 1893), II:117-29.

76. Leggiere, *The Fall of Napoleon*, I:82에서 인용. 이 연설의 일부는 다른 문헌들 —Christopher Herold, *The Age of Napoleon* (New York: Houghton Mifflin, 2003), 375; Felix Markham, *Napoleon* (New York: Mentor, 1963), 209; Ralph Ashby, *Napoleon Against Great Odds: The Emperor and the Defenders of France, 1814* (Santa Barbara CA: Praeger, 2010), 30—에도 실려 있지만 구체적인 표현은 조금씩 다르다.

77. 나폴레옹과 독일 은행가 베트만과의 대화, August Fournier, *Napoleon I: A Biography* (New York: H. Holt, 1911), 330에서 인용.

78. Fournier, *Napoleon I*, 331에서 인용

79. Pasquier, *Histoire de mon temps*, II:99. A slightly different version is in Alphone de Beauchamp, *Histoire des campagnes de 1814 et de 1815* (Paris: Le Normant, 1816), I:43.

80. Michael V. Leggiere, *Blücher: Scourge of Napoleon* (Norman: University of Oklahoma Press, 2014), 324-25; Weil, *La campagne de 1814*, I:342-425, 458-507.

81. Webster, *The Foreign Policy of Castlereagh*, 206; Leggiere, *The Fall of Napoleon*, I:534-54.

82. *SIRIO* 31 (1880): 369-71; Castlereagh to Liverpool, February 18, 1814 (네셀로데에게 쓴 리벤의 서신을 동봉); Castlereagh to Clancarty, February 20, 1814, in *Memoirs and correspondence of Viscount Castlereagh*, IX:266-73, 284-85; "Extrait des Mémoires de la Princesse Lieven," in Grand Duke Nikolai Mikhailovich, ed., *Correspondance de l'empereur Alexandre Ier avec sa soeur la grande-duchesse Catherine, princesse d'Oldenbourg, puis reine de Wurtemberg, 1805-18* (St. Petersburg: Manufacture de Papiers de l'Etat, 1910), 225-27을 보라.

83. Kraehe, *Metternich's German Policy*, 288-94.

84. Leggiere, *The Fall of Napoleon*, 534-54.

85. Wilhelm Oncken, "*Die Krisis der letzten Friedensverhandlung mit Napoleon I: Februar 1814*," in *Historisches Taschenbuch* (Leipzig: F.A. Brockhaus, 1886), VI:5-19.

86. Henry Houssaye, *1814* (Paris: Librairie Académique Didier, 1895), 59-86; Modest Bogdanovich, *Istoriya voiny 1814 goda fo Frantsii i nizlozheniya Napoleona I* (St. Petersburg, 1865), I:176-255; Weil, *La campagne de 1814*, II:139-221, 274-346.

87. Castlereagh to Liverpool, February 26, 1814, in Webster, *British Diplomacy, 1813-1815*, 160-61.

88. 조약 본문은 http://www.napoleon-series.org/research/government/diplomatic/c_chaumont.html. 이에 대한 논의는 August Fournier, *Der Congress von Châtillon. Die Politik im Kriege von 1814. Eine historische Studie* (Vienna: F. Tempsky, 1900), 105-25를 보라.

89. Castlereagh to Liverpool, March 10, 1814, cited in Webster, *The Congress of Vienna, 1814-1815*, 32.

90. Henry Houssaye, "La Capitulation de Soissons en 1814, d'après les documents originaux," *Revue des Deux Mondes* 70 (1885): 553-88; Bogdanovich, *Istoriya voiny 1814 goda*, I:289-308; Alexander Mikaberidze, ed., *The Russian Eyewitness Accounts of the Campaign of 1814* (London: Frontline Books, 2013), 128-44.

91. 1814년 3월 5일 나폴레옹이 조제프 국왕에게, *Correspondance de Napoléon*,

XXVII:288. 프랑스 황제는 전쟁대신에게 쓰면서 다음과 같이 요구했다. "이 망할 인간 [수아송의 지휘관]과 그의 참모들을 전부 체포해. 그를 장군들로 구성된 군사위원회에서 탄핵하게. 반드시 그렇게 해서 전부 다 24시간 안에 그레브 광장에서 총살당하게 하라고. 지금은 본보기를 보여야 할 때야. 판결의 이유를 낱낱이 설명하고 인쇄해서 사방에 배포하게." 모로는 군법회의에 회부되기 전에 전쟁이 끝나서 운이 좋았고, 전쟁이 끝난 후 평화로운 은퇴생활을 누릴 수 있었다. Napoleon to Clarke, March 5, 1814, in A. Thiers, *Histoire du Consulat et de l'Empire* (Bruxelles: Librairie de J. B. Tarride, 1860), X:35.

92. 심지어 한 프랑스 역사가는 워털루 전투 다음으로 수아송 항복이 프랑스 역사에서 가장 끔찍한 참사였다고 주장할 정도다! Thiers, *Histoire du Consulat et de l'Empire*, XVIII:42. 클라우제비츠는 "이 곳[수아송]의 함락에 항상 부여되는 과장된 중요성"에 반발하며 그 사건의 의미를 축소한다. Carl von Clausewitz, *La Campagne de 1813 et la Campagne de 1814* (Paris: Librairie Militaire R. Chapelot, 1900), 175.

93. Bogdanovich, *Istoriya voiny 1814 goda*, I:330-50; Houssaye, *1814*, 167-232; Weil, *La Campagne de 1814*, III:148-245; Mikaberidze, *The Russian Eyewitness Accounts*, 145-60.

94. Muir, *Wellington*, I:566-76.

95. Bogdanovich, *Istoriya voiny 1814 goda*, I:351-64; Mikaberidze, *The Russian Eyewitness Accounts*, 161-99; Weil, *La Campagne de 1814*, III:263-71.

96. Weil, *La Campagne de 1814*, III:424-47.

97. 웰링턴은 1814년 4월 10일에 툴루즈에서 프랑스군을 무찔렀다. Muir, *Wellington*, I:578-84; Francisco Vela Santiago, *Toulouse 1814: la última batalla de la Guerra de Independencia española* (Madrid: Almena, 2014).

98. 뛰어난 논의는 Thierry Lentz, *Les vingt jours de Fontainebleau: la première abdication de Napoléon, 31 mars-20 avril 1814* (Paris: Perrin, 2014)를 보라. 거듭 인용되는 전통적인 서술에 따르면 네, 르페브르, 몽세가 이끄는 원수들이 나폴레옹과 대면했다. 험악한 말이 오가는 와중에 원수들은 계속 싸우자는 나폴레옹의 제안을 "군대는 장군들의 말에 복종할 것이오"라는 대답으로 딱 잘라 거절했다. 그러자 나폴레옹이 종이를 집어서 퇴위에 동의하는 성명서를 썼다고 한다. 렌츠는 이 이야기의 많은 부분이 사실이 아님을 보여주었다.

99. Neil Campbell, *Napoleon at Fontainebleau and Elba, Being a Journal of Occurrences in 1814-15* (London: John Murray, 1869), 190-91; F. L. von Waldburg-Truchsess, *Nouvelle relation de l'itinéraire de Napoléon de Fontainebleau à l'Ile d'Elbe* (Paris: C.-L.-F. Panckoucke, 1815), 24-25.

100. Article 1, Constitutional Statute, May 30, 1814, in the Napoleon Series, http://www.napoleon-series.org/research/government/diplomatic/c_paris1.html.

101. Article 2, Constitutional Statute, May 30, 1814.

102. 프랑스의 이웃국가들을 강화하기 위해 네덜란드는 벨기에와 룩셈부르크, 라인 강 좌안의 좁은 지대를 병합하여 확대되었다. 스위스 연방 조직은 재편되었고, 피에몬테-사르데냐는 "오랜 영토"로 복원되었지만 사보이는 프랑스에 내줘야 했다. 그에 대한 보상으로 사르데냐 국왕은 제노바를 받았다.

103. Article 1, Separate and Secret Articles between France and Great Britain, Austria, Prussia, and Russia, May 30, 1814.

104. Jon Latimer, *1812: War with America* (Cambridge MA: Belknap Press of Harvard University Press, 2007), 177–84; Donald R. Hickey, *The War of 1812: A Forgotten Conflict* (Champaign: University of Illinois Press, 2012), 128–31; Michael A. Palmer, "A Failure of Command, Control, and Communications: Oliver Hazard Perry and the Battle of Lake Erie," *Journal of Erie Studies* 17 (Fall 1988): 7–26.

105. Latimer, *1812: War with America*, 184–92.

106. Frank L. Owsley, "The Role of the South in the British Grand Strategy in the War of 1812," *Tennessee Historical Quarterly* 31 (Spring 1972): 22–38.

107. 근래의 논의는 Robert G. Thrower, Gregory E. Dowd, Robert P. Collins, Kathryn E. Holland Braund, and Gregory Waselkov in *Tohopeka: Rethinking the Creek War and the War of 1812*, ed. Kathryn E. Holland Braund (Tuscaloosa: University of Alabama Press, 2012)의 서문과 논문들을 보라.

108. 자세한 내용은 Henry S. Halbert and T. H. Ball, *The Creek War of 1813 and 1814* (Tuscaloosa: University of Alabama Press, 1995); Frank L. Owsley, *Struggle for the Gulf Borderlands: The Creek War and the Battle of New Orleans* (Tuscaloosa: University of Alabama Press, 2000); Tom Kanon, *Tennesseans at War, 1812–15: Andrew Jackson, the Creek War, and the Battle of New Orleans* (Tuscaloosa: University of Alabama Press, 2014), 56–119를 보라.

109. 190만 에이커의 또 다른 땅이 전쟁 동안 미국과 한 편이었던 체로키 부족에게 이전되었다.

110. Donald E. Graves, "The Redcoats Are Coming! British Troop Movements to North America in 1814," *Journal of the War of 1812* 6, no. 3 (2001): 12–18.

111. 전쟁 동안 미국은 약 1만 110명의 자원병을 연방군으로, 3049명을 경비대원으로, 45만 8463명을 민병대원으로 소집했는데 그 가운데 거의 절반(197,653명)이 1814년에 소집되었다. Graves, "The Redcoats Are Coming!," 17–18; J. C. A. Stagg, "Enlisted Men in the United States Army, 1812–1815: A Preliminary Survey," *William and Mary Quarterly* 43 (October 1986): 615–45를 보라.

112. Latimer, *1812: War with America*, 282–86; Jeffrey Kimball, "The Battle of Chippawa: Infantry Tactics in the War of 1812," *Military Affairs* 31 (Winter 1967–68): 169–86.

113. Donald E. Graves, *"Where Right and Glory Lead!": The Battle of Lundy's Lane,*

1814 (Toronto: Robin Brass, 2014).

114. 자세한 내용은 Donald E. Graves, "'The Finest Army Britain Ever Sent to North America': The Composition, Strength, and Losses of British Land Forces During the Plattsburgh Campaign, September 1814," *Journal of the War of 1812* 7, no. 4 (Fall/Winter 2003): 6-12를 보라.

115. Latimer, *1812: War with America*, 345-68; Walter R. Borneman, 1*812: The War That Forged a Nation* (New York: Harper Collins, 2007), 199-215. Allan S. Everest, *The War of 1812 in the Champlain Valley* (Syracuse, NY: Syracuse University Press, 1981). 북아메리카 전쟁 권역에 관해 의견을 요청 받자 웰링턴은 "캐나다 방어는 (⋯) 오대호 항행에 달려 있다 (⋯) 캐나다를 근거로 한 어떤 공세 작전이든 오대호에서 해군력 우위의 확립이 선행되어야 한다"고 주장했다. Wellington to Earl Bathurst, February 22, 1814, in Arthur Wellesley, *The Dispatches of Field Marshal the Duke of Wellington, During His Various Campaigns*, ed. John Gurwood (London: John Murray, 1834), XI:525.

116. Borneman, *1812: The War That Forged a Nation*, 216-48.

117. 자세한 내용은 Donald R. Hickey, *Glorious Victory: Andrew Jackson and the Battle of New Orleans* (Baltimore: John Hopkins University Press, 2015); Robert V. Remini, *The Battle of New Orleans: Andrew Jackson and America's First Military Victory* (London: Pimlico, 2001); Robin Reilly, *The British at the Gates: The New Orleans Campaign in the War of 1812* (New York: Putnam, 1974)를 보라.

118. James A. Carr, "The Battle of New Orleans and the Treaty of Ghent," *Diplomatic History* 3 (Summer 1979): 273-82.

119. 대중적 인식과 달리 헨트 조약은 12월 24일 서명되었을 때 전쟁을 종결시키지 않았다. 조약의 제1조는 모든 적대행위는 양측이 조약을 비준한 뒤에야 중지될 것이라고 규정했다. 영국은 사흘 뒤에 조약을 비준했지만 미 의회는 1815년 2월 16일, 다시 말해 전투가 끝난 지 5주 뒤에야 비준에 동의했다.

120. 미국은 실제로 모빌 지역과 북위 31도선 아래 펄강부터 퍼디도강까지 뻗은 웨스트플로리다 일부, 다해서 대략 1만 5천 제곱킬로미터의 영토를 얻었다.

121. *The Report of the Loyal and Patriotic Society of Upper Canada* (Montreal: William Gray, 1817), 353.

122. London *Times*, December 28, 1812.

123. *Leeds Mercury*, August 8, 1812.

23장 전쟁과 평화, 1814-1815

1. 각종 경축 행사와 사회적 배경에 관해서는 David King, *Vienna, 1814: How the Conquerors of Napoleon Made Love, War, and Peace at the Congress of Vienna*

(New York: Harmony Books, 2008); Adam Zamoyski, *Rites of Peace: The Fall of Napoleon and the Congress of Vienna* (New York: HarperCollins Publishers, 2007); Gregor Dallas, *1815: The Roads to Waterloo* (London: Richard Cohen, 1996); Charles-Otto Zieseniss, *Le Congrès de Vienne et l'Europe des princes* (Paris: Belfond, 1984); Wolf D. Gruner, *Der Wiener Kongress, 1814/15* (Stuttgart: Philipp Reclam, 2014); Harold Nicolson, *The Congress of Vienna: A Study in Allied Unity: 1812-1822* (New York: HBJ Books, 1974), 159-60. 경찰 보고서 원문과 여타 문서는 Maurice-Henri Weil, *Les dessous du Congrés de Vienne: d'après les documents originaux des archives du Ministère impérial et royal de l'intérieur à Vienne* (Paris: Librairie Payot, 1917), vol. 1; August Fournier, ed., *Die Geheimpolizei auf dem Wiener Kongress. Eine Auswahl aus ihren Papieren* (Vienna: F. Tempsky, 1913)을 보라.

2. Castlereagh to Liverpool, March 10, 1814, in Charles Webster, *The Congress of Vienna, 1814-1815* (London: Oxford University Press, 1919), 51.

3. Treaty of Paris, May 30, 1814, in The Napoleon Series, http://www.napoleon-series.org/research/government/diplomatic/c_paris1.html.

4. Duff Cooper, *Talleyrand* (New York: Grove Press, 2001), 28에서 인용.

5. 탈레랑에 관한 가장 근래의 사려 깊은 논의는 Emmanuel de Waresquiel, *Talleyrand: le prince immobile* (Paris: Fayard, 2003)을 보라. 더 깊이 있는 연구서는 Georges Lacour-Gayet's four-volume study *Talleyrand, 1754-1838* (Paris: Payot, 1930)을 보라.

6. 겐츠의 전기는 Paul R. Sweet, *Friedrich von Gentz: Defender of the Old Order* (Westport, CT: Greenwood Press, 1970)를 보라.

7. Nicolson, *The Congress of Vienna*, 38.

8. 메테르니히에 대한 역사적 평가는 Alan Sked, *Metternich and Austria: An Evaluation* (New York: Palgrave Macmillan, 2008)을 보라.

9. 알렉산드르의 고위 자문들 가운데 러시아인은 거의 없었으며 그 대신 독일인(슈타인, 슈타켈베르크, 네셀로데), 폴란드인(차르토리스키), 스위스인(라아르프), 코르푸 출신(카포 디스트리아), 코르시카 출신(포초 디 보르고)으로 이루어져 있었음은 주목할 만하다.

10. John Bew, *Castlereagh: A Life* (Oxford: Oxford University Press, 2012) 558ff를 보라. 1822년 캐슬레이가 자살한 뒤 바이런 경은 그를 폄하하는 풍자시를 썼다: "후세는 이보다 더 고귀한 무덤도/보지 못하리라/여기에 캐슬레이의 뼈가 누워 있으니/나그네여, 멈춰서 오줌을 갈겨라." *The Works of Lord Byron*, ed. Rowland. E. Prothero (London: John Murray, 1904), IV:394.

11. 다른 설명이 없으며 빈 회의에 대한 논의는 Nicolson, *The Congress of Vienna*; Brian E. Vick, *The Congress of Vienna: Power and Politics After Napoleon* (Cambridge MA: Harvard University Press, 2014); Enno E. Kraehe,

Metternich's German Policy, vol. 2, The Congress of Vienna (Princeton, NJ: Princeton University Press, 1983); Thierry Lentz, *Le Congrès de Vienne: Une refondation de l'Europe 1814-1815* (Paris: Perrin, 2013); Mark Jarrett, *The Congress of Vienna and Its Legacy: War and Great Power Diplomacy After Napoleon* (London: I. B. Tauris, 2013); Jacques-Alain de Sédouy, *Le Congrès de Vienne: L'Europe contre la France 1812-1815* (Paris: Perrin, 2003); Henry Kissinger, *A World Restored: Metternich, Castlereagh and the Problem of Peace 1812-1822* (London: Phoenix, 2000 [1957])을 토대로 한다.

12. Castlereagh to Liverpool, September 24, 1814, in Webster, *The Congress of Vienna, 1814-1815*, Appendix I, 150.

13. Protocols of the Conference of Plenipotentiaries, September 22, 1814, in *British and Foreign State Papers* (London: James Ridgway and Sons, 1839), II:554-57.

14. 자세한 내용은, Webster, *The Congress of Vienna, 1814-1815*, appendices II-V, 151-64에서 각서들을 보라.

15. Nicolson, *The Congress of Vienna*, 141.

16. Talleyrand to King Louis XVIII, October 4, 1814, in *Correspondance inédite du prince de Talleyrand et du roi Louis XVIII pendant le Congrès de Vienne*, ed. Georges Pallain (Paris: E. Plon, 1881), 10-24; Talleyrand's memo of October 1, 1814, in *British and Foreign State Papers*, II:559-60.

17. Alexander to Czartoryski, January 13, 1813, in *Mémoires du prince Adam Czartoryski et correspondance avec l'Empereur Alexandre Ier*, ed. Charles de Mazade (Paris: Plon, 1887), II:302-3.

18. *VPR*, VIII:103-5.

19. 폴란드-작센 위기에 관해서는 Vick, *The Congress of Vienna*, 278-320; Jarrett, *The Congress of Vienna and Its Legacy*, 98-119; C. K. Webster, "England and the Polish-Saxon Problem at the Congress of Vienna," *Transactions of the Royal Historical Society* 7 (1913): 49-101을 보라.

20. 1813년 초에 체결된 러시아-프로이센 동맹 조약은 프로이센의 폴란드 영토 (1792-1795년 사이에 차지한 것)를 작센 전부와 맞바꾸는 계획을 바탕으로 했다.

21. Cathcart to Castlereagh, January 16, 1814, in Robert Stewart, Viscount Castlereagh, *Correspondence, Despatches and Other Papers of Viscount Castlereagh* (London: William Shoberl, 1851), IX:171; Münster to the Prince Regent, February 23-25, in August Fournier, *Der Congress von Châtillon Die politik im kriege von 1814. Eine historische studie* (Vienna: F. Tempsky, 1900), 302-3. Also see "Zur Vorgeschichte des Wiener Kongresses," in August Fournier, *Historische Studien und Skizzen* (Vienna: Wilhelm Braumüller, 1908), II:295-98.

22. Memorandum of December 20, 1814, in Leonard Chodzko Angeberg, *Le Congrès de Vienne et les Traités de 1815* (Paris: Amyot, 1864), I:553.

23. Enno E. Kraehe, *Metternich's Germany Policy*, vol. II, *The Congress of Vienna, 1814-1815* (Princeton, NJ: Princeton University Press, 1983), 241-63.

24. Talleyrand to Metternich, December 19, 1814, in Angeberg, *Le Congrès de Vienne*, I:540-44.

25. Castlereagh to Liverpool, December 25, 1814, in *Supplementary Despatches and Memoranda of Field Marshal Arthur, Duke of Wellington* (London: John Murray, 1860), IX:511; Talleyrand to King Louis XVIII, December 28, 1814, in *Correspondance inédite du prince de Talleyrand et du roi Louis XVIII*, 198.

26. Liverpool to Wellington, December 23, 1814, in *Supplementary Despatches, Correspondence and Memoranda of Field Marshal Duke of Wellington*, IX:494.

27. Castlereagh to Liverpool, January 1, 1815, in Webster, "England and the Polish-Saxon Problem at the Congress of Vienna," 88-89.

28. Niels Rosenkrantz, *Journal du Congrès de Vienne, 1814-1815*, ed. Georg Nørregård (Copenhagen: G. E. C. Gad, 1953), 114; Wilhelm von Humboldt, *Wilhelm und Caroline von Humboldt in ihren Briefen* (Berlin, 1910), IV:441.

29. Talleyrand to King, September 25, 1814, in *Correspondance inédite du prince de Talleyrand et du roi Louis XVIII*, 3; Rosenkrantz, *Journal du Congrès de Vienne*, 125-26.

30. Lord Apsley to Earl Bathurst, January 5, 1815 in *Report on the Manuscripts of Earl Bathurst Preserved at Cirencester Park* (London: Her Majesty's Stationery Office, 1923), 320.

31. Castlereagh to Liverpool, January 2, 1815, in *Supplementary Despatches, Correspondence and Memoranda of Field Marshal Duke of Wellington*, IX:523.

32. Talleyrand to Louis XVIII, January 4, 1814, in *Correspondance inédite du prince de Talleyrand et du roi Louis XVIII*, 209.

33. Liverpool to Castlereagh, December 23, 1814, in *Supplementary Despatches, Correspondence and Memoranda of Field Marshal Duke of Wellington*, IX:498.

34. Vick, *The Congress of Vienna*, 278-320; Jarrett, *The Congress of Vienna and Its Legacy*, 94-130; Zamoyski, *Rites of Peace*, 385-419. Cooke to Liverpool, January 2, 1815, in *Supplementary Despatches and Memoranda of Field Marshal Arthur Duke of Wellington*, IX:521도 보라.

35. Michael V. Leggiere, *Blücher: Scourge of Napoleon* (Norman: University of Oklahoma Press, 2014), 372에서 인용.

36. "Le Charte de 1814," in Léon Cahen and Albert Mathiez, *Les lois française de 1815 à nos jours: accompagnées des documents politiques les plus importants* (Paris: Alcan, 1919), 11-19.

37. Article 57, in "Le Charte de 1814," 18.

38. 부르봉 왕가의 실책에 관한 흥미로운 논의는 André Jardin and André Jean

Tudesq, *La France des notables. L'évolution générale: 1815-1848* (Paris: Éditions du Seuil, 1973), 24-26을 보라.

39. 최근의 연구는 Mark Braude, *The Invisible Emperor: Napoleon on Elba from Exile to Escape* (New York: Penguin, 2018)를 보라.

40. Guillaume Joseph Roux Peyrusse, *Mémorial et archives de m. le baron Peyrusse, trésorier général de la couronne pendant les centjours, Vienne — Moscou — Île d'Elbe* (Carcassonne: P. Labau 1869), 277-78.

41. "À l'Armée," March 1, 1815, in *CN*, XXVIII:4. XXVIII:1-3, 5-7에서 프랑스 국민과 제국 근위대에 대한 포고문도 보라. 자세한 내용은 Norman MacKenzie, *The Escape from Elba: The Fall and Flight of Napoleon, 1814-1815* (New York: Oxford University Press, 1982), 71-216; Henri Houssay, *1815. Le Retour de l'Île d'Elbe* (Paris: Perrin, 1901), 200-269를 보라.

42. 예를 들어 Nicolas Charles Oudinot, *Memoirs of Marshal Oudinot, duc de Reggio*, ed. Gaston Stiegler (London: H. Henry, 1896), 295-96; EtienneJacques-Joseph-Alexandre Macdonald, *Recollections of Marshal Macdonald, Duke of Tarentum*, ed. Camille Rousset (London: R. Bentley and Son, 1892), II:232-85를 보라.

43. 나폴레옹의 정확한 표현에 관해서는 서술들이 차이가 있다. 본서의 인용문은 라 프레 현지의 기념 명판에 새겨진 것이다. 나폴레옹은 제5 일선 연대의 병사들을 두려워할 이유가 별로 없다는 것을 알고 있었는데, 그들은 이미 편을 바꾸는 문제를 두고 토의를 했고 황제의 대의에 대한 공감을 드러냈기 때문이다. 자세한 내용은 Paul Britten Austin, *1815: The Return of Napoleon* (London: Greenhill Books, 2002), 135-60; Houssay, *1815. Le Retour de l'Ile d'Elbe*, 239-46을 보라.

44. Order of the Day, March 13, 1815, in *Trial of Marshal Ney, Prince of Moskwa, for High Treason...*(London: E. Cox and Son, 1816), 45.

45. Honoré de Balzac, "Le Medecin de Campagne," in *Œuvres complètes de M. de Balzac*, ed. Jean A. Ducourneau (Paris: Furne, 1845), XIII:446.

46. François Nicolas Mollien, *Mémoires d'un ministre du trésor public 1780-1815* (Paris: Guillaumin, 1898), III:419.

47. Louis-Mathieu Molé, *Le comte Molé, 1781-1855: sa vie, ses mémoires*, ed. Helie Guillaume Hubert Noailles (Paris: E. Champion, 1922), I:208-9.

48. 사실 3월 6일 알프스 도민들에 대한 나폴레옹의 첫 포고문 가운데 하나는 이미 "모든 불평등"을 바로잡고 "모든 계급" 간 평등을 회복하고, 모든 재산 소유를 보장할 의사를 밝히고 있다. *CN*, XXVIII:7을 보라.

49. Jean Rapp, *Mémoires...*(Paris: Didot, 1823), 282.

50. 1815년 3월 26일 국무위원회에서 나폴레옹의 연설, *CN*, XXVIII:36; Acte additionnel aux constitutions du Premier Empire, AN AE/II/1577.

51. 뛰어난 논의는 R. S. Alexander, *Bonapartism and Revolutionary Tradition in*

France: The Fédérés of 1815 (Cambridge: Cambridge University Press, 1991)를 보라.

52. Gaspard Gourgaud, *Talks of Napoleon at St. Helena...* (Chicago: A. C. McClurg, 1904), 192.

53. 1815년 6월 11일 양원에 대한 나폴레옹의 연설, *CN*, XXVIII:312-13.

54. 1815년의 대중적 보나파르티즘에 관해서는 Frédéric Bluche, *Le Bonapartisme: aux origines de la droite autoritaire (1800-1850)* (Paris: Nouvelles éditions Latines, 1980), 95-122를 보라.

55. *Memoirs of Prince Metternich*, ed. Richard Metternich, trans. Robina Napier (New York: Charles Scribner's Sons, 1880), I:255.

56. 뮈라는 성급하게 북쪽으로 진군했다가 5월 3일 톨렌티노에서 오스트리아군에게 참패를 당했다. 그가 피난민으로 남프랑스에 당도했을 때 나폴레옹을 그를 보거나 기용하려 하지 않았다.

57. Ordre du Jour, June 13, 1815, in *CN*, no. 22049, XXVIII:320-22.

58. Napoleon to Ney, June 16, 1815, in *CN*, no. 22058, XXVIII:335.

59. Captain Bowles to Lord Fitzharris, June 19, 1815, in *A Series of Letters: Of the First Earl of Malmesbury, His Family and Friends from 1745 to 1820*, ed. James Harris (London: Richard Bentley, 1870), II:445-46.

60. Leggiere, *Blucher*, 388-404; Peter Hofschröer, *Waterloo, 1815: Quatre Bras and Ligny* (Barnsley: Pen & Sword, 2005), 73-91; Andrew Uffindell, *The Eagle's Last Triumph: Napoleon's Victory at Ligny, June 1815* (London: Greenhill Books, 1994).

61. 영국과 네덜란드 사료를 토대로 한 탁월한 논의는 Erwin Muilwijk, *Quatre Bras, Perponcher's Gamble: 16th June 1815* (Bleiswijk, Netherlands: Sovereign House Books, 2013)를 보라. 프랑스 쪽 시각은 Paul L. Dawson, *Marshal Ney at Quatre Bras* (Barnsley: Frontline Books, 2017)를 보라.

62. Archibald Frank Becke, *Napoleon and Waterloo: The Emperor's Campaign with the Armée du Nord, 1815* (London: Greenhill Books, 1995), 134.

63. 워털루 전투에 관해서는 나폴레옹 전쟁의 어느 전투보다도 많은 글이 쓰였다. 이하의 연구서들이 유용하다: Charles J. Esdaile, *The Eagle Rejected: Napoleon, France and Waterloo* (Barnsley: Frontline Books, 2016); Paul L. Dawson, *Waterloo: The Truth at Last: Why Napoleon Lost the Great Battle* (Barnsley: Frontline Books, 2018); Andrew Field, *Waterloo: The French Perspective* (Barnsley: Pen & Sword, 2017); Alan Forrest, *Waterloo* (Oxford: Oxford University Press, 2015), Mark Adkin, *The Waterloo Companion* (London: Aurum Press, 2001); Jac Weller, *Wellington at Waterloo* (London: Greenhill, 1992); Henry Houssaye, *1815* (Paris: Perrin, 1909). 전투에 대한 미시적 연구는 Brendan Simms, *The Longest Afternoon: The 400 Men Who Decided the Battle of Waterloo* (New York:

Basic Books, 2015)를 보라. 목격담은 Gareth Glover의 여러 권짜리 *The Waterloo Archive* (London: Frontline Books, 2010-2014)가 불가결하다. 그만큼 유용한 책은 글로버의 간략하지만 식견이 돋보이는 *Waterloo: Myth and Reality* (Barnsley: Pen & Sword, 2014)이다. 보통은 간과되는 네덜란드와 벨기에 병사들의 기여에 관해서는 Erwin Muilwijk, *Standing Firm at Waterloo: 17 & 18 June* (Bleiswijk, Netherlands: Sovereign House Books, 2014)을 보라. 전투가 어떻게 기억되는지 에 관해서는 Timothy Fitzpatrick, *The Long Shadow of Waterloo: Myths, Memories and Debates* (Oxford: Casemate, 2019)를 보라.

64 Rory Muir, *Wellington: Waterloo and the Fortunes of Peace* (New Haven, CT: Yale University Press, 2015), 63에서 인용.

65. 최근의 논의는 Paul L. Dawson, *Napoleon and Grouchy: The Last Great Waterloo Mystery Unravelled* (Barnsley: Frontline Books, 2017)를 보라.

66. 피에르 자크 에티엔 캉브론 장군과 제국 근위대의 최후 항전의 유명한 이야기 에 관한 최근의 논의는 Stéphane Calvet의 수정주의적 연구서, *Cambronne: La Légende de Waterloo* (Paris: Vendémiaire, 2015)를 보라.

67. *Memoirs of Prince Metternich*, II:602.

68. Benjamin Robert Haydon, *Life of Benjamin Robert Haydon, Historical Painter, from His Autobiography and Journals*, ed. Tom Taylor (London: Longman, Brown, Green, and Longmans, 1853), I:239.

69. Napoleon to Joseph, June 19, 1815, in *Lettres Inédites de Napoléon Ier (An VIII, 1815)* (Paris: Plon, 1897), II:357-58.

70. Armand Augustin Louis de Caulaincourt, *Napoleon and His Times* (Philadelphia: E. L. Carey & A. Hart, 1838), II:173.

71. Napoleon to the Prince Recent of Britain, July 14, 1815, in *CN*, XXVIII:348. See Charles-Éloi Vial, *Le dernier voyage de l'empereur: Paris-Île d'Aix, 1815* (Paris: Éditions Vendémiaire, 2015); J. David Markham, *The Road to St. Helena: Napoleon After Waterloo* (Barnsley: Pen & Sword, 2008), 101-23.

72. Michal J. Thornton, *Napoleon After Waterloo: England and the St. Helena Decision* (Stanford, CA: Stanford University Press, 1968), 특히 124-60; Paul Brunyee, *Napoleon's Britons and the St. Helena Decision* (Stroud: History Press, 2009)를 보라.

24장 대전쟁의 여파

1. 최종 의정서 본문은 *The Parliamentary Debates from the Year 1803 to the Present Time* (London: T. C. Hansard, 1816), XXXII:71ff를 보라.

2. Dominique de Pradt, *L'Europe après le Congrès d'Aix-la-Chapelle* (Paris: Béchet Aîné, 1819), 236.

3. Enno Kraehe, "A Bipolar Balance of Power," *American Historical Review* 97 (1992): 707-15. 역작 *The Transformation of European Politics, 1763-1848* (Oxford: Oxford Clarendon Press, 1994) 외에도 Schroeder의 논문 "Did the Vienna Settlement Rest on a Balance of Power?," *American Historical Review* 97 (1992): 683-706, "Alliances, 1815-1945: Weapons of Power and Tools of Management," in *Historical Dimensions of National Security Problems*, ed. Klaus Knorr (Lawrence: University Press of Kansas, 1975), 218-28을 보라. 빈 회의 체제에 관한 최근의 재평가는 Beatrice de Graaf, Ido de Haan, and Brian E. Vick, eds., *Securing Europe After Napoleon: 1815 and the New European Security Culture* (Cambridge: Cambridge University Press, 2019)를 보라.

4. 볼프 그루너는 나폴레옹 이후 국제관계에서 독일 중급 국가들의 역할을 부각시키는 작업을 열심히 해왔다. 그의 *Der Deutsche Bund 1815-1866* (Munich: Beck, 2012)와 *Der Wiener Kongress 1814/1815* (Stuttgart: Reclam Verlag, 2014)를 보라. 빈 회의에 대한 그의 수정주의적인 시각은 "Was There a Reformed Balance of Power System or Cooperative Great Power Hegemony," *American Historical Review* 97 (1992): 725-32를 보라.

5. 자세한 내용은 Joseph L. Black, *Nicholas Karamzin and Russian Society in the Nineteenth Century* (Toronto: University of Toronto Press, 1975) 보라.

6. 폴란드 합의는 최종 의정서의 제1조부터 제12조까지, 작센/프로이센 타협에 관해서는 제15-25조를 보라.

7. Walter Alison Phillips, *The Confederation of Europe: A Study of the European Alliance, 1813-1823* (London: Longmans, Green, 1920), 138-39에서 인용.

8. 1815년 11월 20일, 영국, 오스트리아, 프로이센, 러시아, 프랑스 간의 최종 의정서 제1조, *Britain and Foreign State Papers* (London: James Ridgway and Sons, 1839), III:284-87.

9. 1815년 11월 20일, 프랑스가 연합국에 지불하는 금전적 손해배상금에 관한 파리 조약 및 영국, 오스트리아, 프로이센, 러시아, 프랑스 간의 최종 의정서 제4조를 보라. *Britain and Foreign State Papers*, III:293-98; 1815년 11월 20일 연합군에 의한 프랑스의 군사 경계선 점유에 관한 영국, 오스트리아, 프로이센, 러시아, 프랑스 간의 최종 의정서, *Britain and Foreign State Papers*, III:298-305. 동맹군의 프랑스 점령에 관한 깊이 있는 논의는 Christine Haynes, *Our Friends the Enemies: The Occupation of France After Napoleon* (Cambridge MA: Harvard University Press, 2018)을 보라.

10. 나폴레옹 이후의 보나파르트 가문에 관해서는 Pierre Branda, *La Saga des Bonaparte* (Paris: Perrin, 2018); David Stackton, *The Bonapartes* (London: Hodder and Soughton, 1967)를 보라.

11. Rafe Blaufarb, *Bonapartists in the Borderlands: French Exiles and Refugees on the Gulf Coast, 1815-1835* (Tuscaloosa: University of Alabama Press, 2005); Eric

Saugera, *Reborn in America: French Exiles and Refugees in the United States and the Vine and Olive Adventure, 1815-1865* (Tuscaloosa: University of Alabama Press, 2011).

12. Eugene N. White, "Making the French Pay: The Costs and Consequences of the Napoleonic Reparations," *European Review of Economic History* 5, no. 3 (2001): 339.

13. 한 영국 역사가는 나폴레옹 전쟁이 끝난 뒤 영국은 "승자인 자신이 패자인 프랑스보다 훨씬 더 무거운 부채를 진 기묘한 처지임을 알게 되었다"라고 지적한다. J. H. Clapham, "The Economic Condition of Europe After the Napoleonic War," *Scientific Monthly* 11, no. 4 (1920): 321; Clapham, *The Economic Development of France and Germany, 1815-1914* (Cambridge: Cambridge University Press, 1968), 121-22. 영국과 프랑스의 재정(과 부채)에 대한 비교 연구는 Michael D. Bordo and Eugene N. White, "A Tale of Two Currencies: British and French Finance During the Napoleonic Wars," *Journal of Economic History* 51, no. 2 (1991): 303-16을 보라.

14. Thomas Dwight Veve, *The Duke of Wellington and the British Army of Occupation in France, 1815-1818* (Westport, CT: Greenwood Press, 1992), 138-40; Haynes, *Our Friends the Enemies,* 219-24.

15. Act 10, "Treaty between the King of the Netherlands, Prussia, England, Austria and Russia," May 31, 1815, in *The Parliamentary Debates from the Year 1803 to the Present Time,* XXXII: 175-80. 빈 회의 최종 의정서의 제65-73조도 보라.

16. Act 11, Declaration of the Powers on the Affairs of the Helvetic Confederacy, March 20, 1815; Act of Accession of the Swiss Diet, May 27, 1815, in *The Parliamentary Debates from the Year 1803 to the Present Time,* XXXII:182-88. 빈 회의 최종 의정서의 제74-84조도 보라.

17. Acts 12, 13 and 14, in *The Parliamentary Debates from the Year 1803 to the Present Time,* XXXII:188-200. 빈 회의 최종 의정서의 제85-91조도 보라.

18. 빈 회의 최종 의정서 제65-73조.

19. Act 9, Article 2, "Federative Constitution of Germany," June 8, 1815, *The Parliamentary Debates from the Year 1803 to the Present Time,* XXXII:168. 빈 회의 최종 의정서의 제63조도 보라: "의정서는 처음에 34개 국가와 4개 자유시에서 온 전권대표들에 의해 서명되었다. 39번째 국가 헤센-홈부르크는 1817년에 추가되었다."

20. Act 9, Article 11, "Federative Constitution of Germany," June 8, 1815, *The Parliamentary Debates from the Year 1803 to the Present Time,* XXXII:170.

21. 빈 회의 최종 의정서 제53-64조를 보라.

22. Wolf Gruner, *Der Deutsche Bund 1815-1866* (Munich: Beck, 2012); David G. Williamson, *Germany Since 1815: A Nation Forged and Renewed* (New York:

Palgrave Macmillan, 2005), 17–39; Frank B. Tipton, *A History of Modern Germany Since 1815* (Berkeley: University of California Press, 2003), 1–58.

23. T. K. Derry, *History of Scandinavia: Norway, Sweden, Denmark, Finland, and Iceland* (Minneapolis: University of Minnesota Press, 1979), 211–15.

24. Act 15, "Declaration of the Powers on the Abolition of the Slave Trade," February 8, 1815, in *The Parliamentary Debates from the Year 1803 to the Present Time,* XXXII:200–201.

25. Act 16, "Regulations for the Free Navigation of Rivers," in *The Parliamentary Debates from the Year 1803 to the Present Time*, XXXII:202–14.

26. Act 17, "Regulations Concerning the Precedence of Diplomatic Agents," in *The Parliamentary Debates from the Year 1803 to the Present Time*, XXXII:214–15.

27. Viscount Castlereagh to Lord Liverpool, September 28, 1815, in *The Life and Administration of Robert Banks, Second Earl of Liverpool*, ed. Charles Yonge (London: Macmillan, 1868), II:229; Clemens Wenzel Lothar Fürst von Metternich, *Memoirs of Prince Metternich, 1773–1815*, ed. Richard Metternich, trans. Robina Napier (London: Richard Bentley, 1880), I:165.

28. The Treaty of the Holy Alliance, September 26, 1815, in *Britain and Foreign State Papers*, III:211.

29. de Graaf, de Haan, and Vick, *Securing Europe After Napoleon*; Beatrice de Graaf, *Tegen de terreur. Hoe Europa veilig werd na Napoleon* (Amsterdam: Prometheus, 2018); Adam Zamoyski, *Phantom Terror: Political Paranoia and the Creation of the Modern State, 1789–1848* (New York: Basic Books, 2015)의 탁월한 논의를 보라.

30. 전쟁의 여파와 피해에 관한 최근 연구는 Alan Forrest, Karen Hagemann, and Michael Rowe, eds., *War, Demobilization and Memory: The Legacy of War in the Era of Atlantic Revolutions* (New York: Palgrave Macmillan, 2016)이다.

31. 역사서술과 데이터에 관한 깊이 있는 논의는 Jacques Houdaille, "Pertes de l'armée de terre sous le premier Empire, d'après les registres matricules," in *Population* 27, no. 1 (1972): 27–50을 보라. 간략한 논의는 David Rouanet, "Bilan humain des guerres de l'Empire," in *Napoléon et l'Europe*, ed. Émile Robbe and François Lagrange (Paris: Musée de l'Armée, 2013), 56–59를 보라.

32. Haydon, *Life of Benjamin Robert Haydon*, I, 238–39; William Dorset Fellowes, *Paris: During the Interesting Month of July, 1815. A Series of Letters Addressed to a Friend in London* (London: Gales and Fenner, 1815), 22.

33. 이 숫자는 영국인과 외국인 피해자 둘 다를 포함한다. J. W. Fortescue, *The County Lieutenancies and the Army, 1803–1814* (London: Macmillan, 1909), 291; William B. Hodge, "On the Mortality Arising from Military Operations," *Journal of the Statistical Society of London* XIX (1856): 264–65를 보라.

34. Martin Robson, *A History of the Royal Navy: The Napoleonic Wars* (London: I. B. Tauris, 2014), 156.

35. John William Fortescue, *A History of the British Army* (London: Macmillan, 1910), IV, part 1, 565; Michael Duffy, *Soldiers, Sugar and Seapower: The British Expeditions to the West Indies and the War against Revolutionary France* (Oxford: Clarendon Press, 1987).

36. Robert Burnham and Ron McGuigan, *The British Army Against Napoleon: Facts, Lists and Trivia, 1805-1815* (Havertown, MD: Frontline Books, 2010), 213-14; Andrew Bamford, *Sickness, Suffering, and the Sword: The British Regiment on Campaign* (Norman: University of Oklahoma Press, 2014), 220-22, 303-4.

37. M. R. Smallman-Raynor and A. D. Cliff, *War Epidemics: An Historical Geography of Infectious Diseases in Military Conflict and Civil Strife, 1850-2000* (Oxford: Oxford University Press, 2004), 107-9.

38. Bagration to the Noble Estate of Wallachia, February 8, 1810, in *Bagration v Dunaiskikh kniazhestvakh: Sbornik Dokumentov* (Chişinău, 1949), 76.

39. Anthony McFarlane, *War and Independence in Spanish America* (New York: Routledge, 2014), 293.

40. Robert Harvey, *Liberators: South America's Savage Wars of Freedom, 1810-1830* (London: Robinson, 2002), 192.

41. Pavel Pushin, *Diaries of the 1812-1814 Campaigns*, trans. and ed. A. Mikaberidze (Tbilisi: NSG, 2011), 151, 154.

42. 다른 대형 폭발로는 1808-1809년 태평양 남서부 화산 폭발, 1812년 카리브해 세인트빈센트섬, 라 수프리에르 화산 폭발과 상지에제도(네덜란드령 동인도) 아우 화산 폭발, 1813년 류큐제도(일본)의 수와노세지마 화산 폭발, 1814년 필리핀제도 마욘 화산 폭발이 있다. 탐보라 화산 폭발에 관한 상세한 논의는 Gillen D'Arcy Wood, *Tambora: The Eruption That Changed the World* (Princeton, NJ: Princeton University Press, 2015)를 보라.

43. John Dexter Post, *The Last Great Subsistence Crisis in the Western World* (Baltimore: John Hopkins University Press, 1977), 77.

44. Kresimir Kuzic, "The Impact of Two Volcano Eruptions on the Croatian Lands at the Beginning of the 19th Century," *Croatian Meteorological Journal* 42 (2007): 17-18.

45. Glenn Hueckel, "War and the British Economy, 1793-1815: A General Equilibrium Analysis," *Explorations in Economic History* 10 (1973): 369. A. Gayer, W. Rostow and A. Schwartz, *The Growth and Fluctuations of the British Economy, 1790-1850* (Oxford: Clarendon Press, 1953)도 보라.

46. Angus Maddison, *The World Economy: A Millennial Perspective* (Paris: OECD, 2001), 95.

47. Patrick O'Brien, "The Impact of the Revolutionary and Napoleonic Wars, 1793–1815, on the Long-Run Growth of the British Economy," *Review (Fernand Braudel Center)* XII (1989): 383.

48. Victor Bulmer-Thomas, *The Economic History of Latin America Since Independence* (Cambridge: Cambridge University Press, 2003); Ralph Davis, *The Industrial Revolution and British Overseas Trade* (Leicester: Leicester University Press, 1979).

49. D. Bulbeck et al., *Southeast Asian Exports since the 14th Century: Cloves, Pepper, Coffee and Sugar* (Leiden: KITLV Press, 1998).

50. A. Webster, "The Political Economy of Trade Liberalization: The East India Company Charter of 1813," *Economic History Review* (n.s.) 43 (1990): 404-19.

51. See D. Eltis and J. Walvin, eds., *The Abolition of the Atlantic Slave Trade: Origins and Effects in Europe, Africa and the Americas* (Madison: University of Wisconsin Press, 1981).

52. 예를 들어 1830년에 영국은 인클로저와 영농 기계화에 반대하며 확산된 농촌 봉기인 스윙 폭동을 경험했다. 봉기 참가자들은 농촌 노동자들 사이에서 꾸준히 진행되고 있던 토지 박탈과 빈곤 심화의 추세를 뒤집고자 했다. 규모 측면에서 이 농촌 봉기는 1789년 프랑스의 "대공포"에 버금갔다. 자세한 설명은 John E. Archer, *Social Unrest and Popular Protest in England, 1780-1840* (Cambridge: Cambridge University Press, 2000), ch. 2를 보라.

53. Haynes, *Our Friends the Enemies*.

54. Matthew Anderson, "Russia and the Eastern Question, 1821-1941," in *Europe's Balance of Power 1815-1848*, ed. Alan Sked (London: Macmillan, 1979), 82; Artur Attman, "The Russian Market in World Trade, 1500-1860," *Scandinavian Economic History Review* XXIX, no. 3 (1981): 196-97; Peter Hopkirk, *The Great Game: On Secret Service in High Asia* (Oxford: Oxford University Press, 1990), 102.

55. David Brewer, *The Flame of Freedom: The Greek War of Independence, 1821-1833* (London: John Murray, 2001); Nikiforos Diamandouros, ed., *Hellenism and the First Greek War of Liberation (1821-1830): Continuity and Change* (Thessaloniki, Greece: Institute for Balkan Studies, 1976); George Finlay, *History of the Greek Revolution* (London: Zeno, 1971).

56. José Fernando de Abascal, Viceroy of Peru, to Miguel de Lardizabal, Secretary of Indies in Madrid, October 12, 1815, Archivo General de Indias, Lima, Peru, 749, N. 76, p. 678.

57. 자세한 내용은 B. R. Hamnett, *La politica contrarevolucionaria del Virrey Abascal: Peru, 1806-1816* (Lima: IEP, 2000); V. Peralta Ruiz, *En defense de la autoridad: politica y cultura bajo el gobierno del virrey Abascal: Perú 1806-1816*

(Madrid: Consejo Superior de Investigaciones Cientificas, 2002)을 보라.

58. Harold Temperley, *The Foreign Policy of Canning, 1822-1827: England, the Neo-Holy Alliance and the New World* (New York: Frank Cass, 1966), 584.

59. Jackson to Monroe, January 6, 1818, in *The Papers of Andrew Jackson*, ed. Harold D. Moser, David R. Hoth and George H. Hoemann (Knoxville: University of Tennessee Press, 1994), IV:167.

60. Treaty of Amity, Settlement, and Limits Between the United States of America and His Catholic Majesty, 1819, the Avalon Project, Yale Law School, http://avalon.law.yale.edu/19th_century/sp1819.asp를 보라.

61. Jay Sexton, *The Monroe Doctrine: Empire and Nation in Nineteenth-Century America* (New York: Hill and Wang, 2011); Dexter Perkins, *A History of the Monroe Doctrine* (Boston: Little, Brown, 1963).

62. Sudhir Hazareesingh, *The Legend of Napoleon* (London: Granta Books, 2004); Hazareesingh, *The Saint-Napoleon: Celebrating Sovereignty in Nineteenth-Century France* (Cambridge: MA: Harvard University Press, 2004).

참고문헌

약어

AE	Archives du Ministère des Affaires Etrangères, Paris, France.
AN	Archives Nationales, Paris.
BL	British Library.
CN	Napoleon Bonaparte, *Correspondance de Napoleon Ier, publ. par ordre de l'Empereur Napoléon III*, 32 vols (Paris: Imprimerie Impériale, 1858-69).
CRE	*Proceedings of the Consortium on Revolutionary Europe. Dropmore Papers: The Manuscripts of J. B. Fortescue, Esq., Preserved at Dropmore* (London: Historical Manuscripts Commission, 1908).
FO	Foreign Office, National Archives (formerly Public Records Office), Kew, Great Britain.
NLS	National Library of Scotland.
PSZ	*Polnoe sobranie zakonov Rossiiskoi imperii.*
RGVIA	Russian State Military Historical Archive.
Riksarkivet	Swedish National Archives, Stockholm.
SHD	Service historique de la Défense
SIRIO	*Sbornik Imperatorskago Russkago Istoricheskago Obschestva.*
VPR	*Vneshnaya politika Rossii XIX i nachala XX veka: dokumenti Rossiiskogo Ministerstva Inostrannikh del* (Moscow, 1961).
WO	War Office, The National Archives (formerly The Public Records Office), Kew, Great Britain.

아카이브

Archives du Ministère des Affaires Etrangères, Paris, FranceArchives Nationale, Paris, France

Archivo Histórico Nacional, Madrid, Spain

Archivo General de Indias, Sevilla, Spain

Archivo de la Real Chancillería de Valladolid, Spain

Biblioteca Histórica Municipal, Madrid, Spain

Central Historical Archive of Moscow

Centre des Archives diplomatiques de La Courneuve, Paris, France

India Office Records and Private Papers, British Library, London, Great Britain

Kriegsarchiv, Vienna, Austria

National Library of Scotland, Edinburgh, Scotland

Riksarkivet, Swedish National Archives, Stockholm, Sweden.

Russian State Military Historical Archive, Moscow, Russia

Service Historique de l'Armée de Terre, Paris France

The National Archives (formerly The Public Records Office), Kew, Great Britain

정기 간행물

American Historical Review

Cobbett's Annual Register

The English Historical Review

Gazette Nationale, ou Le Moniteur Universel

Gentleman's Magazine

The International History Review

Istoricheskii Vestnik

Le patriote français

London Gazette

The Monthly Visitor

Morning Chronicle

The New Annual Register

Revue d'histoire diplomatique

Revue de l'Institut Napoléon

Revue des études napoléoniennes

Revue d'histoire moderne et contemporaine

Revue du souvenir napoléonien

Revue historique

Royal Military Chronicle

Russkaya starina

Russkii arkhiv

Sankt Petersburgskie vedomosti

Sbornik Imperatorskago russkago istoricheskago obshchestva

Slavic Review

The Times (London)

Voennyi sbornik

1차 자료

Abbot, Charles. *The Diary and Correspondence of Charles Abbot, Lord Colchester, Speaker of the House of Commons, 1802-1817*. London: J. Murray, 1861.

Aitchison, Sir Charles U., ed. *A Collection of Treaties, Engagements and Sunnuds Relating to India and Neighboring Countries*. 7 vols. Calcutta: O. T. Cutter, 1862-1866.

Akty sobrannye kavkazskoiu arkheograficheskoiu kommissieiu. Edited by A. Berzhe. 12 vols. Tiflis, 1866-1904.

American State Papers: Documents, Legislative and Executive, of the Congress of the United States. Edited by Walter Lowrie and Matthew St. Clair Clarke. Washington, DC: Gales and Seaton, 1833.

Archduke Charles. *Archduke Charles' 1796 Campaign in Germany*. Translated by George F. Nafziger. West Chester, OH: Nafziger Collection, 2004.

Archives parlementaires de 1787 à 1860: recueil complet des débats législatifs et politiques des chambres françaises. 82 vols. Paris: Librairie Administrative Paul Dupont, 1862-1913.

Arkhiv Gosudarstvennogo Soveta. St. Petersburg: Sobstvennoi E. I. V. Kantseliarii, 1869-1904.

Arkhiv kniazya Vorontsova. 40 vols. Moscow: Tip. A. I. Mamontova; Tip. Gracheva, 1870-1895.

Arneth, Alfred Ritter von. *Joseph II und Katharina von Russland*. Vienna: W. Braumuller, 1869.

Auckland, William Eden. *The Journal and Correspondence of William, Lord Auckland*. London: Richard Bentley, 1862.

Bailleur, Paul, ed. *Preussen und Frankreich von 1795 bis 1807: Diplomatische correspondenzen*. 2 vols. Leipzig: S. Hirzel, 1881-1887.

Banks, Joseph. *Sir Joseph Banks, Iceland and the North Atlantic 1772-1820: Journals, Letters and Documents*. Edited by Anna Agnarsdottir. London: Hakluyt Society, 2016.

Barras, Paul. *Mémoires de Barras, membre du Directoire*. Edited by George Duruy. 3 vols. Paris: Hachette, 1896.

Barrès, Jean Baptiste. *Memoirs of a Napoleonic Officer*. London: G. Allen & Unwin, 1925.

Bathurst, Seymour Henry. *Historical Manuscripts Commission Report on the Manuscripts of Earl Bathurst Preserved at Cirencester Park*. Edited by Francis B. Bickley. London: Stat. Office, 1923.

Baudin, Nicolas. *Mon voyage aux terres australes: journal personnel du commandant Baudin*. Paris: Imprimerie nationale, 2000.

Bausset-Roquefort, Louis François Joseph. *Private Memoirs of the Court of Napoleon and of Some Public Events of the Imperial Reign, from 1805 to the First of May 1814, to Serve as a Contribution to the History of Napoleon*. Philadelphia: Carey, Lea & Carey, 1828.

Beauharnais, Eugène de. *Mémoires et correspondance politique et militaire du Prince Eugène*. Edited by A. Du Casse. 10 vols. Paris: Lévy, 1858-1860.

Beauharnais, Hortense de. *Mémoires de la reine Hortense*. Edited by Jean Hanoteau. Paris: Plon, 1927.

Biedma, José Juan, ed. *Documentos referents de la guerra de la indepencia de América a emancipación politica de la República Argentina y de otras secciones de América a qye cooperó desde 1810 a 1828*, vol. 2, *Antecedentes popoliticos, económicos y administrativos de la revolución de Mayo de 1810*. Buenos Aires: Archivo General de la Nación Argentina, 1914.

Bonaparte, Joseph. *Mémoires et correspondance politique et militaire du roi Joseph*. Edited by A. Du Casse. 10 vols. Paris, 1854-1856.

Bonaparte, Napoleon. *The Confidential Correspondence of Napoleon Bonaparte with His Brother Joseph*. New York: D. Appleton, 1856.

Bonaparte, Napoleon. *Correspondance de Napoleon Ier, publ. par ordre de l'Empereur Napoléon III*. 32 vols. Paris: Imprimerie Impériale, 1858-69.

Bonaparte, Napoleon. *Correspondance générale*. Edited by Thierry Lentz, Michel Kerautret, François Houdecek, et al. 15 vols. Paris: Fayard, 2004-2018.

Bonaparte, Napoleon. *Dernières lettres inédites de Napoléon*. Edited by Léonce de Brotonne. Paris: Champion, 1903.

Bonaparte, Napoleon. *Lettres inédites de Napoléon 1er (an VIII — 1809)*. Edited by Leon Lecestre. Paris: Librairie Plon, 1897.

Bonaparte, Napoleon. *New Letters of Napoleon I Omitted from the Edition Published Under the Auspices of Napoleon III*. Edited by Lady Mary Loyd. New York: D. Appleton, 1897.

Bonaparte, Napoleon. *Ordres et apostilles de Napoléon, 1799-1815*. Edited by Athur

Chuquet. Paris: Champion, 1911.

Bonaparte, Napoleon. *A Selection from the Letters and Despatches of the First Napoleon*. Edited by D. Bingham. 3 vols. London: Chapman and Hall, 1884.

Bosredon de Ransijat, Jean de. *Journal du siége et blocus de Malte*. Paris: Imprimerie de Valade, 1801.

Brissot, Jacques-Pierre. *Second discours de J. P. Brissot, député, sur la nécéssite de faire la guerre aux princes allemands, prononcé à la société dans le séance du vendredi 30 December 1791*. Paris: Sociéte des Amis de la Constitution, 1791.

British and Foreign State Papers, 1812–1814. London: James Rigway and Sons, 1841.

Browning, Oscar. *England and Napoleon in 1803, being the Despatches of Lord Witworth and Others, Now First Printed...Edited for the Royal Historical Society*. London: Longmans, Green, 1887.

Burke, Edmund. *The Works of the Right Honorable Edmund Burke*. London: Rivington, 1801.

Caillet-Bois, Ricardo Rodolfo, ed. *Mayo documental*. Buenos Aires: Universidad de Buenos Aires, 1961.

Campbell, Neil. *Napoleon on Elba: Diary of an Eyewitness to Exile*. Edited by Jonathan North. Welwyn Garden City, UK: Ravenhall, 2004.

Canning, George. *Memoirs of the Life of the Right Honourable George Canning*. London: Thomas Tegg, 1828.

Caulaincourt, Armand-Augustin-Louis de. *Memoirs*. London: Cassell, 1935.

Chatterton, Lady Georgiana. *Memorials, Personal and Historical of Lord Gambier*. London: Hurst and Blackett, 1861.

Cheng, Pei-kai, and M. Lestz, with J. Spence, eds. *The Search for Modern China: A Documentary History*. New York: W. W. Norton, 1999.

Chuquet, Arthur, ed. *Journal de voyage du général Desaix, Suisse et Italie (1797)*. Paris: Plon-Nourrit, 1907.

Clausewitz, Karl von. *La campagne de 1799 en Italie et en Suisse*. Paris: Champ libre, 1979.

Clausewitz, Karl von. *On War*. Edited and translated by Michael Howard and Peter Paret. Princeton, NJ: Princeton University Press, 1976.

Clercq, Alexandre de, ed. *Recueil des traités de la France*. 3 vols. Paris: A. Durand et Pedone-Lauriel, 1880–1882.

Coignet, Jean Roch. *Les cahiers du capitaine Coignet*. Paris: Hachette, 1883.

Cornwallis, Charles. *Correspondence of Charles, First Marquis Cornwallis*. Edited by Charles Ross. 3 vols. London: John Murray, 1859.

Curtis, Edmond, and R. B. McDowell, eds. *Irish Historical Documents 1172–1922*. New York: Barnes & Noble, 1968.

Czartoryski, Adam Jerzy. *Mémoires du Prince Adam Czartoryski et correspondance avec l'Empereur Alexandre Ier.* Paris: E. Plon, Nourrit, 1887.

Damas, Roger. *Memoirs of the Comte Roger de Damas, 1787–1806.* London: Chapman and Hall, 1913.

Deventer, Marinus Lodewijk van, ed. *Het Nederlandsch gezag over Java en onderhoorigheden sedert 1811. Verzameling van onuitgegeven stukken uit de koloniale en andere arhieven.* S'Gravenhage: M. Nijhoff, 1891.

Documente privitoare la Istoria Românilor. Corespondentă diplomatică şi rapoarte consulare franceze (1603–1824). Edited by Eudoxiu Hurmuzaki et al. Bucharest: Acad. Rom. şi Ministerul Cultelor şi Instrucţiunii Publice, 1912.

Documente privitoare la Istoria Românilor. Edited by Ioan Bogdan et al. Bucharest: I. V. Socecŭ, 1885.

Documente privitoare la Istoria Românilor. Rapoarte consulare prusiene din Iaşĭ şi Bucureştĭ (1763–1844). Edited by Nicolae Iorga. Bucharest: Acad. Rom. şi Ministerul Cultelor şi Instrucţiunii Publice, 1897.

Douin, Georges, ed. *L'Égypte de 1802 à 1804: correspondance des consuls de France en Égypte.* Cairo: Institut français d'archéologie orientale du Caire, 1925.

Driault, Édouard. *Mohamed Aly et Napoléon (1807–1814): correspondance des consuls de France en Égypte.* Cairo: Institut française d'archéologie orientale, 1925.

Dundas, Henry. "Papers of Henry Dundas, First Viscount Melville, 1779–1813." David M. Rubenstein Rare Book and Manuscript Library, Duke University.

Elphinstone, George Keith. *The Keith Papers: Selected from the Papers of Admiral Viscount Keith.* Edited by Christopher Lloyd. London: Navy Records Society, 1950.

Elphinstone, Mountstuart. *An Account of the Kingdom of Caubul, and Its Dependencies in Persia, Tartary, and India.* London: Longman, 1815.

Enghien, duc de. *Correspondance du duc d'Enghien (1801–1804) et documents sur son enlèvement et sa mort.* Paris: A. Picard, 1908.

Fain, Agathon Jean François. *Manuscrit de 1813, contenant le précis des évènemens de cette année.* Paris: Delaunay, 1825.

Fain, Agathon Jean François. *Memoirs of the Invasion of France by the Allied Armies and of the Last Six Months of the Reign of Napoleon.* London: H. Colburn, 1834.

Fitzpatrick, Walter, ed. *Report on the Manuscripts of J. B. Fortescue, Esq. Preserved at Dropmore.* 10 vols. London: Her Majesty's Stationery Office, 1892–1927.

Fournier, August, ed. *Die Geheimpolizei auf dem Wiener Kongress. Eine Auswahl aus ihren Papieren* Vienna: F. Tempsky, 1913.

Fraser, Edward, ed. *The Enemy at Trafalgar: An Account of the Battle from Eye-Witness Narratives and Letters and Despatches from the French and Spanish Fleets.* London:

Hodder & Stoughton, 1906.

Garnier, Jacques, ed. *Relations et rapports officiels de la bataille d'Austerlitz, 1805*. Paris: La Vouivre, 1998.

George III. *The Later Correspondence of George III*. Edited by Arthur Aspinall. Cambridge: Cambridge University Press, 1963.

George III. *The Letters of King George III*. Edited by Dobree Bonamy. London: Cassell, 1935.

Godoy, Manuel. *Memorias...*Gerona: Libreria de Vicente Oliva, 1841.

Gorchkoff, Dimitri, ed. *Moskva i Otechestvennaya voina 1812 goda*. Moscow: Izdatelstvo Glavnogo arkhivnogo upravleniya goroda Moskvy, 2011-2012, 2 volumes.

Gower, Graville Leveson. *Lord Granville Leveson Gower, First Earl Granville: Private Correspondence, 1781 to 1821*. Edited by Lady Granville. New York: E. P. Dutton, 1916.

Holland, Henry Richard Vassall. *Memoirs of the Whig Party During My Time*. London: Longman, Brown, Green, and Longmans, 1854.

Holland, Lady Elizabeth Vassall Fox. *The Spanish Journal of Elizabeth, Lady Holland*. Edited by Giles Stephen Holland Fox-Strangways. London: Longmans, 1910.

Ikhchiev, D., ed. *Turski dŭrzhavni dokumenti za Osman pazvantoglu Vidinski*. Sofia: Dŭrzhavna pechatnitsa, 1908.

Ingram, Edward, ed. *Two Views of British India: The Private Correspondence of Mr. Dundas and Lord Wellesley, 1798-1801*. Bath: Adams & Dart, 1970.

Ivić, Aleksa, ed. *Spisi bečkih arhiva o prvom srpskom ustanku*. Belgrade: Srpska kraljevska akademija, 1935.

Jabarti, 'Abd al-Raḥmān al-. *Napoleon in Egypt: Al-Jabarti's chronicle of the French occupation, 1798*. Princeton, NJ: Markus Wiener, 2004.

Jackson, George. *The Diaries and Letters of Sir George Jackson, KCH, From the Peace of Amiens to the Battle of Talavera*. London: Richard Bentley and Son, 1872.

Jakšić, Grgur, and Vojislav Vučković, ed. *Francuski dokumenti o prvom i drugom ustanku (1804-1830)*. Belgrade: Naučno delo, 1957.

Jaubert, Pierre-Amédée. *Voyage en Arménie et en Perse: fait dans les années 1805 et 1806*. Paris: Pelicier, 1821.

Jefferson, Thomas. *Memoir, Correspondence and Miscellanies from the Papers of Thomas Jefferson*. Edited by Thomas Jefferson Randolph. Boston: Gray and Bowen, 1830.

Jefferson, Thomas. *The Writings of Thomas Jefferson*. Edited by Andrew A. Lipscomb. Washington, DC: Thomas Jefferson Memorial Association, 1903.

Jones, Harford. *An Account of the Transactions of His Majesty's Mission to the Court of Persia in the Years 1807-11*. London: James Bohn, 1834.

Jourdan, Jean-Baptiste. *Mémoires militaires du Maréchal Jourdan (guerre d'Espagne)*. Paris: Flammarion, 1899.

Karvyalis, A., and V. Soloveyev, eds. *Dokumenty shtaba M. I. Kutuzova, 1805-1806*. Vilnius: Gos. izdatelstvo polit literatury, 1951.

Kerautret, Michel, ed. *Les grands traités du Consulat, 1799-1804. Documents diplomatiques du Consulat et de l'Empire*. Paris: Nouveau Monde, 2002.

Khantadze, Shota, ed. *Dokumentebi kakhetis 1812 tslis ajankebis istoriisatvis*. Tbilisi: Tbilisi University Press, 1999.

Kutuzov, Mikhail. *M. I. Kutuzov: Sbornik dokumentov*. Edited by Liubomir Beskrovnyi. 5 vols. Moscow: Voennoe izdatelstvo Voennogo Ministerstva Soyuza SSR, 1954.

La Forest, Antoine René Charles Mathurin de. *Correspondance du comte de la Forest, ambassadeur de France en Espagne 1808-1813*. Paris: A. Picard et fils, 1905.

La Jonquière, Clément de Taffanel. *L'expédition d'Égypte, 1798-1801*. 5 vols. Paris: H. Charles-Lavauzelle, 1899-1907.

Larivière, Charles de. *Catherine II et la Révolution française d'après de nouveaux documents*. Paris: H. Le Soudier, 1895.

Las Cases, Emmanuel de. *Mémorial de Sainte Hélène*. Paris: Gallimard-La Pléiade, 1956.

Leclerc, Charles. *Lettres du Général Leclerc*. Edited by Paul Roussier. Paris: Société de l'histoire des colonies françaises, 1937.

Murat, Joachim. *Lettres et documents pour servir à l'histoire de Joachim Murat*. Edited by Paul Le Brethon. 8 vols. Paris: Librarie Plon, 1908-1914.

Löwenstern, Waldemar. *Mémoires du général-major russe baron de Löwenstern (1776-1858)*. Paris: A. Fontemoing, 1903.

Madison, James. *The Papers of James Madison: Secretary of State Series*. Charlottesville: University Press of Virginia, 1984.

Malmesbury, James Harris. *Diaries and Correspondence of James Harris, First Earl of Malmesbury*. London: Richard Bentley, 1845.

Marbot, Jean-Baptiste Antoine Marcellin. *The Memoirs of Baron de Marbot*. London: Longmans, Green, 1903.

Martens, Fedor F. *Recueil des traités et conventions conclus par la Russie avec les puissances étrangères*. 15 vols. St. Petersburg: A. Böhnke, 1874-1909.

Martens, Georg Friedrich. *Recueil des principaux traités d'alliance, de paix, de trève, de neuralité, de commerce, de limites, d'échange, etc*. 10 vols. Göttingen: Librairie de Dieterich, 1801-1828.

Meddelelser fra krigsarkiverne udgivne af Generalstaben. 8 vols. Copenhagen: F. Hegel & Son, 1883-1900.

Méneval, Claude-Francois. *Mémoires pour servir a histoire de Napoléon Ier depuis 1802 jusqu'à 1815*. Paris: E. Dentu, 1893.

Metternich, Klemens Wenzel Lothar Fürst von. *Mémoires, documents et écrits divers laissés par le prince de Metternich*. Edited by A. de Klinkowstroem. Paris: Plon, 1881–1883.

Metternich, Klemens Wenzel Lothar Fürst von. *Memoirs of Prince Metternich, 1773–1815*. Edited by Prince Richard Metternich. Translated by Alexander Napier. London: Richard Bentley, 1880.

Meyer, Philipp Anton Guido von, ed. *Corpus iuris Confoederationis Germanicae oder Staatsacten für Geschichte und öffentliches Recht des Deutschen Bundes*. Frankfurt: Brönner, 1858.

Mijer, Pieter, ed. *Verzameling van instructien, ordonnancien en reglementen voor de regering van Nederlandsch Indië*. Batavia: Ter Lands-Drukkerij, 1848.

Mikaberidze, Alexander, ed. *The Russian Eyewitness Accounts of the Campaign of 1807*. London: Pen & Sword, 2015.

Mikaberidze, Alexander, ed. *The Russian Eyewitness Accounts of the Campaign of 1812*. London: Pen & Sword, 2012.

Mikaberidze, Alexander, ed. *The Russian Eyewitness Accounts of the Campaign of 1814*. London: Pen & Sword, 2014.

Miles, William. *The Correspondence of William Augustus Miles on the French Revolution, 1789–1817*. London: Longmans, Green, 1890.

Minto, Gilbert Elliot. *Life and Letters of Sir Hilbert Elliot, First Earl of Minto*. Edited by the Countess of Minto. 3 vols. London: Longmans, Green, 1874.

Miot de Mélito, André François. *Memoirs of Count Miot de Mélito, Minister, Ambassador, Councillor of State and Member of the Institute of France, Between the Years 1788 and 1815*. Edited by Wilhelm August Fleischmann. New York: Scribner, 1881.

Mollien, François Nicolas. *Mémoires d'un ministre du trésor public: 1780–1815*. Paris: Félix Alcan, 1898.

Mora, José Joaquín de. *Mémoires historiques sur Ferdinand VII, roi des Espagnes*. Paris: Librairie Universelle, 1824.

Murat, Joachim. *Murat, lieutenant de l'empereur en Espagne 1808: d'après sa correspondance inédite et des documents originaux*. Paris: E. Plon, 1897.

Nelson, Horatio. *The Dispatches and Letters of Vice Admiral Lord Viscount Nelson*. edited by Nicholas H. Nicholas. Cambridge: Cambridge University Press, 2011.

Noradounghian, Gabriel, ed. *Recueil d'actes internationaux de l'Empire ottoman*. Paris: F. Pichon, 1900.

O'Meara, Barry. *Napoleon in exile: or, A voice from St. Helena*. New York: William Gowans, 1853.

Paget, Sir Arthur. *The Paget Papers: Diplomatic and Other Correspondence of the Right Hon. Sir Arthur Paget, G.C.B., 1794-1807*. Edited by Augustus Berkeley Paget. London: W. Heinemann, 1896.

The Parliamentary Register or History of the Proceedings and Debates of the Houses of Lords and Commons. London: Wilson/Debrett, 1797-1802. 18 vols.

Parquin, Denis Charles. *Souvenirs et campagnes d'un vieux soldat de l'empire (1803-1814)*. Paris: Berger-Levrault, 1903.

Pelet de la Lozère, Joseph. *Napoleon in Council or the Opinions Delivered by Bonaparte in the Council of State*. London: Whittaker, 1837.

Pelet, Jean Jacques. *The French Campaign in Portugal, 1810-1811: An Account by Jean Jacques Pelet*. Translated and edited by Donald D. Horward. Minneapolis: University of Minnesota Press, 1972.

Péron, François. *French Designs on Colonial New South Wales: François Péron's Memoir on the English Settlements in New Holland, Van Diemen's Land and the Archipelagos of the Great Pacific Ocean*. Edited by Jean Fornasiero and John West-Sooby. Adelaide: Friends of the State Library of South Australia, 2014.

Pitt, William. *The Speeches of the Right Honourable William Pitt in the House of Commons*. London: Longman, Hurst, Rees and Orne, 1806.

Pitt, William. *The War Speeches of William Pitt the Younger*. Edited by R. Coupland. Oxford: Clarendon Press, 1915.

Plaja, Fernando Diaz. *La historia de España en sus documentos. El siglo XIX*. Madrid: Instituto de Estudios Políticos, 1954.

Popkin, Jeremy D., ed. *Facing Racial Revolution: Eyewitness Accounts of the Haitian Insurrection*. Chicago: University of Chicago Press, 2007.

Procès-verbal de l'Assemblée nationale. Paris: Imprimerie mationale, 1792.

Rémusat, Claire Élisabeth. *Mémoires de Madame de Rémusat, 1802-1808*. 3 vols. Paris: Calmann-Lévy, 1879-1880.

Roederer, Pierre-Louis. *Mémoires sur la Révolution, le Consulat, et l'Empire*. Paris: Plon, 1942.

Rose, J. Holland, ed. *Select Despatches from the British Foreign Office Archives Relating to the Formation of the Third Coalition Against France, 1804-1805*. London: Royal Historical Society, 1904.

Rosenkrantz, Niels. *Journal du Congrès de Vienne, 1814-1815*. Edited by Georg Nørregård. Copenhagen: G. E. C. Gad, 1953.

Saint-Cyr, Laurent. *Mémoires sur les campagnes des armées du Rhin et de Rhin-et-Moselle de 1792 jusqu'à la paix de Campo Formio*. Paris: Anselin, 1829.

Saumarez, James. *The Saumarez Papers: Selections from the Baltic Correspondence of Vice-Admiral Sir James Saumarez, 1808-1812.* Edited by A. Ryan. London: Navy Records Society, 1968.

Savary, Anne-Jean-Marie-René. *Mémoires du Duc de Rovigo: pour servir à l'histoire de l'empereur Napoléon.* Paris: A. Bossange, 1828.

Scicluna, Hannibal Publius. *Documents Relating to the French Occupation of Malta in 1798-1800.* Valletta, Malta: Empire Press, 1923.

Scott, August James Brown, ed. *The Armed Neutralities of 1780 and 1800: A Collection of Official Documents.* New York: Oxford University Press, 1918.

Ségur, Paul-Philippe. *Histoire et mémoires.* Paris: Librairie de Firmin-Didot, 1877.

Staël, Anne-Louise-Germaine de. *Ten Years' Exile.* London: Treuttel and Wurtz, 1821.

Stein, Friedrich vom. *Briefe von und an Friedrich von Gentz.* Edited by Friedrich Carl Wittichen. Munich: R. Oldenbourg, 1913.

Stewart, Robert. *Correspondence, Despatches and other Papers of Viscount Castlereagh.* Edited by the Marquess of Londonderry. London: William Shoberl, 1848-1853.

Strickler, Johannes, ed. *Actensammlung aus der Zeit der Helvetischen Republik (1798-1803).* Bern: Buchdruckerei Stämpfli, 1902.

Talleyrand, Charles-Maurice de. *Correspondance inédite du prince de Talleyrand et du roi Louis XVIII pendant le Congrès de Vienne.* Edited by Georges Pallain. Paris: E. Plon, 1881.

Talleyrand, Charles-Maurice de. *Lettres inédites de Talleyrand à Napoléon, 1800-1809.* Edited by Pierre Bertrand. Paris: Perrin, 1889.

Talleyrand, Charles-Maurice de. *Mémoires (1754-1815).* Paris: Plon, 1982.

Tatistcheff, Serge. *Alexandre I et Napoléon: d'après leur correspondance inédite 1801-1812.* Paris: Perrin, 1891.

Testa, Ignace de, ed. *Recueil des traités de la Porte Ottomane, avec les puissances étrangères.* Paris: Amyot, 1864.

Theal, George M., ed. *Records of the Cape Colony.* London: Government of the Cape Colony, 1897.

Thiebault, Paul Charles. *The Memoirs of Baron Thiebault.* London: Smith, Elder, 1896.

Thugut, Franz de Paula. *Vertrauliche Briefe des Freiherrn von Thugut.* Vienna: Wilhelm Braumüller, 1872.

Tone, Theobald Wolfe. *Life of Theobald Wolfe Tone: Memoirs, Journals and Political Writings.* Compiled by William T. W. Tone. Dublin: Lilliput Press, 1998.

Trachevskii, Alexander, ed. "Diplomaticheskie snosheniya Frantsii i Rossii v epokhu

Napoleona I, 1800-1802." *Sbornik Imperatorskago Russkago Istoricheskago Obschestva* LXX (1890).

Tucker, Jedediah Stephens, ed. *Memoirs of Admiral the Right Hon the Earl of St Vincent GCB Etc.* London: Richard Bentley, 1844.

Ussher, Thomas. *Napoleon's Last Voyages, Being the Diaries of Sir Thomas Ussher.* Edited by J. Holland Rose. New York: Charles Scribner's Sons, 1906.

Villiers, George. *Memoirs of the Court and Cabinets of George the Third.* London: Hurst and Blackett, 1855.

Vivenot, Alfred Ritter von, ed. *Quellen zur Geschichte der deutschen Kaiserpolitik Österreichs während der französischen Revolution 1790-1801.* Vienna: Wilhelm Braumüller, 1879.

Vneshnaya politika Rossii XIX i nachala XX veka: dokumenti Rossiiskogo Ministerstva Inostrannikh del. 15 vols. Moscow: Gos. izd-vo polit. lit-ry, 1960-1995.

Walpole, Horace. *Letters of Horace Walpole, Earl of Orford.* London: Richard Bentley, 1843.

Weil, Maurice-Henri. *Les dessous du Congrés de Vienne: d'après les documents originaux des archives du Ministère impérial et royal de l'intérieur à Vienne.* Paris: Librairie Payot, 1917.

Wellington, Arthur. *The Dispatches of Field Marshal the Duke of Wellington, During His Various Campaigns...*Edited by John Gurwood. 13 vols. London: John Murray, 1834-1839.

Wellesley, Richard. *The Despatches, Minutes, and Correspondence of the Marquess Wellesley.* 5 vols. Edited by Montgomery Martin. London: W. H. Allen, 1837-1840.

Wellesley, Richard. *A Selection from the Despatches, Treaties, and Other Papers of the Marquess Wellesley.* Edited by Sidney Owen. Oxford: Clarendon Press, 1877.

Wellesley, Richard. *The Wellesley Papers. The Life and Correspondence of Richard Colley Wellesley, Marquess Wellesley, 1760-1842.* Edited by the Earl of Rosebery. London: H. Jenkins, 1914.

Wilson, Robert. *Brief Remarks on the Character and Composition of the Russian Army and a Sketch of the Campaigns in Poland in the Years 1806 and 1807.* London: C. Roworth, 1810.

Wilson, Robert. *Life of General Sir Robert Wilson.* 2 vols. Edited by Herbert Randolph. London: john Murray, 1862.

Windham, William. *The Diary of the Right Hon. William Windham, 1784 to 1810.* Edited by H. Baring. London: Longmans, 1866.

Windham, William. *The Windham Papers: The Life and Correspondence of the Rt. Hon. William Windham, 1750-1810.* Edited by the Earl of Rosebery. London: H.

Jenkins, 1913.

Woodfall, William, ed. *The Parliamentary Register, or an Impartial Report of the Debates that Occur in the Two Houses of Parliament*. London: John Stockdale, 1802.

Yermolov, Alexey. *The Czar's General: The Memoirs of a Russian General in the Napoleonic Wars*. Translated and edited by Alexander Mikaberidze. Welwyn Garden City, UK: Ravenhall Books, 2005.

Secondary Sources

Aaslestad, Katherine, and Johan Joor, eds. *Revisiting Napoleon's Continental System: Local, Regional and European Experiences*. New York: Palgrave Macmillan, 2014.

Abel, Jonathan. *Guibert: Father of Napoleon's Grande Armée*. Norman: University of Oklahoma Press, 2016.

Acomb, Frances. *Anglophobia in France, 1763–1789: An Essay in the History of Constitutionalism and Nationalism*. Durham, NC: Duke University Press, 1950.

Acton, Harold. *The Bourbons of Naples, 1734–1825*. London: Methuen, 1956.

Adair, Robert. *The Negotiations for the Peace of the Dardanelles in 1808–9, with Dispatches and Official Documents*. 2 vols. London: Longman, Brown, Green, and Longman, 1845.

Adams, Henry. *History of the United States of America During the First Administration of Thomas Jefferson*. New York: Charles Scribner's Sons, 1889.

Adams, Max. *Trafalgar's Lost Hero: Admiral Lord Collingwood and the Defeat of Napoleon*. Hoboken, NJ: John Wiley & Sons, 2005.

Adams, Michael. *Napoleon and Russia*. London: Hambledon Continuum, 2006.

Adelman, Jeremy. "An Age of Imperial Revolutions." *American Historical Review* 113 (2008): 319–40.

Adelman, Jeremy. *Sovereignty and Revolution in the Iberian Atlantic*. Princeton, NJ: Princeton University Press, 2009.

Agnarsdottir, Anna. "The Challenge of War on Maritime Trade in the North Atlantic: The Case of the British Trade to Iceland During the Napoleonic Wars." In *Merchant Organization and Maritime Trade in the North Atlantic, 1660–1815*, ed. Olaf Uwe Jansen, 221–58. St. John's, Newfoundland: International Maritime Economic History Association, 1998.

Agnarsdottir, Anna. "The Imperial Atlantic System: Iceland and Britain During the Napoleonic Wars." In *Atlantic History: History of the Atlantic System 1580–1830*, edited by Horst Pietschmann, 497–512. Göttingen: Vandenhoeck & Ruprecht, 2002.

Agnarsdottir, Anna. "Scottish Plans for the Annexation of Iceland, 1785–1813." *Northern Studies* 29 (1992): 83–91.

Agoston, Gabor. "Military Transformation in the Ottoman Empire and Russia,

1500-1800." *Kritika: Explorations in Russian and Eurasian History* 12 (2011): 281-319.

Aksan, Virginia H., and Daniel Goffman, eds. "Breaking the Spell of the Baron de Tott. Reframing the Question of Military Reform in the Ottoman Empire, 1760-1830." *International History Review* 24, no. 2 (2002): 258-63.

Aksan, Virginia H., and Daniel Goffman, eds. *The Early Modern Ottomans: Remapping the Empire.* Cambridge: Cambridge University Press, 2007.

Aksan, Virginia H., and Daniel Goffman, eds. *Ottoman Wars, 1700-1870: An Empire Besieged.* New York: Pearson, 2007.

Albion, Robert G. *Forests and Sea Power: The Timber Problem of the Royal Navy, 1652-1862.* Cambridge, MA: Harvard University Press, 1927.

Alexander, Don W. *Rod of Iron: French Counterinsurgency Policy in Aragon During the Peninsular War.* Wilmington, DE: Scholarly Resources, 1985.

Alexandre, Valentim. *Os sentidos do Império: questão nacional e questão colonial na crise do Antigo Regime português.* Porto: Edições Afrontamento, 1993.

Almazán, Bernardo Lozier. *Liniers y su tiempo.* Buenos Aires: Emcé, 1990.

Alombert-Goget, Paul Claude, and Jean Lambert Alphonse Colin. *La Campagne de 1805 en Allemagne.* Paris: R. Chapelot, 1902.

Al-Otabi, Mubarak. "The Qawasim and British Control of the Arabian Gulf." PhD dissertation, University of Salford, 1989.

Amanat, Abbas, and Farzin Vejdani, eds. *Iran Facing Others: Identity Boundaries in a Historical Perspective.* New York: Palgrave, 2012.

Amini, Iradj. *Napoleon and Persia: Franco-Persian Relations Under the First Empire.* Richmond, Surrey: Curzon, 1999.

Anderson, M. S. *The Eastern Question, 1774-1923: A Study in International Relations.* New York: St. Martin's Press, 1966.

Andress, David. *The Savage Storm: Britain on the Brink in the Age of Napoleon.* London: Little, Brown, 2012.

Angeli, Moritz Edler von. "Ulm und Austerlitz. Studie auf Grund archivalischer Quellen über den Feldzug 1805 in Deutschland." *Mittheilungen des Kaiserlichen und Koniglichen Kriegsarchivs,* 1877.

Angeli, Moritz Edler von. *Erzherzog Karl von Osterreich als Feldherr und Heeresorganisator.* Vienna: K. u. K. Hof-universitäts-Buchhändler, 1896-1898.

Anna, Timothy E. *The Fall of the Royal Government in Mexico City.* Lincoln: University of Nebraska Press, 1978.

Argüelles, José Canga. *Observaciones sobre la Historia de la Guerra de España.* London: D. M. Calero, 1829.

Arnold, Eric. "Fouché Versus Savary: French Military Intelligence in the Ulm-

Austerlitz Campaign." *Proceedings of the Consortium on Revolutionary Europe*, 1976, 55-67.

Arnold, James R. "A Reappraisal of Column Versus Line in the Peninsular War." *Journal of Military History* 68, no. 2 (April 2004): 535-52.

Arnold, James R., and Ralph R. Reinertsen. *Crisis in the Snows: Russia Confronts Napoleon: The Eylau Campaign 1806-1807*. Lexington, VA: Napoleon Books, 2007.

Arnold, James R., and Ralph R. Reinertsen. *Napoleon's Triumph: La Grande Armée Versus the Tsar's Army: The Friedland Campaign, 1807*. Lexington, VA: Napoleon Books, 2011.

Arthur, Brian. *How Britain Won the War of 1812: The Royal Navy's Blockades of the United States, 1812-1815*. Rochester, NY: Boydell Press, 2011.

Asprey, Robert B. *The Rise of Napoleon Bonaparte*. New York: Basic Books, 2000.

Atkin, Muriel. *Russia and Iran, 1780-1828*. Minneapolis: University of Minnesota Press, 1980.

Auriol, Charles. *La France, l'Angleterre et Naples de 1803 á 1806*. Paris: Plon-Nourrity, 1904.

Auzoux, André. "La France et Muscate aux dis-huitième et dix-neuvième siècles." *Revue d'histoire diplomatique* XXIII (1909): 518-40.

Auzoux, André. "La mission de Sébastiani a Tripoli en l'an X (1802)." *Revue des études napoléoniennes* XVI (1919): 225-36.

Avalov (Avalishvili), Zurab. *Prisoedinenie gruzii k Rossii*. St. Petersburg: Montvid, 1906.

Avery, Peter, et al., eds. *The Cambridge History of Iran: From Nadir Shah to the Islamic Republic*. Cambridge: Cambridge University Press, 1991.

Baddeley, J. *The Russian Conquest of the Caucasus*. London: Longmans, Green, 1908.

Bailey, Jeremy D. *Thomas Jefferson and Executive Power*. Cambridge: Cambridge University Press, 2010.

Balayan, B. *Diplomaticheskaya istoriya Russko-iranskikh voin i prisoedineniya Vostochnoi Armenii k Rossii*. Yerevan: Izd.-vo AN Armyanskoi SSR, 1988.

Bañuelos, Luis Palacios, Ignacio Ruiz Rodríguez, Fernando Bermejo Batanero, eds. *Cádiz 1812: origen del constitucionalismo español*. Madrid: Dykinson, 2013.

Barbara, M. "Napoleon Bonaparte and the Restoration of Catholicism in France." *Catholic Historical Review* 12, no. 2 (July 1926): 241-57.

Barker, Richard J. "The Conseil General des Manufactures Under Napoleon (1810-1814)." *French Historical Studies* 6, no. 2 (1969): 198-213.

Barkey, Karen. *The Empire of Difference: The Ottomans in Comparative Perspective*. Cambridge: Cambridge University Press, 2008.

Barratt, Glynn. *Russia in Pacific Waters, 1715-1825*. Vancouver: University of British Columbia Press, 1981.

Bartlett, Thomas, ed. *1798: A Bicentenary Perspective*. Dublin: Four Courts, 2003.

Bartley, Russell H. *Imperial Russia and the Struggle for Latin American Independence, 1808-1828*. Austin: University of Texas Press, 1978.

Barton, Dunbar Plunket. *Bernadotte and Napoleon, 1763-1810*. London: John Murray, 1921.

Barton, H. Arnold. *Essays on Scandinavian History*. Carbondale: Southern Illinois University Press, 2009.

Barton, H. Arnold. *Scandinavia in the Revolutionary Era*. Minneapolis: University of Minnesota Press, 1986.

Başaran, Betül. *Selim III, Social Control, and Policing in Constantinople at the End of the Eighteenth Century: Between Crisis and Order*. Leiden: Brill, 2014.

Bauer, Gerhard, and Karl-Heinz Lutz. *Jena 1806: Vorgeschichte und Rezeption*. Potsdam: Militärgeschichtliches Forschungsamt, 2009.

Baugh, Daniel. *The Global Seven Years' War, 1754-1763: Britain and France in a Great Power Contest*. London: Longman, 2011.

Baugh, Daniel A. "Great Britain's 'Blue-Water' Policy, 1689-1815." *International History Review* 10, no. 1 (1998): 33-58.

Bayly, Christopher A. *The Birth of the Modern World, 1780-1914: Global Connections and Comparisons*. Malden, MA: Wiley-Blackwell, 2004.

Bayly, Christopher A. *Indian Society and the Making of the British Empire*. Cambridge: Cambridge University Press, 1988.

Beeley, H. "A Project of Alliance with Russia in 1802." *English Historical Review* 49, no. 195 (1934): 497-502.

Beer, Adolf. *Die orientalische Politik Österreichs seit 1774*. Prague: F. Tempsky, 1883.

Beer, Adolf. *Zehn jahre österreichischer politik, 1801-1810*. Leipzig: F. A. Brockhaus, 1877.

Beliavskii, N., and Vasilii Potto. *Utverzhdenie Russkago vladychestva na Kavkaze*. Tiflis, 1901.

Belissa, Marc. *Repenser l'ordre européen (1795-1802): De la société des rois aux droits des nations*. Paris: Éditions Klimé, 2006.

Berding, Helmut. *Napoleonische Herrschafts- und Gesellschaftspolitik im Königreich Westfalen: 1807-1813*. Göttingen: Vandenhoeck und Ruprecht, 1973.

Berding, Helmut. "Le Royaume de Westphalie, Etat-modèle." *Francia: Forschungen zur westeuropäischen Geschichte* 10 (1982): 345-58.

Berdzenishvili, N. *Sakartvelos istoria*. Tbilisi, 1958.

Bergeron, Louis. *Banquiers, négociants et manufacturiers parisiens du Directoire à l'Em-*

pire. Paris: Éditions de l'EHESS, 2000.

Bergeron, Louis. *France Under Napoleon*. Princeton, NJ: Princeton University Press, 1981.

Bergerot, Bernard. *Daru, Intendant-Général de la Grande Armée*. Paris: Tallandier, 1991.

Bertaud, Jean-Paul. *Bonaparte et le duc d'Enghien: le duel des deux France*. Paris: R. Laffront, 1972.

Berton, Pierre. *The Invasion of Canada, 1812-1813*. Toronto: Anchor Books, 1980.

Bessel, Richard, Nicholas Guyatt, and Jane Rendall, eds. *War, Empire, and Slavery, 1770-1830*. Basingstoke, UK: Palgrave Macmillan, 2010.

Bethell, Leslie, ed. *The Cambridge History of Latin America*. Cambridge: Cambridge University Press, 1984.

Bethencourt, Francisco, and K. Chaudhuri, eds. *História da expansão portuguesa*. Lisbon: Círculo de Leitores, 1999.

Bew, John. *Castlereagh: A Life*. Oxford: Oxford University Press, 2012.

Beydilli, Kemal. *1790 Osmanlı-Prusya ittifâkı*. Istanbul: İstanbul Üniversitesi Yayınları, 1984.

Bezotosnyi, Viktor. *Napoleonovskie voiny*. Moscow: Veche, 2010.

Bianchi, Nicomede. *Storia della monarchia piemontese dal 1773 sino al 1861*. Turin: Fratelli Bocca, 1879.

Bickham, Troy. *The Weight of Vengeance: The United States, the British Empire and the War of 1812*. Oxford: Oxford University Press, 2012.

Bierman, Irene. *Napoleon in Egypt*. Los Angeles: Gustave E. von Grunebaum Center for Near Eastern Studies, 2003.

Bignon, Louis Pierre Édouard. *Histoire de France, depuis le 18 brumaire, novembre 1799, jusqu'à la paix de Tilsit (Juillet 1807)*. Brussels: J. P. Meline, 1836.

Bignon, Louis Pierre Édouard. *Histoire de France depuis 1793 jusu'en 1812*. Paris: Charles Bechet, 1830.

Biro, Sydney. *The German Policy of Revolutionary France: A Study in French Diplomacy During the War of the First Coalition, 1792-1797*. Cambridge, MA: Harvard University Press, 1957.

Björlin, Gustaf. *Sveriges krig i tyskland åren 1805-1807*. Stockholm: Militärlitteratúr-Föreningens förlag, 1882.

Black, Frederick H. "Diplomatic Struggles: British Support in Spain and Portugal, 1800-1810." PhD dissertation, Florida State University, 2005.

Black, Jeremy. *Britain as a Military Power, 1688-1815*. London: Routledge, 1999.

Black, Jeremy. *British Foreign Policy in an Age of Revolutions, 1783-1793*. Cambridge: Cambridge University Press, 1994.

Black, Jeremy. *European International Relations, 1648–1815*. New York: Palgrave, 2002.

Black, Jeremy. *France from Louis XIV to Napoleon: The Fate of Great Empire*. London: University College London Press, 1999.

Black, Jeremy, and Philip Woodfine, eds. *The British Navy and the Use of Naval Power in the Eighteenth Century*. Leicester: Leicester University Press, 1988.

Blackburn, Robin. "Haiti, Slavery, and the Age of the Democratic Revolution." *William and Mary Quarterly* 63 (2006): 643–73.

Blanc, Jacques. "La flottille nationale, 1803–1805." MA thesis, Université Paris IV, 2007.

Blancpain, François. *La colonie française de Saint-Domingue: De l'esclavage à l'indépendance*. Paris: Karthala, 2004.

Blanning, Timothy. *The French Revolution in Germany. Occupation and Resistance in the Rhineland, 1792–1802*. New York: Oxford University Press, 1983.

Blanning, Timothy. *The Origins of the French Revolutionary Wars*. London: Longman, 1986.

Blanning, Timothy. *The Pursuit of Glory: Europe 1648–1815*. New York: Viking, 2007.

Blaufarb, Rafe. *Bonapartists in the Borderlands: French Exiles and Refugees on the Gulf Coast, 1815–1835*. Tuscaloosa: University of Alabama Press, 2005.

Bogdanovich, Modest. *Istoriya tsarstvovaniya imperatora Aleksandra I i Rossii v ego vremya*. St. Petersburg, 1869.

Bogdanovich, Modest. *Istoriya voiny 1813 goda za nezavisimost Germanii*. St. Petersburg: Tip. Shtaba voenno-uchebnykh zavedenii, 1863.

Bogdanovich, Modest. *Istoriya voiny 1814 goda fo Frantsii i nizlozheniya Napoleona I*. St. Petersburg, 1865.

Bond, Gordon C. *The Grand Expedition: The British Invasion of Holland in 1809*. Athens: University of Georgia Press, 1979.

Böning, Holger. *Der Traum von Freiheit und Gleichheit. Helvetische Revolution und Republik (1798–1803). Die Schweiz auf dem Weg zur bürgerlichen Demokratie*. Zurich: Orell Füssli Verlag, 1998.

Bonjour, Edgar. *Geschichte der schweizerischen Neutralität: vier Jahrhunderte eidgenössischer Aussenpolitik*. Basel: Helbing & Lichtenhahn, 1965.

Boppe, Auguste. *L'Albanie et Napoléon, 1797–1814*. Paris: Hachette, 1914.

Boppe, Paul Louis Hippolyte. *Les Espagnols à la Grande-Armée: le corps de la Romana, 1807–1808; le régiment Joseph-Napoléon, 1809–1813*. Paris: C. Terana, 1986.

Borodkin, Mikhail. *Istoriia Finliandii: vremia Imperatora Aleksandra I*. St. Petersburg, 1909.

Bourdin, Philippe, and Bernard Gainot, eds. *La République directoriale*. Paris: Société des études robespierristes, 1998.

Bowen, H. V. *The Business of Empire: The East India Company and Imperial Britain, 1756-1833*. Cambridge: Cambridge University Press, 2006.

Boyce, D. George, and Alan O'Day, eds. *The Making of Modern Irish History: Revisionism and the Revisionist Controversy*. New York: Routledge, 2006.

Boycott-Brown, Martin. *The Road to Rivoli: Napoleon's First Campaign*. London: Cassell, 2001.

Branda, Pierre, ed. *L'économie selon Napoléon: monnaie, banque, crises et commerce sous le Premier Empire*. Paris: Vendémiaire, 2016.

Branda, Pierre, ed. *La saga des Bonaparte*. Paris: Perrin, 2018.

Branda, Pierre, ed. *Le prix de la gloire. Napoléon et l'argent*. Paris: Fayard, 2007.

Branda, Pierre, and Thierry Lentz. *Napoléon, l'esclavage et les colonies*. Paris: Fayard, 2006.

Brandt, Otto. *England und die Napoleonische Weltpolitik, 1800-1803*. Heidelberg: C. Winter, 1916.

Braude, Mark. *The Invisible Emperor: Napoleon on Elba from Exile to Escape*. New York: Penguin, 2018.

Brecher, Frank W. *Losing a Continent: France's North American Policy, 1753-1763*. Westport, CT: Greenwood, 1998.

Bregeon, Jean-Joël, and Gérard Guicheteau. *Nouvelle histoire des guerres de Vendée*. Paris: Perrin, 2017.

Brendon, Piers. *The Decline and Fall of the British Empire, 1781-1797*. New York: Alfred A. Knopf, 2007.

Brenton, Edward P. *The Naval History of Great Britain from the Year 1783 to 1836*. London: H. Coburn, 1837.

Broers, Michael. *Europe Under Napoleon 1799-1815*. New York: Edward Arnold, 1996.

Broers, Michael. *Napoleon: Soldier of Destiny*. New York: Pegasus Books, 2014.

Broers, Michael. *The Napoleonic Empire in Italy, 1796-1814: Cultural Imperialism in a European Context?* New York: Palgrave Macmillan, 2005.

Broers, Michael. *The Politics of Religion in Napoleonic Italy: The War Against God, 1801-1814*. New York: Routledge, 2002.

Broers, Michael, Peter Hicks, and Agustin Guimera, eds. *The Napoleonic Empire and the New European Political Culture*. New York: Palgrave, 2012.

Browne, Abdullah. *Bonaparte in Egypt: The French Campaign of 1798-1801 from the Egyptian Perspective*. London: Leonaur, 2012.

Brünnert, Gustav. *Napoleons Aufenthalt in Erfurt im Jahre 1808*. Erfurt: Druck von

Fr. Bartholomäus, 1899.

Brutus, Timoleon C. *L'homme d'Airain, étude monographique sur Jean-Jacques Dessalines, fondateur de la nation haïtienne.* 2 vols. Port-au-Prince: N. A. Theodore, 1946-1947.

Bruun, Geoffrey. *Europe and the French Imperium, 1799-1814.* New York: Harper & Row, 1965.

Burns, Alan. *History of the British West Indies.* London: George Allen & Unwin, 1965.

Büsch, Otto, and Monika Neugebauer-Wölk, eds. *Preussen und die revolutionäre Herausforderung seit 1789.* Berlin: Walter de Gruyter, 1991.

Bush, Robert D. *The Louisiana Purchase: A Global Context.* New York: Routledge, 2014.

Butel, Paul. *L'économie française au XVIIIe siècle.* Paris: SEDES, 1993.

Butel, Paul. *Histoire des Antilles francaises.* Paris: Perrin, 2007.

Butler, Iris. *The Eldest Brother: The Marquess Wellesley, the Duke of Wellington's Eldest Brother.* London: Hodder and Stoughton, 1973.

Butterfield, Herbert. *The Peace Tactics of Napoleon, 1806-1808.* Cambridge: Cambridge University Press, 1959.

Buttery, David. *Wellington Against Junot: The First Invasion of Portugal, 1807-1808.* Barnsley: Pen & Sword Military, 2011.

Cadet, Nicolas. *Honneur et violences de guerre au temps de Napoléon: La campagne de Calabre.* Paris: Vendémiaire, 2015.

Cadoudal, Louis Georges de. *Georges Cadoudal et la chouannerie.* Paris: E. Plon, 1887.

Camogli, Pablo, and Luciano de Privitellio. *Batallas por la libertad: todos los combates de la guerra de la independencia.* Buenos Aires: Aguilar, 2005.

Campbell, Peter Robert, Thomas E. Kaiser, and Marisa Linton, eds. *Conspiracy in the French Revolution.* New York: Palgrave, 2007.

Canovas del Castillo, Antonio. *Historia general de España.* Madrid: El progreso editorial, 1891-1893.

Carlsson, Sten Carl Oscar. *Gustaf IV Adolf, en biografi.* Stockholm: Wahlström & Widstrand, 1946.

Carlsson, Sten Carl Oscar. *Gustaf IV Adolfs fall: krisen i riksstyrelsen, konspirationerna och statsvälvningen (1807-1809).* Lund: C. Bloms boktryckeri, 1944.

Carr, Raymond. "Gustavus IV and the British Government 1804-9." *English Historical Review* 60, no. 236 (1945): 58-61.

Carutti, Domenico. *Le Corte di Savoia durante le rivoluzione e l'impero francese.* Turin: L. Roux, 1888.

Castro y O'Lawlor, Salvador Bermúdez de, marqués de Lema, *Antecedentes políticos y diplomáticos de los sucesos de 1808: Estudio histórico-crítico escrito con la presencia de documentos inéditos del Archivo Reservado de Fernando VII, del Histórico-nacional y otros.* Madrid, F. Beltrán, 1912.

Cerami, Charles A. *Jefferson's Great Gamble: The Remarkable Story of Jefferson, Napoleon, and the Men Behind the Louisiana Purchase.* Naperville, IL: Sourcebooks, 2003.

Chabert, A. *Essai sur les mouvements des revenus et de l'activité économique en France de 1789 à 1820.* Paris: Librairie de Médicis, 1949.

Chandler, David. *The Campaigns of Napoleon.* New York: Macmillan, 1966.

Chaptal, Jean-Antoine. *Mes souvenirs sur Napoléon.* Paris: E. Plon, Nourrit, 1893.

Chastenet, Jacques. *Godoy: Master of Spain, 1792-1808.* London: Batchworth Press, 1953.

Chaudhuri, K. N. *The Trading World of Asia and the East India Company, 1660-1760.* Cambridge: Cambridge University Press, 1978.

Chaurasia, Radhey Shyam. *History of the Marathas.* New Delhi: Atlantic, 2004.

Chaussinand-Nogaret, Guy. *The French Nobility in the Eighteenth Century: From Feudalism to Enlightenment.* Cambridge: Cambridge University Press, 1995.

Chevalier, Louis Edouard. *Histoire de la marine française sous le Consulat et l'Empire.* Paris: L. Hachette, 1886.

Chiappe, Jean François. *Georges Cadoudal ou La liberté.* Paris: Librairie académique Perrin, 1971.

Chrisawn, Margaret Scott. *The Emperor's Friend: Marshal Jean Lannes.* Westport, CT: Greenwood Press, 2001.

Church, Clive H., and Randolph C. Head. *A Concise History of Switzerland.* Cambridge: Cambridge University Press, 2013.

Chust, Manuel, ed. *1808: La eclosión juntera en el mundo hispano.* Mexico City: Fondo de Cultura Económica, 2007.

Clapham, John Harold. *The Cause of the War of 1792.* Cambridge: Cambridge University Press, 1899.

Clark, Christopher M. *Iron Kingdom: The Rise and Downfall of Prussia, 1600-1947.* Cambridge, MA: Belknap Press, 2006.

Clason, Sam. *Gustaf IV Adolf och den europeiska krisen under Napoleon: Historiska uppsatser.* Stockholm: Geber, 1913.

Clément, Raoul. *Les français d'Égypte aux XVIIe et XVIIIe siècles.* Cairo: Institut français d'archéologie orientale, 1960.

Coates, Austin. *Macao and the British, 1637-1842: Prelude to Hong Kong.* Hong Kong: Hong Kong University Press, 2009.

Cole, Juan Ricardo. *Napoleon's Egypt: Invading the Middle East.* New York: Palgrave Macmillan, 2008.

Collins, Bruce. *War and Empire: The Expansion of Britain, 1790–1830: The Projection of British Power, 1775–1830.* London: Longman, 2010.

Collins, Irene. *Napoleon and His Parliaments, 1800–1815.* New York: St. Martin's Press, 1979.

Colson, Bruno. *Leipzig: La Bataille des Nations, 16–19 Octobre 1813.* Paris: Perrin, 2013.

Conan, Jules. *La dernière compagnie française des Indes, 1715–1875.* Paris: Marcel Rivière, 1942.

Connelly, Owen. *The French Revolution and Napoleonic Era.* Orlando, FL: Harcourt, 2000.

Connelly, Owen. *The Gentle Bonaparte: A Biography of Joseph, Napoleon's Elder Brother.* New York: Macmillan, 1968.

Connelly, Owen. *Napoleon's Satellite Kingdoms.* New York: Free Press, 1965.

Cook, Malcolm. *Napoleon Comes to Power: Democracy and Dictatorship in Revolutionary France, 1795–1804.* Cardiff: University of Wales Press, 1998.

Cook, Warren L. *Floodtide of Empire: Spain and the Pacific Northwest, 1548–1819.* New Haven, CT: Yale University Press, 1973.

Cookson, J. E. *The Friends of Peace: Anti-War Liberalism in England, 1793–1815.* Cambridge: Cambridge University Press, 1982.

Cooper, Randolf G. S. *The Anglo-Maratha Campaigns and the Contest for India: The Struggle for Control of the South Asian Military Economy.* Cambridge: Cambridge University Press, 2003.

Coquelle, Pierre. *Napoléon et l'Angleterre, 1803–1813.* Paris: Plon-Nourrit, 1904.

Coturri, Paolo. *Partire partirò, partir bisogna: Firenze e la Toscana nelle campagne napoleoniche, 1793–1815.* Florence: Sarnus, 2009.

Coujou, Jean-Paul. "Political Thought and Legal Theory in Suárez." In *A Companion to Francisco Suárez,* edited by Victor M. Salas and Robert L. Fastiggi, 29–71. Leiden: Brill, 2014.

Crawley, C. W., ed. *The New Cambridge Modern History.* Cambridge: Cambridge University Press, 1975.

Crecelius, Daniel, and Gotcha Djaparidze. "Georgians in the Military Establishment in Egypt in the Seventeenth and Eighteenth Centuries." *Annales Islamologiques* 42 (2008): 313–37.

Crecelius, Daniel, and Gotcha Djaparidze. "Relations of the Georgian Mamluks of Egypt with Their Homeland in the Last Decades of the Eighteenth Century." *Journal of the Economic and Social History of the Orient* 45 (2002): 320–41.

Creveld, Martin van. *Command in War*. Cambridge, MA: Harvard University Press, 1985.

Crews, Robert D. *Afghan Modern: The History of a Global Nation*. Cambridge, MA: Harvard University Press, 2015.

Crouzet, François. *L'économie britannique et le blocus continental, 1806-1813*. Paris: Presses universitaires de France, 1958.

Crouzet, François. *La guerre économique franco-anglaise au XVIIIe siècle*. Paris: Fayard, 2008.

Cuccia, Phillip R. *Napoleon in Italy: The Sieges of Mantua, 1796-1799*. Norman: University of Oklahoma Press, 2014.

Cugnac, Gaspar Jean Marie René de. *Campagne de l'Armée de réserve en 1800*. Paris: Libr. Military R. Chapelot, 1900.

Cullen, L. M. *A History of Japan, 1582-1941: Internal and External Worlds*. Cambridge: Cambridge University Press, 2003.

Cuno, Kenneth M. *The Pasha's Peasants: Land, Society, and Economy in Lower Egypt, 1740-1858*. Cambridge: Cambridge University Press, 1991.

Daeley, Albert John. "The Continental System in France as Illustrated by American Trade." PhD dissertation, University of Wisconsin–Madison, 1949.

Dale, Richard. *The First Crash: Lessons from the South Sea Bubble*. Princeton, NJ: Princeton University Press, 2004.

Damamme, Jean-Claude. *Les soldats de la Grande Armée*. Paris: Perrin, 1998.

Dancy, J. Ross. *The Myth of the Press Gang: Volunteers, Impressment and the Naval Manpower in the Late Eighteenth Century*. Woodbridge: Boydell Press, 2015.

Das, Amita. *Defending British India Against Napoleon: The Foreign Policy of Governor-General Lord Minto, 1807-1813*. Edited by Aditya Das. London: Boydell and Brewer, 2016.

Daudin, Guillaume. *Commerce et prospérité: la France au XVIIIe siècle*. Paris: Presses l'université Paris-Sorbonne, 2005.

Daughan, George C. *If by Sea: The Forging of the American Navy from the Revolution to the War of 1812*. New York: Basic Books, 2008.

Davey, James. *In Nelson's Wake: The Navy and the Napoleonic Wars*. New Haven, CT: Yale University Press, 2015.

Davey, James. *The Transformation of British Naval Strategy: Seapower and Supply in Northern Europe, 1808-1812*. Woodbridge: Boydell Press, 2012.

Davies, Brian. *Empire and Military Revolution in Eastern Europe: Russia's Turkish Wars in the Eighteenth Century*. London: Continuum, 2011.

Davies, D. W. *Sir John Moore's Peninsular Campaign 1808-1809*. The Hague: Martinus Nijhoff, 1974.

Davies, Norman. *God's Playground: A History of Poland.* New York: Columbia University Press, 1982.

Davis, John A. *Naples and Napoleon: Southern Italy and the European Revolutions (1780-1860).* Oxford: Oxford University Press, 2006.

Davy-Rousseau, Andréa. "Autour de la mort du duc d'Enghien." *Revue du souvenir napoléonien* 334 (1984): 2-15.

Dawson, Paul L. *Napoleon and Grouchy: The Last Great Waterloo Mystery Unravelled.* Barnsley, UK: Frontline Books, 2017.

Dawson, Paul L. *Waterloo, the Truth at Last: Why Napoleon Lost the Great Battle.* Barnsley, UK: Frontline Books, 2018.

Dehérain, Henri. "Lettres inédites de membres de la mission Gardane en Perse (1807-9)." *Revue de l'histoire des colonies françaises* XVI (1923): 249-82.

Dempsey, Guy. *Albuera 1811: The Bloodiest Battle of the Peninsular War.* London: Frontline Books, 2008.

Dermigny, Louis. "Circuits de l'argent et milieux d'affaires au XVIII siècle." *Revue historique* 212 (1954): 239-78.

Dermigny, Louis. "La France à la fin de l'ancien régime: Une carte monétaire." *Annales: économies, sociétés, civilizations* 10, no. 4 (December 1955): 480-93.

Desan, Suzanne, Lynn Hunt, and William Max Nelson, eds. *The French Revolution in Global Perspective.* Ithaca, NY: Cornell University Press, 2013.

Desbrière, Édouard. *1793-1805: projets et tentatives de débarquement aux Îles britanniques.* Paris: R. Chapelot, 1902.

DeToy, Brian. "Wellington's Admiral: The Life and Career of George Berkeley, 1753-1818." PhD dissertation, Florida State University, 1997.

Deutsch, Harold C. *The Genesis of Napoleonic Imperialism.* Cambridge, MA: Harvard University Press, 1938.

Dickinson, H. T., ed. *Britain and the French Revolution, 1789-1815.* New York: St. Martin's Press, 1989.

Dirks, Nicholas B. *The Scandal of Empire: India and the Creation of Imperial Britain.* Cambridge, MA: Belknap Press, 2006.

Dmytryshyn, Basil, ed. *Russian Penetration of the North Pacific Ocean, 1700-1797.* Portland: Oregon Historical Society Press, 1988.

Dodwell, Henry. *The Founder of Modern Egypt: A Study of Muhammad ʿAli.* Cambridge: Cambridge University Press, 1931.

Đorđević, Miroslav R. *Oslobodilački rat srpskih ustanika, 1804-1806.* Belgrade: Vojnoizdavački zavod, 1967.

Đorđević, Miroslav R. *Politička istorija Srbije XIX i XX veka,* vol. I, *1804-1813.* Belgrade: Prosveta, 1956.

Dorigny, Marcel, ed. *The Abolitions of Slavery: From Léger Félicité Sonthonax to Victor Schoelcher, 1793, 1794, 1848*. Paris: Editions UNESCO, 1995.

Dorigny, Marcel, ed. *Rétablissement de l'esclavage dans les colonies françaises 1802: Ruptures et continuités de la politique colonial française*. Paris: Maisonneuve-Larose, 2003.

Douay, Abel, and Gérard Hertault. *Schulmeister: dans les coulisses de la Grande Armée*. Paris: Nouveau Monde, 2002.

Douin, Georges. *L'Angleterre et l'Égypte. La campagne de 1807*. Cairo: Institut français d'archéologie orientale du Caire, 1928.

Doyle, William. *Old Regime France, 1648-1788*. Oxford: Oxford University Press, 2001.

Doyle, William. *Origins of the French Revolution*. New York: Oxford University Press, 1980.

Doyle, William, ed. *The Oxford Handbook of the Ancien Régime*. Oxford: Oxford University Press, 2012.

Doyle, William. *The Oxford History of the French Revolution*. Oxford: Oxford University Press, 1990.

Drayton, Richard. "The Globalization of France: Provincial Cities and French Expansion, c. 1500-1800." *History of European Ideas* 34 (2008): 424-30.

Driault, Édouard. *Napoléon et l'Europe: Tilsit. France et Russie sous le Premier Empire. La question de Pologne (1806-1809)*. Paris: F. Alcan, 1917.

Driault, Édouard. *La formation de l'empire de Mohamed Aly de l'Arabie au Soudan (1814-1823): correspondance des consuls de France en Égypte*. Cairo: Institut français d'archéologie orientale du Caire, 1927.

Driault, Édouard. *Napoléon et l'Europe. Austerlitz, la fin du Saint-empire (1804-1806)*. Paris: F. Alcan, 1912.

Driault, Édouard. *Napoléon et l'Europe. La politique extérieure du Premier Consul (1800-1803)*. Paris: Felix Alcan, 1910.

Dubois, Laurent. *Avengers of the New World: The Story of the Haitian Revolution*. Cambridge, MA: Harvard University Press, 2004.

Dubois, Laurent. *A Colony of Citizens: Revolution and Slave Emancipation in the French Caribbean, 1787-1804*. Chapel Hill: University of North Carolina Press, 2004.

Dubrovin, Nikolai. *Georgii XII: Poslednii tsar Gruzii i prisoedinenie eia k Rossii*. St. Petersburg: Tip. Departamenta udelov, 1867.

Dubrovin, Nikolai. *Istoriya voiny i vladychestva russkikh na Kavkaze*. 6 vols. St. Petersburg: Tip. Skorokhodova, 1871-1888.

Duffy, Michael. *Soldiers, Sugar and Seapower: The British Expeditions to West Indies and the War Against Revolutionary France*. Oxford : Clarendon, Press, 1987.

Durey, Michael. "Lord Grenville and the 'Smoking Gun': The Plot to Assassinate the French Directory in 1798-1799 Reconsidered." *Historical Journal* 45, no. 3 (2002): 547-68.

D'Ussel, Jean. *Études sur l'année 1813: l'intervention de l'Autriche (décembre 1812-mai 1813)*. Paris : Plon-Nourrit, 1912.

Dwyer, Philip, ed. *Napoleon and Europe*. London : Pearson, 2001.

Dyck, Harvey L. "New Serbia and the Origins of the Eastern Question, 1751-55: A Habsburg Perspective." *Russian Review* 40 (1981): 1-19.

Dym, Jordana. *From Sovereign Villages to National States: City, State and Federation in Central America, 1759-1839*. Albuquerque : University of New Mexico Press, 2006.

Eastman, Scott. *Preaching Spanish Nationalism Across the Hispanic Atlantic, 1759-1823*. Baton Rouge : Louisiana State University Press, 2012.

Ehrman, John. *The Younger Pitt: The Consuming Struggle*. Stanford, CA : Stanford University Press, 1996.

Eidahl, Kyle O. "The Military Career of Nicolas Charles Oudinot (1767-1847)." PhD dissertation, Florida State University, 1990.

Ellis, Geoffrey James. *Napoleon's Continental Blockade: The Case of Alsace*. New York : Oxford University Press, 1981.

Elphick, Richard, and Hermann Giliomee, eds. *The Shaping of South African Society, 1652-1840*. Middletown, CT : Wesleyan University Press, 1979.

Elting, John Robert. *Swords Around a Throne: Napoleon's Grande Armée*. New York : Free Press, 1988.

Englund, Steven. *Napoleon: A Political Life*. New York : Scribner, 2004.

Enthoven, Victor. *Een haven te ver: de Britse expeditie naar de Schelde van 1809*. Nijmegen : Vantilt, 2009.

Epstein, Robert M. *Napoleon's Last Victory and the Emergence of Modern War*. Lawrence : University Press of Kansas, 1994.

Ermice, Maria Christina. *Le origini del Gran Libro del debito pubblico e l'emergere di nuovi gruppi sociali (1806-1815)*. Naples : Arte Tipografica Editrice, 2005.

Ermitage, David, and Sanjay Subrahmanyam, eds. *The Age of Revolutions in Global Context, c. 1760-1840*. New York : Palgrave Macmillan, 2010.

Esdaile, Charles J. *Fighting Napoleon: Guerrillas, Bandits and Adventurers in Spain, 1808-1814*. New Haven, CT : Yale University Press, 2004.

Esdaile, Charles J. *Napoleon, France and Waterloo: The Eagle Rejected*. Barnsley : Pen & Sword, 2016.

Esdaile, Charles J. *Napoleon's Wars: An International History, 1803-1815*. New York :

Viking, 2008.

Esdaile, Charles J. *Outpost of Empire: The Napoleonic Occupation of Andalucia, 1810–1812*. Norman: University of Oklahoma Press, 2012.

Esdaile, Charles J. *The Peninsular War: A New History*. New York: Palgrave Macmillan, 2003.

Esdaile, Charles J. *Spain in the Liberal Age: From Constitution to Civil War, 1808–1939*. Oxford: Blackwell, 2000.

Eysturlid, Lee W. *The Formative Influences, Theories and Campaigns of the Archduke Carl of Austria*. Westport, CT: Greenwood, 2000.

Fahmy, Khaled. *All the Pasha's Men: Mehmet Ali, His Army, and the Making of Modern Egypt*. Cairo: American University in Cairo Press, 2002.

Fahmy, Khaled. *Mehmet Ali: From Ottoman Governor to Ruler of Egypt*. Oxford: Oneworld, 2009.

Faivre, Jean-Paul. *Le contre-amiral Hamelin et la Marine française*. Paris: Nouvelles Éditions latines, 1962.

Faroqhi, Suraiya N., ed. *The Cambridge History of Turkey*, vol. 3, *The Later Ottoman Empire, 1603–1839*. Cambridge: Cambridge University Press, 2006.

Farrère, Claude. *Histoire de la marine française*. Paris: Flammarion, 1934.

Fehrenbach, Elisabeth. *Der Kampf um die Einführung des Code Napoléon in den Rheinbundstaaten*. Wiesbaden: Steiner, 1973.

Fehrenbach, Elisabeth. *Traditionale Gesellschaft und revolutionäres Recht: die Einführung des Code Napoléon in den Rheinbundstaaten*. Göttingen: Vandenhoeck & Ruprecht, 1974.

Feldbaek, Ole. *The Battle of Copenhagen 1801: Nelson and the Danes*. Barnsley: Leo Cooper, 2002.

Feldbaek, Ole. *Danmark og Det væbnede neutralitetsforbund 1800–1801: småstatspolitik i en verdenskrig*. Copenhagen: Institut for økonomisk historie ved Københavns universitet, 1980.

Feldbaek, Ole. "The Foreign Policy of Tsar Paul I, 18 00–1801: An Interpretation." *Jahrbücher für Geschichte Osteuropas* XXX (1982): 16–36.

Ferguson, Niall. *Empire: The Rise and Demise of the British World Order and the Lessons for Global Power*. New York: Basic Books, 2004.

Ferrer, Ada. *Freedom's Mirror: Cuba and Haiti in the Age of Revolution*. Cambridge: Cambridge University Press, 2014.

Ferrero, Guglielmo. *The Gamble: Bonaparte in Italy, 1796–1797*. New York: Walker, 1961.

Fesser, Gerd. *1806, die Doppelschlacht bei Jena und Auerstedt*. Jena: Bussert und Stadeler, 2006.

Field, Andrew. *Talavera: Wellington's First Victory in Spain*. Barnsley: Pen & Sword, 2006.

Field, Andrew. *Waterloo: The French Perspective*. Barsnley: Pen & Sword, 2017.

Finley, Milton. *The Most Monstrous of Wars: The Napoleonic Guerrilla War in Southern Italy, 1806–1811*. Columbia: University of South Carolina Press, 1994.

Fisher, Alan F. *The Russian Annexation of the Crimea, 1772–1783*. Cambridge: Cambridge University Press, 1970.

Fisher, Harold Edward Stephen. *The Portugal Trade: A Study of Anglo-Portuguese Commerce, 1700–1770*. London: Methuen, 1971.

Fisher, Herbert. *Studies in Napoleonic Statesmanship: Germany*. Oxford: Clarendon Press, 1903.

Fisher, John R. *Commercial Relations Between Spain and Spanish America in the Era of Free Trade, 1778–1796*. Liverpool: Centre for Latin American Studies, University of Liverpool, 1985.

Fisher, John R. *The Economic Aspects of Spanish Imperialism in America, 1492–1810*. Liverpool: Liverpool University Press, 1997.

Fisher, John R. *Government and Society in Colonial Peru: The Intendant System, 1784–1814*. London: The Athlone Press, 1970.

Flayhart, William Henry. *Counterpoint to Trafalgar: The Anglo-Russian Invasion of Naples, 1805–06*. Gainesville: University Press of Florida, 2004.

Fleischman, Théo. *L'expedition anglaise sur le continent en 1809, conquête de l'île de Walcheren et menace sur Anvers*. Brussels: La Renaissance du livre, 1973.

Fleming, Katherine E. *The Muslim Bonaparte: Diplomacy and Orientalism in Ali Pasha's Greece*. Princeton, NJ: Princeton University Press, 1999.

Fletcher, Ian. *The Lines of Torres Vedras 1809–11*. Oxford: Osprey, 2003.

Fletcher, Ian. *The Waters of Oblivion: The British Invasion of the Río de la Plata, 1806–07*. Staplehurst, UK: Spellmount, 1991.

Ford, Guy Stanton. *Hanover and Prussia, 1795–1803. A Study in Neutrality*. New York: Columbia University Press, 1903.

Forrest, Alan. *Conscripts and Deserters: The Army and the French Society During the Revolution and Empire*. New York: Oxford University Press, 1989.

Forrest, Alan, Karen Hagemann, and Michael Rowe, eds. *War, Demobilization and Memory: The Legacy of War in the Era of Atlantic Revolutions*. New York: Palgrave Macmillan, 2016.

Forrest, Alan, and Matthias Middell, eds. *The Routledge Companion to the French Revolution in World History*. London: Routledge, 2016.

Fortescue, J. W. *The County Lieutenancies and the Army, 1803–1814*. London: Macmillan, 1909.

Fortescue, John William. *A History of the British Army*. 6 vols. London: Macmillan, 1906-1930.

Foucart, Paul Jean. *Campagne de Prusse, 1806: d'après les archives de la guerre*. Paris: Berger-Levrault, 1887.

Francis, Davis. *Portugal, 1715-1808: Joanine, Pombaline and Rococo Portugal as Seen by British Diplomats and Traders*. London: Tamesis Books, 1985.

Frary, Lucien, and Mara Kozelsky, eds. *Russian-Ottoman Borderlands: The Eastern Question Reconsidered*. Madison: University of Wisconsin Press, 2014.

Fraser, Ronald. *Napoleon's Cursed War: Popular Resistance in the Spanish Peninsular War*. London: Verso, 2008.

Fugier, André. *Napoléon et l'Espagne, 1799-1808*. Paris: F. Alcan, 1930.

Furet, François. *Interpreting the French Revolution*. Cambridge: Cambridge University Press, 1981.

Gachot, Edouard. *Souvarow en Italie*. Paris: Perrin, 1903.

Gagliardo, John. *Reich and Nation: The Holy Roman Empire as Idea and Reality, 1763-1806*. Bloomington: Indiana University Press, 1980.

Gainot, Bernard. "Révolution, liberté = Europe des nations? Sororité conflictuelle." In *Mélanges Michel Vovelle sur la Révolution, approaches plurielles*, edited by Jean Paul Bertaud, 457-68. Paris: Société des études robespierristes, 1997.

Galpin, William Freeman. *The Grain Supply of England During the Napoleonic Period*. New York: Macmillan, 1925.

Ganson, Barbara Anne. *The Guarani Under Spanish Rule in the Río de la Plata*. Stanford: Stanford University Press, 2003.

Gardane, Alfred de. *La mission du Général Gardane en Perse sous le premier Empire*. Paris: Librarie de Ad. Laine, 1865.

Gardiner, Robert. *The Campaign of Trafalgar*. London: Caxton Editions, 2001.

Gardiner, Robert. *The Victory of Seapower: Winning the Napoleonic War, 1806-1814*. London: Caxton Editions, 1998.

Geggus, David. *Haitian Revolutionary Studies*. Bloomington: Indiana University Press, 2002.

Geisendorf-Des Gouttes, Théophile. *Les prisonniers de guerre au temps du Ier empire. La déportation aux Baléares et aux Canaries (les archipels enchanteurs et farouches) des soldats de Baylen et des marins de Trafalgar (1809-1814)*. Genève: Éditions Labor, 1936.

Gelashvili, Akaki. *Kakhetis 1812 tslis ajankeba*. Tbilisi: Artanuji, 2010.

Generalstabens krigshistoriska afdelning, Sveriges krig åren 1808 och 1809. Stockholm: Kongl. boktryckeriet P. A. Norstedt & söner, 1890.

Gent, T. van. *De Engelse invasie van Walcheren in 1809*. Amsterdam: De Bataafsche

Leeuw, 2001.

Geoghegan, Patrick. *The Irish Act of Union: A Study in High Politics, 1798–1801.* Dublin: Gill and Macmillan, 1999.

Ghurbal, Muḥammad Shafīq. *The Beginnings of the Egyptian Question and the Rise of Mehemet Ali.* London: George Routledge & Sons, 1928.

Gill, John H. *1809. Thunder on the Danube.* 3 vols. Barnsley, UK: Frontline Books, 2008.

Girard, Philippe R. *The Slaves Who Defeated Napoleon: Toussaint Louverture and the Haitian War of Independence, 1801–1804.* Tuscaloosa: University of Alabama Press, 2011.

Girnius, Saulius Antanas. "Russia and the Continental Blockade." PhD dissertation. University of Chicago, 1981.

Glenthøj, Rasmus, and Morten Nordhagen Ottosen, *Experiences of War and Nationality in Denmark and Norway, 1807–1815.* New York: Palgrave Macmillan, 2014.

Glover, Gareth. *The Forgotten War Against Napoleon: Conflict in the Mediterranean, 1793–1815.* Barnsley: Pen & Sword, 2017.

Glover, Gareth. *Waterloo: Myth and Reality.* Barnsley: Pen and Sword, 2014.

Glover, Michael. *A Very Slippery Fellow: The Life of Sir Robert Wilson, 1777–1849.* Oxford: Oxford University Press, 1978.

Godechot, Jacques Léon. *Le Comte d'Antraigues: Un espion dans l'Europe des émigrés.* Paris: Fayard, 1986.

Godechot, Jacques Léon. *The Counter-Revolution: Doctrine and Action, 1789–1804.* Princeton, NJ: Princeton University Press, 1981.

Godechot, Jacques Léon. *La Grande Nation: L'expansion révolutionnaire de la France dans le monde de 1789 à 1799.* Paris: Aubier, 1956.

Gonneville, Aymar-Olivier Le Harivel de. *Recollections of Colonel de Gonneville.* London: Hurst and Blackett, 1875.

Goodwin, Albert. *The Friends of Liberty: The English Democratic Movement in the Age of the French Revolution.* London: Hutchinson, 1979.

Gordon, Stewart. *The New Cambridge History of India,* vol. 2, part 4, *The Marathas, 1600–1818.* Cambridge: Cambridge University Press, 1993.

Graaf, Beatrice de, Ido de Haan, and Brian E. Vick, eds. *Securing Europe After Napoleon: 1815 and the New European Security Culture.* Cambridge: Cambridge University Press, 2019.

Graaf, Beatrice de. *Tegen de terreur. Hoe Europa veilig werd na Napoleon.* Amsterdam: Prometheus, 2018.

Grab, Alexander. "Army, State, and Society: Conscription and Desertion in Napoleonic Italy (1802–1814)." *Journal of Modern History* 67, no. 1 (1995): 25-54.

Grab, Alexander. "From the French Revolution to Napoleon." In *Italy in the Nineteenth Century: 1796–1900*, edited by John A. Davis, 25–48. Oxford: Oxford University Press, 2000.

Grab, Alexander. *Napoleon and the Transformation of Europe*. New York: Palgrave Macmillan, 2003.

Grab, Alexander. "The Politics of Finance in Napoleonic Italy (1802–1814)." *Journal of Modern Italian Studies* 3, no. 2 (1998): 127–43.

Grab, Alexander. "State Power, Brigandage and Rural Resistance in Napoleonic Italy." *European History Quarterly* 25 (1995): 39–70.

Grade, Anders. *Sverige och Tilsitalliansen (1807–1810)*. Lund: Gleerupska univ.-bokhandeln, 1913.

Grainger, John D. *The Amiens Truce: Britain and Bonaparte, 1801–1803*. Rochester, NY: Boydell Press, 2004.

Grainger, John D. *British Campaigns in the South Atlantic 1805–1807*. Barnsley, UK: Pen & Sword Military, 2015.

Grainger, John D. *The British Navy in the Baltic*. Woodbridge: Boydell Press, 2014.

Grandmaison, Charles-Alexandre Geoffroy de. *L'Espagne et Napoléon, 1804–1809*. Paris: Plon-Nourrit, 1908.

Grasset, Alphonse Louis. *La Guerre d'Espagne, 1807–1813*. Paris: Berger-Levrault, 1914.

Graves, Donald. *Dragon Rampant: The Royal Welch Fusiliers at War, 1793–1815*. Barnsley, UK: Frontline Books, 2010.

Gray, J. M. *A History of the Gambia*. Cambridge: Cambridge University Press, 2015.

Greer, Donald. *The Incidence of the Emigration During the French Revolution*. Cambridge, MA: Harvard University Press, 1951.

Gregory, Desmond. *The Beneficent Usurpers: A History of the British in Madeira*. London: Associated University Presses, 1988.

Gregory, Desmond. *Malta, Britain and the European Powers, 1793–1815*. Madison, NJ: Farleigh Dickinson University Press, 1996.

Gregory, Desmond. *Napoleon's Italy*. Madison, NJ: Fairleigh Dickinson University Press, 2001.

Gregory, Desmond. *Sicily: The Insecure Base: A History of the British Occupation of Sicily, 1806–1815*. Rutherford, NJ: Fairleigh Dickinson University Press, 1988.

Gregory, Desmond. *The Ungovernable Rock: A History of the Anglo-Corsican Kingdom and its Role in Britain's Mediterranean Strategy During the Revolutionary War, 1793–1797*. Rutherford, NJ: Fairleigh Dickinson University Press, 1985.

Grehan, John. *The Lines of Torres Vedras: The Cornerstone of Wellington's Strategy in the*

Peninsular War, 1809–1812. London: Spellmount, 2000.

Grewal, J. S. *The New Cambridge History of India*, vol. 2, part 3, *The Sikhs of the Punjab*. Cambridge: Cambridge University Press, 1998.

Grigoryan, Z. *Prisoedinenie Vostochnoi Armenii k Rossii v nachale XIX veka*. Moscow: Izd-vo sotsialno-ekonomicheskoi lt-ry, 1959.

Grimsted, Patricia. "Czartoryski's System for Russian Foreign Policy, 1803." *California Slavic Studies* V (1970): 19–92.

Grossmann, Henryk. *Struktura społeczna i gospodarcza Księstwa Warszawskiego: na podstawie spisów ludności, 1808–1810*. Warsaw: Nakł. Gł. Urzędu Statystycznego, 1925.

Gruner, Wolf D. *Der Deutsche Bund 1815–1866*. Munich: Beck, 2012.

Der Wiener Kongress, 1814/15. Stuttgart: Philipp Reclam, 2014.

Gupta, Pratul Chandra. *Baji Rao II and the East India Company, 1796–1818*. Bombay: Allied, 1964.

Guzmán, Juan Pérez de. *El dos de mayo de 1808 en Madrid*. Madrid: Establecimiento Tipográfico Sucesores de Rivadeneyra, 1908.

Gvosdev, Nikolas K. *Imperial Policies and Perspectives Towards Georgia, 1760–1819*. New York: St. Martin's Press, 2000.

Hagemann, Karen. *Revisiting Prussia's War Against Napoleon: History, Culture and Memory*. Cambridge: Cambridge University Press, 2015.

Hales, E. *Napoleon and the Pope: The Story of Napoleon and Pius VII*. London: Eyre & Spottiswoode, 1961.

Hall, Christopher. *Wellington's Navy: Seapower and the Peninsular War 1807–1814*. London: Chatham, 2004.

Hall, John R. *General Pichegru's Treason*. London: Smith, Elder, 1915.

Hamill, Hugh M. *The Hidalgo Revolt: Prelude to Mexican Independence*. Gainesville: University of Florida Press, 1966.

Hamnett, Brian. "The Meieva Roots of Spanish Constitutionalism." In *The Rise of Constitutional Government in the Iberian Atlantic World: The Impact of the Cádiz Constitution of 1812*, edited by Natalia Sobrevilla Perea and Scott Eastman, 19–41. Tuscaloosa: University of Alabama Press, 2015.

Harbron, John. *Trafalgar and the Spanish Navy: The Spanish Experience of Sea Power*. London: Conway Maritime, 2004.

Hardman, John. *French Politics, 1774–1789: From the Accession of Louis XVI to the Fall of the Bastille*. London: Longman, 1995.

Hardman, John. *The Life of Louis XVI*. New Haven, CT: Yale University Press, 2016.

Hardman, William. *A History of Malta During the Period of the French and British Occupations, 1798–1815*. London: Longmans, Green, 1909.

Hariharan, Shantha. "Luso-British Cooperation in India: A Portuguese Frigate in the Service of a British Expedition." *South Asia Research* 26, no. 2 (2006): 133–43.

Hariharan, Shantha. "Macao and the English East India Company in the Early Nineteenth Century: Resistance and Confrontation." *Portuguese Studies* 23, no. 2 (2007): 135–52.

Hariharan, Shantha, and P. S. Hariharan. "The Expedition to Garrison Portuguese Macao with British Troops: Temporary Occupation and Re-Embarkation, 1808." *International Journal of Maritime History* 25, no. 2 (2013): 85–116.

Harper, John Lamberton. *American Machiavelli: Alexander Hamilton and the Origins of the U.S. Foreign Policy.* Cambridge: Cambridge University Press, 2004.

Harvey, Robert. *Liberators: South America's Savage Wars of Freedom, 1810–1830.* London: Robinson, 2002.

Hatalkar, V. G. *Relations Between the French and the Marathas.* Bombay: T. V. Chidambaran, 1958.

Hathaway, Jane. *The Politics of Households in Ottoman Egypt: The Rise of the Qazdaglis.* Cambridge: Cambridge University Press, 1997.

Haudrère, Philippe. *La compagnie française des Indes au XVIIIe siècle 1719–1795.* Paris: Librairie de l'Inde, 1989.

Haynes, Christine. *Our Friends the Enemies: The Occupation of France After Napoleon.* Cambridge, MA: Harvard University Press, 2018.

Hayworth, Jordan R. *Revolutionary France's War of Conquest in the Rhineland: Conquering the Natural Frontier, 1792–1797.* Cambridge: Cambridge University Press, 2019.

Hazareesingh, Sudhir. *The Legend of Napoleon.* London: Granta Books, 2004.

Hazareesingh, Sudhir. *The Saint-Napoleon. Celebrating Sovereignty in Nineteenth-Century France.* Cambridge, MA: Harvard University Press, 2004.

Heckscher, Eli F. *The Continental System: An Economic Interpretation.* Oxford: Clarendon Press, 1922.

Hector, Michel, ed. *La Révolution francaise et Haiti: Filiations, ruptures, nouvelles dimensions.* Port-au-Prince: Sociéte Haitienne d'histoire et de géographie, 1995.

Helfert, Joseph Alexander von. *Königin Karolina von Neapel und Sicilien im Kampfe gegen die französische Weltherrschaft, 1790–1814: mit Benützung von Schriftstücken des K.K. Haus-, Hof- und Staats-Archivs.* Vienna: Braumüller, 1878.

Herold, Christopher. *Bonaparte in Egypt.* London: Hamish Hamilton, 1962.

Herr, Richard. *Rural Change and Royal Finances in Spain at the End of the Old Regime.* Berkeley: University of California Press, 1989.

Heyd, Uriel. "The Ottoman Ulama and Westernization at the Time of Selim IIII and

Mahmud II." In *Studies in Islamic History and Civilization*, 63-96. Jerusalem: Magnes Press, Hebrew University, 1961.

Hickey, Donald R. *Glorious Victory: Andrew Jackson and the Battle of New Orleans*. Baltimore: John Hopkins University Press, 2015.

Hickey, Donald R. *The War of 1812: A Short History*. Urbana: University of Illinois Press, 1995.

Higby, Chester Penn. *The Religious Policy of the Bavarian Government During the Napoleonic Period*. New York: Columbia University, 1919.

Hippler, Thomas. *Citizens, Soldiers and National Armies: Military Service in France and Germany, 1789-1830*. London: Routledge, 2008.

Hochedlinger, Michael. *Austria's Wars of Emergence: War, State and Society in the Habsburg Monarchy, 1683-1797*. London: Longman, 2003.

Hochschild, Adam. *Bury the Chains: Prophets and Rebels in the Fight to Free an Empire's Slaves*. New York: Houghton Mifflin, 2006.

Hocquellet, Richard. *Résistance et revolution durant l'occupation napoléonienne en Espagne, 1808-1812*. Paris: La Boutique de l'histoire éd., 2001.

Holborn, Hajo. *A History of Modern Germany, 1648-1840*. New York: Alfred A. Knopf, 1967.

Holtman, Robert B. *The Napoleonic Revolution*. Baton Rouge: Louisiana State University Press, 1967.

Höpfner, Friedrich Eduard Alexander von. *Der Krieg von 1806 und 1807 (i.e. achtzehnhundertsechs und achtzehnhundertsieben): ein Beitrag zur Geschichte der Preussischen Armee nach den Quellen des Kriegs-Archivs bearbeitet*. Berlin: Schropp, 1850.

Hopton, Richard. *The Battle of Maida 1806: Fifteen Minutes of Glory*. London: Leo Cooper, 2002.

Horn, Jeff. *The PathNnot Taken: French Industrialization in the Age of Revolution, 1750-1830*. Cambridge, MA: MIT Press, 2006.

Horsman, Reginald. *The Causes of the War of 1812*. Philadelphia: University of Pennsylvania Press, 1962.

Horward, Donald D. *The Battle of Bussaco: Masséna vs. Wellington*. Tallahassee: Florida State University Press, 1965.

Houssaye, Henry. *Napoleon and the Campaign of 1814*. London: Hugh Rees, 1914.

Howard, Martin R. *Walcheren 1809: The Scandalous Destruction of a British Army*. Barnsley, UK: Pen & Sword Military, 2012.

Huchet, Patrick. *Georges Cadoudal et les chouans*. Rennes: Editions Ouest-France, 1998.

Hughes, Ben. *The British Invasion of the River Plate 1806-1807: How the Redcoats

Were Humbled and a Nation Was Born. Barnsley, UK: Pen & Sword Military, 2013.

Hughes, Michael J. *Forging Napoleon's Grande Armee: Motivation, Military Culture, and Masculinity in the French Army, 1800-1808*. New York: New York University Press, 2012.

Hull, Isabel. *Sexuality, State, and Civil Society in Germany, 1700-1815*. Ithaca: Cornell University Press, 1996.

Hunt, Lynn. *Inventing Human Rights: A History*. London: W. W. Norton, 2007.

Ibragimbeili, Kh. *Rossiya i Azerbaijan v pervoi treti XIX veka*. Moscow: Nauka, 1969.

Igamberdyev, M. *Iran v mezhdunarodnykh otnosheniyakh pervoi treti XIX veka*. Samarkand: Izd-vo Samarkandskogo gos. univ., 1961.

Ihalainen, Pasi, Karin Sennefelt, Michael Bregnsbo, and Patrik Winton, eds. *Scandinavia in the Age of Revolution: Nordic Political Cultures, 1740-1820*. Burlington, VT: Ashgate, 2011.

Ilari, Virgilio, et al. *Il regno di Sardegna nelle guerre napoleoniche e le legioni anglo-italiane, 1799-1815*. Novara: Widerholdt Frères, 2008.

Ingram, Edward. *Britain's Persia Connection, 1798-1828: Prelude to the Great Game*. Oxford: Clarendon Press, 1992.

Ingram, Edward. *Commitment to Empire: Prophecies of the Great Game in Asia, 1797-1800*. Oxford: Clarendon Press, 1981.

Ingrao, Charles W. *The Habsburg Monarchy, 1618-1815*. Cambridge: Cambridge University Press, 2000.

Ionnisian, A. *Prisoedinenie Zakavkaziya k Rossii i mezhdunarodnye otnosheniya v nachale XIX stoletiya*. Yerevan: Izd-vo AN Armyanskoi SSR, 1958.

Jackson, John A. "The Mexican Silver Scheme: Finance and Profiteering in the Napoleonic Era, 1796-1811." PhD dissertation, University of North Carolina, 1978.

James, C. L. R. *The Black Jacobins: Toussaint L'Ouverture and the San Domingo Revolution*. New York: Vintage Books, 1989.

James, William. *The Naval History of Great Britain*. 6 vols. London: Conway Maritime Press, 2002.

Jansen, Marius B., ed. *The Cambridge History of Japan*, vol. 5, *The Nineteenth Century*. Cambridge: Cambridge University Press, 1989.

Jarrett, Mark. *The Congress of Vienna and its Legacy: War and Great Power Diplomacy After Napoleon*. London: I. B. Tauris, 2013.

Jasanoff, Maya. *Edge of Empire: Lives, Culture and Conquest in the East, 1750-1850*. New York: Vintage Books, 2005.

Jewsbury, George. "Russian Administrative Policies Toward Bessarabia, 1806-1828."

PhD dissertation, University of Washington, 1970.

Johnson, Kenneth G. "Louis-Thomas Villaret de Joyeuse: Admiral and Colonial Administrator (1747-1812)." PhD dissertation, Florida State University, 2006.

Johnson, Kenneth G. "Napoleon's War at Sea." In *Napoleon and the Operational Art of War*, edited by Michael V. Leggiere, 387-475. Leiden: Brill, 2016.

Johnson, Lyman L. *Workshop of Revolution: Plebeian Buenos Aires and the Atlantic World, 1776-1810.* Durham, NC: Duke University Press, 2011.

Johnston, Robert Matteson. *The Napoleonic Empire in Southern Italy and the Rise of the Secret Societies.* New York: Macmillan, 1904.

Jones, Colin. *The Great Nation: France from Louis XV to Napoleon.* New York: Penguin Books, 2003.

Jones, Jeremy, and Nicholas P. Ridout. *Oman: Culture and Diplomacy.* Edinburgh: Edinburgh University Press, 2012.

Jones, Michael W. "Fear and Domination: Pierre Riel, the Marquis de Beurnonville at the Spanish Court and Napoleon Bonaparte's Spanish Policy, 1802-05." PhD dissertation, Florida State University, 2004.

Jorgensen, Christer. *The Anglo-Swedish Alliance Against Napoleonic France.* New York: Palgrave, 2004.

Judson, Pieter M. *The Habsburg Empire: A New History.* Cambridge, MA: Belknap Press, 2016.

Junkelman, Marcus. *Napoleon und Bayern den Anfängen des Königreiches.* Regensburg: F. Pustet, 1985.

Just, Gustav. *Politik oder Strategie? Kritische Studien über den Warschauer Feldzug Österreichs und die Haltung Russlands 1809.* Vienna: Seidel & Sohn, 1909.

Kadam, Umesh Ashokrao. *History of the Marathas: French-Maratha Relations, 1668-1818.* New Delhi: Sundeep Prakashan, 2008.

Kagan, Frederick W. *The End of the Old Order: Napoleon and Europe, 1801-1805.* New York: Da Capo Press, 2006.

Kaplan, Herbert H. *The First Partition of Poland.* New York: Columbia University Press, 1962.

Karal, Enver Ziya. *Selim IIIün hatt-ı hümayunları: Nizam-ı Cedit: 1789-1807.* Ankara: Türk Tarih Kurumu Basımevı, 1946.

Karlsson, Gunnar. *The History of Iceland.* Minneapolis: University of Minnesota Press, 2000.

Karonen, Petri. *Pohjoinen suurvalta: Ruotsi ja Suomi 1521-1809.* Helsinki: WS Bookwell, 2008.

Kashani-Sabet, Firoozeh. *Frontier Fictions: Shaping the Iranian Nation, 1804-1946.* Princeton, NJ: Princeton University Press, 1999.

Kastor, Peter, and François Weil. *Empires of the Imagination: Transatlantic Histories of the Louisiana Purchase*. Charlottesville: University of Virginia Press, 2008.

Kaufmann, William. *British Policy and the Independence of Latin America, 1804-1828*. New Haven, CT: Yale University Press, 1951.

Kaye, John William. *The Life and Correspondence of Major-General Sir John Malcolm*. London: Smith, Elder, 1856.

Kelly, J. B. *Britain and the Persian Gulf, 1795-1880*. Oxford: Clarendon Press, 1968.

Kennedy, James J. "Lord Whitworth and the Conspiracy Against Tsar Paul I: The New Evidence of the Kent Archive." *Slavic Review* 36, no. 2 (June 1977): 205-19.

Kerautret, Michel. *Un crime d'état sous l'empire: l'affaire Palm*. Paris: Vendémiaire, 2015.

Kiaiviarianen, I. I. *Mezhdunarodnie otnoshenia na severe Evropi v nachale XIX veka i prisoedinenie Finlandii k Rossii v 1809 godu*. Petrozavodsk: Karelskoe knizhnoe izd-vo, 1965.

King, David. *Vienna, 1814: How the Conquerors of Napoleon Made Love, War, and Peace at the Congress of Vienna*. New York: Harmony Books, 2008.

Kissinger, Henry. *A World Restored: Metternich, Castlereagh and the Problem of Peace 1812-1822*. London: Phoenix, 2000.

Kitzen, Michael L. S. *Tripoli and the United States at War: A History of American Relations with the Barbary States, 1785-1805*. Jefferson, NC: McFarland, 1993.

Klang, Daniel Michael. "Bavaria and the Age of Napoleon." PhD dissertation, Princeton University, 1963.

Klinge, Matti. *Napoleonin varjo: Euroopan ja Suomen murros 1795-1815*. Helsinki: Otava, 2009.

Klooster, Wim. *Revolutions in the Atlantic World: A Comparative History*. New York: New York University Press, 2009.

Klooster, Wim, and Geert Oostindie, eds. *Curaçao in the Age of Revolutions, 1795-1800*. Leiden: KITLV Press, 2011.

Knight, Roger. *Britain Against Napoleon: The Organization of Victory, 1793-1815*. London: Allen Lane, 2013.

Knight, Roger. *Pursuit of Victory: The Life and Achievemnt of Horatio Nelson*. London: Allen Lane, 2005.

Kortua, Nikoloz. *Sakartvelo 1806-1812 tslebis Ruset-Turketis omshi: rusi da kartveli xalxebis sabrdzolo tanamegobrobis istoriidan*. Tbilisi: Tsodna, 1964.

Kowalczyk, Rafał. *Polityka gospodarcza i finansowa Księstwa Warszawskiego w latach 1807-1812*. Łódź: Wydawn. Uniwersytet Łódzkiego, 2010.

Kowecki, Jerzy, ed. *Sejm czteroletni i jego tradycje*. Warsaw: Państwowe Wydawnictwo Naukowe, 1991.

Kowecki, Jerzy, and Bogusław Leśnodorski, *Konstytucja 3 maja 1791, statut Zgromadzenia Przyjaciół Konstytucji*. Warsaw: Państwowe Wydawnictwo Naukowe, 1981.

Kraehe, Enno E. *Metternich's German Policy*. 2 vols. Princeton, NJ: Princeton University Press, 1983.

Krajeski, Paul C. *In the Shadow of Nelson: The Naval Leadership of Admiral Sir Charles Cotton, 1753-1812*. Westport, CT: Greenwood Press, 2000.

Krauss, Alfred. *Beilagen zu 1805 der Feldzug von Ulm*. Vienna: Seidel und Sohn, 1912.

Krebs, Léonce, and Henri Moris. *Les campagnes dans les Alpes pendant la Révolution, 1794, 1795, 1796*. Paris: Plon, 1895.

Krüger-Löwenstein, Uta. Russland, *Frankreich und das Reich 1801-1803: zur Vorgeschichte der 3. Koalition*. Wiesbaden: Steiner, 1972.

Kubben, Raymond. *Regeneration and Hegemony: Franco-Batavian Relations in the Revolutionary Era, 1795-1803*. Leiden: Martinus Nijhoff, 2011.

Kuethe, Allan J., and Kenneth J. Adrien, *The Spanish Atlantic World in the Eighteenth Century: War and the Bourbon Reforms, 1713-1796*. Cambridge: Cambridge University Press, 2014.

Kukla, Jon. *A Wilderness So Immense: The Louisiana Purchase and the Destiny of America*. New York: Knopf, 2003.

Kumar, Dharma, and Meghnad Desai, ed. *The Cambridge Economic History of India*, vol. 2, *c. 1757-c. 1970*. Cambridge: Cambridge University Press, 1983.

Kuran, Ercüment. *Avrupa'da Osmanlı İkamet Elçiliklerinin Kuruluşu ve İlk Elçilerin Siyasi Faaliyetleri, 1793-1821*. Ankara: Türk Kültürünü Araştırma Enstitüsü Yayınları, 1988.

Kwass, Michael. *Privilege and the Politics of Taxation in Eighteenth-Century France: Liberté, Égalité, Fiscalité*. Cambridge: Cambridge University Press, 2000.

Labasse, Jean. *Le commerce des soies à Lyon sous Napoléon et la crise de 1811*. Paris: Presses universitaires de France, 1957.

Lamartine, Alphonse de. *Histoire des Girondins*. Paris: Furne, 1847.

Landes, David S. *The Unbound Prometheus: Technological Change and Industrial Development in Western Europe from 1750 to the Present*. Cambridge: Cambridge University Press, 2003.

Lanfrey, Pierre. *Histoire de Napoleon Ier*. Paris: Charpentier, 1869.

Lang, David M. *The Last Years of the Georgian Monarchy, 1658-1832*. New York: Columbia University Press, 1957.

Lappalainen, Jussi T., Lars Ericson Wolke and Ali Pylkkänen, *Sota Suomesta: Suomen sota 1808-1809*. Hämeenlinna: Suomalaisen Kirjallisuuden Seura, 2007.

Larkin, Hilary. *A History of Ireland, 1800-1922*. London: Anthem Press, 2014.

Laurens, Henry. *Les origines intellectuelles de l'expédition d'Égypte: L'Orientalisme Islamisant en France (1698-1798)*. Paris: Isis, 1987.

Laurens, Henry, et al. *L'Expedition d'Egypte, 1798-1801*. Paris: Armand Colin, 1989.

Lavery, Brian. *Nelson's Fleet at Trafalgar*. Annapolis, MD: Naval Institute Press, 2004.

Lawson, Philip. *The East India Company: A History*. London: Longman, 1993.

Lebedev, V. T. *V Indiyu, voyeno-statisticheskiy i strategicheskiv ocherk*. St. Petersburg: Tipografiya A. A. Porokhovskchikova, 1898.

Lee, Mark McKinley. "Paul I and the Indian Expedition of 1801: Myth and Reality." MA thesis, Texas Tech University, 1984.

Lefebvre, Armand. *Histoire des cabinets de l'Europe pendant le Consulat et l'Empire*. Paris: Pagnerre, 1847.

Lefebvre, Georges. *Napoleon*. 2 vols. London: Routledge & Kegan Paul, 1969.

Lefebvre, Georges. *The Thermidorians and the Directory: Two Phases of the French Revolution*. New York: Random House, 1964.

Leggiere, Michael V. *Blücher: Scourge of Napoleon*. Norman: University of Oklahoma Press, 2014.

Leggiere, Michael V. *The Fall of Napoleon: The Allied Invasion of France, 1813-1814*. Cambridge: Cambridge University Press, 2007.

Leggiere, Michael V. "The Life, Letters and Campaigns of Friedrich Wilhelm Graf Bülow von Dennewitz, 1755-1816." PhD dissertation, Florida State University, 1997.

Leggiere, Michael V. *Napoleon and Berlin: The Franco-Prussian War in North Germany, 1813*. Norman: University of Oklahoma Press, 2002.

Leggiere, Michael V. *Napoleon and the Struggle for Germany*. 2 vols. Cambridge: Cambridge University Press, 2015.

Legohérel, Henri. *Les trésoriers généraux de la Marine, 1517-1788*. Paris: Cujas, 1965.

Lenotre, G. *Georges Cadoudal*. Paris: B. Grasset, 1929.

Lensen, George Alexander. *The Russian Push Toward Japan: Russo-Japanese Relations, 1697-1875*. Princeton, NJ: Princeton University Press, 1959.

Lentz, Thierry. *Le congrès de Vienne: Une refondation de l'Europe 1814-1815*. Paris: Perrin, 2013.

Lentz, Thierry. *La France et l'Europe de Napoléon, 1804-1814*. Paris: Fayard, 2007.

Lentz, Thierry. *Le grand Consulat: 1799-1804*. Paris: Fayard, 1999.

Lentz, Thierry, ed. *Napoléon et l'Europe*. Paris: Fayard, 2005.

Lentz, Thierry. *La proclamation du Premier Empire*. Paris: Fondation Napoléon, 2002.

Lentz, Thierry. *Les vingt jours de Fontainebleau: la première abdication de Napoléon, 31 mars-20 avril 1814*. Paris: Perrin, 2014.

Lentz, Thierry, Émilie Barthet, et al. *Le sacre de Napoléon, 2 décembre 1804*. Paris: Nouveau Monde, 2003.

Lettow-Vorbeck, Oscar von. *Der Krieg von 1806-1907*, vol. I, *Jena und Auerstedt*. Berlin: Mittler und Sohn, 1896.

Lieven, Dominic. *Russia Against Napoleon*. London: Penguin, 2010.

Lipscombe, Nick. *The Peninsular War Atlas*. Oxford: Osprey, 2014.

Livermore, H. V. *A New History of Portugal*. Cambridge: Cambridge University Press, 1966.

Lloyd, Peter. *The French Are Coming! 1805: The Invasion Scare of 1803-1805*. Kent, UK: Spellmount, 1991.

Lojek, Jerzy. "Catherine's Armed Intervention in Poland: Origins of the Political Decisions at the Russian Court in 1791-1792." *Canadian-American Slavic Studies* 4 (1970): 570-93.

Lokke, Carl Ludwig. "French Designs on Paraguay in 1803." *Hispanic American Historical Review* 8, no. 3 (August 1928): 392-405.

London, Joshua. *Victory in Tripoli: How America's War with the Barbary Pirates Established the U.S. Navy and Shaped a Nation*. Hoboken, NJ: John Wiley, 2005.

Lord, Robert H. *The Second Partition of Poland: A Study in Diplomatic History*. Cambridge, MA: Harvard University Press, 1915.

Lovett, Gabriel H. *Napoleon and the Birth of Modern Spain*. 2 vols. New York: New York University Press, 1965.

Lucas, Manuel Ardit. *Revolucion liberal y revuelta campesina: un ensayo sobre la desintegracion del regimen feudal en el Pais Valenciano (1793/1840)*. Barcelona: Ariel, 1977.

Luck, James M. *A History of Switzerland*. Palo Alto, CA: Society for the Promotion of Science and Scholarship, 1985.

Lukowski, Jerzy T. *The Partitions of Poland, 1772, 1793, 1795*. Harlow: Longman Higher Education, 1998.

Lynch, John. *Bourbon Spain, 1700-1808*. Oxford: Basil Blackwell, 1989.

Lynch, John. *The Spanish-American Revolutions, 1808-1826*. New York: Norton, 1973.

Lyons, Martyn. *France Under the Directory*. Cambridge: Cambridge University Press, 1975.

Maybon, M. C. B. "Les Anglais à Macao en 1802 et en 1808." *Bulletin de l'École française d'Extrême-Orient* 6 (1906): 301-25. Electronic version available at http://www.persee.fr/doc/befeo_0336-1519_1906_num_6_1_4261.

Mackay, Charles Hugh. "The Tempest: The Life and Career of Jean-Andoche Junot, 1771-1813." PhD dissertation, Florida State University, 1995.

MacKenzie, Norman. *The Escape from Elba: The Fall and Flight of Napoleon, 1814-1815*. New York: Oxford University Press, 1982.

Mackenzie, Robert. *The Trafalgar Roll: The Officers, the Men, the Ships*. London: Chatham, 2004.

Mackesy, Piers. *Statesmen at War: The Strategy of Overthrow, 1798-1799*. London: Longman, 1974.

Mackesy, Piers. *The War in the Mediterranean 1803-1810*. Cambridge, MA: Harvard University Press, 1957.

Mackesy, Piers. *War Without Victory: The Downfall of Pitt, 1799-1802*. Oxford: Clarendon Press, 1984.

Macmillan, David. "Paul's Retributive Measures of 1800 Against Britain: The Final Turning-Point in British Commercial Attitudes Towards Russia." *Canadian-American Slavic Studies* VI, no. 1 (1973): 68-77.

Madariaga, Isabel de. "The Secret Austro-Russian Treaty of 1781." *Slavonic and East European Review* 38, no. 90 (1959): 114-45.

Madelin, Louis. *The Consulate and the Empire*. New York: AMS Press, 1967.

Madelin, Louis. *La Rome de Napoléon: la domination français à Rome de 1809 à 1814*. Paris: Plon-Nourrit, 1906.

Mahan, Alfred. *The Influence of Sea Power upon the French Revolution and Empire, 1793-1812*. Boston: Little, Brown, 1918.

Manchester, Alan K. *British Preeminence in Brazil, Its Rise and Decline: A Study in European Expansion*. Chapel Hill: University of North Carolina Press, 1933.

Manning, William Ray. "The Nootka Sound Controversy." *Annual Report of the American Historical Association for the Year 1904*. Washington, DC, 1905.

Marichal, Carlos. *Bankruptcy of Empire: Mexican Silver and the Wars Between Spain, Britain, and France, 1760-1810*. New York: Cambridge University Press, 2007.

Marion, Marcel. *Histoire financière de la France depuis 1715*, vol. IV, *1797-1818. La fin de la Révolution, le Consulat et l'Empire. La liberation du territoire*. Paris: Librairie Arthur Rousseau, 1925.

Markham, J. David. *Napoleon's Road to Glory: Triumphs, Defeats and Immortality*. London: Brassey's, 2003.

Markham, J. David. *The Road to St. Helena: Napoleon After Waterloo*. Barnsley, UK: Pen & Sword, 2008.

Marriott, J. A. R. *The Eastern Question: An Historical Study in European Diplomacy*. Oxford: Clarendon Press, 1940.

Marshall, P. J. *East Indian Fortunes: The British in Bengal in the Eighteenth Century*. Oxford: Oxford University Press, 1976.

Marshall, P. J., ed. *The New Cambridge History of India*, vol. 2, part 2, *Bengal: The British Bridgehead*. Cambridge: Cambridge University Press, 1987.

Marshall, P. J., ed. *Oxford History of the British Empire*, vol. 2, *The Eighteenth Century*. Oxford: Oxford University Press, 1998.

Martin, Alexander M. *Enlightened Metropolis: Constructing Imperial Moscow, 1762–1855*. Oxford: Oxford University Press, 2013.

Martin, Vanessa, ed., *Anglo-Iranian Relations Since 1800*. New York: Routledge, 2005.

Martins do Vale, A. M. *Os Portugueses em Macau (1750–1800)*. Lisbon: Instituto Português do Oriente, 1997.

Marzagalli, Silvia. *Bordeaux et les États-Unis, 1776–1815: politique et stratégies négociantes dans la genèse d'un réseau commercial*. Geneva: Droz, 2014.

Marzagalli, Silvia. *Les boulevards de la fraude: La négoce maritime et le Blocus continental 1806–1813, Bordeaux, Hambourg, Livourne*. Villeneuve-d'Ascq: Presses universitaires du Septentrion, 1999.

Maspéro-Clerc, Hélène. "Un journaliste émigré jugé a Londres pour diffamation envers le Premier Consul." *Revue d'histoire moderne et contemporaine* 18, no. 2 (1971): 261–81.

Masson, Paul. *Histoire du commerce français dans le Levant au XVIIe siècle*. Paris, Hachette, 1911.

Mathiez, Albert. *La révolution et les étrangers: cosmopolitisme et défense nationale*. Paris: La Renaissance du Livre, 1918.

Maude, F. N. *The Jena Campaign*. New York: Macmillan, 1909.

Maxwell, Kenneth R. *Conflicts and Conspiracies: Brazil and Portugal, 1750–1808*. Cambridge: Cambridge University Press, 1973.

Mayer, Matthew Z. "Joseph II and the Campaign of 1788 Against the Ottoman Turks." MA thesis, McGill University, 1997.

McCain, Stewart. *The Language Question Under Napoleon*. New York: Palgrave Macmillan, 2018.

McClellan, George B. *Venice and Bonaparte*. Princeton, NJ: Princeton University Press, 1931.

McCollim, Gary B. *Louis XIV's Assault on Privilege: Nicolas Desmaretz and the Tax on Wealth*. Rochester, NY: University of Rochester Press, 2012.

McCranie, Kevin D. *Utmost Gallantry: The U.S. and Royal Navies at Sea in the War of 1812*. Annapolis, MD: Naval Institute Press, 2011.

McFarlane, Anthony. *War and Independence in Spanish America*. New York: Routledge, 2014.

McKnight, James L. "Admiral Ushakov and the Ionian Republic: The Genesis of Russia's First Balkan Satellite." PhD dissertation, University of Wisconsin, 1965.

McLynn, Frank. *Napoleon: A Biography*. New York: Arcade, 2002.

McManners, John. *Church and Society in Eighteenth-Century France*. Oxford: Clarendon Press, 1998.

Melvin, Frank Edgar. *Napoleon's Navigation System: A Study of Trade Control During the Continental Blockade*. New York: D. Appleton, 1919.

Meriage, Lawrence P. "The First Serbian Uprising (1804-1813) and the Nineteenth-Century Origins of the Eastern Question." *Slavic Review* 37 (1978): 422-23.

Mikaberidze, Alexander. *Napoleon versus Kutuzov: The Battle of Borodino*. London: Pen & Sword, 2007.

Mikaberidze, Alexander. *Napoleon's Great Escape: The Battle of the Berezina*. London: Pen & Sword, 2010.

Mikaberidze, Alexander. *Napoleon's Trial by Fire: The Burning of Moscow*. London: Pen & Sword, 2014.

Mikaberidze, Alexander. "Non-Belligerent Belligerent Russia and the Franco-Austrian War of 1809." *Napoleonica. La Revue* 10 (2011): 4-22.

Mikhailovskii-Danilevskii, Alexander, and Dmitrii Miliutin, *Istoriya voiny Rossii s Frantsiei v tsarstvovanie imperatora Pavla I v 1799 g*. 5 vols. St. Petersburg: Tip. Shtaba voenno-uchebnykh zavedenii, 1852-1857.

Mikhailovsky-Danilevsky, Alexander. *Opisanie Finlyandskoi Voiny v 1808 i 1809 godakh*. St. Petersburg: Tip. Shtaba otd. korpusa vnutrennei strazhi, 1841.

Mikhailovsky-Danilevsky, Alexander. *Opisanie pervoi voiny imperatora Aleksandra s Napoleonom v 1805-m godu*. St. Petersburg: Tip. Shtaba otd. korpusa vnutrennei strazhi, 1844.

Mikhailovsky-Danilevsky, Alexander. *Opisanie vtoroi voini Imperatora Aleksandra s Napoleonom v 1806-1807 godakh*. St. Petersburg. 1846.

Mills, Lennox Algernon. *Ceylon Under British Rule 1795-1932*. London: Milford, 1933.

Moody, Joseph N. *French Education Since Napoleon*. Syracuse: Syracuse University Press, 1978.

Moreau, Soizik. *Jean-Victor Moreau: l'adversaire de Napoléon*. Paris: Punctum, 2005.

Morineau, Michel. "Budgets de l'état et gestion des finances royales en France au dix-huitième siècle." *Revue historique* 536 (1980): 289–336.

Morse, Hosea Ballou. *The Chronicles of the East India Company, Trading to China 1635–1834*. Oxford: Clarendon Press, 1926.

Mostert, Noel. *The Line upon a Wind: The Greatest War Fought at Sea Under Sail 1793–1815*. London: Vintage, 2008.

Mousnier, Roland, and Ernest Labrousse. *Le XVIIIe siècle: révolution intellectuelle technique et politique (1715–1815)*. Paris: Presses universitaires de France, 1953.

Muilwijk, Erwin. *Standing Firm at Waterloo: 17 & 18 June*. Bleiswijk, Netherlands: Sovereign House Books, 2014.

Muir, Rory. *Salamanca 1812*. New Haven, CT: Yale University Press, 2001.

Muir, Rory. *Wellington: The Path to Victory, 1769–1814*. New Haven, CT: Yale University Press, 2013.

Müller, Paul. *L'espionnage militaire sous Napoleon 1er Ch. Schulmeister*. Paris: Berger-Levrault, 1896.

Muriel, Andrés. *Historia de Carlos IV*. Madrid: Imp. de Manuel Tello, 1894.

Murphy, Orville Theodore. *The Diplomatic Retreat of France and Public Opinion on the Eve of the French Revolution, 1783–1789*. Washington, DC: Catholic University of America Press, 1998.

Mustafa, Sam A. *The Long Ride of Major von Schill: A Journey Through German History and Memory*. Lanham, MD: Rowman & Littlefield, 2008.

Mustafa, Sam A. *Napoleon's Paper Kingdom: The Life and Death of Westphalia, 1807–1813*. New York: Rowman & Littlefield, 2017.

Mutafčieva, Vera. *Kărdžalijsko vreme*. Sofia: Bălgarskata Akademija na Naukite, 1993.

Napier, William Francis Patrick. *History of the War in the Peninsula and in the South of France*. 5 vols. Cambridge: Cambridge University Press, 2010–2011.

Nardi, Carla. *Napoleone e Roma: la politica della consulta romana*. Rome: École française de Rome, 1989.

Narochnitskii, A., ed. *Rossiia i Iugo-Vostochnaia Evropa*. Kishinev: Shtiintsa, 1984.

Natchkebia, Irene. "Unrealized Project: Rousseaus' Plan of Franco-Persian Trade in the Context of the Indian Expedition (1807)." In *Studies on Iran and the Caucasus*, edited by Uwe Bläsing et al., 115–25. Leiden: Brill, 2015.

Neal, Larry, ed. *The Rise of Financial Capitalism: International Capital Markets in the Age of Reason*. Cambridge: Cambridge University Press, 1990.

Newitt, Malyn, and Martin Robson. *Lord Beresford and British Intervention in Portugal, 1807–1820*. Lisbon: Impr. de Ciências Sociais, 2004.

Nicassio, Susan Vandiver. *Imperial City: Rome Under Napoleon*. Chicago: University of Chicago Press, 2009.

Nicolas, Jean. *La rébellion française: Mouvements populaires et conscience sociale, 1661–1789*. Paris: Seuil, 2002.

Nicolini, Beatrice. *Makran, Oman, and Zanzibar: Three-Terminal Cultural Corridor in the Western Indian Ocean (1799–1856)*. Leiden: Brill, 2004.

Nicolson, Adam. *Men of Honour: Trafalgar and the Making of the English Hero*. London: HarperCollins, 2005.

Nicolson, Harold. *The Congress of Vienna: A Study in Allied Unity: 1812–1822*. New York: HBJ Books, 1974.

Nikolai Mikhailovich, Grand Duke. *Diplomaticheskie snoshenia Rossii i Frantsii po doneseniyam poslov Imperatorov Aleksandra i Napoleona, 1808–1812*. 6 vols. St. Petersburg: Ekspeditsia zagotovleniya gosudarstvennykh bumag, 1905–1908.

Nipperday, Thomas. *Germany from Napoleon to Bismarck 1800–1866*. Translated by Daniel Nolan. Dublin: Gill & Macmillan, 1996.

Olesen, Jens E. "Schwedisch-Pommern in der schwedischen Politik nach 1806." In *Das Ende des Alten Reiches im Ostseeraum: ahrnehmungen und Transformationen*, edited by Michael North and Robert Riemer, 274–92. Köln: Böhlau, 2008.

Oliveira Lima, Manuel de. *Dom João VI no Brazil: 1808–1821*. Rio de Janeiro: Journal do Commercio, 1908.

Oliveira Marques, António Henrique R. de. *History of Portugal*. New York: Columbia University Press, 1972.

Oman, Charles. *A History of the Peninsular War*. 7 vols. 1902; reprint, London: Greenhill, 2004.

Ompteda, Friedrich von. *Die Ueberwdltigung Hannovers durch die Franzosen*. Hanover: Helwing, 1862.

Oncken, Wilhelm. *Oesterreich und Preussen im Befreiungskriege: urkundliche Aufschlüsse über die politische Geschichte des Jahres 1813*. Berlin: G. Grote, 1879.

Ordin, K. *Pokorenie Finlandii: opit opisanie po neizdannim istochnikam*. 2 vols. St. Petersburg, 1889.

Orlov, A. *Soyuz Peterburga i Londona: Rossiisko-Britanskie otnosheniya v epokhu napoleonovskikh voina*. Moscow: Progress–Traditsiya, 2005.

Özkul, Osman. *Gelenek ve modernite arasında Osmanlı ulemâsı*. İstanbul: Birharf Yayınları, 2005.

Paichadze, Giorgi. *Georgievskii traktat*. Tbilisi: Metsniereba, 1983.

Palmer, Robert R. *The Age of the Democratic Revolution: A Political History of Europe and America, 1760–1800*. 2 vols. Princeton, NJ: Princeton University Press, 1959-1964.

Pantelic, Dusan. *Beogradski Pašaluk posle svistovskog mira, 1791–1794*. Belgrade: Grafički zavod Makarije, 1927.

Pantelić, Dušan. *Beogradski pašaluk: posle svištovskog mira, 1791–1794*. Belgrade: Grafički zavod Makarije, 1927.

Paoletti, Ciro. *Dal Ducato all'Unità: Tre secoli e mezzo di storia militare piemontese*. Rome: USSME, 2011.

Paoletti, Ciro. *La Guerra delle Alpi (1792–1796)*. Rome: USSME, 2000.

Paret, Peter. *The Cognitive Challenge of War: Prussia 1806*. Princeton, NJ: Princeton University Press, 2009.

Paret, Peter. *Makers of Modern Strategy: from Machiavelli to the Nuclear Age*. Princeton NJ: Princeton University Press, 1986.

Parker, Harold T. *Three Napoleonic Battles*. Durham, NC: Duke University Press, 1983.

Parker, Richard. *Uncle Sam in Barbary: A Diplomatic History*. Tallahassee: University Press of Florida, 2004.

The Parliamentary History of England from the Earliest Period to the Year 1803. London: T. C. Hansard, 1820.

Parrel, Christian de. "Pitt et l'Espagne." *Revue d'histoire diplomatique* 64 (1950): 58–98.

Parsons, Timothy H. *The Rule of Empires: Those Who Built Them, Those Who Endured Them, and Why They Always Fall*. Oxford: Oxford University Press, 2010.

Paulin, Karl. *Andreas Hofer und der Tiroler Freiheitskampf 1809*. Vienna: Tosa-Verl, 1996.

Pearce, Adrian J. *British Trade with Spanish America, 1763 to 2008*. Liverpool: Liverpool University Press, 2007.

Pellissier, Pierre, and Jérôme Phelipeau. *Les grognards de Cabrera: 1809–1814*. Paris: Hachette littérature, 1979.

Pereira, Angelo. *D. João VI principe e rei*. Lisboa: Empresa Nacional de Publicidade, 1953.

Perkins, Bradford. "England and the Louisiana Question." *Huntington Library Quarterly* 18, no. 3 (May 1955): 279–95.

Perkins, Bradford. *Prologue to War England and the United States, 1805–1812*. Berkeley, University of California Press, 1961.

Persson, Anders. *1808: gerillakriget i Finland*. Stockholm: Ordfront, 1986.

Petre, F. Loraine. *Napoleon and the Archduke Charles*. London: John Lane, 1909.

Petre, F. Loraine. *Napoleon's Conquest of Prussia — 1806*. London: John Lane, 1907.

Petrov, A. *Voina Rossii s Turtsiei, 1806–1812*. 3 vols. St. Petersburg, 1887.

Philipp, Thomas, and Ulrich Haarmann. *The Mamluks in Egyptian Politics and Society*. Cambridge: Cambridge University Press, 1998.

Philips, C. H. *The East India Company, 1784–1834*. Manchester: Manchester University Press, 1961.

Phillips, W. Alison. *George Canning*. New York: E. P. Dutton, 1903.

Phillips, W. Alison, and Arthur H. Reede. *Neutrality: Its History, Economic, and Law*, vol. 2, *The Napoleonic Period*. New York: Columbia University Press, 1936.

Phipps, Ramsay Weston. *The Armies of the First French Republic and the Rise of the Marshals of Napoleon I*. 5 vols. London: Oxford University Press, 1926–1939.

Picard, Ernest. *Bonaparte et Moreau*. Paris: Plon-Nourrit, 1905.

Pièces curieuses ou Alger en 1802. Paris: Palais Royal, 1830.

Pietre, K. G. *The Second Anglo–Maratha War, 1802–1805*. Poona: Dastane Ramchandra, 1990.

Pingaud, Léonce. *Un agent secret sous la révolution et l'empire: le comte d'Antraigues*. Paris: E. Plon Nourrit, 1894.

Pisani, Paul. *La Dalmatie de 1797 à 1815*. Paris: A. Picard et fils, 1893.

Planert, Ute, ed. *Napoleon's Empire: European Politics in Global Perspective*. New York: Palgrave Macmillan, 2016.

Platen, Carl Henrik von. *Stedingk: Curt von Stedingk (1746–1837): kosmopolit, krigare och diplomat hos Ludvig XVI, Gustavus III och Katarina den stora*. Stockholm: Atlantis, 1995.

Pluchon, Pierre. *Histoire des Antilles et de la Guyane*. Toulouse: Privat, 1982.

Pluchon, Pierre. *Toussaint Louverture: Un révolutionnaire noir d'Ancien Régime*. Paris: Fayard, 1989.

Poirteir, Cathal, ed. *The Great Irish Rebellion of 1798*. Dublin: Mercier Press, 1998.

Popkin, Jeremy D. *A Concise History of the Haitian Revolution*. Oxford: Blackwel, 2012.

Popov, A. I. *Smolenskie bitvy*. 2 vols, Moscow: Knizhnoe izdatelstvo, 2012.

Popov, A. I. *Voina 1812 goda: boevye deistviya na yuzhnom flange*. 3 vols, Moscow: Knizhnoe izdatelstvo, 2016.

Popov, A. I. *Vtoroe nastuplenie Velikoi armii v Russkoi kampanii*. 2 vols, Moscow: Knizhnoe izdatelstvo, 2017.

Porter, Bernard. *The Absent-Minded Imperialists: Empire, Society, and Culture in Britain*. Oxford: Oxford University Press, 2004.

Potto, Vasilii. *Kavkazskaia voina*. St. Petersburg: Tip. E. Evdokimova, 1887.

Pounds, Norman J. "The Origin of the Idea of Natural Frontiers in France." *Annals of the Association of American Geographers* 41, no. 2 (June 1951): 146–57.

Prado, Fabrício. *Edge of Empire: Atlantic Networks and Revolution in Bourbon Río de la Plata*. Berkeley: University of California Press, 2015.

Prentout, Henri. *L'Ile de France sous Decaen, 1803–1810*. Paris: Librairie Hachette, 1901.

Price, Jacob. *France and the Chesapeake: A History of the French Tobacco Monopoly, 1764–1791, and of Its Relationship to the British and American Tobacco Trades*. 2 vols. Ann Arbor: University of Michigan Press, 1973.

Price, Munro. *Napoleon: The End of Glory*. Oxford: Oxford University Press, 2014.

Pritchard, James S. *In Search of Empire: The French in the Americas, 1670–1730*. Cambridge: Cambridge University Press, 2004.

Pueyrredón, Carlos. *1810. La revolución de Mayo segun amplica documentación de la época*. Buenos Aires: Peusar, 1953.

Puryear, Vernon J. *Napoleon and the Dardanelles*. Berkeley: University of California Press, 1951.

Quataert, Donald. *The Ottoman Empire, 1700–1922*. Cambridge: Cambridge University Press, 2000.

Ragsdale, Hugh. "A Continental System in 1801: Paul I and Bonaparte." *Journal of Modern History* 42, no. 1 (March 1970): 70–89.

Ragsdale, Hugh. *Détente in the Napoleonic Era: Bonaparte and the Russians*. Lawrence: University of Kansas Press, 1980.

Ragsdale, Hugh. "Evaluating the Traditions of Russian Aggression: Catherine II and the Greek Project." *The Slavonic and East European Review* 66, no. 1 (1988): 91–117.

Ragsdale, Hugh. "The Origins of Bonaparte's Russian Policy." *Slavic Review* 27, no. 1 (March 1968): 85–90.

Ragdale, Hugh. *Paul I: A Reassessment of His Life and Reign*. Pittsburg: University Center for International Studies, 1979.

Ragsdale, Hugh. "Russia, Prussia, and Europe in the Policy of Paul I." *Jahrbücher für Geschichte Österreuropas* XXXI (1983): 81–118.

Ragsdale, Hugh, and V. Ponomarev, eds. *Imperial Russian Foreign Policy*. Cambridge: Cambridge University Press, 1993.

Randolph, Herbert. *Life of General Sir Robert Wilson . . . from Autobiographical Memoirs, Journals, Narratives, Correspondence, Etc*. London: J. Murray, 1862.

Rayfield, Donald. *Edge of Empires: A History of Georgia*. London: Reaktion, 2012.

Real, Willy. *Von Potsdam nach Basel: Studien zur Geschichte der Beziehungen Preussens zu den europäischen Mächten vom Regierungsantritt Friedrich Wilhelms II. bis zum Abschluss des Friedens von Basel, 1786-1795*. Basel: Helbing & Lichtenhahn, 1958.

Redgrave, T. M. D. "Wellington's Logistical Arrangements in the Peninsular War, 1809-1814." PhD dissertation, King's College London, 1979.

Restall, Matthew, and Kris E. Lane. *Latin America in Colonial Times*. Cambridge: Cambridge University Press, 2011.

Rhinelander, Laurens H. "The Incorporation of the Caucasus into the Russian Empire: The Case of Georgia." PhD dissertation, Columbia University, 1972.

Riasanovsky, Nicholas, and Mark D. Steinberg. *A History of Russia*. Oxford: Oxford University Press, 2011.

Ribbe, Claude. *Le crime de Napoléon*. Paris: Cherche-midi, 2013.

Rigault, Georges. *Le général Abdallah Menou et la dernière phase de l'expédition d'Egypte (1799-1801)*. Paris: Plon-Nourrit, 1911.

Riley, James C. "French Finances, 1727-1768." *Journal of Modern History* 59, no. 2 (1987): 209-43.

Ringrose, David R. *Spain, Europe and the "Spanish Miracle," 1700-1900*. Cambridge: Cambridge University Press, 1997.

Riotte, Torsten. *Hannover in der Britischen politik (1792-1815)*. Münster: Lit, 2005.

Risso, Patricia. *Oman & Muscat: An Early Modern History*. New York: St. Martin's Press, 1986.

Rivière, Serge M., and Kumari R. Issur, eds. *Baudin — Flinders dans l'océan indien: Voyages, découvertes, rencontre*. Paris: L'Harmattan, 2006.

Roberts, Andrew. *Napoleon: A Life*. New York: Penguin Books, 2014.

Roberts, Michael. *The Swedish Imperial Experience, 1650-1718*. Cambridge: Cambridge University Press, 1979.

Robertson, James A., ed. *Louisiana Under the Rule of Spain, France, and the United States, 1785-1807*. Cleveland: Arthur H. Clark, 1911.

Robertson, William S. *France and Latin-American Independence*. New York: octagon Books, 1967.

Rodríguez, Jaime E. "*We Are Now the True Spaniards*": *Sovereignty, Revolution, Independence, and the Emergence of the Federal Republic of Mexico, 1808-1824*. Stanford, CA: Stanford University Press, 2012.

Rogers, Nicholas. *The Press Gang: Naval Impressment and its Opponents in Georgian Britain*. London: Continuum, 2007.

Roider, Karl. *Baron Thugut and Austria's Response to the French Revolution*. Princeton, NJ: Princeton University Press, 1987.

Rojas, Martha Elena. "'Insults Unpunished': Barbary Captives, American Slaves, and the Negotiation of Liberty." *Early American Studies: An Interdisciplinary*

Journal 1, no. 2 (2003): 159-86.

Rose, J. Holland. "The French East-Indian Expedition at the Cape in 1803." *English Historical Review* 15, no. 57 (January 1900): 129-32.

Rose, J. Holland. *The Life of Napoleon I*. London: George Bell and Sons, 1907.

Rose, J. Holland. *Lord Hood and the Defence of Toulon*. Cambridge: Cambridge University Press, 1922.

Rose, J. Holland, and Alexander M. Broadley. *Dumouriez and the Defence of England Against Napoleon*. London: J. Lane, 1909.

Rose, Michael, ed. *Collaboration and Resistance in Napoleonic Europe: State Formation in an Age of Upheaval, 1800-1815*. New York: Palgrave Macmillan, 2003.

Ross, Steven T. *Quest for Victory: French Military Strategy, 1792-1799*. New York: Barnes, 1973.

Rosselli, John. *Lord William Bentinck: The Making of a Liberal Imperialist, 1774-1839*. Berkeley: University of California Press, 1974.

Rössler, Hellmuth. *Graf Johann Philipp Stadion, Napoleons deutscher Gegenspieler*. Vienna: Herold, 1966.

Rothenberg, Gunther E. *The Art of Warfare in the Age of Napoleon*. Bloomington: Indiana University Press, 1978.

Rothenberg, Gunther E. *The Emperor's Last Victory: Napoleon and the Battle of Wagram*. London: Weidenfeld and Nicolson, 2004.

Rothenberg, Gunther E. *Napoleon's Great Adversaries: Archduke Charles and the Austrian Army, 1792-1814*. Bloomington: Indiana University Press, 1992.

Roux, Francois-Charles. *Les origines de l'expédition d'Egypte*. Paris: Plon-Nourrit, 1910.

Roy, Kaushik. *War, Culture and Society in Early Modern South Asia, 1740-1849*. New York: Routledge, 2011.

Rudé, George. *Revolutionary Europe, 1783-1815*. New York: Harper Torchbooks, 1966.

Rudorff, Raymond. *War to the Death: The Sieges of Saragossa, 1808-1809*. New York: Macmillan, 1974.

Rüstow, W. *Der krieg von 1805 in Deutschland und Italien*. Zurich: Meyer & Zeller, 1859.

Ryan, A. N. "The Defence of British Trade in the Baltic, 1808-1813." *English Historical Review* 74, no. 292 (1959): 443-66.

Rydjord, John. *Foreign Interest in the Independence of New Spain*. New York: Octagon Books, 1972.

Sahlins, Peter. "Natural Frontiers Revisited: France's Boundaries Since the

Seventeenth Century." *American Historical Review* 95, no. 5 (December 1990): 1423-51.

Saint-Junien, Vigier de. *Brune's 1807 Campaign in Swedish Pomerania*. Translated and edited by George Nafziger. West Chester, OH: Nafziger Collection, 2001.

Saint-Louis, Vertus. *Mer et liberté Haïti (1492-1794)*. Port-au-Prince: Bibliothèque nationale d'Haiti, 2008.

Sánchez-Albornoz, Nicolás, ed. *The Economic Modernization of Spain, 1830-1930*. New York: New York University Press, 1987.

Sandström, Allan. *Sveriges Sista Krig: De Dramatiska Åren 1808-1809*. Örebro: Bokförlaget Libris, 1994.

Sardesai, Govind S. *New History of the Marathas*, vol. 3, *Sunset over Maharashtra, 1772-1848*. New Delhi: Munshiram Manoharlal, 1986.

Saski, Charles Gaspard Louis. *Campagne de 1809 en Allemagne et en Autriche*. Paris: Berger-Levrault, 1899.

Sather, Lee. *The Prince of Scandinavia: Prince Christian August and the Scandinavian Crisis of 1807-1810*. Oslo: Forsvaretsmuseet 2015.

Saugera, Eric. *Reborn in America: French Exiles and Refugees in the United States and the Vine and Olive Adventure, 1815-1865*. Tuscaloosa: University of Alabama Press, 2011.

Saul, Norman E. *Russia and the Mediterranean 1797-1807*. Chicago: University of Chicago Press, 1970.

Sauzey, Jean-Camille-Abel-Fleuri. *Les Allemands sous les aigles françaises: essai sur les troupes de la Confédération du Rhin, 1806-1814*. 6 vols. Paris: R. Chapelot, 1902-1912.

Savant, Jean. *Les espions de Napoléon*. Paris: Hachette, 1957.

Savinel, Pierre. *Moreau, rival républicain de Bonaparte*. Rennes: Ouest-France, 1986.

Sayyid-Marsot, Afaf Lutfi. *Egypt in the Reign of Muhammad Ali*. Cambridge: Cambridge University Press, 1984.

Schlegel, August Wilhelm von. *The Continental System, and Its Relations with Sweden*. London: J. J. Stockdale, 1813.

Schmidt, Charles. *Le grand-duché de Berg (1806-1813): étude sur la domination française en Allemagne sous Napoléon ler*. Paris: F. Alcan, 1905.

Schneid, Frederick C. *European Armies of the French Revolution, 1789-1802*. Norman: University of Oklahoma Press, 2015.

Schneid, Frederick C. *Napoleon's Conquest of Europe: The War of the Third Coalition*. Westport, CT: Praeger, 2005.

Schneid, Frederick C. *Napoleon's Italian Campaigns: 1805-1815*. Westport, CT:

Praeger, 2002.

Schneid, Frederick C. *Soldiers of Napoleon's Kingdom of Italy: Army, State, and Society, 1800–1815.* Boulder, CO: Westview Press, 1995.

Schneid, Frederick C. *Warfare in Europe, 1792–1815.* Aldershot: Ashgate, 2007.

Schom, Alan. *Napoleon Bonaparte.* New York: HarperCollins, 1997.

Schop Soler, Ana María. *Las relaciones entre España y Rusia en la época de Carlos IV.* Barcelona: Universidad de Barcelona, Cátedra de Historia General de España, 1971.

Schroeder, Paul W. *The Transformation of European Politics, 1763–1848.* New York: Oxford University Press, 1994.

Schur, Nathan. *Napoleon in the Holy Land.* London: Greenhill Books, 1999.

Scott, Ernest. *Terre Napoléon: A History of French Explorations and Projects in Australia.* London: Methuen, 1910.

Scott, Hamish M. *The Birth of a Great Power System, 1740–1815.* London: Pearson Longman, 2006.

Sédouy, Jacques-Alain de. *Le Congrès de Vienne: l'Europe contre la France 1812–1815.* Paris: Perrin, 2003.

Seeley, John R. *Life and Times of Stein: Germany and Prussia in the Napoleonic Age.* Boston: Roberts Brothers, 1879.

Sen, Sudipta. *Empire of Free Trade: The East India Company and the Making of the Colonial Marketplace.* Philadelphia: University of Pennsylvania Press, 1998.

Senkowska-Gluck, Monika. "Les majorats français dans le duché de Varsovie (1807–1813)." *Annales historiques de la Révolution française* 36 (1964): 373–86.

Senkowska-Gluck, Monika. *Donacje napoleońskie w Księstwie Warszawskim; studium historycyno-prawne.* Wrocław: Zakład Narodowy im. Ossolińskich, 1968.

Serna, Pierre, Antonino de Francesco, and Judith A. Miller, eds. *Republics at War, 1776–1840: Revolutions, Conflicts, Geopolitics in Europe and the Atlantic World.* New York: Palgrave Macmillan, 2013.

Serna, Pierre. "Introduction—L'Europe une idée nouvelle à la fin du XVIIIe siècle?" *La Révolution française* 4 (2011).

Severn, John. *Architects of Empire. The Duke of Wellington and His Brothers.* Norman: University of Oklahoma Press, 2007.

Severn, John. *A Wellesley Affair: Richard Marquess Wellesley and the Conduct of Anglo-Spanish Diplomacy, 1809–1812.* Tallahassee: University Presses of Florida, 1981.

Sharman, Adam, and Stephen G. H. Roberts, eds. *1812 Echoes: The Cadiz Constitution in Hispanic History, Culture and Politics* (Newcastle upon Tyne: Cambridge Scholars Publishing, 2013).

Shaw, Stanford J. *History of the Ottoman Empire and Modern Turkey.* Cambridge:

Cambridge University Press, 1976.

Sheehan, James J. *German History, 1770-1866*. Oxford: Clarendon Press, 2008.

Sheehan, James J. "State and Nationality in the Napoleonic Period." In *The State of Germany: The National Idea in the Making, Unmaking, and Remaking of a Modern Nation-State*, edited by John Breuilly, 47-59. Harlow: Longman, 1992.

Sherwig, John M. *Guineas and Gunpowder: British Foreign Aid in the Wars with France, 1793 — 1815*. Cambridge MA: Harvard University Press, 1969.

Shilder, Nikolai. *Imperator Aleksandr Pervyi, ego zhizń i tsarstvovanie*. 3 vols. St. Petersburg: A. S. Suvorin, 1897.

Shilder, Nikolai. *Imperator Pavel I*. St. Petersburg: Izd. A. S. Suvorina, 1901.

Showalter, Dennis. "Reform and Stability: Prussia's Military Dialectic from Hubertusberg to Waterloo." In *The Projection and Limitations of Imperial Powers, 1618-1850*, edited by Frederick C. Schneid, 89-97. Leiden: Brill, 2012.

Shugerman, Jed Handelsman. "The Louisiana Purchase and South Carolina's Reopening of the Slave Trade in 1803." *Journal of the Early Republic* 22, no. 2 (2002): 263-90.

Silbert, Albert. *Do Portugal de antigo regime ao Portugal oitocentista*. Lisboa: Livros Horizonte, 1981.

Simms, Brendan. *The Impact of Napoleon: Prussian High Politics, Foreign Policy, and the Crisis of the Executive, 1797-1806*. Cambridge: Cambridge University Press, 1997.

Sked, Alan. *Metternich and Austria: An Evaluation*. New York: Palgrave Macmillan, 2008.

Sked, Alan. *Radetzky: Imperial Victor and Military Genius*. London: I. B. Tauris, 2011.

Small, Stephen. *Political Thought in Ireland, 1776-1798: Republicanism, Patriotism, and Radicalism*. Oxford: Clarendon Press, 2002.

Smith, Denis. *The Prisoners of Cabrera: Napoleon's Forgotten Soldiers, 1809-1814*. New York: Four Walls Eight Windows, 2001.

Smith, Jay M. *The French Nobility in the Eighteenth Century: Reassessments and New Approaches*. University Park: Pennsylvania State University Press, 2006.

Smyth, Jim, ed. *Revolution, Counter-revolution, and Union: Ireland in the 1790s*. Cambridge: Cambridge University Press, 2000.

Sokol, A. "Russian Expansion and Exploration in the Pacific." *American Slavic and East European Review* 11, no. 2 (April 1952): 85-105.

Sokolov, Oleg. *Austerlitz. Napoleon, Rossiya i Evropa, 1799-1805*. 2 vols. Moscow: Imperia Istorii, 2006.

Sokolov, Oleg. *Bitva dvukh imperii, 1805-1812*. St. Petersburg: Astrel, 2012.

Sorel, Albert. *L'Europe et la Révolution Française*. 8 vols. Paris: Plon Nourrit, 1887–1904.

Soysal, İsmail. *Fransız İhtilali ve Türk-Fransız Diplomasi Münasebetleri (1789–1802)*. Ankara: Türk Tarih Kurumu, 1999.

Spear, Percival. *The Oxford History of Modern India, 1740–1947*. Oxford: Oxford University Press, 1965.

Stagg, J. C. A. *The War of 1812: Conflict for a Continent*. Cambridge: Cambridge University Press, 2012.

Stanhope, Philip Henry. *Life of the Right Honourable William Pitt*. London: John Murray, 1867.

Stanislavskaia, Avgustine. *Rossiia i Gretsiia v kontse XVIII-nachale XIX veka: Poltika Rossii v Ionicheskoi respublike, 1798–1807 g.g*. Moscow: Nauka 1976.

Stanislavskaia, Avgustine. *Russko-angliiskie otnosheniya i problemy Sredizemnomorya, 1798–1807*. Moscow: USSR Academy of Sciences, 1962.

Starbuck, Nicole. "Constructing the 'Perfect' Voyage: Nicolas Baudin at Port Jackson, 1802." PhD dissertation, University of Adelaide, 2009.

Stegemann, Hermann. *Der Kampf um den Rhein. Das Stromgebiet des Rheins im Rahmen der großen Politik und im Wandel der Kriegsgeschichte*. Stuttgart: Deutsche Verlags-Anstalt, 1924.

Stein, Stanley J., and Barbara H. Stein. *Apogee of Empire: Spain and New Spain in the Age of Charles III, 1759–1789*. Baltimore: John Hopkins University Press, 2003.

Stein, Stanley J., and Barbara H. Stein. *The Colonial Heritage of Latin America: Essays on Economic Dependence in Perspective*. New York: Oxford University Press, 1970.

Stein, Stanley J., and Barbara H. Stein. *Silver, Trade, and War: Spain and America in the Making of Early Modern Europe*. Baltimore: John Hopkins University Press, 2000.

Stickler, Matthias. "Erfurt als Wende — Bayern und Württemberg und das Scheitern der Pläne Napoleons I. für einen Ausbau der Rheinbundverfassung." In *Der Erfurter Fürstenkongreß 1808: Hintergründe, Ablauf, Wirkung*, edited by Rudolf Benl, 266–300. Erfurt: Stadtarchiv, 2008.

Stone, Bailey. *The Genesis of the French Revolution: A Global-Historical Interpretation*. Cambridge: Cambridge University Press, 1994.

Strathern, Paul. *Napoleon in Egypt*. New York: Bantam Books, 2008.

Street, John. *Artigas and the Emancipation of Uruguay*. Cambridge: Cambridge University Press, 1959.

Suanzes-Carpegna, Joaquín Varela. *La teoría del Estado en las Cortes de Cádiz:*

orígenes del constitucionalismo hispánico. Madrid: Centro de Estudios Políticos y Constitucionales, 2011.

Summerfield, Stephen, and Susan Law. *Sir John Moore and the Universal Soldier*, vol. 1, *The Man, the Commander and the Shorncliffe System of Training*. London: Ken Trotman, 2015.

Suny, Ronald Grigor. *The Making of the Georgian Nation*. Bloomington: Indiana University Press, 1994.

Surguladze, A. *1783 tslis georgievskis traktati da misi istoriuli mnishvneloba*. Tbilisi: Tsodna, 1982.

Suzuki, Yasuko. *Japan–Netherlands Trade 1600–1800: The Dutch East India Company and Beyond*. Kyoto: Kyoto University Press, 2012.

Sveinsson, Jón Rúnar. *Society, Urbanity and Housing in Iceland*. Gävle, Sweden: Meyers, 2000.

Sykes, Percy M. *History of Persia*. London: Macmillan, 1915.

Tackett, Timothy. *Religion, Revolution, and Regional Culture in Eighteenth-Century France: The Ecclesiastical Oath of 1791*. Princeton, NJ: Princeton University Press, 1986.

Tackett, Timothy. *When the King Took Flight*. Cambridge, MA: Harvard University Press, 2003.

Taine, Hippolyte Adolphe. *The French Revolution*. New York: Henry Holt, 1881.

Tarle, Eugene. *Admiral Ushakov na Sredizemnom more, 1798–1800*. Moscow: Voennoe Izdat. Ministerstva Oborony SSSR, 1948.

Tarle, Eugene. *Kontinentalnaya blokada*. Moscow: Zadruga, 1913.

Tarle, Eugene. *Sochineniya*. 12 vols. Moscow: Izd-vo Akademii nauk SSSR, 1957–1962.

Taylor, George V. "The Paris Bourse on the Eve of the Revolution, 1781–1789." *American Historical Review* 67, no. 4 (1962): 951–77.

Taylor, Stephen. *Storm and Conquest: The Clash of Empires in the Eastern Seas, 1809*. New York: W. W. Norton, 2008.

Tezcan, Baki. *The Second Ottoman Empire: Political and Social Transformation in the Early Modern World*. Cambridge: Cambridge University Press, 2010.

Thiry, Jean. *Bonaparte en Italie, 1796–1797*. Paris: Berger-Levrault, 1973.

Thompson, Leonard Monteath. *A History of South Africa*. New Haven, CT: Yale University Press, 1990.

Thornton, Michal J. *Napoleon After Waterloo: England and the St. Helena Decision*. Stanford, CA: Stanford University Press, 1968.

Todorov, Nicola. "Finances et fiscalité dans le royaume de Westphalie." *La revue de l'Institut Napoléon* 2004, no. 11 (2005): 7–46.

Tomasson, Richard. *Iceland: The First New Society*. Minneapolis: University of Minnesota Press, 1980.

Tone, John. *The Fatal Knot: The Guerrilla War in Navarre and the Defeat of Napoleon in Spain*. Chapel Hill: University of North Carolina Press, 1994.

Toreno, Conde de. *Historia del levantamiento, guerra y revolución de España*. Edited by Joaquín Varela Suanzes–Carpegna. Madrid: Centro de Estudios Políticos y Constitucionales, 2008.

Tracy, James D., ed. *The Rise of Merchant Empires: Long Distance Trade in the Early Modern World, 1350–1750*. Cambridge: Cambridge University Press, 1993.

Trouillot, Henock. *Dessalines: ou, La tragédie post–coloniale*. Port–au–Prince: Panorama, 1966.

Tucker, Spencer C. *Stephen Decatur: A Life Most Bold and Daring*. Annapolis, MD: Naval Institute Press, 2004.

Tulard, Jean. *Le Directoire et le Consulat*. Paris: Presses universitaires de France, 1991.

Tullner, Mathias, and Sascha Möbius, eds. *1806: Jena, Auerstedt und die Kapitulation von Magdeburg: Schande oder Chance?* Halle: Landesheimatbund Sachsen–Anhalt, 2007.

Tyson, George, ed. *Toussaint L'Ouverture*. Englewood Cliffs, NJ: Prentice Hall, 1973.

Uglow, Jenny. *In These Times: Living in Britain Through Napoleon's Wars, 1793–1815*. New York: Macmillan, 2014.

Ulmann, Heinrich. *Russisch–preussische politik unter Alexander I. und Friedrich Wilhelm III. bis 1806*. Leipzig: Duncker und Humblot, 1899.

Vachée, Jean Baptiste Modeste Eugene. *Napoleon at Work*. London: Adam and Charles Black, 1914.

Valdés, José M. Portillo. *Crisis atlántica: Autonomía e independencia en la crisis de la monarquía Española*. Madrid: Marcial pons, 2006.

Van Kley, Dale K. *The Religious Origins of the French Revolution: From Calvin to the Civil Constitution, 1560–1791*. New Haven, CT: Yale University Press, 1996.

Vandal, Albert. *Napoléon et Alexandre 1er: l'alliance russe sous le 1er Empire*. 3 vols. Paris: Plon–Nourrit, 1894–1897.

Varma, Birendra. *From Delhi to Teheran: A Study of British Diplomatic Moves in North–Western India, Afghanistan and Persia, 1772–1803*. Patna: Janaki Prakashan, 1980.

Vedel, Dominique. *Relations de la campagne d'Andalousie, 1808*. Paris: La Vouivre, 1999.

Vela, Francisco. *La batalla de Bailén, 1808: el águila derrotada*. Madrid: Almena Ediciones, 2007.

Velde, François R., and David R. Weir. "The Financial Market and Government Debt Policy in France, 1746-1793." *Journal of Economic History* 52, no. 1 (1992): 1-39.

Veve, Thomas Dwight. *The Duke of Wellington and the British Army of Occupation in France, 1815-1818.* Westport CT: Greenwood Press, 1992.

Vichness, Samuel Edison. "Marshal of Portugal: The Military Career of William Carr Beresford, 1785-1814." PhD dissertation, Florida State University, 1976.

Vick, Brian E. *The Congress of Vienna: Power and Politics After Napoleon.* Cambridge, MA: Harvard University Press, 2014.

Vigié, Marc, and Muriel Vigié. *L'herbe à nicot: amateurs de tabac, fermiers généraux et contrebandiers sous l'Ancien Régime.* Paris: Fayard, 1989.

Villani, Pasquale. *Mezzogiorno tra riforme e rivoluzione.* Bari: Laterza, 1962.

Vlekke, Bernard. *Nusantara: A History of the East Indian Archipelago.* Cambridge, MA: Harvard University Press, 1943.

Voelcker, Tom. *Admiral Saumarez Versus Napoleon: The Baltic, 1807-1812.* Woodbridge: Boydell Press, 2008.

Vovelle, Michel. *Les républiques soeurs sous le regard de la Grande Nation.* Paris: L'Harmattan, 2007.

Vries, Jan de. *The Economy of Europe in an Age of Crisis, 1600-1750.* Cambridge: Cambridge University Press, 1976.

Vucinich, W. S., ed. *The First Serbian Uprising, 1804-1813.* New York: Brooklyn College Press, 1982.

Wanquet, Claude. *La France et la première abolition de l'esclavage, 1794-1802: le cas des colonies orientales, Île de France (Maurice) et la Réunion.* Paris: Karthala, 1998.

Ward, Adolphus W. *Great Britain and Hanover.* Oxford: Clarendon Press, 1899.

Ward, Adolphus W., and George P. Gooch. *The Cambridge History of British Foreign Policy, 1783-1919,* vol. 1, *1783-1815.* Cambridge: Cambridge University Press, 1922.

Ward, Peter A. *British Naval Power in the East, 1794-1805: The Command of Admiral Peter Rainier.* Oxford: Boydell Press, 2013.

Waresquiel, Emmanuel. *Talleyrand: le prince immobile.* Paris: Fayard, 2006.

Watson, Ian. *Foundation for Empire: English Private Trade in India, 1659-1760.* New Delhi: Vikas, 1980.

Webster, Anthony. *The Twilight of the East India Company: The Evolution of Anglo-Asian Commerce and Politics, 1790-1860.* Woodbridge: Boydell Press, 2009.

Weil, Maurice Henri. *La Campagne de 1814.* Paris: Librairie Militaire de L. Baudoin, 1891.

Weinlader, James Raymond. "The Peace of Amiens, 1801-1802: Its Justification in Relation to Empire." PhD dissertation, University of Wisconsin, 1977.

Weller, Jac. *Wellington in the Peninsula, 1808-1814*. London: Nicolas Vane, 1962.

Welschinger, Henri. *Le duc d'Enghien*. Paris: E. Plon, Nourrit, 1888.

Welschinger, Henri. *Le duc d'Enghien. L'enlèvement d'Ettenheim et l'exécution de Vincennes*. Paris: Plon-Nourrit, 1913.

Welschinger, Henri. "L'Europe et l'exécution du duc d'Enghien." *Revue de la Société des études historiques* 8 (1890): 1-19, 73-94.

Welschinger, Henri. *Le pape et l'empereur, 1804-1815*. Paris, Librairie Plon-Nourrit, 1905.

Wheeler, H. F. B. *Napoleon and the Invasion of England: The Story of the Great Terror*. London: John Lane, 1908.

Whelan, Joseph. *Jefferson's War: America's First War on Terror, 1801-1805*. New York: Carroll and Graf, 2003.

White, Charles Edward. *The Enlightened Soldier: Scharnhorst and the Militarische Gesellschaft in Berlin, 1801-1805*. Westport, CT: Praeger, 1989.

Wild, Antony. *The East India Company: Trade and Conquest from 1600*. New York: Lyons Press, 2000.

Williams, John Hoyt. *The Rise and Fall of the Paraguayan Republic, 1800-1870*. Austin: Institute of Latin American Studies, University of Texas at Austin, 1979.

Williams, Patrick G., S. Charles Bolton, and Jeanne M. Whayne. *A Whole Country in Commotion: The Louisiana Purchase and the American Southwest*. Fayetteville: University of Arkansas Press, 2005.

Willis, Sam. *In the Hour of Victory: The Royal Navy at War in the Age of Nelson*. New York: W. W. Norton, 2014.

Wilson, Peter H. *Heart of Europe: A History of the Holy Roman Empire*. Cambridge, MA: Belknap Press, 2016.

Wilson, Peter H. *The Holy Roman Empire, 1495-1806*. New York: St. Martin's Press, 1999.

Wink, Martijn. "Een militair debacle? Bataafse militaire inzet in West-Indië 1802-1804." BA thesis, University of Leiden, 2018.

Winston, James E., and R. W. Colomb. "How the Louisiana Purchase Was Financed." *Louisiana Historical Quarterly* XII (1929): 189-237.

Woloch, Isser. *Napoleon and His Collaborators: The Making of a Dictatorship*. New York: W. W. Norton, 2001.

Woloch, Isser. "Napoleonic Conscription: State Power and Civil Society." *Past and Present* 111 (1986): 101-29.

Woloch, Isser. *The New Regime: Transformations of the French Civic Order, 1789–1820s*. New York: W. W. Norton, 1995.

Woolf, Stuart. *Napoleon's Integration of Europe*. London: Routledge, 1991.

Woronoff, Denis. *The Thermidorean Regime and the Directory, 1794–1799*. Cambridge: Cambridge University Press, 1984.

Wright, Denis. *The English Amongst the Persians: Imperial Lives in Nineteenth Century Iran*. London: I. B. Tauris, 2001.

Yalçınkaya, Mehmet Alaaddin. *The First Permanent Ottoman Embassy in Europe: The Embassy of Yusuf Agah Efendi to London (1793–1797)*. Istanbul: Isis Press, 2010.

Yapp, Malcolm. *Strategies of British India: Britain, Iran, and Afghanistan, 1798–1850*. Oxford: Clarendon Press, 1980.

Yaycioglu, Ali. *Partners of the Empire: The Crisis of the Ottoman Order in the Age of Revolutions*. Stanford: Stanford University Press, 2016.

Yonge, Charles Duke. *The Life and Administration of Robert Banks, Second Earl of Liverpool, K.G.* London: Macmillan, 1868.

Young, Eric van. *The Other Rebellion: Popular Violence, Ideology, and the Mexican Struggle for Independence, 1810–1821*. Stanford: Stanford University Press, 2001.

Zacks, Richard. *The Pirate Coast: Thomas Jefferson, the First Marines, and the Secret Mission of 1805*. New York: Hyperion, 2005.

Zaghi, Carlo. *L'Italia di Napoleon dalla Cisalpina al Regno*. Turin: UTET, 1986.

Zamoyski, Adam. *Moscow 1812: Napoleon's Fatal March*. New York: Harper Perennial, 2005.

Zamoyski, Adam. *Phantom Terror: Political Paranoia and the Creation of the Modern State, 1789–1848*. New York: Basic Books, 2015.

Zamoyski, Adam. *Rites of Peace: The Fall of Napoleon and the Congress of Vienna*. London: Harper Perennial, 2007.

Zawadzki, W. H. "Prince Adam Czartoryski and Napoleonic France, 1801–1805: A Study in Political Attitudes." *Historical Journal* 18, no. 2 (1975): 248–49.

Zemtsov, Vladimir. *1812 god: Pozhar Moskvy*. Moscow: Kniga, 2010.

Zlotnikov, M. *Kontinentalnaya blokada i Rossiya*. Moscow: Nauka, 1966.

Zorlu, Tuncay. *Innovation and Empire in Turkey: Sultan Selim III and the Modernisation of the Ottoman Navy*. London: Tauris Academic Studies, 2008.

나폴레옹 세계사

나폴레옹 전쟁은 어떻게 세계지도를 다시 그렸는가

1판 1쇄 2022년 1월 3일
2판 1쇄 2022년 5월 27일

지은이 | 알렉산더 미카베리즈
옮긴이 | 최파일

펴낸이 | 류종필
편집 | 이은진, 이정우
마케팅 | 이건호
경영지원 | 김유리
표지 디자인 | 석운디자인
본문 디자인 | 박애영
교정교열 | 오효순

펴낸곳 | (주) 도서출판 책과함께
　　　　주소 (04022) 서울시 마포구 동교로 70 소와소빌딩 2층
　　　　전화 (02) 335-1982
　　　　팩스 (02) 335-1316
　　　　전자우편 prpub@hanmail.net
　　　　블로그 blog.naver.com/prpub
　　　　등록 2003년 4월 3일 제2003-000392호

ISBN 979-11-91432-60-2　04900 (세트)